Über dieses Buch   Das *Informationshandbuch Deutsche Literaturwissenschaft* informiert umfassend über die wichtigsten Bücher und Institutionen auf dem Gebiet der Literaturwissenschaft, Literaturdidaktik, Theaterwissenschaft und Medienkunde und führt zu weiteren Informationsquellen hin. Es nennt Spezialbestände und besondere Sammelgebiete der Bibliotheken und Archive im deutschsprachigen Raum. In Kurzkommentaren werden Literaturarchive, Spezialbibliotheken und Datenbanken vorgestellt. Lehr- und Forschungsinstitute, Arbeitsstellen und Institutionen der Literaturvermittlung werden mit ihren Adressen verzeichnet. Literatursoziologischen Fragestellungen kommt es durch die Nennung der wichtigsten Autoren- und Fachverbände, der überregional bekannten Literarischen Gesellschaften und der bedeutendsten Literaturpreise entgegen. – Die Einleitung vermittelt Grundkenntnisse im Bibliographieren, Recherchieren und in der Informationsermittlung. Schon bald nach Erscheinen hat sich das Buch als unentbehrliches Hilfsmittel in Studium, Lehre und Forschung erwiesen.

Der Autor   Dr. phil. Hansjürgen Blinn, geb. 1941, studierte an den Universitäten Saarbrücken, Kiel und Paris (Sorbonne) die Fächer Ältere deutsche Philologie, Neuere deutsche Literaturwissenschaft, Komparatistik, Philosophie und Pädagogik. Seit 1972 lehrt er in der Fachrichtung Germanistik der Universität des Saarlandes. *Publikationen* (u. a.): Die altdeutsche Exodus (1974); August Langen: Gesammelte Studien zur neueren deutschen Sprache und Literatur (1978, Mithrsg.); Shakespeare-Rezeption. Die Diskussion um Shakespeare in Deutschland. 2 Bde. (1982–1988); Emanzipation und Literatur (1984); Horst Wilhelm: Informationshandbuch Psychologie (1987, Mithrsg.; Fischer Taschenbuch 4533); Mitarbeit am Deutschen Literatur-Lexikon.

HANSJÜRGEN BLINN

Informationshandbuch
Deutsche Literaturwissenschaft

Völlig neu bearbeitete Ausgabe

FISCHER TASCHENBUCH VERLAG

Fischer Informationshandbücher

Herausgegeben von
Hansjürgen Blinn und Harald H. Zimmermann

9.–11. Tausend: Februar 1992

Überarbeitete Neuausgabe
der 1982 erschienenen Erstausgabe
Veröffentlicht im Fischer Taschenbuch Verlag GmbH,
Frankfurt am Main, Oktober 1990
© 1990 Fischer Taschenbuch Verlag GmbH, Frankfurt am Main
Umschlaggestaltung: Buchholz/Hinsch/Hensinger
Satz: IAI, Saarbrücken
Druck und Bindung: Clausen & Bosse, Leck
Printed in Germany
ISBN 3-596-10327-4

INHALT

VORWORT

Schneller als erwartet kann eine völlige Neubearbeitung des *Informations-handbuches Deutsche Literaturwissenschaft* vorgelegt werden. Die bisherigen Eintragungen wurden aktualisiert, Neuerscheinungen und Neugründungen weitgehend berücksichtigt. Im Hinblick auf das entstehende *Informationshandbuch Theater, Film, Funk und Fernsehen* (Autor: Jürgen Kirschner) wurden die Angaben zu diesen Bereichen reduziert. Insgesamt liegt aber eine Ausweitung vor. Die Neubearbeitung verzeichnet rund 1100 Titel (Einführungen, Handbücher, Lexika, Wörterbücher, Bibliographien, Zeitschriften und Zeitungen mit relevantem Literaturteil) und annähernd 700 Institutionen (Bibliotheken, Archive, Datenbanken, literarische Museen, Akademien, germanistische Institute, Forschungsstellen, wissenschaftliche und literarische Gesellschaften, Verbände, preisverleihende Einrichtungen) mit vollständigen Anschriften und Telefonnummern, von denen über 280 genauer beschrieben werden. Schließlich erfaßt es fast 90 bedeutende Literatur- und Kulturpreise mit rund 680 Preisträgern seit 1981 (die Ausgabe von 1982 behält also durchaus ihren Wert, da aus Platzgründen nicht alle Preisträger übernommen werden konnten). In einem mittleren Kapitel nennt das *Informationshandbuch* zu über 300 Begriffen Spezialbestände und Sammelgebiete in einigen hundert Bibliotheken und Archiven.

Die Titelaufnahmen für die Teile B bis E wurden im Herbst 1989 abgeschlossen. Die Angaben beruhen auf Autopsie. Die Umfragen für die Teile F bis M erfolgten von Dezember 1988 bis Juni 1989. In einigen Fällen konnten Neuerscheinungen und aktuelle Daten noch zu Beginn des Jahres 1990 berücksichtigt werden. Mit all diesen Angaben hoffen Autor, Herausgeber und Verlag, Studierenden, Forschenden und Lehrenden einen Informationsträger an die Hand zu geben, der schnellen Zugriff erlaubt und zuverlässige Daten liefert.

Auch dieses Mal möchte ich mich bei den vielen Ungenannten in Akademien und Archiven, in wissenschaftlichen, öffentlichen und privaten Bibliotheken, bei Verbänden, Gesellschaften und Behörden, die sich der Mühe unterzogen, die Eintragungen der 1982er Ausgabe zu überprüfen und fortzuschreiben, sehr herzlich bedanken - auch für die vielen guten Wünsche, die mir für meine Arbeit übermittelt wurden. Ganz besonders danke ich der Leitung und den MitarbeiterInnen des Instituts der Gesellschaft zur Förderung der Angewandten Informationsforschung e.V. an der Universität des Saarlandes (IAI), die eine reprofähige Satzvorlage erstellten: insbesondere Herrn Thomas Kiefer M.A., Herrn Berengar Ballof, Herrn Hans Martin Bauer und vor allem Frau Therese Wagner, die die Hauptlast der Manuskript- und Satzarbeit trug. Für die gute Zusammenarbeit mit dem Fischer Taschenbuchverlag danke ich Herrn Wolfgang Balk, Herrn Willi Köhler und Frau Ingeborg Mues. Nicht zuletzt danke ich meiner Frau. Ihr und unseren Kindern ist auch dieses Buch gewidmet.

März 1990

Hansjürgen Blinn

Fachrichtung 8.1 Germanistik
Universität des Saarlandes
D-6600 Saarbrücken 11

Aus dem Vorwort zur ersten Ausgabe

Die deutsche Literaturwissenschaft hat seit den sechziger Jahren einen tiefgreifenden Wandel erfahren. Die Ausweitung des Literaturbegriffs, die Suche nach neuen methodischen Wegen, die Annäherung an Wissenschaftsdisziplinen, die bislang kaum in das Blickfeld der Germanistik gerückt waren, haben eine Ausweitung der Perspektiven mit sich gebracht, die die Zahl der literaturwissenschaftlichen Publikationen vervielfältigte. Parallel dazu verlief ein Entwicklungsprozeß, der die Germanistik von einer nationalen in eine international betriebene Wissenschaft verwandelte. Durch die Forderung nach größerer Praxisnähe öffnete sich die Literaturwissenschaft der neuen Medien und bezog auch Fragen der Literaturdidaktik in ihre Ausbildungspläne mit ein. Dies alles führte zu einer Multiplikation des germanistischen Schrifttums in einem bisher nicht gekannten Ausmaß.

Die Fülle der Informationen und Informationsträger ließen es notwendig erscheinen, einen Wegweiser durch das Dickicht gedruckten und ungedruckten Materials zu schaffen, der den gewandelten Bedingungen Rechnung trägt. Deshalb verzeichnet das Informationshandbuch
- Einführungen und Handbücher, Lexika, Bibliographien und Zeitschriften nicht nur zur Deutschen und Vergleichenden Literaturwissenschaft, sondern auch zur Literaturdidaktik, Theaterwissenschaft und Medienkunde;

- Institutionen, die der Informationsermittlung und -vermittlung dienen, die Literatur sammeln, erschließen und dem Benutzer zur Verfügung stellen (auch auf elektronischem Weg);
- Akademien, Literaturarchive, Dichtermuseen, Spezialbibliotheken u.ä. mit genauen Anschriften und Telefonnummern (im deutschsprachigen Raum), um den Zugang zu bibliographisch nicht Erfaßtem, aber bibliothekarisch oder archivisch Erreichbarem zu ermöglichen;
- Germanistische Institute, einschl. der Forschungs- und Arbeitsstellen, um verstärkter Kommunikation und dem Austausch von Erkenntnissen zu dienen;
- Autoren- und Fachverbände, Literarische Gesellschaften, bedeutende Literatur- und Kulturpreise, um Fragen nach dem literarischen Leben in der Bundesrepublik Deutschland, der Deutschen Demokratischen Republik, in Österreich und der Schweiz beantworten zu helfen;
- Spezialbestände in Bibliotheken und Archiven des deutschsprachigen Raumes, um ein wesentliches Hilfsmittel der Forschung zu sein.

Ein Informationshandbuch dieser Bandbreite muß notwendigerweise sich darauf beschränken, aus der Fülle des Möglichen auszuwählen. So wird mancher dieses oder jenes vermissen, hier oder dort andere Akzente gesetzt sehen wollen. Das ist unvermeidbar. Ein Nachschlagewerk dieser Art bedarf auch der Mithilfe vieler in Bibliotheken, Archiven, Institutionen. Sicher wird mancher Spezialbestand, manches Archiv, manche Publikation unserer Aufmerksamkeit entgangen sein. So wünscht sich der Verfasser nichts mehr als konstruktiv-produktive Kritik, die hilft, Lücken zu schließen und dieses Handbuch zu vervollständigen, damit es im Dienst aller, die sich beruflich mit Literatur beschäftigen oder sich privat für Literatur interessieren, seine Funktion erfüllt.

TEIL A: EINLEITUNG

1 ZUR BEDEUTUNG DES BIBLIOGRAPHIERENS UND RECHERCHIERENS

A 10 Das *Informationshandbuch Deutsche Literaturwissenschaft* möchte sowohl dem Literaturwissenschaftler, dem Deutschlehrer wie dem Studierenden (und auch dem interessierten Laien) Auskunft über Möglichkeiten der Informationsermittlung im Bereich der Literaturwissenschaft, Literaturdidaktik, der Theaterwissenschaft und Medienkunde geben. Dabei will es versuchen, dem Studienanfänger, dem Fortgeschrittenen und dem Kenner ein hilfreiches Nachschlagewerk zu sein, das gleichsam berufsbegleitenden Charakter hat. Die Einleitung ist in erster Linie für den Studierenden gedacht. Hier sollen ihm Wege der Informationsermittlung und die wichtigsten Informationsmöglichkeiten aufgezeigt werden. Im Vordergrund steht dabei die Frage: wie sammle ich Material für eine Seminar-, Staats-, wissenschaftliche Arbeit? Doch ehe Anleitungen für die Praxis gegeben werden, einige Vorüberlegungen zur Bedeutung des Bibliographierens und Recherchierens.

A 20 Der Begriff *Deutsche Literatur* als Gegenstand literaturwissenschaftlichen Forschens wurde seit etwa drei Jahrzehnten beträchtlich erweitert. Beschäftigte sich die in den 50er Jahren dominierende Schule der werkimmanenten Interpretation lediglich mit "hoher" Literatur, mit den ästhetischen und gedanklichen Spitzenleistungen, so sind heute engagierte Literatur, Volksliteratur, die sog. "Trivialliteratur" und auch die Gebrauchsliteratur gleichermaßen in den Blickwinkel gerückt. Ein extensiver Literaturbegriff hat den intensiven, normativ festgeschriebenen abgelöst. Das brachte nicht nur eine Ausweitung des zu bearbeitenden Materials mit sich, sondern verlangte auch nach neuen methodischen Ansätzen. Die Literaturwissenschaft hatte sich bislang vornehmlich in der Nähe der Wissenschaften gesehen, die ebenfalls ästhetische Gegenstände behandeln, wie etwa die Kunst- und Musikwissenschaft; nun suchte sie auf dem Weg der Neuorientierung den Kontakt zu den Sozialwissenschaften. Dies geschah in erster Linie unter dem Eindruck der Erkenntnis, daß Literatur nicht nur ein ästhetisches Phänomen, sondern auch kommunikatives Handeln und als solches Teil einer allgemeinen sozialen Interaktion sei. Das führte u. a. zu einer verstärkten Herausbildung literatursoziologischer Ansätze und zur Genese der Rezeptionsforschung.

A 30 Brachte diese Entwicklung schon eine Multiplikation der jährlich erscheinenden Forschungsarbeiten mit sich, so tat die Forderung nach mehr Praxisnähe ein übriges. Die Ausbildungsgänge der Literaturwissenschaft

bezogen - soweit sie auf das Lehramt zielten - literaturdidaktische Fragestellungen mit ein. Hier wurden nach einer allgemeinen Methodik des
Deutschunterrichts in den 70er Jahren gezielte Ansätze einer neuen Literaturdidaktik gewonnen. Gleichzeitig öffnete sich die Literaturwissenschaft den "neuen Medien". Während das Hörspiel schon seit längerem in
den Kanon der von der Literaturwissenschaft zu behandelnden Gattungen
eingegliedert war, wurde erst jetzt das multimediale Fernsehspiel einbezogen. Vor allem die Frage nach dem Einsatz gestalterischer Mittel bei der
Umsetzung von Literatur in das Medium des Films fand primäres Interesse.

A 40 Gegenstandserweiterung und neue methodische Wege in Verbindung mit der Internationalisierung der Germanistik führten zu einer emi-
nenten Vervielfältigung des germanistischen Schrifttums auf jährlich
20000 Publikationen. Diese Informationsflut zu sichten, ist dem einzelnen
Wissenschaftler unmöglich. Er wird lediglich die Literatur zu seinen Spe-
zialgebieten zur Kenntnis nehmen und vielleicht dort schon wegen der
Materialfülle nicht alles verarbeiten können. Das enthebt ihn allerdings
nicht der Pflicht, sich über neueste Forschungsergebnisse zu informieren
und sich mit ihnen vertraut zu machen. Aus dieser Verpflichtung des Wis-
senschaftlers erwächst für den Bibliographen die Aufgabe, das Material
bibliographisch zur Verfügung zu stellen. Ob er dabei selektiv verfahren,
d.h. bereits vor dem Fachwissenschaftler eine (immer ja auch wertende)
Auswahl treffen darf, scheint fraglich. Ebenso fraglich ist es allerdings, ob
mit herkömmlichen Bibliographien die Fülle des Materials zu meistern
ist. Sicher ist es auf Dauer zeit- und kostengünstiger, auf elektronische Er-
fassungs- und Zugriffsmöglichkeiten auszuweichen. Vor allem die opti-
maleren Möglichkeiten der Verschlagwortung, die die elektronische Verzeichnung bietet, wird den Zugriff erleichtern und zugleich die Verarbei-
tung und Weiterwirkung der Forschungsergebnisse intensivieren. Daß bislang ein großer Teil der weltweit publizierten germanistischen Arbeiten
bibliographisch nicht erfaßt wurde, ist ein untragbarer Zustand. Keine
Wissenschaft kann es sich leisten, die Ergebnisse wissenschaftlichen Forschens nicht oder nur unvollständig zur Kenntnis zu nehmen. Die Literaturwissenschaft hat die Frage nach der gesellschaftlichen Relevanz nicht
nur der Literatur, sondern auch ihrer selbst zu stellen. Ihre Verfahrensweisen und ihre Ergebnisse sind dementsprechend zu überprüfen. Allein
schon aus der Verpflichtung gegenüber der Gesellschaft, die eine Vermei-
dung von Mehrfacharbeiten und von Redundanz in den Forschungsergebnissen gebietet, ist eine intensive bibliographische Verzeichnung und eine
ebenso intensive Benutzung der Informationsträger notwendig. Dies gilt
erst recht für die Erfassung der Quellen, der Primärliteratur. Gerade hier,
bei dem ureigenen Gegenstand der Literaturwissenschaft, ist es notwendig, das Material nicht nur zu sammeln und zu bewahren, sondern auch
aufzubereiten, zu erschließen (d.h. zu verzeichnen) und damit der Wissen-

schaft und der Gesellschaft zur Verfügung zu stellen. - Zur bibliographischen Situation auf dem Gebiet der Germanistik vgl.:

A 50 Bibliographische Probleme im Zeichen eines erweiterten Literaturbegriffs. 2. Kolloquium zur bibliographischen Lage in der germanistischen Literaturwissenschaft, veranstaltet von der Deutschen Forschungsgemeinschaft an der Herzog August Bibliothek Wolfenbüttel, 23. - 25.9.1985. Hrsg. in Verbindung mit Georg Jäger u.a. von Wolfgang Martens. Weinheim: VCH, 1988 (Mitteilungen der Kommission für Germanistische Forschung, 4).

A 60 Batts, Michael S.: The Bibliography of German Literature: An Historical und Critical Survey. Bern, Frankfurt/M., Las Vegas: Lang, 1978 (Kanadische Studien zur deutschen Sprache und Literatur, 19).

A 70 Bibliographieren ist grundlegender Bestandteil, unumgängliche Basis literaturwissenschaftlicher Arbeit. Deren Güte hängt auch ab von der Sorgfalt, mit der Informationen ermittelt wurden. Das Erfassen von Primär- und Sekundärliteratur, die Auswertung der Quellen- und der Forschungsergebnisse bilden zusammen mit der eigenen innovatorischen Leistung eine Einheit, die die Qualität der wissenschaftlichen Arbeit ausmacht. Die Zusammenstellung des Materials, der Quellen- und der Sekundärliteratur bilden eine wesentliche Grundlage wissenschaftlichen Schrifttums. Sie sind die Informationsträger, auf denen aufbauend weiter gearbeitet werden kann. Mit Hilfe bibliographischer Kenntnisse können bei bestimmten Themen und Fragestellungen allerdings nicht alle Informationen gesammelt werden. Immer dann, wenn ungedruckte Quellen, aktuelle Forschungsbeiträge oder biographische Fakten lexikalisch noch nicht erfaßter Autoren ermittelt werden sollen, muß mit anderen Hilfsmitteln weiter recherchiert werden. Deshalb ist neben der Kenntnis wichtiger Bibliographien auch die Kenntnis wesentlicher Institutionen, d. h. von Spezialbibliotheken, Archiven usw. von Bedeutung. Bibliographieren und Recherchieren gehören somit nicht nur zur Ausbildung, sondern auch zur Berufspraxis all derer, die mit Literatur in irgendwelcher Form zu tun haben.

A 80 Der Wissenschaftler, der Deutschlehrer wie der Studierende stehen heute vor einer Fülle von Informationen. Diese Fülle macht einen "Wegweiser" notwendig, der zu den Informationsträgern, seien sie nun in Buchform, elektronisch oder als Materialsammlung in Bibliotheken und Archiven zur Verfügung, hinführt. Ein solcher Wegweiser möchte das Informationshandbuch sein. Wie es zu benutzen ist und welche Wege zur Informationsermittlung einzuschlagen sind, wird im folgenden erläutert.

A 90 Dem Studienanfänger wird empfohlen, sich zunächst mit den wichtigsten Einführungen, Handbüchern, lexikalischen und bibliographischen

Nachschlagemöglichkeiten vertraut zu machen. Sie werden nachstehend genannt. Durch diese Auflistung soll aus der Fülle der Informationsträger, die hier verzeichnet sind, speziell für das Erstsemester das besonders Wichtige herausgestellt werden, um den Einstieg in die Bücherkunde zu erleichtern. Dabei erfolgt die Akzentuierung oft unter gleichgerichteten oder gleichwertigen Möglichkeiten. Solche Empfehlungen haben notwendigerweise subjektiven Charakter; es sollen deshalb auch nur Empfehlungen sein ohne jeden apodiktischen Anspruch. In den einzelnen Teilen sind dies:

A 100 Teil B: Einführungen und Handbücher

B 40 Hülshoff, Friedhelm; Kaldewey, Rüdiger: Mit Erfolg studieren.

B 120 Grundzüge der Literatur- und Sprachwissenschaft.

B 125 Erkenntnis der Literatur.

B 130 Gutzen, Dieter; Oellers, Norbert; Petersen, Jürgen H.: Einführung in die neuere deutsche Literaturwissenschaft.

B 135 Schutte, Jürgen: Einführung in die Literaturinterpretation.

B 180 Hauff, Jürgen; Heller, Albrecht; Hüppauf, Bernd u.a.: Methodendiskussion.

B 290 Link, Hannelore: Rezeptionsforschung.

B 390 Seiffert, Helmut: Einführung in die Wissenschaftstheorie.

B 460 Braak, Ivo: Poetik.

B 470 Asmuth, Bernhard; Berg-Ehlers, Luise: Stilistik.

B 480 Sowinski, Bernhard: Stilistik.

B 520 Kayser, Wolfgang: Kleine deutsche Versschule.

B 530 Paul, Otto; Glier, Ingeborg: Deutsche Metrik.

B 550 Asmuth, Bernhard: Aspekte der Lyrik.

B 570 Killy, Walther: Elemente der Lyrik.

B 590 Asmuth, Bernhard: Einführung in die Dramenanalyse.

B 610 Greiner, Norbert u.a.: Einführung ins Drama.

B 620 Vogt, Jochen: Aspekte erzählender Prosa.

B 670 Belke, Horst: Literarische Gebrauchsformen.

A 130 Bereits am Studienbeginn sollte man sich einen Überblick über den Ablauf der deutschen Literaturgeschichte verschaffen. Dies geschieht am zweckmäßigsten anhand einer einbändigen Literaturgeschichte (-> B 1310ff.). Auf den Kenntnissen, die dort gewonnen werden, kann dann die Lektüre größerer Literaturgeschichten oder von Detailuntersuchungen aufbauen. In erster Linie sollte man aber durch das Lesen von Quellen (Primärliteratur) einen Einblick in den historischen Wandel der Literatur gewinnen.

A 140 Teil C: Lexika und Wörterbücher

Aus der Gruppe der Lexika werden folgende Autoren- und Werklexika herausgestellt:

C 50 Deutsches Literatur-Lexikon.

C 80 Literatur-Lexikon.
C 90 Metzler Autoren-Lexikon.
C 330 Kritisches Lexikon zur deutschsprachigen Gegenwartsliteratur.
C 370 Kürschners Deutscher Literatur-Kalender.
C 510, C 515 Kindlers Literatur-Lexikon.

A 150 Sach- und Speziallexika sind eine der wichtigsten Informationsquellen für den Studierenden, einmal weil sie Sachbegriffe der Literaturwissenschaft erläutern und zum zweiten weiterführendes bibliographisches Material enthalten. Hier werden besonders hervorgehoben:

C 530 Reallexikon der deutschen Literaturgeschichte.
C 550 Wilpert, Gero von: Sachwörterbuch der Literatur.
C 560 Metzler Literatur-Lexikon.
C 690 Frenzel, Elisabeth: Stoffe der Weltliteratur.
C 700 Frenzel, Elisabeth: Motive der Weltliteratur.

A 160 Zum Nachschlagen biographischer Daten bedeutender Persönlichkeiten:

C 2130, C 2131, C 2135 Deutsches Biographisches Archiv.
C 2120 Neue Deutsche Biographie.

A 170 Teil D: Bibliographien und Referatenorgane

Zur Bedeutung und Handhabung der folgenden Bibliographien -> die Punkte 2 und 3
der Einleitung.

D 60 Arnold, Robert F.: Allgemeine Bücherkunde zur neueren deutschen Literaturge-
schichte.
D 80 Hansel, Johannes: Bücherkunde für Germanisten.
D 90 Raabe, Paul: Einführung in die Bücherkunde.
D 170 Bibliographisches Handbuch der deutschen Literaturwissenschaft.
D 180 Internationale Bibliographie zur Geschichte der deutschen Literatur.
D 200 Handbuch der deutschen Literaturgeschichte.
D 360 Bibliographie der deutschen Sprach- und Literaturwissenschaft.
D 380 Germanistik.
D 4420 Jahresverzeichnis der deutschen Hochschulschriften.
D 4630 Gesamtverzeichnis des deutschsprachigen Schrifttums 1700-1910.
D 4670 Gesamtverzeichnis des deutschsprachigen Schrifttums 1911-1965.
D 4740-4760 Deutsche Bibliographie.
D 4820 Verzeichnis lieferbarer Bücher.
D 4960 Internationale Bibliographie der Zeitschriftenliteratur.
D 4970 Internationale Bibliographie der Rezensionen.
D 4980 Zeitungsindex.
D 5280 Paschek, Carl: Bibliographie germanistischer Bibliographien.

A 180 Zunehmend wichtig für die literaturwissenschaftliche Arbeit werden die Datenbanken (-> Teil H).

A 190 Generell sei an dieser Stelle auch auf mehrere Publikationsreihen verwiesen, die schon dem Erstsemester bekannt sein sollten. Die *Sammlung Metzler* (Stuttgart: Metzler) mit ihren mittlerweile rund 250 Titeln ist die bedeutendste und umfangreichste. Die Bände behandeln entweder einzelne Autoren oder Problemfelder, sind literarhistorisch, gattungsspezifisch oder methodenorientiert ausgerichtet. Gelegentlich bringen sie auch Neudrucke. Allen Bänden sind reichhaltige Literaturangaben beigefügt, so daß sie als (auswählende) Spezialbibliographien gelten können. Über Leben und Werk bedeutender Persönlichkeiten informieren *Rowohlts Monographien* (romo; Reinbek: Rowohlt). Einführungen in literarische Epochen und Strömungen bieten die *Winkler Kommentare*; ein weiterer Teil der Reihe bringt Erläuterungen zum Werk einzelner Dichter und Schriftsteller (München: Artemis/Winkler). Schriftsteller-Porträts enthalten auch die *Autorenbücher* des Beck-Verlages (München), dessen *Arbeitsbücher zur Literaturgeschichte* einen besonderen Hinweis verdienen. Überwiegend literaturtheoretische, aber auch epochengeschichtliche Fragestellungen werden von den germanistischen und literaturwissenschaftlichen Bänden der *UTB-Reihe* behandelt, die ebenfalls weiterführende Literatur enthalten. Empfehlenswerte Einführungen in das literarische Einzelwerk bieten die neu bearbeiteten Bände der Reihen *Grundlagen und Gedanken zum Verständnis des Dramas* und *Grundlagen und Gedanken zum Verständnis erzählender Literatur* (Frankfurt/M.: Diesterweg).

A 200 Eine überschaubare Auswahlbibliographie neu erschienener Bücher enthält der *Fachdienst Germanistik* (-> E 755); über wichtige Zeitschriftenaufsätze informieren laufend die *Mitteilungen des Deutschen Germanisten-Verbandes* (-> E 880). Ein weiterer Hinweis gilt der *Wissenschaftlichen Buchgesellschaft* (Hindenburgstr. 40, Postfach 111543, D-6100 Darmstadt 11. - Tel.: 06151-33080; Telefax: 06151-314128; Telex 4191330). Sie hat sich zum Ziel gesetzt, literarische Texte in wissenschaftlich relevanten Ausgaben und wissenschaftliche Literatur als Verlagsübernahmen und in eigener Produktion mit erheblichem Preisnachlaß an ihre Mitglieder abzugeben (Mitgliedsbeitrag für Studierende [1990]: DM 7,- jährlich).

A 210 Bereits der Studierende sollte die wichtigsten Literaturarchive, die Bedeutung und Aufgaben der Nationalbibliotheken und Sondersammelgebietsbibliotheken kennen. Hervorhebend wird hier hingewiesen auf die *Nationalen Forschungs- und Gedenkstätten der klassischen deutschen Literatur* (-> G 10), das *Deutsche Literaturarchiv* (-> G 20), das *Frankfurter Goethe-Museum* (-> G 30) und das *Heinrich-Heine-Institut* (-> G 40) sowie das *Fritz-Huser-Institut für deutsche und ausländische Arbeiterlite-

ratur (-> G 90). Neben den Nationalbibliotheken (-> H 10-H 40) ist für Germanisten in erster Linie die Stadt- und Universitätsbibliothek Frankfurt a. M. (-> H 80) mit ihren Sondersammelgebieten *Allgemeine Germanistik, Deutsche Sprache und Sprachwissenschaft, Deutsche Literatur und Literaturwissenschaft, Theaterwissenschaft und Medienkunde* von Bedeutung. Wo überall Germanistik studiert werden kann, zeigt das Verzeichnis der Lehr- und Forschungsinstitute (-> I 300ff.).

2 DAS ERFASSEN VON WISSENSCHAFTLICHER LITERATUR

A 220 Die Suchstrategien beim Sammeln von wissenschaftlicher Literatur werden bestimmt von der Themenstellung und dem Anspruch der Arbeit. Ob nur eine erste Information gewünscht wird oder für eine Staatsarbeit, Dissertation oder sonstige wissenschaftliche Arbeit das Schrifttum möglichst vollständig erfaßt werden soll, entscheidet über den einzuschlagenden Weg. Zur ersten Information über vorliegendes Schrifttum genügen in der Regel die Literaturhinweise in Einführungen und Handbüchern (-> Teil B). Die Einführungen in die Literaturwissenschaft und ihre Methoden, in Literaturdidaktik, Theaterwissenschaft und Medienkunde enthalten ebenso wie die Handbücher ausnahmslos weiterführende Literatur zu Grundfragen der Fachgebiete und zu Detailproblemen. Mit Hilfe dieser versteckten Bibliographien kann ein erster Literaturüberblick gewonnen werden. In den meisten Fällen werden diese Angaben allerdings nicht ausreichen. Man kann dann mit Hilfe einschlägiger Lexika (-> Teil C) weiter bibliographieren. Von den in Teil C beschriebenen Lexika informieren das *Deutsche Literatur-Lexikon* (-> C 50), die *Deutsche Literatur* (-> C 70) und das *Kritische Lexikon zur deutschsprachigen Gegenwartsliteratur* (-> C 330) bereits sehr weitreichend über Primär- und Sekundärliteratur.

A 230 Von vielen wird auch das sog. *"Schneeballsystem"* bevorzugt. Man besorgt sich eine neuere Publikation zum gestellten Thema, wertet das Literaturverzeichnis aus, beschafft sich die relevanten Titel, wertet wiederum deren Literaturverzeichnisse aus usw. Das ist allerdings ein Verfahren, in dem Zufälligkeiten und Vorauswahl eine zu große Rolle spielen, als daß es für anspruchsvollere wissenschaftliche Arbeit empfohlen werden könnte, zumal mit ihm zwar immer weiter in die Vergangenheit, aber nicht in die unmittelbare Gegenwart hinein erfaßt werden kann.

A 240 Um umfassende und zuverlässige Informationen zu erhalten, muß man zu den eigentlichen Bücherverzeichnissen, den *Bibliographien*, greifen. Man unterscheidet Allgemeinbibliographien, die nicht fachspezifisch ausgerichtet sind, von den eigentlichen Fachbibliographien, in unserem

Fall germanistischen bzw. literaturwissenschaftlichen Bibliographien. Über diese informieren Bibliographien der Bibliographien, sog. Metabibliographien. Für unseren Bedarf ist der Teil D dieses Informationshandbuches eine solche Metabibliographie.

A 245 Neben Bibliographien, die das Gesamtgebiet der Germanistik oder der Literaturwissenschaft abdecken, gibt es weitere, die einzelne Epochen und Strömungen, Themen und Motive oder Personen zum Gegenstand haben. Man spricht in diesem Fall von *Spezialbibliographien*. Die wichtigsten von ihnen werden in Teil D vorgestellt. - Neben diesen Fachbibliographien muß der Literaturwissenschaftler (auch der angehende) noch einige *Allgemeinbibliographien* kennen, da nur sie bis in die unmittelbare Gegenwart verzeichnen, während die Fachbibliographien Verzugszeiten von einigen Monaten bis zu mehreren Jahren haben können. Während die Fachbibliographien *selbständig* (= Bücher) und *unselbständig* erschienenes Schrifttum (= Beiträge zu Sammelbänden, Zeitschriften, Jahrbüchern usw.) verzeichnen, nehmen die Allgemeinbibliographien in der Regel nur eine der beiden Kategorien auf (-> D 4580ff.).

A 250 Weiterhin unterscheidet man *retrospektive* (abgeschlossene, zurückblickende) und *periodische* (laufend erscheinende) Bibliographien, reine Titelverzeichnisse und annotierte Bibliographien, wobei die Annotationen (Anmerkungen, Erläuterungen) ein Inhaltsreferat darstellen, aber auch kritisch sein können. Man spricht dann von *räsonierenden, analytischen* oder *kommentierten* Bibliographien.

Wie ist nun im Einzelfall zu verfahren?

A 260 Die erste Frage muß lauten: Recherchiere ich *personenbezogen, themen-/problembezogen* oder *epochenbezogen*? Je nach Antwort, ist eine unterschiedliche Vorgehensweise einzuschlagen, bei Überschneidung ist u.U. mehrgleisig zu verfahren. Die beiden bekanntesten Einführungen in das Bibliographieren, Hansels *Bücherkunde für Germanisten* (-> D 80) und Raabes *Einführung in die Bücherkunde* (-> D 90), die in ihrer Grundkonzeption auf die späten 50er Jahre zurückgehen, empfehlen vier bzw. fünf Schritte, wobei sie sich nur im ersten Schritt unterscheiden. Hansel nimmt als Ausgangspunkt die unselbständig (versteckt) erschienenen Bibliographien in Handbüchern und Lexika (1. Stufe), um dann mit abgeschlossenen (2. Stufe) und periodischen Fachbibliographien (3. Stufe) fortzufahren. An sie schließen zur Erfassung des neuesten Schrifttums die periodischen Allgemeinbibliographien (4. Stufe) und die eigene Durchsicht der wesentlichen Fachzeitschriften (5. Stufe) an. Raabe schlägt für die 2. bis 4. Stufe den gleichen Weg vor. Sein Ausgangspunkt ist allerdings nicht die versteckte Bibliographie, sondern die Personalbibliographie (womit er sich als Vertreter einer primär autororientierten Literaturwissenschaft ausweist).

A 270 Seit Hansel und Raabe ihre Konzeptionen entwickelten, hat sich auf dem bibliographischen Sektor wesentliches geändert. Es sind zahlreiche *Spezialbibliographien*, das sind Personal-, Epochen- und Sachthemenbibliographien, erschienen, die dem Informationssuchenden die Arbeit erleichtern. Deshalb ist es ratsam, als erstes zu recherchieren, ob zu dem zu bearbeitenden Thema bereits eine solche Spezialbibliographie vorliegt. Diese Verfahrensweise wurde durch die vor wenigen Jahren erschienene *Praxis der Informationsermittlung Germanistik* von Carl Paschek (-> D 110) bestätigt [Paschek behandelt die einzelnen Suchstrategien sehr ausführlich und greift auch detailliertere Fragestellungen auf]. Die Suche nach der Spezialbibliographie führt man mit Hilfe der Bibliographien der Bibliographien (Metabibliographien) bzw. mit den entsprechenden Teilen dieses Informationshandbuches durch. Gibt es eine solche Spezialbibliographie, ist von deren Redaktionsschluß ausgehend (meist auf der Rückseite des Titelblattes oder im Vorwort angegeben) mit Hilfe abgeschlossener und periodischer Fachbibliographien und anschließender Auswertung der Allgemeinbibliographien, bei entsprechendem Anspruch der Arbeit evtl. auch unter (kostenpflichtiger) Ausnutzung der Datenbanken, bis in die unmittelbare Gegenwart hinein bibliographisches Material zu erfassen. Folgende Tabelle soll die Verfahrensweise verdeutlichen:

A 280

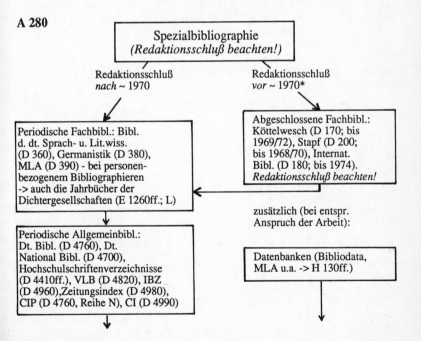

Spezialbibliographie
(Redaktionsschluß beachten!)

Redaktionsschluß
nach ~ 1970

Redaktionsschluß
vor ~ 1970*

Periodische Fachbibl.: Bibl.
d. dt. Sprach- u. Lit.wiss.
(D 360), Germanistik (D 380),
MLA (D 390) - bei personenbezogenem Bibliographieren
-> auch die Jahrbücher der
Dichtergesellschaften (E 1260ff.; L)

Abgeschlossene Fachbibl.:
Köttelwesch (D 170; bis
1969/72), Stapf (D 200;
bis 1968/70), Internat.
Bibl. (D 180; bis 1974).
Redaktionsschluß beachten!

zusätzlich (bei entspr.
Anspruch der Arbeit):

Periodische Allgemeinbibl.:
Dt. Bibl. (D 4760), Dt.
National Bibl. (D 4700),
Hochschulschriftenverzeichnisse
(D 4410ff.), VLB (D 4820), IBZ
(D 4960),Zeitungsindex (D 4980),
CIP (D 4760, Reihe N), CI (D 4990)

Datenbanken (Bibliodata,
MLA u.a. -> H 130ff.)

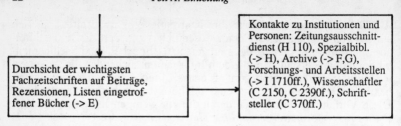

| Durchsicht der wichtigsten Fachzeitschriften auf Beiträge, Rezensionen, Listen eingetroffener Bücher (-> E) | Kontakte zu Institutionen und Personen: Zeitungsausschnittdienst (H 110), Spezialbibl. (-> H), Archive (-> F,G), Forschungs- und Arbeitsstellen (-> I 1710ff.), Wissenschaftler (C 2150, C 2390f.), Schriftsteller (C 370ff.) |

* bei Redaktionsschluß vor 1945 sind - wenn mit dem Ziel der Vollständigkeit bibliographiert werden soll - auch die *Jahresberichte* heranzuziehen (vgl. A 310).

A 290 Ist keine Spezialbibliographie vorhanden, ist mit Hilfe älterer Fachbibliographien das Schrifttum zu erfassen. Genügt eine Auswahl der älteren Sekundärliteratur, so zieht man Körner (-> D 190), die *Internationale Bibliographie zur Geschichte der deutschen Literatur* (-> D 180) oder das *Handbuch der deutschen Literaturgeschichte* (-> D 200) heran. Ist man auf Vollständigkeit bedacht, sind *je nach Themenstellung und zu bibliographierendem Zeitraum* zu benutzen:

A 300 Goedekes *Grundriß* (-> D 210-D 230; Registerband!) und die älteren *Jahresberichte* bis 1950 (-> D 320-D 350); dann ist mit Köttelweschs *Bibliographischem Handbuch* (-> D 170) und den periodischen Bibliographien unter Einschluß der Hochschulschriftenverzeichnisse (-> D 4410ff.) wie in Tab. A 280 beschrieben weiter zu verfahren.

A 310 Vorgehensweise beim Fehlen einer Spezialbibliographie:

Auswahl genügt: Vollständigkeit angestrebt:

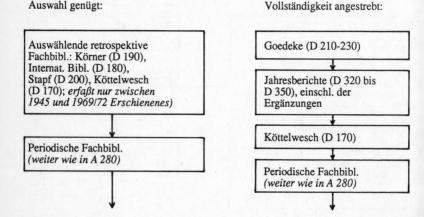

Auswählende retrospektive Fachbibl.: Körner (D 190), Internat. Bibl. (D 180), Stapf (D 200), Köttelwesch (D 170); *erfaßt nur zwischen 1945 und 1969/72 Erschienenes)*	Goedeke (D 210-230)
Periodische Fachbibl. *(weiter wie in A 280)*	Jahresberichte (D 320 bis D 350), einschl. der Ergänzungen
	Köttelwesch (D 170)
	Periodische Fachbibl. *(weiter wie in A 280)*

A 320 Mit Hilfe dieser Suchstrategien ist die deutschsprachige wissenschaftliche Literatur nahezu vollständig, die internationale Sekundärliteratur zumindest für die neuere Zeit in breiter Auswahl zu bibliographieren. Nimmt man weitere, unter A 410f. genannte Informationsmöglichkeiten hinzu, kann man sicher sein, daß nichts wesentliches bei der Materialsammlung fehlen wird (zu Ordnung und Auswertung des Materials vgl. die Ausführungen in den entsprechenden Einführungen [-> B 40, B 70, B 80]). Hilfestellung bei der Bewertung des gesammelten Sekundärschrifttums leisten *Forschungsberichte, annotierte Bibliographien und die Rezensionen* in Referatenorganen, Fachzeitschriften, Jahrbüchern und Bücherdiensten (Publikationsorgane mit Rezensionenteil sind über das Register unter dem Stichwort *Rezensionen* zu erfassen).

A 330 In dieser Einleitung kann nicht auf alle möglichen Fragestellungen eingegangen werden. Weitere bibliographische und lexikalische Hilfsmittel finden sich in den Teilen C und D. Vor allem können hier nicht die Wege der Informationsermittlung vorgestellt werden, wenn es um Themen geht, die in andere wissenschaftliche Disziplinen hinüberreichen. Je nach Themenstellung können Philosophie, Soziologie, Psychologie, Erziehungswissenschaft, Kunstgeschichte, Musikwissenschaft u.a. zu Kontaktdisziplinen werden, deren Methoden, Theorien und Ergebnisse von Bedeutung sind und verarbeitet werden müssen. In einem solchen Fall muß individuell vorgegangen werden. Dem Benutzer wird empfohlen, anhand der Fachlexika der Nachbarwissenschaften (-> C 1310ff.) erste Erkenntnisse über Sekundärliteratur und weitere Informationsmöglichkeiten zu gewinnen.

3 DAS ERFASSEN DER PRIMÄRLITERATUR

A 340 Das Bibliographieren von Primärliteratur, von *Quellen*, verlangt ebenso wie das Bibliographieren der Sekundärliteratur unterschiedliche Verfahrensweisen. Je nachdem, ob die Primärtexte eines bestimmten Autors, einer Epoche, einer Gattung oder zu einem Sachthema zusammengestellt werden sollen, wird man in Metabibliographien und Fachlexika bzw. in den entsprechenden Abschnitten dieses Handbuches (-> D 460ff., D 1310ff., D 2060ff.) suchen. Handelt es sich um Primärtexte eines Autors, so bietet sich neben der Personalbibliographie (-> B 2010ff.) auch die Gesamtausgabe, die z. B. über das *Handbuch der Editionen* (-> D 3550) herauszufinden ist, als bibliographische Quelle an. Fehlen beide, so kann man versuchen, in anderen Quellenverzeichnissen (-> D 3510ff.) oder in den Epochenbibliographien (-> D 460ff.) fündig zu werden. Für die Gegenwart sei nachdrücklich auf das *Kritische Lexikon zur deutschsprachigen Gegenwartsliteratur* (-> C 330) hingewiesen.

A 350 Versagen diese Hilfsmittel, so kann man zur Erfassung des *selbständig* erschienenen Schrifttums (Buchpublikationen) auf die Bücherverzeichnisse zurückgreifen (-> D 4560ff.) Für die ältere Zeit ist das *Gesamtverzeichnis des deutschsprachigen Schrifttums 1700-1910* (-> D 4630), für das 20. Jahrhundert das *Gesamtverzeichnis des deutschsprachigen Schrifttums 1911-1965* (-> D 4640), die *Deutsche Bibliographie* (-> D 4740-D 4760) bzw. die *Deutsche Nationalbibliographie* (-> D 4700) heranzuziehen. Auch hier kann zur Erleichterung der bibliographischen Arbeit die Datenbank der Deutschen Bibliothek BIBLIODATA (-> H 130) befragt werden (berichtet für 1966ff.). Will man nur die Erstausgaben erfassen, empfiehlt sich ein Blick in Wilpert/Gühring: *Erstausgaben deutscher Dichtung* (-> D 3540); für die neueste Zeit bringt Reclam in der Reihe *Deutsche Literatur für 1981 [ff.] Jahresüberblick* eine Auswahlbibliographie neu erschienener Bücher. Lieferbare Titel sind in das *Verzeichnis lieferbarer Bücher* (-> D 4820) aufgenommen. Eine Auswahl der Primärtexte wird man auch über die einschlägigen Literaturlexika (-> C 50ff.) erhalten. Bei kaum bekannten Autoren sei auf die lokalen Literaturlexika besonders hingewiesen (Zugang über Friedrichs: *Literarische Lokalgrößen* [-> C 280]). In schwierigen Fällen, in denen - vor allem für vorangehende Jahrhunderte - die Bücherverzeichnisse versagen, helfen oft die großen Bibliothekskataloge (-> D 5010ff.) oder auch die Auskunftsdienste der Nationalbibliotheken (-> H 10ff.) weiter.

A 360 Mühsamer ist das Bibliographieren *unselbständig* erschienener literarischer Texte (Beiträge zu Sammelwerken und Periodika). Liegen in diesem Fall keine Personalbibliographie und keine Gesamtausgabe vor, kann man auch nicht auf *Die Deutsche Literatur* (-> C 70), den Goedeke (-> D 210 - D 230) oder das *KLG* (-> C 330) zurückgreifen, so bleibt einem die eigene Durchsicht der Zeitschriften und evtl. auch der Zeitungen, in denen der betreffende Autor publiziert hat, nicht erspart. Für manche Zeiträume liegen mittlerweile Zeitschrifteninhaltsbibliographien (z.B.: E 90, E 235, D 1180) vor, die die Sucharbeit wesentlich erleichtern. Für die neuere Zeit kann die Zeitungsausschnittsammlung der Bibliotheken der Stadt Dortmund (-> H 110); für 1974ff. der *Zeitungsindex* (-> D 4980) weiterhelfen. Haben die literarischen Texte auch einen wissenschaftlichen oder fachlichen Charakter, sind sie im *Dietrich* (-> D 4920f.) und der Folgebibliographie *IBZ* (-> D 4960) verzeichnet. Wichtige Zeitungsaufsätze aus der ersten Jahrhunderthälfte sind auch in zwei literarischen Zeitschriften bibliographisch erfaßt: *Das literarische Echo* [ab 1925 u.d.T.: *Die Literatur*] Jg. 1-44, Stuttgart 1898-1941/42 und *Die schöne* [ab 1930 u.d.T.: Neue] Literatur, Jg. 25-44, Leipzig 1925-1943.

A 370   Das Erfassen von Primärtexten (eines Autors):

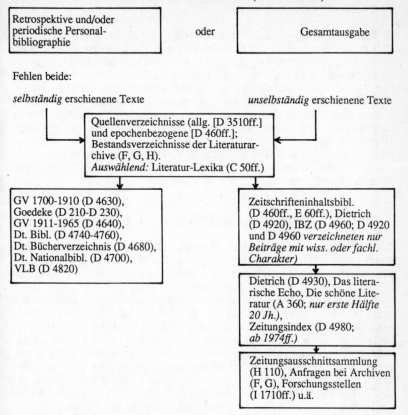

| Retrospektive und/oder periodische Personal- bibliographie | oder | Gesamtausgabe |

Fehlen beide:

selbständig erschienene Texte   *unselbständig* erschienene Texte

Quellenverzeichnisse (allg. [D 3510ff.] und epochenbezogene [D 460ff.]; Bestandsverzeichnisse der Literaturar- chive (F, G, H). *Auswählend:* Literatur-Lexika (C 50ff.)

GV 1700-1910 (D 4630), Goedeke (D 210-D 230), GV 1911-1965 (D 4640), Dt. Bibl. (D 4740-4760), Dt. Bücherverzeichnis (D 4680), Dt. Nationalbibl. (D 4700), VLB (D 4820)

Zeitschrifteninhaltsbibl. (D 460ff., E 60ff.), Dietrich (D 4920), IBZ (D 4960; D 4920 und D 4960 *verzeichneten nur Beiträge mit wiss. oder fachl. Charakter)*

Dietrich (D 4930), Das litera- rische Echo, Die schöne Lite- ratur (A 360; *nur erste Hälfte 20 Jh.*), Zeitungsindex (D 4980; *ab 1974ff.*)

Zeitungsausschnittsammlung (H 110), Anfragen bei Archiven (F, G), Forschungsstellen (I 1710ff.) u.ä.

A 380 Zeitigt das Recherchieren mit diesen Hilfsmitteln keine Ergebnisse, bleibt nur die eigene Durchsicht der Zeitschriften, Zeitungen, Antholo- gien, Verlagsalmanache u.ä., in denen der betreffende Autor publiziert ha- ben könnte. Aber auch und gerade hier kann sich die Anfrage in einem Archiv (-> F, G) oder bei einer Forschungsstelle (-> I 1710ff.) lohnen und die mühselige Suche erleichtern helfen.

A 390 Sucht man Primärtexte nicht nur eines Autors, sondern einer *Epo- che* oder *Strömung*, so helfen auch die allgemeinen bzw. epochenbezoge- nen Quellenverzeichnisse (-> D 3510ff., D 460ff.) weiter. Im Abschnitt D 1.3 finden sich auch Bibliographien zu einzelnen *Gattungen*, in D 1.4 zu einzelnen *Sachthemen* (-> D 1310ff.). *Stoff- und motivgleiche* Primärtexte sind in den Stoff- und Motivlexika (-> C 690-C 700) bzw. -bibliographien (-> D 1660ff.) nachgewiesen.

A 400 Viele Quellen, auch ein recht großer Teil älterer wichtiger Sekundärliteratur, liegen heute in Nachdrucken vor. Solche Reprints werden in der Regel auch in den Allgemeinbibliographien verzeichnet. Eine gesonderte Aufnahme findet sich in der *Internationalen Bibliographie der Reprints* (-> D 3560) und dem an sie anschließenden *Bulletin of Reprints* (-> D 3570), das periodisch erscheint. In neuerer Zeit werden auch verstärkt Mikroformen bei den Nachdrucken oder Neuausgaben bevorzugt. Dabei handelt es sich entweder um Mikrofilme, microcards oder microfiches. Über Texte, die in Mikroformen vorliegen, informiert der *Guide to microforms in print* (-> D 4870). Sie werden auch in den Reihen A und B der wöchentlichen Verzeichnisse der *Deutschen Bibliographie* (-> D 4760) unter der jeweiligen Sachgruppe nachgewiesen.

4 DAS ERFASSEN VON UNVERÖFFENTLICHTEM MATERIAL

A 410 Sucht man ungedrucktes Material, d.h. Nachlässe, Briefe, Dokumente, unveröffentlichte Bildnisse, so helfen die Nachlaßverzeichnisse und die Bestandsverzeichnisse der Literaturarchive weiter. Auskünfte über den Standort wichtiger Nachlässe erhält man über die Teile F, G, I dieses Handbuches; ist weitergehende Information nötig, so zieht man die speziellen Nachlaßverzeichnisse (-> D 3610ff.) oder die Bestandsverzeichnisse der Literaturarchive (-> D 3670ff., G, H, I) heran. Allerdings finden sich in ihnen nur summarische Angaben; eine Feinerschließung steht in den meisten Fällen noch aus. Auch ist die Aufarbeitung des in den zahlreichen Archiven liegenden Materials noch nicht abgeschlossen. Genauere Auskünfte sind deshalb nur durch den Kontakt mit den betreffenden Institutionen zu erhalten (Anschriften und Telefonnummern in den Teilen F-I). Sehr erfolgversprechend sind Anfragen bei Forschungs- und Arbeitsstellen (-> I 1710ff.), wo meistens gedrucktes und ungedrucktes Material in dem jeweils angegebenen Rahmen vollständig vorliegt.

A 420 Auch die literarischen Gesellschaften (-> Teil L) unterhalten häufig Archive, in denen sich Handschriftliches des betreffenden Autors befinden kann. Ebenso sind die Archivbestände literarischer Verlage und die Redaktionsarchive literarischer Zeitschriften Fundstellen für handschriftliche Quellen. Wenn auch die Staatsbibliothek Preußischer Kulturbesitz eine *Zentralkartei der Autographen* (-> H 50; *Auskunftsdienst*) mit über 1 Million Einzelnachweisen zur Tiefenerschließung des gesamten öffentlich zugänglichen Nachlaßbesitzes in der Bundesrepublik Deutschland unterhält, so ist doch vieles noch nicht erschlossen. In besonders schwierigen Fällen kann eine Rückfrage bei Experten weiterhelfen. Anschriften von

Germanisten sind in Teil I (-> I 300ff.) bzw. in *Kürschners Gelehrtenkalender* (-> C 2150) und den Germanisten-Verzeichnissen (-> C 2390f.) aufgeführt. Verlangt das Thema der Arbeit Kontakt zu Schriftstellern, so sind ihre Adressen über *Kürschners Literaturkalender* und ähnliche Verzeichnisse (-> C 370ff.) herauszufinden. Versagen diese Nachschlagewerke, kann sich eine Anfrage beim Munzinger-Archiv (-> C 2210) lohnen.

5 DAS ERFASSEN VON LITERATURVERFILMUNGEN UND AUDIOVISUELLEN LEHRMITTELN

A 430 Über verfilmte Literatur bzw. über die Literaturvorlagen von Kino- und Fernsehfilmen informieren Hans Taddik und Silvia Ellner (-> D 4360). Auch *Kindlers Literatur-Lexikon* (-> C 510) weist Verfilmungen literarischer Werke nach. Zahlreiche Filme sind mittlerweile für den Literaturunterricht in SUPER 8-, 16-mm Fassungen oder auf Video-Kassette erhältlich. Sie sind dann über die Landesbildstellen (-> F 1920) beziehbar. Eine nach Autoren geordnete Zusammenstellung der verfügbaren Kopien hat Jürgen Wolff (Mitteilungen des Deutschen Germanisten-Verbandes 2, 1981, S. 43-48) publiziert.

A 440 Literarische Schallplatten und Kassetten sind in der *Deutschen Bibliographie* in den Reihen A und B des wöchentlichen Verzeichnisses unter der jeweiligen Sachgruppe verzeichnet (-> D 4760).

A 450 Audio-visuelle Lehrmittel gewinnen im Unterricht eine immer größere Bedeutung. Deshalb sollte der Lehramtsstudent sich schon frühzeitig mit deren Angebot und den Möglichkeiten des Unterrichtseinsatzes vertraut machen. Nähere Kenntnisse wird er während seiner pädagogischen Ausbildung erhalten. Über Hersteller audio-visueller Lehr- und Lernmittel informieren:

A 460 PAIS Weltadreßbuch der Lehr- und Lernmittelfirmen. Bearb. von Manhard Schütze. Freiburg: Rombach, 1976.

A 470 AV-Kursbuch. Zentrales Informationswerk für den Medienverbund und multimediale Kurssysteme. München: TR-Verlagsunion, 1973ff. (Loseblattausgabe).

A 480 Audio-visuelle Lehr- und Lernmittel sind wie Literaturverfilmungen über die Landesbildstellen (die in der Regel nicht über die Landesgrenzen hinaus ausleihen) erhältlich (-> F 1920).

6 VON DER MATERIALSAMMLUNG ZUR LITERATURBESCHAFFUNG

A 490 Die in Bibliographien und Bestandsverzeichnissen ermittelte Literatur kann in der Regel über die örtliche Bibliothek beschafft werden. Neben den wissenschaftlichen Bibliotheken (Universitäts-, Landes-, Seminar-, Instituts- und Fachbereichsbibliotheken) halten auch die öffentlichen Bibliotheken deutsche Literatur und Literaturwissenschaft zur Verfügung. Die bibliothekarische Lage ist auf diesen Gebieten relativ gut. Haben die örtlichen Bibliotheken die gesuchten Titel nicht in ihren Beständen, so können sie über den *auswärtigen Leihverkehr* aus jeder anderen Bibliothek des Landes bzw. über den *Internationalen Leihverkehr* auch aus dem Ausland besorgt werden. Braucht man zu einem bestimmten Thema die Literatur möglichst vollständig und bietet die örtliche Bibliothek nur wenig davon, so kann sich die Reise zu einer Bibliothek, die das Gewünschte vollständig gesammelt hat, lohnen. Über Bibliotheken mit Spezialbeständen informiert Teil F dieses Handbuches. Mit seiner Hilfe kann man auch bei der Fernleihebestellung gezielte Hinweise geben, die zur Beschleunigung der Beschaffung beitragen.

A 500 Allerdings ist zu beachten, daß viele Bibliotheken Präsenzbibliotheken sind, d.h. daß sie ihre Bestände nicht ausleihen, sondern nur in ihren Räumen dem Benutzer zur Verfügung stellen. Gleiches gilt für ungedrucktes Material in Archiven und Arbeitsstellen. Es empfiehlt sich in jedem Fall, vor einer Bibliotheks- oder Archivreise Modalitäten der Benutzung schriftlich oder telefonisch mit der jeweiligen Institution zu klären.

A 510 Literatur, die erst in den letzten Jahren Gegenstand der Literaturwissenschaft wurde, wie etwa Massen- oder Trivialliteratur, Abenteuerliteratur, Comic Strips u. ä., ist in Bibliotheken häufig nicht - oder nur in den Landesbibliotheken mit Pflichtablieferung - erhältlich. Auch hier ist über den Teil F Aufschluß über Standorte zu gewinnen. Gerade in diesen Fällen haben Privatsammler oft größere Bestände. Allerdings gilt hier noch mehr als bei Präsenzbibliotheken und Archiven das Gebot der Absprache mit dem Eigentümer.

A 520 Bei all diesen Recherchen ist - wie auch beim Bibliographieren - stets die Zielrichtung im Auge zu behalten. Je nach Anspruch der Arbeit sind Abbruchkriterien zu entwickeln und die Relation zwischen Aufwand und zu erwartendem Ergebnis zu bedenken, um damit eine gewisse Arbeitsökonomie zu ereichen.

A 530 Zur Auswertung der Quellen- und der Sekundärliteratur siehe die Anleitungen in den Einführungen in das wissenschaftliche Arbeiten (-> z.B.: B 40, B 80).

7 HINWEISE FÜR DEN BENUTZER

A 540 Das *Informationshandbuch Deutsche Literaturwissenschaft* besteht aus einem bücherkundlichen und einem institutionenkundlichen Teil, dem Verzeichnis der Verbände, Literarischen Gesellschaften, Literaturpreise sowie dem Verzeichnis der Spezialbestände und besonderen Sammelgebiete.

A 550 Bei der Auswahl der Titel für den bücherkundlichen Teil (B-E) wurde darauf geachtet, daß Nachschlagemöglichkeiten nicht nur zu "alltäglichen", sondern auch zu diffizileren Fragestellungen aufgenommen wurden. Allerdings waren dem Bestreben nach umfassender Information durch den geplanten Bandumfang Grenzen gesetzt. Die hier vorgestellten Informationsmittel ermöglichen aber den Zugang zu weiteren Informationsträgern, so daß sich auch zu Detailfragen, die hier nicht angesprochen werden, Literatur finden läßt. Teil B: Einführungen und Handbücher verfolgt neben der Funktion, erste Informationsmöglichkeiten bei bibliographischen Recherchen aufzuzeigen, auch den Zweck, dem Studienanfänger als "kleine Bücherkunde" zu dienen, die ihm die Literatur an die Hand gibt, in der er sich zuverlässig über Realien und bestimmte Problemstellungen seines Faches informieren kann (-> B 10f.). Die Annotationen geben Aufschluß entweder über den Inhalt des betreffenden Buches oder über seine formale Gliederung, seine Brauchbarkeit oder seinen Wert für die bibliographische Ermittlung. *Redaktionsschluß für diese Teile war der Herbst 1989.* In Einzelfällen konnten Neuauflagen bis Januar/Februar 1990 berücksichtigt werden.

A 560 Im institutionenkundlichen Teil (G-I) informieren die Annotationen über die Funktion und die wichtigsten Bestände der Bibliotheken, Archive und Akademien. Für diejenigen, die detailliertere Informationen wünschen, werden - soweit vorhanden - Bestandsverzeichnisse und die genauen Anschriften mit Telefonnummern angegeben. Die Ausführungen über die Bestände gehen auf die Meldungen der Institutionen zurück. Anschriften und Telefonnummern wurden von diesen überprüft. Damit ist eine authentische Information gewährleistet. Die Fragebogenaktionen zu diesen Teilen wurden vom Februar bis Juni 1981 durchgeführt. Die Eintragungen wurden aufgrund einer erneuten Aktion während der Monate *Dezember 1988 bis Juni 1989* aktualisiert.

A 570 Auch bei der Darstellung der Verbände, Literarischen Gesellschaften und Literaturpreise (K-M) wurde auf Angaben der Betreffenden zurückgegriffen. Die Ausführungen über allgemeine Zielsetzungen sind in der Regel den Satzungen entnommen. Auch hier wurden Anschriften und Telefonnummern überprüft. Die Fragebogenaktionen zu diesen Teilen liefen von März bis Oktober 1981. Die aktuellen Angaben gehen auf eine

Korrekturaktion vom *Januar bis Juni 1989* zurück. Neugründungen der Jahre 1982ff. wurden weitgehend berücksichtigt.

A 580 Das Verzeichnis der Spezialbestände und besonderen Sammelgebiete ging aus einer Umfrageaktion hervor, die in den Monaten Februar bis August 1981 durchgeführt wurde. Auch hier erfolgte *1989* eine gründliche Überprüfung und Ergänzung, die manche Angabe von 1982 relativierte, so daß dieses Verzeichnis in der neuen Ausgabe weniger problematisch ist.

A 590 Abschließend sei darauf hingewiesen, daß die in der Einleitung erläuterten Verfahrensweisen des Bibliographierens und die Suchstrategien in den Einleitungs- und Zwischenbemerkungen der Teile B - D rekapituliert werden.

TEIL B: EINFÜHRUNGEN, HANDBÜCHER UND DARSTELLUNGEN

B 10 Einführungen, Handbücher und Darstellungen ermöglichen nicht nur einen Zugang in das jeweilige Fachgebiet bzw. in Teilbereiche, sondern bilden durch ihre Literaturverzeichnisse auch einen ersten Schritt der bibliographischen Ermittlung (-> Teil A). Gerade der Anfänger wird zunächst zu diesen Hilfsmitteln greifen, um in einer ersten Phase der Literaturerfassung nicht mit einer Fülle von Titeln in den Bibliographien konfrontiert zu werden, die ihm - sofern es sich nicht um eine annotierte Bibliographie handelt - unübersichtlich und undifferenziert zu sein scheint. Hier bieten die Einführungen und Handbücher mit ihren auswählenden, das Wichtigste zusammenstellenden Literaturverzeichnissen leichteren Zugang. Je nach Themenstellung wird man eine der Einführungen heranziehen (für literaturwissenschaftliche Fragestellungen ist die weite Bereiche des Fachgebietes abdeckende, von H. L. Arnold und V. Sinemus edierte Einführung [-> B 120] mit ihren reichhaltigen Literaturangaben immer noch zu empfehlen) oder zu den literarhistorischen, gattungstheoretischen, themenorientierten Handbüchern greifen. Die neueste Literatur kann dann von deren Redaktionsschluß ausgehend mit Hilfe abgeschlossener und periodischer Bibliographien (-> Teil D) erfaßt werden.

B 20 Aber nicht nur wegen ihrer bibliographischen Verzeichnungen sind die Einführungen und Handbücher hier aufgenommen. Teil B hat auch die Aufgabe, dem Auskunftssuchenden die Literatur an die Hand zu geben, in der er sich zuverlässig über bestimmte Probleme und Fragestellungen seines Fachgebietes informieren kann. Deshalb ist dieser Teil auch als überschaubare Bücherkunde speziell für den Anfänger gedacht, die neben den traditionell literaturwissenschaftlichen Publikationen auch eine Auswahl wichtiger Handbücher aus Literaturdidaktik, Theaterwissenschaft und Medienkunde erfaßt. Bei der Auswahl wurde versucht, ein breiteres Spektrum einzuhalten und unterschiedliche methodische Ansätze und Verfahren zu berücksichtigen. Die für die eigene Zielsetzung methodisch relevante Literatur auszuwählen, ist jedem einzelnen überlassen. Am Studienbeginn wird der jeweilige Seminarleiter die notwendige Akzentuierung vornehmen.

1 EINFÜHRUNGEN IN DIE DEUTSCHE LITERATURWISSENSCHAFT

B 30 Seit der Krise der Germanistik in den späten sechziger Jahren sind eine Fülle von Einführungen in die Literaturwissenschaft erschienen, in denen sich die Erweiterung des Literaturbegriffs, Methodenpluralismus als Nebeneinander tradierter Verfahren und methodische Neuansätze niedergeschlagen haben. Viele dieser Einführungen erscheinen aus heutiger Sicht nur noch bedingt brauchbar; einige waren auch eher für Dozenten als für Studenten geschrieben. Im folgenden wird eine Auswahl der für Studenten geeigneten Einführungen geboten. Einen Überblick über die Entwicklung auf diesem Sektor bietet Herbert Jaumann: Tendenzen der Literaturwissenschaft im Spiegel der Einführungen. In: Mitteilungen des Deutschen Germanistenverbandes 27, 1980, H. 3, S. 2-15.

Zur Studienorganisation:

B 40 Hülshoff, Friedhelm; Kaldewey, Rüdiger: Mit Erfolg studieren. Studienorganisation und Arbeitstechniken. 2. Aufl. München: Beck, 1984 (Beck'sche Elementarbücher).
Vermittelt eine Vielzahl praktischer Hilfen und Hinweise (von der sozialen Absicherung bis zum zweckmäßigen Arbeitsstil).

B 50 Conrady, Karl Otto: Einführung in die Neuere deutsche Literaturwissenschaft. Reinbek: Rowohlt, 1966 u.ö. (rde. 252-253).
Darstellung der Aufgabenbereiche der Literaturwissenschaft; Anlage und Durchführung des Studiums; Lektüreliste.

B 60 Propädeutik der Literaturwissenschaft. Wissenschaftsgeschichte - Methodenlehre - Studium und Beruf. Hrsg. von Dietrich Harth. München: Fink, 1973 (UTB 205).
Zur Formierung der Geisteswissenschaften; Aufgaben der Philologie; Begriffsbildung und Wissenschaftssprache; Studienpraxis und Studienreform; literarische Bildung.

Arbeitspraktische Einführungen:

B 70 Binder, Alwin u. a.: Einführung in Techniken literaturwissenschaftlichen Arbeitens. 6. Aufl. Königstein: Scriptor, 1986 (Monographien Literaturwissenschaft, 8).
Anleitung zum wissenschaftlichen Arbeiten und zur Manuskriptgestaltung; Sammeln und Ordnen von Materialien; Formen schriftlicher Arbeit; Einführung in das Bibliographieren (in Anlehnung an Raabe [-> D 90]).

B 80 Bangen, Georg: Die schriftliche Form germanistischer Arbeiten. Empfehlungen für die Anlage und die äußere Gestaltung wissenschaftlicher Manuskripte unter besonderer Berücksichtigung der Titelangaben von Schrifttum. 9. durchges. Aufl. Stuttgart: Metzler, 1990 (Sammlung Metzler, 13).
Anleitung zur Manuskriptgestaltung und Titelaufnahme. Enthält ein *Verzeichnis der wichtigsten Abkürzungen bibliographisch-technischer Ausdrücke.*

1.1 ALLGEMEINE EINFÜHRUNGEN

B 90 - B 110 sind ältere Einführungen, die aber auch unter geändertem Literaturbegriff und gewandelter Methodik in Teilbereichen ihren Wert behalten haben:

B 90 Kayser, Wolfgang: Das sprachliche Kunstwerk. Eine Einführung in die Literaturwissenschaft. 19. Aufl. Bern, München: Francke, 1983.
Enthält zahlreiche noch heute gültige Definitionen von literaturwissenschaftlichen Grundbegriffen.

B 100 Wellek, René; Warren, Austin: Theorie der Literatur. Frankfurt/M.: Athenäum, 1971 (AT 2005; Neuaufl. 1985).
Perspektivenreiche Darstellung, die sowohl literaturimmanente wie literaturtranszendierende Fragestellungen berücksichtigt.

B 110 Ingarden, Roman: Das literarische Kunstwerk. Im Anhang: Von den Funktionen der Sprache im Theaterschauspiel. 4. Aufl. Tübingen: Niemeyer, 1972.
Beschäftigt sich in erster Linie mit dem Aufbau des literarischen Werkes als mehrschichtigem Gebilde. Wurde für die Herausbildung der Rezeptionsforschung von Bedeutung.

B 120 Grundzüge der Literatur- und Sprachwissenschaft. Bd. 1: Literaturwissenschaft. Hrsg. von Heinz Ludwig Arnold und Volker Sinemus. 2. Aufl. München: dtv, 1974 (dtv - WR 4226).
Versuch eines systematischen Aufrisses. Ausführungen über Textkritik und Editionstechnik, Hermeneutik, Ästhetik, Poetik, Rhetorik, Stilistik, Gattungslehre, Methoden der Textanalyse u.a. Enthält im Anhang ein *Glossar literaturwissenschaftlicher Fachausdrücke*.

B 125 Erkenntnis der Literatur, Theorien, Konzepte, Methoden der Literaturwissenschaft. Hrsg. von Dietrich Harth und Peter Gebhardt. Stuttgart: Metzler, 1982.
Behandelt: Strukturprobleme der Literaturwissenschaft; Literaturtheoretische Grundbegriffe; Ästhetische Erfahrung; Theorie der literarischen Produktion; Literarische Kritik; Textkritik; Textauslegung; Literatursoziologie; Literaturgeschichtsschreibung; Literarische Kommunikation; Empirische Literaturwissenschaft; Medienwissenschaft; Fachgeschichte.

B 130 Gutzen, Dieter; Oellers, Norbert; Petersen, Jürgen H.; Einführung in die neuere deutsche Literaturwissenschaft. 6. Aufl. Berlin: E. Schmidt, 1989.
Anleitung zur Textinterpretation (vorwiegend werkimmanent); Darstellung von Textkritik und Editionstechnik sowie literaturwissenschaftlicher Methoden (Werkimma-

nenz, Positivismus, Geistesgeschichte, sozialgeschichtliche, psychoanalytische, strukturalistische Literaturwissenschaft). Klare, auf den Anfänger zielende Darstellung.

B 135 Schutte, Jürgen: Einführung in die Literaturinterpretation. Stuttgart: Metzler, 1985 (Sammlung Metzler, 217).
Literaturaneignung als kommunikative Praxis; produktionsästhetische Analyse; Kategorien und Verfahren der Strukturanalyse; rezeptionsästhetische Analyse.

B 140 Schulte-Sasse, Jochen; Werner, Renate: Einführung in die Literaturwissenschaft. 4. Aufl. München: Fink, 1986 (UTB 640).
Einführung in die Textanalyse unter Anwendung semiotischer Theorien und Analyseverfahren. Ziel ist die Entschlüsselung des Bedeutungsgehaltes von Literatur als Zeichensystem. Teilweise gespreizte Terminologie.

B 150 Link, Jürgen: Literaturwissenschaftliche Grundbegriffe. Eine programmierte Einführung auf strukturalistischer Basis. 3. Aufl. München: Fink, 1985 (UTB 305).
Literatur als Zeichensystem; literarische Verfremdungen; Gattungstheorie; Verslehre.

B 155 Strelka, Joseph P.: Einführung in die literarische Textanalyse. Tübingen: Francke, 1989 (UTB 1508).
Textanalytisches Verfahren auf der Basis von R. Ingardens *Literarischem Kunstwerk* (-> B 110).

B 160 Funk-Kolleg Literatur. Hrsg. von Helmut Brackert und Eberhard Lämmert. 2 Bde. und 2 Bde. Reader. Frankfurt/M.: Fischer, 1976-1978 (Fischer Taschenbuch, 6324-6327).
Auf breitere Rezipientenkreise ausgerichtete Darstellung der Themenbereiche Literatur als Medium der Kommunikation, Textkonstitution, Textauslegung, Rezeption, Literaturgeschichte, Literaturkritik und Literaturwissenschaft u. a. Der Reader bietet zu den angesprochenen Themenbereichen weiterführende Texte. - Die zweibändige Darstellung bringt die überarbeitete und erweiterte Fassung der gleichnamigen Hörfunksendungen, die 1976/77 über mehrere Sender ausgestrahlt wurden.

B 170 Literaturwissenschaft. Grundkurs 1-2. Hrsg. von Helmut Brackert und Jörn Stückrath. 2 Bde. Reinbek: Rowohlt, 1981 (rororo 6276-6277).
Beschäftigt sich mit den Themenbereichen Textinterpretation, Literatur als Struktur, Geschichtlichkeit von Literatur, Literarische Institutionen, Funktionsbestimmung von Literatur, Geschichte und Aufgaben der Literaturwissenschaft. - In die Darstellung sind Studienbegleitmaterialien des Funk-Kollegs Literatur (-> B 160) integriert worden.

1.2 EINFÜHRUNGEN IN LITERATURWISSENSCHAFTLICHE METHODEN

B 180 Hauff, Jürgen; Heller, Albrecht; Hüppauf, Bernd u.a.: Methodendiskussion, Arbeitsbuch zur Literaturwissenschaft. 2 Bde. 5. Aufl. Frankfurt/M.: Athenäum, 1987 (AT 2003-2004).
Breit angelegte, fundierte Darstellung von Positivismus, Formalismus und Strukturalismus, Hermeneutik und Marxistischer Literaturtheorie. Jedem Abschnitt sind zur erhellenden Dokumentation Textauszüge führender Vertreter der einzelnen Methoden beigefügt.

B 190 Hermand, Jost: Synthetisches Interpretieren. Zur Methodik der Literaturwissenschaft. München: Nymphenburger, 1968 u.ö. (Sammlung Dialog, 27).
Behandelt die wichtigsten Methoden seit 1900 und versucht, aus der Synthese neue interpretatorische Ansätze zu gewinnen.

B 200 Maren-Grisebach, Manon: Methoden der Literaturwissenschaft. 10. Aufl. München: Francke, 1989 (UTB 121).
Kurzgefaßte, teilweise etwas simplifizierende Darstellung der wichtigsten Methoden seit dem Positivismus.

B 210 Pasternack, Gerhard: Theoriebildung in der Literaturwissenschaft. Einführung in Grundfragen des Interpretationspluralismus. München: Fink, 1975 (Information und Synthese, 2; UTB 426).
Behandelt werden hermeneutische, phänomenologische, historisch-materialistische, semiotische, strukturalistische und linguistische Ansätze.

B 220 Methoden der deutschen Literaturwissenschaft. Eine Dokumentation. Hrsg. von Viktor Žmegač. Frankfurt/M.: Athenäum, 1971 u.ö. (AT 2001).
Enthält Aufsätze bedeutender Vertreter der wichtigsten literaturwissenschaftlichen Methoden.
-> B 120, B 130.

Zu einzelnen Methoden:

Textkritik und Edition:

B 225 Scheibe, Siegfried (u.a.): Vom Umgang mit Editionen. Eine Einführung in Verfahrensweisen und Methoden der Textologie. Berlin (Ost): Akademie-Verlag, 1988.

Hermeneutik:

B 230 Hufnagel, Erwin: Einführung in die Hermeneutik. Stuttgart u.a.: Kohlhammer, 1976 (Urban-Taschenbuch, 233).

B 240 Szondi, Peter: Einführung in die literarische Hermeneutik. Frankfurt/M.: Suhrkamp, 1975 (Studienausgabe der Vorlesungen, suhrkamp taschenbuch wissenschaft, 124).

Strukturalismus:

B 250 Strukturalismus als interpretatives Verfahren. Hrsg. von Helga Gallas. Neuwied u. a.: Luchterhand, 1972 (collection alternative, 2).

B 260 Titzmann, Michael: Strukturale Textanalyse. Grundlagen für Theorie und Praxis der Interpretation. München: Fink, 1977 (Information und Synthese, 5; UTB 582).

Literatursoziologie:

B 270 Scharfschwerdt, Jürgen: Grundprobleme der Literatursoziologie. Ein wissenschaftsgeschichtlicher Überblick. Stuttgart u.a.: Kohlhammer, 1977 (Urban-Taschenbuch, 217).

B 280 Link, Jürgen; Link-Heer, Ursula: Literatursoziologisches Propädeutikum. München: Fink, 1980 (UTB 799).

Rezeptionsforschung:

B 290 Link, Hannelore: Rezeptionsforschung. Eine Einführung in Methoden und Probleme. 2. Aufl. Stuttgart u.a.: Kohlhammer, 1980 (Urban-Taschenbuch, 215).

B 300 Grimm, Gunter: Einführung in die Rezeptionsforschung. In: Literatur und Leser. Theorien und Modelle zur Rezeption literarischer Werke. Hrsg. von Gunter Grimm. Stuttgart: Reclam, 1975, S. 11-84.

B 310 Grimm, Gunter: Rezeptionsgeschichte. Grundlegung einer Theorie. Mit Analysen und Bibliographie. München: Fink, 1977 (UTB 691).

B 320 Stückrath, Jörn: Historische Rezeptionsforschung. Ein kritischer Versuch zu ihrer Geschichte und Theorie. Stuttgart: Metzler, 1978.

B 330 Rezeptionsästhetik. Theorie und Praxis. Hrsg. von Rainer Warning. 2. Aufl. München: Fink, 1979 (UTB 303).
Enthält Beiträge von Ingarden, Vodička, Gadamer, Jauß, Iser u.a.

B 340 Naumann, Manfred u.a.: Gesellschaft, Literatur, Lesen. Literaturrezeption in theoretischer Sicht. 3. Aufl. Berlin, Weimar: Aufbau, 1976 (Akademie der Wissenschaften der DDR. Zentralinstitut für Literaturgeschichte).

Literaturpsychologie:

B 350 Matt, Peter von: Literaturwissenschaft und Psychoanalyse. Eine Einführung. Freiburg: Rombach, 1972 (rombach hochschul paperback, 44).

B 355 Reh, Albert M.: Literatur und Psychologie. Bern u.a.: Lang, 1986 (Germanistische Lehrbuchsammlung, 72).

B 360 Groeben, Norbert: Literaturpsychologie. Literaturwissenschaft zwischen Hermeneutik und Empirie. Stuttgart u.a.: Kohlhammer, 1972 (Sprache und Literatur, 80).

B 365 Psychoanalytische und psychopathologische Literaturinterpretation. Hrsg. von Bernd Urban und Winfried Kudszus. Darmstadt: Wiss. Buchgesellschaft, 1981 (Ars interpretandi, 10).

Literaturwissenschaft und Linguistik:

B 370 Literaturwissenschaft und Linguistik. Ergebnisse und Perspektiven. Hrsg. von Jens Ihwe. 3 in 4 Bden. Wiesbaden: Athenaion, 1971-1972 (Ars Poetica, Texte, 8).
Bd. 1: Grundlagen und Voraussetzungen; Bd. 2, 1-2 und Bd. 3: Zur linguistischen Basis der Literaturwissenschaft I-II. - *Gekürzte Taschenbuchausgabe*.:

B 380 Literaturwissenschaft und Linguistik. Eine Auswahl. Texte zur Theorie der Literaturwissenschaft. Hrsg. von Jens Ihwe. 2 Bde. Frankfurt/M.: Athenäum/Fischer, 1972-1973 (AT 2015-2016).

Zur allgemeinen Wissenschaftstheorie:

B 390 Seiffert, Helmut: Einführung in die Wissenschaftstheorie. 3 Bde. München: Beck, 1969-1985 u.ö. (Beck'sche Schwarze Reihe, 60-61, 270).
Bd. 1 (10. Aufl. 1983): Sprachanalyse (Logische Propädeutik und Zeichentheorie); Deduktion und Induktion in den Naturwissenschaften. Bd. 2 (8. Aufl. 1983): Geisteswissenschaftliche Methoden (Phänomenologie, Hermeneutik und historische Methode, Dialektik). Bd. 3: Handlungstheorie, Modallogik, Ethik, Systemtheorie.

1.3 HILFSMITTEL ZUR ANALYSE DES EINZELWERKES

-> B 90, B 120, B 130, B 140, B 150, C 550-560.

B 460 Braak, Ivo: Poetik in Stichworten. Literaturwissenschaftliche Grundbegriffe. Eine Einführung. 6. Aufl. Kiel: Hirt, 1980 (Hirts Stichwortbücher).
Erläutert Begriffe zum Stil, zur Struktur und zur Gattungsform der Dichtung.

B 470 Asmuth, Bernhard; Berg-Ehlers, Luise: Stilistik. 3. Aufl. Opladen: Westdeutscher Verlag, 1978 (Grundstudium Literaturwissenschaft, 5).
B 480 Sowinski, Bernhard: Deutsche Stilistik. Beobachtungen zur Sprachverwendung und Sprachgestaltung im Deutschen. 6. Aufl. Frankfurt/M.: Fischer, 1988 (Fischer Taschenbuch, 6147).

B 490 Thieberger, Richard: Stilkunde. Bern u.a.: Lang, 1989 (Germanistische Lehrbuchsammlung, 59).

B 500 Lausberg, Heinrich: Handbuch der literarischen Rhetorik. Eine Grundlegung der Literaturwissenschaft. 2. Aufl. 2 Bde. München: Hueber, 1973.
Standardwerk. Bd. 1: Darstellung; Bd. 2: Register.

B 510 Lausberg, Heinrich: Elemente der literarischen Rhetorik. Eine Einführung für Studierende der klassischen, romanischen, englischen und deutschen Philologie. 5. Aufl. München: Hueber, 1976.
Stark gekürzte Fassung des *Handbuches.*

Zur Versanalyse:
B 520 Kayser, Wolfgang: Kleine deutsche Versschule. 18. Aufl. Bern, München: Francke, 1977 u.ö.
Behandelt den neueren deutschen Vers.

B 530 Paul, Otto; Glier, Ingeborg: Deutsche Metrik. 9. Aufl. München: Hueber, 1974.
Behandelt auch den mittelalterlichen Vers.

B 540 Behrmann, Alfred: Einführung in den neueren deutschen Vers. Stuttgart: Metzler, 1989.

Zur Lyrik :
B 550 Asmuth, Bernhard: Aspekte der Lyrik. Mit einer Einführung in die Verslehre. 7. Aufl. Opladen: Westdeutscher Verlag, 1984 (Grundstudium Literaturwissenschaft, 6).

B 560 Ludwig, Hans-Werner: Arbeitsbuch Lyrikanalyse. 3. Aufl. Tübingen: Narr, 1987 (Literaturwissenschaft im Grundstudium, 3).

B 570 Killy, Walther: Elemente der Lyrik. 2. Aufl. München: Beck, 1972.
- *Taschenbuchausgabe*: München: dtv, 1983 (dtv-WR 4417).

Zum Drama:

B 580 Pfister, Manfred: Das Drama. Theorie und Analyse. 5. Aufl. München: Fink, 1988 u.ö. (Information und Synthese, 3; UTB 580).
Umfassende Darstellung, die auch kommunikationstheoretische Aspekte berücksichtigt. *Mit ausführlicher Bibliographie.*

B 590 Asmuth, Bernhard: Einführung in die Dramenanalyse. 2. Aufl. Stuttgart: Metzler, 1984 (Sammlung Metzler, 188).

B 600 Platz-Waury, Elke: Drama und Theater. Eine Einführung. 2. Aufl. Tübingen: Narr, 1980 (Literaturwissenschaft im Grundstudium, 2).

B 610 Greiner, Norbert; Hasler, Jörg; Kurzenberger, Hajo; Pikulik, Lothar: Einführung ins Drama. Handlung, Figur, Szene, Zuschauer. 2 Bde. München: Hanser, 1982 (Literaturkommentare, 20, 1-2).

Zur Erzählliteratur:

B 620 Vogt, Jochen: Aspekte erzählender Prosa. 6. Aufl. Opladen: Westdeutscher Verlag, 1986 (Grundstudium Literaturwissenschaft, 8).
Über Erzählsituationen, Zeitgerüst, Motivgeflecht, Personenrede.

B 630 Kahrmann, Cordula; Reiß, Gunter; Schluchter, Manfred: Erzähltextanalyse. Eine Einführung. Mit Studien- und Übungstexten. Königstein: Athenäum, 1986 (Athenäum Taschenbücher, 2184.
Textanalyse unter kommunikationstheoretischem Aspekt (mit Beispielanalysen).

B 640 Behrmann, Alfred: Einführung in die Analyse von Prosatexten. 5. Aufl. Stuttgart: Metzler, 1982 (Sammlung Metzler, 59).
Behandelt Rhythmus, Satzbau, Rhetorik.

B 645 Arbeitsbuch Romananalyse. Hrsg. von Hans-Werner Ludwig. 2. Aufl. Tübingen: Narr, 1987 (Literaturwissenschaft im Grundstudium, 12).

B 650 Stanzel, Franz K.: Typische Formen des Romans. 11. Aufl. Göttingen: Vandenhoeck & Ruprecht, 1987 (Kleine Vandenhoeck-Reihe, 1187).

B 660 Lämmert, Eberhard: Bauformen des Erzählens. 8. Aufl. Stuttgart: Metzler, 1980.

Zur Gebrauchsliteratur:

B 670 Belke, Horst: Literarische Gebrauchsformen. Opladen: Westdeutscher Verlag, 1973 (Grundstudium Literaturwissenschaft, 9).

2 EINFÜHRUNGEN IN DIE LITERATURDIDAKTIK

B 710 Bredella, Lothar: Einführung in die Literaturdidaktik. Stuttgart: Kohlhammer, 1976 (Urban-Taschenbuch, 230).

B 720 Kreft, Jürgen: Grundprobleme der Literaturdidaktik. Eine Fachdidaktik im Konzept sozialer und individueller Entwicklung und Geschichte. 2. Aufl. Heidelberg: Quelle & Meyer, 1982 (UTB 714).

B 730 Schober, Otto: Studienbuch Literaturdidaktik. Fachwissenschaftliche, erziehungswissenschaftliche und methodische Grundlagen des schulischen Umgangs mit Texten. Kronberg: Scriptor, 1976 (Scriptor-Taschenbuch, 102).

B 740 Literaturdidaktik. Aussicht und Aufgaben. Hrsg. von Jochen Vogt. 2. Aufl. Opladen: Westdeutscher Verlag, 1973 (Literatur in der Gesellschaft, 10).

3 EINFÜHRUNGEN IN DIE VERGLEICHENDE LITERATURWISSENSCHAFT

B 750 Komparatistik. Aufgaben und Methoden. Hrsg. von Horst Rüdiger. Stuttgart u. a.: Kohlhammer, 1973.
Aufsatzsammlung. Mit kritischer Bibliographie (-> D 3920).

B 760 Kaiser, Gerhard R.: Einführung in die Vergleichende Literaturwissenschaft. Forschungsstand, Kritik, Aufgaben. Darmstadt: Wissenschaftliche Buchgesellschaft, 1980.
Zu Gegenstand, Methoden, thematischen und methodischen Differenzierungen des Faches sowie zur Organisation des Studiums. Bibliographie.

B 770 Vergleichende Literaturwissenschaft. Theorie und Praxis. Hrsg. von Manfred Schmeling. Wiesbaden: Athenaion, 1981 (Athenaion Literaturwissenschaft, 16).
Aspektreicher Sammelband, der Beiträge zum Aufgabenbereich, zu Themen und Methoden der Vergleichenden Literaturwissenschaft enthält. Weiterführende Literatur. Namen-, Sachregister.

4 EINFÜHRUNGEN IN DIE THEATERWISSENSCHAFT

B 780 Kutscher, Arthur: Grundriß der Theaterwissenschaft. 2. Aufl. München: Desch, 1949.

B 790 Steinbeck, Dietrich: Einleitung in die Theorie und Systematik der Theaterwissenschaft. Berlin: de Gruyter, 1970.

B 800 Knudsen, Hans: Methodik der Theaterwissenschaft. Stuttgart u.a.: Kohlhammer, 1971.

B 810 Lazarowicz, Klaus: Theaterwissenschaft heute. München: Kitzinger, 1975 (Münchener Beiträge zur Theaterwissenschaft, Sonderheft).

5 EINFÜHRUNGEN IN DIE MEDIENKUNDE UND MASSENKOMMUNIKATIONSFORSCHUNG

B 820 Schanze, Helmut: Medienkunde für Literaturwissenschaftler. Einführung und Bibliographie. Mitarbeit: Manfred Kammer. München: Fink, 1974 (UTB 302).
Grundbegriffe der Medienanalyse, Darstellung der verschiedenen Medien, zum Verhältnis von Medienkunde und Literaturwissenschaft.

B 830 Steinmüller, Ulrich: Kommunkationstheorie. Eine Einführung für Literatur- und Sprachwissenschaftler. Stuttgart u.a.: Kohlhammer, 1977 (Urban-Taschenbuch, 257).

B 840 Einführung in die Massenkommunkationsforschung. Hrsg. von Gerhard Maletzke. 2. Aufl. Berlin: Spiess, 1975.
Einführung in Begriffsbildung, Forschungsmethoden und Einzelfragen. Weiterführende Literatur.

B 850 Einführung in die Kommunkationswissenschaft. Der Prozeß der politischen Meinungs- und Willensbildung. Ein Kurs im Medienverbund. 2 Bde. Erarb. von einer Projektgruppe am Institut für Politikwissenschaft der Universität München. 3. Aufl. München u.a.: Saur, 1983.

B 860 Feldmann, Erich: Theorie der Massenmedien. Eine Einführung in die Medien- und Kommunikationswissenschaft. 2. Aufl. München, Basel: Reinhardt, 1977 (UTB 180).

B 870 Brendel, Detlef; Grobe, Bernd: Journalistisches Grundwissen. München u.a.: Saur, 1976 (UTB 565).
Formen und Mittel journalistischer Arbeit.

B 880 Medien im Unterricht. Intention, Analyse, Methode. Hrsg. von Albert Schnitzer. München: Ehrenwirth, 1977.

6 HANDBÜCHER UND DARSTELLUNGEN ZUR LITERATURWISSENSCHAFT

B 1000 Handbücher und Darstellungen sind eine wichtige Quelle für die bibliographische Ermittlung (-> B 10 - B 20). Ihre Literaturverzeichnisse enthalten in der Regel die wichtigste weiterführende Literatur zum jeweiligen Gegenstand.

6.1 GESAMTDARSTELLUNGEN, KOMPENDIEN, FACHGESCHICHTEN

Gesamtdarstellungen

B 1010 Eine neuere Gesamtdarstellung des Faches Germanistik oder des Fachgebietes Literaturwissenschaft, die den Forschungsstand etwa der achtziger Jahre spiegeln würde, fehlt. Erste Ansätze bieten die Sammelbände *Grundzüge der Sprach- und Literaturwissenschaft* (-> B 120), *Erkenntnis der Literatur* (-> B 125) und - für breitere Rezipientenschichten - der *Grundkurs Literaturwissenschaft* (-> B 170). - Die einzelnen Beiträge der beiden folgenden Gesamtdarstellungen sind von unterschiedlicher Aktualität und Qualität, zum Teil sind sie nur noch forschungsgeschichtlich interessant.

B 1020 Grundriß der germanischen Philologie. Unter Mitwirkung zahlreicher Fachgelehrter. Begründet von Hermann Paul. 3., völlig neu bearbeitete Aufl. Straßburg: Trübner (später: Berlin: de Gruyter), 1911 ff.
Der *Grundriß* umfaßt rd. 20 Bde. mit zahlreichen Teilbänden. Das Fachgebiet Literaturwissenschaft berühren: Bd. 7 (Hermann Jellinghaus: Geschichte der mittelniederdeutschen Literatur. 3. Aufl. 1925); Bd. 8 (Andreas Heusler: Deutsche Versgeschichte. 3 Bde., 1925-1929 [mehrere Nachdrucke]); Bd. 10 (Hermann Schneider: Germanische Heldensage. 2 in 3 Bden. 1928-1934 [Bd. 1 in 2. Aufl. 1962]); Bd. 13 (Bruno Markwardt: Geschichte der deutschen Poetik -> B 1280); Bd. 14 (Friedrich Beißner: Geschichte der deutschen Elegie. 3. Aufl. 1965); Bd. 15-16 (Jan de Vries: Altnordische Literaturgeschichte. 2 Bde. 1941-1942 [Bd. 1 in 2. Aufl. 1964]); Bd. 17 (Deutsche Wortgeschichte. Hrsg. von Friedrich Maurer und Heinz Rupp. 3 Bde. 3. Aufl. 1974); Bd. 20 (Wolfgang F. Michael: Das deutsche Drama des Mittelalters. 1971).

B 1030 Deutsche Philologie im Aufriß. Unter Mitarbeit zahlreicher Fachgelehrter hrsg. von Wolfgang Stammler. 2. Aufl. 3 Bde. und Registerbd. Berlin: E. Schmidt, 1957-1962, 1969 (*mehrere Nachdrucke*).
Abteilung I: Methodenlehre; II: Sprachgeschichte und Mundarten; III, A: Literaturgeschichte in Längsschnitten; III, B: Ausländische Einflüsse; III, C: Sprachkunst in Wirkung und Austausch; III, D: Der Dichter hat das Wort; IV: Kulturkunde und Religi-

onsgeschichte; V: Volkskunde. - *Standardwerk*, mit dem bisher letzten Versuch, das Fach Germanistik in seiner Gesamtheit darzustellen. Spiegelt den Forschungsstand der fünfziger Jahre; in Teilbereichen veraltet.

Kompendien

Grundzüge der Sprach- und Literaturwissenschaft (-> B 120); Erkenntnis der Literatur (-> B 125); Literaturwissenschaft. Grundkurs 1-2 (-> B 170).

Zur Geschichte des Faches

B 1040 Eine Geschichte des Faches Germanistik bleibt ein dringendes Desiderat. Ältere Darstellungen der Geschichte der deutschen Philologie behandeln die Literaturwissenschaft nur am Rande oder reichen, wie die Arbeiten von Lempicki (-> B 1050) und Weimar (-> B 1080) nicht bis in die neueste Zeit. Andere wieder, so Wellek (-> B 1070), sind thematisch zu stark eingegrenzt. Auch die Einführungen in die literaturwissenschaftlichen Methoden (-> B 180 ff.) beleuchten nur Teilaspekte der Fachgeschichte. Vgl. auch B 125.

B 1050 Lempicki, Sigmund von: Geschichte der deutschen Literaturwissenschaft bis zum Ende des 18. Jahrhunderts. 2. Aufl. Göttingen: Vandenhoeck & Ruprecht, 1968.
Um Register vermehrter Nachdruck der ersten Auflage von 1920.

B 1060 Dünninger, Josef: Geschichte der deutschen Philologie. In: Deutsche Philologie im Aufriß (-> B 1030), Bd. 1, Sp. 83-222.

B 1070 Wellek, René: Geschichte der Literaturkritik. 1750 bis 1950. 3 Bde. Berlin: de Gruyter, 1959ff. (Komparatistische Studien, 5ff.).
Bd. 1 (1959; Nachdruck 1978): Das späte 18. Jahrhundert. Das Zeitalter der Romantik; Bd. 2 (1977): Das Zeitalter des Übergangs; Bd. 3 (1977): Das späte 19. Jahrhundert.

B 1075 Geschichte der deutschen Literaturkritik (1730-1980). Hrsg. von Peter Uwe Hohendahl. Stuttgart: Metzler, 1985.

B 1080 Weimar, Klaus: Geschichte der deutschen Literaturwissenschaft bis zum Ende des 19. Jahrhunderts. München: Fink, 1989.

Dokumentationsbände:

B 1090 Eine Wissenschaft etabliert sich. 1810-1870. Mit einer Einführung hrsg. von Johannes Janota. Tübingen: Niemeyer, 1980 (Texte zur Wissenschaftsgeschichte der Germanistik III; Deutsche Texte, 53).

B 1100 Materialien zur Ideologiegeschichte der deutschen Literaturwissenschaft. Von Wilhelm Scherer bis 1945. Mit einer Einführung hrsg. von Gunter Reiss. 2 Bde. Tübingen: Niemeyer, 1973 (Deutsche Texte, 21-22; *auch* dtv - WR 4260-4261).

Die "Krise" der Germanistik in den späten sechziger Jahren findet ihren Widerhall in den beiden folgenden Bänden:

B 1110 Ansichten einer künftigen Germanistik. Hrsg. von Jürgen Kolbe. 5. Aufl. München: Hanser, 1971 (Reihe Hanser, 29).

B 1120 Neue Ansichten einer künftigen Germanistik. Hrsg. von Jürgen Kolbe. München: Hanser, 1973 (Reihe Hanser, 122).

Bibliographischer Überblick:

B 1130 Herfurth, Gisela; Hennig, Jörg; Huth, Lutz: Topographie der Germanistik. Standortbestimmungen 1966-1971. Berlin: E. Schmidt, 1971.
Berichtete in einer Zeit stürmischer Entwicklung bibliographisch über die neuesten Publikationen zur Diskussion des Faches.

Zur gegenwärtigen Diskussion:

B 1135 Wozu noch Germanistik? Wissenschaft - Beruf - Kulturelle Praxis. Hrsg. von Jürgen Förster, Eva Neuland und Gerhard Rupp. Stuttgart: Metzler, 1989.
Vgl. auch B 3300.

6.2 LITERATURGESCHICHTEN

6.2.1 ZUR GESCHICHTE DER DEUTSCHEN LITERATUR

B 1140 Neuere umfassende Darstellungen der deutschen Literaturgeschichte erscheinen seit nunmehr gut dreißig Jahren. Von daher sind die Einzelbände nicht immer auf dem neuesten Forschungsstand, noch wird eine einheitliche methodische Linie eingehalten. Die älteren Literaturgeschichten - das gilt auch für die Epochendarstellungen (Abschn. 6.2.3) - sind meist aus geistesgeschichtlicher Sicht geschrieben. Erst die neueren, in den siebziger Jahren gestarteten Unternehmen berücksichtigen auch sozialliterarische bzw. literatursoziologische Fragestellungen.

B 1150 Epochen der deutschen Literatur. Geschichtliche Darstellungen. 2. Aufl. Stuttgart: Metzler, 1922 bzw. 1947ff.
Nach dem 2. Weltkrieg sind folgende Bde. erschienen (die meisten aus *geistesgeschichtlicher Sicht* geschrieben): Bd. II, 1: Stammler, Wolfgang: Von der Mystik zum Barock. 1400-1600. 2. Aufl. 1950. - Bd. II, 2: Hankamer, Paul: Deutsche Gegenrefor-

mation und deutsches Barock. Die deutsche Literatur im Zeitalter des 17. Jahrhunderts. 4. (unveränderte) Aufl. 1976. - Bd. III, 1: Schneider, Ferdinand Josef: Die deutsche Dichtung der Aufklärungszeit. 1700-1775. 2. Aufl. 1948. - Bd. III, 2: Schneider, Ferdinand Josef: Die deutsche Dichtung der Geniezeit. 1750-1800. 1952. - Bd. IV, 1 bis 2: Schultz, Franz: Klassik und Romantik der Deutschen. Teil 1: Die Grundlagen der klassisch-romantischen Literatur. Teil 2: Wesen und Form der klassisch-romantischen Literatur. 3. (unveränderte) Aufl. 1959. - Bd. V, 1: Sengle, Friedrich: Biedermeierzeit. Deutsche Literatur zwischen Restauration und Revolution. 1815-1848 (Teil 1: Allgemeine Voraussetzungen, Richtungen, Darstellungsmittel: Teil 2: Formenwelt; Teil 3: Die Dichter). 1971-1980. - Bd. V, 2: Martini, Fritz: Deutsche Literatur im bürgerlichen Realismus. 4. Aufl. 1981.

Dazu erscheinen Materialienbände u. d. T. *Manifeste und Dokumente zur deutschen Literatur*.

B 1160 Boor, Helmut de; Newald, Richard: Geschichte der deutschen Literatur von den Anfängen bis zur Gegenwart. München: Beck, 1949ff.

Von unterschiedlichen methodischen Standpunkten geschrieben. *Bis Herbst 1989*: Bd. I (9. Aufl. 1979): Boor, Helmut de: Die deutsche Literatur von Karl dem Großen bis zum Beginn der höfischen Dichtung. 770-1170. - Bd. II (10. Aufl. 1979; bearb. von Ursula Hennig): Boor, Helmut de: Die höfische Literatur. Vorbereitung, Blüte, Ausklang. 1170-1250. - Bd. III, 1 (5. Aufl. 1987; bearb. von Johannes Janota): Boor, Helmut de: Die deutsche Literatur im späten Mittelalter. Zerfall und Neubeginn. 1250-1400. - Bd. III, 2 (1987): Reimpaargedichte, Drama, Prosa (1350-1370). Hrsg. von Ingeborg Glier. - Bd. IV (2 Bde. 1970-1973): Rupprich, Hans: Die deutsche Literatur vom späten Mittelalter bis zum Barock (Teil 1: Das ausgehende Mittelalter, Humanismus und Renaissance. 1370-1520; Teil 2: Das Zeitalter der Reformation. 1520-1570). - Bd. V (6. Aufl. 1967 [Nachdruck 1975]): Newald, Richard: Die deutsche Literatur vom Späthumanismus zur Empfindsamkeit. 1570-1750. - Bd. VI (7. Aufl. 1985): Newald, Richard: Ende der Aufklärung und Vorbereitung der Klassik. - Bd. VII, 1-2 (1983-1989): Schulz, Gerhard: Die deutsche Literatur zwischen Französischer Revolution und Restauration (1789-1815/16).

B 1170 Geschichte der deutschen Literatur von den Anfängen bis zur Gegenwart. Hrsg. von Klaus Gysi, Kurt Böttcher u. a. Berlin (Ost): Volk und Wissen, 1960ff.

Darstellung aus *marxistischer* Sicht. *Bis Herbst 1989*: Bd. I, 1-2 (4. Aufl. 1983): Von den Anfängen bis 1160; Bd. IV (3. Aufl. 1983): 1480-1600; Bd. V (1962): 1600-1700; Bd. VI (1979): Vom Ausgang des 17. Jhs. bis 1789; Bd. VII (1978): 1789 bis 1830; Bd. VIII, 1-2 (1975): Von 1830 bis zum Ausgang des 19. Jhs.; Bd. IX (2. Aufl. 1985): Vom Ausgang des 19. Jhs. bis 1917; Bd. X (2. Aufl. 1978): 1917 bis 1945; Bd. XI (2. Aufl. 1977): Literatur der DDR; Bd. XII (1983): Literatur der Bundesrepublik Deutschland.

B 1180 Handbuch der deutschen Literaturgeschichte. Bern, München: Francke, 1969ff.

Bis Herbst 1989: Bd. 2 (1971): Gaede, Friedrich: Humanismus, Barock, Aufklärung. Geschichte der deutschen Literatur vom 16. bis zum 18. Jahrhundert. - Bd. 4 (1973): Just, Klaus Günter: Von der Gründerzeit bis zur Gegenwart. Geschichte der deutschen Literatur seit 1871.

B 1190 Geschichte der deutschen Literatur von den Anfängen bis zur Gegenwart. Stuttgart: Reclam, 1965 ff.
Bis Herbst 1989: Bd. 1 (1980): Wehrli, Max: Vom frühen Mittelalter bis zum Ende des 16. Jahrhunderts. - Bd. 2 (1965): Kohlschmidt, Werner: Geschichte der deutschen Literatur vom Barock bis zur Klassik. - Bd. 3 (1974): Kohlschmidt, Werner: Von der Romantik bis zum späten Goethe. - Bd. 4 (1975): Kohlschmidt, Werner: Geschichte der deutschen Literatur vom Jungen Deutschland bis zum Naturalismus. - Bd. 5 (1978): Lehnert, Herbert: Geschichte der deutschen Literatur vom Jugendstil zum Expressionismus.

B 1200 Geschichte der deutschen Literatur vom 18. Jahrhundert bis zur Gegenwart. Hrsg. von Victor Žmegač. 3 Bde. Königstein: Athenäum, 1979-1985. - *Taschenbuchausgabe*: 6 Bde. Ebd. 1984-1985.
Aus *literatursoziologischer* Sicht. - Bd. I, 1 (2. Aufl. 1984): Von 1670 bis zur Spätaufklärung; Bd. I, 2 (2. Aufl. 1984): Von der Klassik bis zur Märzrevolution. Bd. II (2. Aufl. 1985): Von 1848 bis zum Ersten Weltkrieg; Bd. III (1985): 1918 bis zur Gegenwart.

B 1210 Hansers Sozialgeschichte der deutschen Literatur. Hrsg. von Rolf Grimminger. München: Hanser, 1980ff. - *Taschenbuchausgabe*: München: dtv, 1980ff.
Wird die Geschichte der deutschen Literatur vom 16. Jahrhundert bis zur Gegenwart aus *literatursoziologischer* Sicht darstellen und eine Verknüpfung von Lebenspraxis, Alltagswelt und philosophisch-ästhetischer Kultur anstreben. - *Bis Herbst 1989* (geplant sind 12 Bde.): Bd. 3 (1980): Deutsche Aufklärung bis zur Französischen Revolution (1680-1789). Hrsg. von Rolf Grimminger; Bd. 4 (1987): Ueding, Gerd: Klassik und Romantik (1789-1815); Bd. 10 (1986): Literatur in der Bundesrepublik Deutschland bis 1967. Hrsg. von Ludwig Fischer; Bd. 11 (1983): Die Literatur der DDR. Hrsg. von Hans-Jürgen Schmitt.

B 1220 Deutsche Literatur. Eine Sozialgeschichte. Von den Anfängen bis zur Gegenwart. Hrsg. von Horst Albert Glaser. Reinbek: Rowohlt, 1980 ff. (rororo Handbuch 6250 ff.).
Strebt Verbindung von Sozialgeschichte und Literaturgeschichte an. - *Bis Herbst 1989* (geplant sind 10 Bde.): Bd. 1 (1988): Aus der Mündlichkeit in die Schriftlichkeit. Höfische und andere Literatur; Bd. 3 (1985): Zwischen Gegenreformation und Frühaufklärung: Späthumanismus, Barock. 1572-1740; Bd. 4 (1980): Zwischen Absolutismus und Aufklärung: Rationalismus, Empfindsamkeit, Sturm und Drang. 1740-1786; Bd. 5 (1980): Zwischen Revolution und Restauration: Klassik, Romantik. 1786-1815; Bd. 6 (1980): Vormärz: Biedermeier, Junges Deutschland, Demokraten. 1815-1848; Bd. 7

(1981): Vom Nachmärz zur Gründerzeit: Realismus. 1848-1880; Bd. 8 (1982): Jahrhundertwende: Vom Naturalismus zum Expressionismus. 1880-1918; Bd. 9 (1983): Weimarer Republik - Drittes Reich: Avantgardismus, Parteilichkeit, Exil. 1918-1945.

B 1230 Geschichte der deutschen Literatur. Kontinuität und Veränderung. Vom Mittelalter bis zur Gegenwart. Hrsg. von Ehrhard Bahr. Tübingen: Francke, 1987-1988 (UTB 1463-1465).
Autorenorientierte, teilweise recht knappe Darstellung. - Bd. 1 (1987): Vom Mittelalter bis zum Barock; Bd. 2 (1988): Von der Aufklärung bis zum Vormärz; Bd. 3 (1988): Vom Realismus bis zur Gegenwartsliteratur.

B 1240 Deutsche Dichter. Leben und Werk deutschsprachiger Autoren. Hrsg. von Gunter E. Grimm und Frank Rainer Max. 8 Bde. Stuttgart: Reclam, 1988-1990.
Bis Herbst 1989: Bd. 1 (1989): Mittelalter; Bd. 2 (1989): Reformation, Renaissance und Barock; Bd. 3 (1988): Aufklärung und Empfindsamkeit; Bd. 4 (1989): Sturm und Drang, Klassik; Bd. 5 (1989) Romantik, Biedermeier und Vormärz; Bd. 6 (1989) Realismus, Naturalismus und Jugendstil; Bd. 7 (1988): Vom Beginn bis zur Mitte des 20. Jahrhunderts; Bd. 8 (vorauss. 1990): Gegenwart.

B 1250 Deutsche Literatur von Frauen. Hrsg. von Gisela Brinker-Gabler. 2 Bde. München: Beck, 1988.
Als Korrektiv zur bisherigen Literaturgeschichtsschreibung, die den weiblichen Anteil an der Literaturproduktion häufig genug nicht ausreichend berücksichtigte. Bd. 1: Vom Mittelalter bis zum Ende des 18. Jhs.; Bd. 2: 19. und 20. Jh.

Literaturgeschichtsschreibung unter besonderen Gesichtspunkten:

B 1280 Markwardt, Bruno: Geschichte der deutschen Poetik. 5 Bde. Berlin: de Gruyter, 1937-1966 (Grundriß der germanischen Philologie, 13).
Umfassende Darstellung zur Geschichte der Poetik und Gattungstheorie. Ausgesprochen materialreich. Bandgliederung: Bd. 1 (3. Aufl. 1964): Barock und Frühaufklärung; Bd. 2 (2. Aufl. 1970): Aufklärung, Rokoko, Sturm und Drang; Bd. 3 (2. Aufl. 1971): Klassik und Romantik; Bd. 4 (1959): Das 19. Jahrhundert; Bd. 5 (1967): Das 20. Jahrhundert. - Ergänzungsbd. zur Gegenwart geplant.

B 1290 Böckmann, Paul: Formgeschichte der deutschen Dichtung. Bd. 1: Von der Sinnbildsprache zur Ausdruckssprache. Der Wandel der literarischen Formensprache vom Mittelalter zur Neuzeit. 4. Aufl. Hamburg: Hoffmann und Campe, 1973 (mehr nicht erschienen).
Versuch, Literaturgeschichte im Formenwandel sichtbar zu machen.

B 1300 Rosenthal, Erwin Theodor: Deutschsprachige Literatur des Auslands. Bern u.a.: Lang, 1989 (Germanistische Lehrbuchsammlung, 84).
Behandelt: Elsaß, Südliches Afrika, Kanada, Australien, Israel, Brasilien, Argentinien, Rumänien.

Kompendien, knappe Darstellungen zur ersten Information:

B 1310 Martini, Fritz: Deutsche Literaturgeschichte. Von den Anfängen bis zur Gegenwart. 18. Aufl. Stuttgart: Kröner, 1984 (Kröners Taschenausgabe, 196).

B 1320 Fricke, Gerhard; Schreiber, Mathias: Geschichte der deutschen Literatur. Neubearb. Paderborn: Schöningh, 1988.

B 1330 Beutin, Wolfgang u.a.: Deutsche Literaturgeschichte. Von den Anfängen bis zur Gegenwart. 3. überarb. Aufl. Stuttgart: Metzler, 1989.
Starke Betonung der Literatur des 20. Jhs. (über die Hälfte des Bandes). Mit tabellarischen Überblicken.

B 1335 Žmegač, Viktor; Škreb, Zdenko; Sekulić, Ljerka: Kleine Geschichte der deutschen Literatur. Von den Anfängen bis zur Gegenwart. 3. Aufl. Frankfurt/M.: Hirschgraben, 1986.

Datensammlung:

B 1360 Frenzel, Herbert A.; Frenzel, Elisabeth: Daten deutscher Dichtung. Chronologischer Abriß der deutschen Literaturgeschichte. 2 Bde. 11. Aufl. München: dtv, 1975 u.ö. (dtv 3101-3102).

Literaturgeschichte in Bildern:

B 1370 Könneke, Gustav: Bilderatlas zur Geschichte der deutschen Nationalliteratur. 2. Aufl. Marburg: Elwert, 1895.

B 1380 Wilpert, Gero von: Deutsche Literatur in Bildern. 2. Aufl. Stuttgart: Kröner, 1965.

B 1390 Deutsche Literaturgeschichte in Bildern. Eine Darstellung von den Anfängen bis zur Gegenwart. Hrsg. von Günter Albrecht, Kurt Böttcher u.a. 2 Bde. Leipzig: Bibliographisches Institut, 1969-1971.

B 1400 Deutsche Schriftsteller im Porträt. Bd. 1ff. München: Beck, 1979ff. (Beck'sche Schwarze Reihe).
Bis Herbst 1989: Bd. 1 (1979): Das Zeitalter des Barock. Hrsg. von Martin Bircher; Bd. 2 (1980): Das Zeitalter der Aufklärung. Hrsg. von Jürgen Stenzel; Bd. 3 (1980): Sturm und Drang, Klassik, Romantik. Hrsg. von Jörn Göres; Bd. 4 (1981): Das 19. Jahrhundert. Hrsg. von Hiltrud Häntzschel; Bd. 5 (1983): Jahrhundertwende. Hrsg. von Hans-Otto Hügel; Bd. 6 (1984): Expressionismus und Weimarer Republik. Hrsg. von Karl-Heinz Habersetzer.

B 1410 Epochen der deutschen Literatur in Bildern. Stuttgart: Kröner, 1986ff.

Bis Herbst 1989: Schlaffer, Hannelore: Klassik und Romantik (1986).

6.2.2 ZUR GESCHICHTE DER WELTLITERATUR

B 1420 Neues Handbuch der Literaturwissenschaft. Hrsg. von Klaus von See. Wiesbaden: Athenaion (auch Darmstadt: Wissenschaftliche Buchgesellschaft), 1972 ff.

Bis Herbst 1989 (die deutsche Literatur betreffend): Bd. 6 (1985): Europäisches Frühmittelalter; Bd. 7 (1981): Europäisches Hochmittelalter; Bd. 8 (1978): Europäisches Spätmittelalter; Bd. 9-10 (1972): Renaissance und Barock I-II; Bd. 11-13 (1974 bis 1984): Europäische Aufklärung I-III; Bd. 14-16 (1982-1985): Europäische Romantik I-III; Bd. 17 (1980): Europäischer Realismus; Bd. 18-19 (1976): Jahrhundertende - Jahrhundertwende I-II; Bd. 20 (1983): Zwischen den Weltkriegen; Bd. 21-22 (1979): Literatur nach 1945 I-II. Bd. 25 wird ein Gesamtregister enthalten.

Einbändige Darstellung aus literatursoziologischer Sicht:

B 1430 Hauser, Arnold: Sozialgeschichte der Kunst und Literatur. München: Beck, 1953. Sonderausgabe: 1983.

Behandelt die deutsche Literatur im europäischen Kontext.

Darstellung, die die Literatur im Rahmen der Kulturgeschichte behandelt:

B 1440 Handbuch der Kulturgeschichte. 40 Bde. Wiesbaden: Athenaion, 1960ff. (Abteilung I: Zeitalter deutscher Kultur).

Krogmann, Willy: Die Kultur der alten Germanen I. Hrsg. von Eugen Thurnher (1978); Zeeden, Ernst W.: Deutsche Kultur in der frühen Neuzeit (1970); Flemming, Willy: Deutsche Kultur im Zeitalter des Barock (1970); Ermatinger, Emil: Deutsche Kultur im Zeitalter der Aufklärung. Bearb. von Eugen Thurnher und Paul Stapf (1970); Bruford, Walter H.: Deutsche Kultur der Goethezeit (1970); Buchheim, Karl: Deutsche Kultur zwischen 1830 und 1870 (1970); Kramer, Hans: Deutsche Kultur zwischen 1871 und 1918 (1971); Schwarz, Dietrich W.: Die Kultur der Schweiz (1970).

6.2.3 LITERATURGESCHICHTEN NACH EPOCHEN

Mittelalter

-> B 1160 (Bd. I-IV), B 1170 (Bd. I, 1-2), B 1190 (Bd. 1), B 1200 (Bd. 1), B 1230, B 1250, B 1410, B 1420 (Bd. 8).

B 1490 Geschichte der deutschen Literatur von den Anfängen bis zum Beginn der Neuzeit. Hrsg. von Joachim Heinzle. Bd. 1ff. Frankfurt/M.: Athenäum, 1984ff.

Bis Herbst 1989: Bd. 1, 1 (1988): Haubrichs, Wolfgang: Die Anfänge. Versuche volkssprachiger Schriftlichkeit im frühen Mittelalter (ca. 700-1050/60); Bd. 1, 2 (1986): Vollmann-Profe, Gisela: Wiederbeginn im hohen Mittelalter; Bd. 2, 2 (1984): Heinzle, Joachim: Vom hohen zum späten Mittelalter. Wandlungen und Neuansätze im 13. Jahrhundert (1220/30-1280/90).

B 1500 Bertau, Karl: Deutsche Literatur im europäischen Mittelalter. 2 Bde. München: Beck, 1972-1973.

Bd. 1: 800-1197; Bd. 2: 1195-1220.

B 1510 Nagel, Bert: Staufische Klassik. Deutsche Dichtung um 1200. Heidelberg: Stiehm, 1977.

Mit Zeittafel und umfangreicher Bibliographie.

B 1520 Kartschoke, Dieter: Geschichte der deutschen Literatur im frühen Mittelalter. München: dtv, 1989.

B 1521 Bumke, Joachim: Geschichte der deutschen Literatur im hohen Mittelalter. München: dtv, 1989.

B 1522 Cramer, Thomas: Geschichte der deutschen Literatur im späten Mittelalter. München: dtv, 1989.

B 1530 Ehrismann, Gustav: Geschichte der deutschen Literatur bis zum Ausgang des Mittelalters. 2 Teile in 4 Bden. München: Beck, 1918-1935 (Handbuch des deutschen Unterrichts, 6 [Nachdruck: ebda. 1959 u. ö.]).

Ältere Darstellung, die wegen ihrer ausführlichen Inhaltsangaben und reichhaltigen bibliographischen Hinweise immer noch unentbehrlich ist.

B 1540 Wapnewski, Peter: Deutsche Literatur des Mittelalters. Ein Abriß. 3. Aufl. Göttingen: Vandenhoeck & Ruprecht, 1975 (Kleine Vandenhoeck-Reihe, 96-97).

Zur Entwicklung der *mittellateinischen* Literatur:

B 1600 Manitius, Max: Geschichte der lateinischen Literatur des Mittelalters. 3 Bde. München: Beck, 1911-1931 (Handbuch der Altertumswissenschaft, IX, 2 [Nachdruck: ebda. 1973-1976]).

Standardwerk. Bd. 1: Von Justinian bis zur Mitte des 10. Jahrhunderts; Bd. 2: Von der Mitte des 10. Jahrhunderts bis zum Ausbruch des Kampfes zwischen Kirche und Staat; Bd. 3: Vom Ausbruch des Kirchenstreites bis zum Ende des 12. Jahrhunderts.

B 1610 Brunhölzl, Franz: Geschichte der lateinischen Literatur des Mittelalters. Bd. 1 ff. München: Fink, 1975 ff.
Bis Herbst 1989: Bd. 1: Von Cassiodor bis zum Ausklang der karolingischen Erneuerung.

B 1620 Langosch, Karl: Lateinisches Mittelalter. Einführung in Sprache und Literatur. 4. Aufl. Darmstadt: Wissenschaftliche Buchgesellschaft, 1983.

15. / 16. Jahrhundert

-> B 1150 (Bd. II, 1), B 1160 (Bd. IV), B 1170 (Bd. IV), B 1180 (Bd. 2), B 1190 (Bd. 1), B 1220 (Bd. 3), B 1230 (Bd. 1), B 1240 (Bd. 2), B 1250, B 1410, B 1420 (Bd. 9-10).

B 1630 Burger, Heinz Otto: Renaissance, Humanismus, Reformation. Deutsche Literatur im europäischen Kontext. Bad Homburg v.d.H.: Athenaion, 1969 (Frankfurter Beiträge zur Germanistik, 7).

Einführungen:

B 1640 Könneker, Barbara: Die Literatur der Reformationszeit. Kommentar zu einer Epoche. München: Winkler, 1975.
Mit Zeittafel und umfangreicher Bibliographie.

B 1650 Bernstein, Eckhard: Die Literatur des deutschen Frühhumanismus. Stuttgart: Metzler, 1978 (Sammlung Metzler, 168).
Mit reichhaltigen bibliographischen Angaben.

Zur *neulateinischen* Literatur:

B 1660 Ellinger, Georg: Geschichte der neulateinischen Literatur Deutschlands im 16. Jahrhundert. 3 Bde. Berlin: de Gruyter, 1929-1933.
Bd. 1: Italien und der deutsche Humanismus in der neulateinischen Lyrik; Bd. 2: Die neulateinische Lyrik Deutschlands in der ersten Hälfte des 16. Jahrhunderts; Bd. 3, 1: Geschichte der neulateinischen Lyrik in den Niederlanden. *Mehr nicht erschienen.*

17. Jahrhundert

-> B 1150 (Bd. II, 2), B 1160 (Bd. V), B 1170 (Bd. V), B 1180 (Bd. 2), B 1190 (Bd. 2), B 1230 (Bd. 1), B 1240 (Bd. 2), B 1250, B 1410, B 1420 (Bd. 9-10).

B 1710 Deutsche Dichter des 17. Jahrhunderts. Ihr Leben und Werk. Hrsg. von Harald Steinhagen und Benno von Wiese. Berlin: E. Schmidt, 1984.
Sammlung von Einzeldarstellungen zu den bedeutendsten Autoren des Barock. Mit weiterführender Bibliographie.

B 1715 Hoffmeister, Gerhart: Deutsche und europäische Barockliteratur. Stuttgart: Metzler, 1987 (Sammlung Metzler, 234).
Einführung und Überblick.

18. J a h r h u n d e r t (Aufklärung bis Romantik)

-> B 1150 (Bd. III-IV), B 1160 (Bd. V-VII), B 1170 (Bd. VI bis VIII), B 1180 (Bd. 2), B 1190 (Bd. 3-4), B 1200 (Bd. 1), B 1210 (Bd. 3), B 1220 (Bd. IV-V), B 1230 (Bd. 2), B 1240 (Bd. 3), B 1250, B 1410, B 1420 (Bd. 11).

B 1720 Korff, Hermann August: Geist der Goethezeit. Versuch einer ideellen Entwicklung der klassisch-romantischen Literaturgeschichte. 4 Bde. und Registerband. 8./9. Aufl. Leipzig: Köhler & Amelang, 1974 (1. Aufl. 1923-1953).
Darstellung aus *ideengeschichtlicher* Sicht. Bd. 1: Sturm und Drang; Bd. 2: Klassik; Bd. 3: Frühromantik; Bd. 4: Hochromantik.

B 1730 Kaiser, Gerhard: Aufklärung, Empfindsamkeit, Sturm und Drang. 3. Aufl. München: Francke, 1979 (UTB 484).

B 1740 Balet, Leo; Gerhard, E.: Die Verbürgerlichung der deutschen Kunst, Literatur und Musik im 18. Jahrhundert. Frankfurt/M. u.a.: Ullstein, 1973 (Ullstein-Buch, 35133 [Nachdruck der Ausgabe Baden-Baden 1936]).
Darstellung aus *literatursoziologischer* Sicht. Nachdruck mit Einleitung und *umfangreicher Bibliographie* versehen.

B 1750 Deutsche Dichter des 18. Jahrhunderts. Ihr Leben und Werk. Hrsg. von Benno von Wiese. Berlin: E. Schmidt, 1977.
Sammlung von Einzeldarstellungen zu den bedeutendsten Autoren der Zeit. Ähnlich:

B 1760 Deutsche Dichter der Romantik. Ihr Leben und Werk. Hrsg. von Benno von Wiese. 2. Aufl. Berlin: E. Schmidt, 1981.

B 1770 Deutsche Literatur zur Zeit der Klassik. Hrsg. von Karl Otto Conrady. Stuttgart: Reclam, 1977.

B 1780 Hettner, Hermann: Literaturgeschichte des achtzehnten Jahrhunderts. 3 Teile in 6 Bden. 5. Aufl. Braunschweig: Vieweg, 1893-1894.
Ältere Darstellung, die wegen ihres Materialreichtums immer noch brauchbar ist: Teil 3 (= 4 Bde.): Die deutsche Literatur im 18. Jh.

Teilbereiche:

B 1810 Sauder, Gerhard: Empfindsamkeit. 3 Bde. Stuttgart: Metzler, 1974ff.
Bd. 1: Voraussetzungen und Elemente (1974); Bd. 2: Ästhetische, literarische und soziale Aspekte (in Vorber.); Bd. 3: Quellen und Dokumente (1980).

B 1820 Pascal, Roy: Der Sturm und Drang. 2. Aufl. Stuttgart: Kröner, 1977.

Einführungen in einzelne Strömungen und Epochen:

B 1830 Anger, Alfred: Literarisches Rokoko. 2. Aufl. Stuttgart: Metzler, 1968 (Sammlung Metzler, 25).

B 1832 Sturm und Drang. Ein literaturwissenschaftliches Studienbuch. Hrsg. von Walter Hinck. Kronberg: Athenäum, 1978 (AT 2133).

B 1835 Stephan, Inge: Literarischer Jakobinismus in Deutschland (1789 bis 1806). Stuttgart: Metzler, 1976 (Sammlung Metzler, 150).

B 1840 Borchmeyer, Dieter: Die Weimarer Klassik. Eine Einführung. 2 Bde. Königstein/Ts.: Athenäum, 1980.

B 1842 Lange, Victor: Das klassische Zeitalter der deutschen Literatur. 1740-1815. München: Winkler, 1983.

B 1845 Romantik. Ein literaturwissenschaftliches Studienbuch. Hrsg. von Ernst Ribbat. Königstein/Ts.: Athenäum, 1979 (AT 2149).

B 1846 Hoffmeister, Gerhart: Deutsche und europäische Romantik. Stuttgart: Metzler, 1978 (Sammlung Metzler, 170).

19. Jahrhundert

-> B 1150 (Bd. V, I-2), B 1170 (Bd. VIII), B 1180 (Bd. 4), B 1190 (Bd. 4), B 1200 (Bd. I, 2; II), B 1220 (Bd. VI), B 1230 (Bd. 2), B 1250, B 1410, B 1420 (Bd. 17-19).

B 1850 Alker, Ernst: Die deutsche Literatur im 19. Jahrhundert (1832 bis 1914). 3. Aufl. Stuttgart: Kröner, 1969 (Kröners Taschenausgaben, 339).

B 1860 David, Claude: Zwischen Romantik und Symbolismus. 1820 bis 1885. Gütersloh: Mohn, 1966.

B 1870 Deutsche Dichter des 19. Jahrhunderts. Ihr Leben und Werk. Hrsg. von Benno von Wiese. 2. Aufl. Berlin: E. Schmidt, 1979.
Sammlung von Einzeldarstellungen zu den wichtigsten Autoren der Zeit.

B 1875 Die österreichische Literatur. Ihr Profil im 19. Jahrhundert (1830 bis 1880). Hrsg. von Herbert Zeman. Graz: Akadem. Druck- und Verlagsanstalt, 1982 (Die österreichische Literatur. Eine Dokumentation ihrer literarhistorischen Entwicklung. Jahrbuch für österreichische Kulturgeschichte, 11-12).
Umfassende Darstellung. Behandelt: Literatursoziologische, Rezeptions- und wirkungsgeschichtliche, literaturpsychologische Probleme; Literaturkritik; Stil- und gattungsgeschichtliche Aspekte; Beziehungen zwischen den Künsten.

B 1880 Soergel, Albert; Hohoff, Curt: Dichtung und Dichter der Zeit. Vom Naturalismus bis zur Gegenwart. Neubearbeitung. 2 Bde. Düsseldorf: Bagel, 1964 u.ö.
Bd. 1: Vom Naturalismus bis zum beginnenden Expressionismus. Gut lesbarer Überblick über die Entwicklung der Literatur im ausgehenden 19. Jh. Bd. 2 -> B 2050. *Ältere Auflagen* beachten (enthalten zahlreiche später nicht mehr aufgenommene Autoren)!

Teilbereiche:

B 1890 Hamann, Richard; Hermand, Jost: Gründerzeit. Berlin (Ost): Akademie-Verlag, 1965 (Deutsche Kunst und Kultur von der Gründerzeit bis zum Expressionismus, 1) und München: Nymphenburger, 1971 (Epochen deutscher Kultur von 1870 bis zur Gegenwart, 1). - *Taschenbuchausgabe*: Frankfurt/M.: Fischer, 1977 (Fischer Taschenbuch, 6351).

B 1900 Hamann, Richard; Hermand, Jost: Naturalismus. Berlin (Ost): Akademie-Verlag, 1959 (Deutsche Kunst und Kultur von der Gründerzeit bis zum Expressionismus, 2) und München: Nymphenburger, 1972 (Epochen deutscher Kultur von 1870 bis zur Gegenwart, 2). - *Taschenbuchausgabe*: Frankfurt/M.: Fischer, 1977 (Fischer Taschenbuch, 6352).

B 1910 Hamann, Richard; Hermand, Jost: Impressionismus. Berlin (Ost): Akademie-Verlag, 1960 (Deutsche Kunst und Kultur von der Gründerzeit bis zum Expressionismus, 3) und München: Nymphenburger, 1972 (Epochen deutscher Kultur von 1870 bis zur Gegenwart, 3). - *Taschenbuchausgabe*: Frankfurt/M.: Fischer, 1977 (Fischer Taschenbuch, 6353).

Fortführung -> B 2060, B 2070. - Die Darstellungen von Hamann und Hermand sind sehr materialreich und setzen Kenntnisse bereits voraus. Von daher sind sie nicht als Einstieg in die jeweilige literarische Strömung gedacht.

B 1915 Mennemeier, Franz Norbert: Literatur der Jahrhundertwende. Bd. 1ff. Bern u.a.: Lang, 1985ff (Germanistische Lehrbuchsammlung, 39).
Bd. I, 1 (1985): Europäisch-deutsche Literaturtendenzen 1870-1910.

Einführungen in einzelne Epochen und Strömungen:

B 1920 Aust, Hugo: Literatur des Realismus. 2. Aufl. Stuttgart: Metzler, 1981 (Sammlung Metzler, 157).
Mit reichhaltigen Literaturangaben.

B 1930 Cowen, Roy C.: Der Naturalismus. Kommentar zu einer Epoche. 3. Aufl. München: Winkler, 1981.
Mit umfangreicher Bibliographie und Zeittafel.

B 1940 Mahal, Günther: Naturalismus. 2. Aufl. München: Fink, 1982 (Deutsche Literatur im 20. Jahrhundert. Literaturwissenschaftliche Arbeitsbücher, 1; UTB 363).
Mit Bibliographie.

B 1945 Möbius, Hanno: Der Naturalismus. Epochendarstellung und Werkanalyse. Heidelberg: Quelle & Meyer, 1982 (UTB 1211).

B 1950 Fischer, Jens Malte: Fin de siècle. Kommentar zu einer Epoche. München: Winkler, 1978.
Mit Zeittafel und umfangreicher Bibliographie.

B 1960 Dominik, Jost: Literarischer Jugendstil. 2. Aufl. Stuttgart: Metzler, 1980 (Sammlung Metzler, 81).
Mit reichhaltigen Literaturangaben.

20. Jahrhundert

-> B 1170 (Bd. IX-XII), B 1180 (Bd. 4), B 1190 (Bd. 5), B 1200 (Bd. II-III), B 1210 (Bd. 10-11), B 1220 (Bd. 8), B 1230 (Bd. 3), B 1240 (Bd. 7), B 1250, B 1410, B 1420 (Bd. 18-19, 21-22).

B 2010 Berg, Jan u.a.: Sozialgeschichte der deutschen Literatur von 1918 bis zur Gegenwart. Frankfurt/M.: Fischer, 1981 (Fischer Taschenbuch, 6475).

B 2020 Deutsche Literatur im 20. Jahrhundert. Begründet von Hermann Friedmann und Otto Mann. 5. Aufl. Hrsg. von Otto Mann und Wolfgang Rothe. 2 Bde. Bern, München: Francke, 1967.
Sammlung von Einzeldarstellungen (Bd. 1: Strukturen; Bd. 2: Gestalten).

B 2030 Deutsche Dichter der Moderne. Ihr Leben und Werk. Hrsg. von Benno von Wiese. 3. Aufl. Berlin: E. Schmidt, 1975. - 4. Aufl. in Vorber. für 1989/90.
Sammlung von Einzeldarstellungen zu den wichtigsten Autoren der Zeit. - Fortführung:

B 2040 Deutsche Dichter der Gegenwart. Ihr Leben und Werk. Hrsg. von Benno von Wiese. Berlin: E. Schmidt, 1973.

Teilbereiche:

B 2050 Soergel, Albert; Hohoff, Curt: Dichtung und Dichter der Zeit. Vom Naturalismus bis zur Gegenwart. Neubearbeitung. 2 Bde. Düsseldorf: Bagel, 1964 u.ö.
Bd. 2: Vom Expressionismus bis in die fünfziger Jahre. Bd. 1: -> B 1880.

B 2060 Hamann, Richard; Hermand, Jost: Stilkunst um 1900. Berlin (Ost): Akademie-Verlag, 1967 (Deutsche Kunst und Kultur von der Gründerzeit bis zum Expressionismus, 4) und München: Nymphenburger, 1973 (Epochen deutscher Kultur von 1870 bis zur Gegenwart, 4). - *Taschenbuchausgabe*: Frankfurt/M.: Fischer, 1977 (Fischer Taschenbuch, 6354).

B 2070 Hamann, Richard; Hermand, Jost: Expressionismus. Berlin (Ost): Akademie-Verlag, 1976 (Deutsche Kunst und Kultur von der Gründerzeit bis zum Expressionismus, 5) und München: Nymphenburger, 1976 (Epochen deutscher Kultur von 1870 bis zur Gegenwart, 5). - *Taschenbuchausgabe*: Frankfurt/M.: Fischer, 1977 (Fischer Taschenbuch, 6355).
-> B 1890 - B 1910.

B 2080 Deutsche Literatur in der Weimarer Republik. Hrsg. von Wolfgang Rothe. Stuttgart: Reclam, 1974.

B 2085 Trapp, Frithjof: Deutsche Literatur zwischen den Weltkriegen II. Literatur im Exil. Bern u.a.: Lang, 1983 (Germanistische Lehrbuchsammlung, 42).

B 2090 Walter, Hans-Albert: Deutsche Exilliteratur 1933-1950. Bd. 1ff. Neuwied: Luchterhand, 1972ff. (Sammlung Luchterhand, 76, 77, 136).
Bd. 1 (2. Aufl. 1974): Bedrohung und Verfolgung bis 1933; Bd. 2 (2. Aufl. 1974):

Asylpraxis und Lebensbedingungen in Europa; Bd. 7 (1974): Exilpresse. - Mehr nicht erschienen. *Erweiterte Neuausgabe*:

B 2100 Walter, Hans-Albert: Deutsche Exilliteratur 1933-1950. Stuttgart: Metzler, 1978ff.
Bis Herbst 1989 (geplant sind 7 Bde.): Bd. 2 (1984): Europäisches Appeasement und überseeische Asylpraxis (1938-1941); Bd. 3 (1988): Internierung, Flucht und Lebensbedingungen im 2. Weltkrieg; Bd. 4 (1978): Exilpresse.

B 2110 Deutsche Exilliteratur 1933 bis 1945. Hrsg. von Manfred Durzak. Stuttgart: Reclam, 1973.

B 2115 Exilliteratur 1933-1945. Hrsg. von Wulf Koepke und Michael Winkler. Darmstadt: Wiss. Buchgesellschaft, in Vorber.

B 2120 Deutsche Literatur im Dritten Reich. Hrsg. von Horst Denkler und Karl Prümm. Stuttgart: Reclam, 1976.

B 2130 Kindlers Literaturgeschichte der Gegenwart in Einzelbänden. Autoren, Werke, Themen, Tendenzen seit 1945. 5 Bde. Zürich, München: Kindler, 1973-1978.
Bd. 1 (1973): Die Literatur der Bundesrepublik Deutschland. Hrsg. von Dieter Lattmann; Bd. 2 (1974): Die Literatur der Deutschen Demokratischen Republik. Hrsg. von Konrad Franke; Bd. 3 (1976): Die zeitgenössische Literatur Österreichs. Hrsg. von Hilde Spiel; Bd. 4 (1974): Die zeitgenössischen Literaturen der Schweiz. Hrsg. von Manfred Gsteiger; Bd. 5 (1978): Die deutschsprachige Sachliteratur. Hrsg. von Rudolf Radler. - *Aktualisierte, überarbeitete Taschenbuchausgabe*:

B 2140 Kindlers Literaturgeschichte der Gegenwart. 11 Bde. und Registerbd. Frankfurt/M.: Fischer, 1980 (Fischer Taschenbuch, 6460).

B 2150 Deutsche Literatur der Gegenwart. Hrsg. von Dietrich Weber. 2 Bde. Stuttgart: Kröner, 1968-1977.
Bd. 1 (3. Aufl. 1976) behandelt die Autoren, die nach 1945 bis etwa 1960, Bd. 2 die Autoren, die ab 1960 bekannt geworden sind.

B 2160 Schnell, Ralf: Die Literatur der Bundesrepublik. Autoren, Geschichte, Literaturbetrieb. Stuttgart: Metzler, 1986.
Mit zahlreichen Abbildungen. S. 365-417: Autorenlexikon.

B 2170 Deutsche Gegenwartsliteratur. Ausgangspositionen und aktuelle Entwicklungen. Hrsg. von Manfred Durzak. Stuttgart: Reclam, 1981.

B 2175 Tendenzen der deutschen Gegenwartsliteratur. Hrsg. von Thomas Koebner. 2., neuverf. Aufl. Stuttgart: Kröner, 1984.

B 2180 Brettschneider, Werner: Zwischen literarischer Autonomie und Staatsdienst. Die Literatur in der DDR. 3. Aufl. Berlin: E. Schmidt, 1980.

B 2190 Scharfschwerdt, Jürgen: Literatur und Literaturwissenschaft in der DDR. Eine historisch-kritische Einführung. Stuttgart: Kohlhammer, 1982 (Sprache und Literatur, 116).

Einführungen in einzelne Epochen und Strömungen:

B 2195 Hoffmann, Paul: Symbolismus. München: Fink, 1987 (UTB 526).

B 2200 Sokel, Walter H.: Der Literarische Expressionismus. Der Expressionismus in der deutschen Literatur des zwanzigsten Jahrhunderts. München: Langen/Müller, 1959 u.ö.

B 2210 Vietta, Silvio; Kemper, Hans-Georg: Expressionismus. 3. Aufl. München: Fink, 1985 (Deutsche Literatur im 20. Jahrhundert. Literaturwissenschaftliche Arbeitsbücher, 3; UTB 362).
Allgemeine Darstellung, Werkanalysen, Bibliographie.

B 2220 Philipp, Eckhard: Dadaismus. Einführung in der literarischen Dadaismus und die Wortkunst des *Sturm*-Kreises. München: Fink, 1980 (Deutsche Literatur im 20. Jahrhundert. Literaturwissenschaftliche Arbeitsbücher, 4; UTB 527).
Mit weiterführender Bibliographie.

B 2230 Fähnders, Walter: Proletarisch-revolutionäre Literatur der Weimarer Republik. Stuttgart: Metzler, 1977 (Sammlung Metzler, 158).
Mit reichhaltigen Literaturangaben.

B 2240 Ketelsen, Uwe K.: Völkisch-nationale und nationalsozialistische Literatur in Deutschland. 1890-1945. Stuttgart: Metzler, 1976 (Sammlung Metzler, 142).
Mit reichhaltigen Literaturangaben.

6.3 ZU THEORIE UND GESCHICHTE EINZELNER GATTUNGEN

B 2400 In diesem Abschnitt werden zu den einzelnen Gattungen jeweils nur wenige Titel erwähnt, die allerdings in der Regel weiterführende Literaturhinweise enthalten. Heranzuziehen sind auch die oben genannten Hilfsmittel zur Textanalyse. Zu den kleineren Textarten -> auch die einschlägigen Artikel in den Reallexika (-> C 530ff.).

Allgemeine Gattungspoetik

B 2410 Staiger, Emil: Grundbegriffe der Poetik. 8. Aufl. Zürich: Artemis, 1968. - *Taschenbuchausgabe*: München: dtv, 1971 u.ö. (dtv 4090).

B 2420 Martini, Fritz: Poetik. In: Deutsche Philologie im Aufriß (-> B 1030), Bd. 1, Sp. 223-280.

B 2430 Hamburger, Käte: Die Logik der Dichtung. 3. Aufl. Stuttgart: Klett, 1977. - *Taschenbuchausgabe*: Berlin Ullstein, 1980 (Ullstein Bücher, 39007).

B 2440 Ruttkowski, Wolfgang: Die literarischen Gattungen. Reflexionen über eine modifizierte Fundamentalpoetik. Bern, München: Francke, 1969.

B 2450 Hempfer, Klaus W.: Gattungstheorie. Information und Synthese. München: Fink, 1973 (Information und Synthese, 1; UTB 133).

Zur ersten Information:

B 2460 Grundzüge der Sprach- und Literaturwissenschaft (-> B 120), S. 115ff. [-> auch B 100.]

Die gegenwärtige Diskussion spiegelt sich in:

B 2470 Textsorten und literarische Gattungen. Dokumentation des Ger manistentages in Hamburg vom 1. bis 4. April 1979. Hrsg. von Karl Otto Conrady u. a. Berlin: E. Schmidt, 1983.

Zur Lyrik

B 2480 Geschichte der deutschen Lyrik vom Mittelalter bis zur Gegenwart. Hrsg. von Walter Hinderer. Stuttgart: Reclam, 1983.

B 2490 Kemper, Hans-Georg: Deutsche Lyrik der frühen Neuzeit. Bd. 1ff. Tübingen: Niemeyer, 1987ff.
Bd. 1 (1987): Epochen- und Gattungsprobleme. Reformationszeit; Bd. 2 (1987): Konfessionalismus; Bd. 3 (1988): Barock - Mystik; Bd. 5 (1989): Aufklärung.

B 2500 Killy, Walther: Wandlungen des lyrischen Bildes. 7. Aufl. Göttingen: Vandenhoeck & Ruprecht, 1978 (Kleine Vandenhoeck-Reihe, 22 bis 23).

B 2510 Friedrich, Hugo: Die Struktur der modernen Lyrik. Von der Mitte des 19. bis zur Mitte des 20. Jahrhunderts. Reinbek: Rowohlt, 1970 u.ö. (rowohlts enzyklopädie, 420).

B 2520 Heselhaus, Clemens: Deutsche Lyrik der Moderne von Nietzsche bis Yvan Goll. 2. Aufl. Düsseldorf: Bagel, 1962.

B 2530 Knörrich, Otto: Die deutsche Lyrik seit 1945. 2. Aufl. Stuttgart: Kröner, 1978 (Kröners Taschenausgaben, 401).

B 2540 Zur Lyrik-Diskussion. Hrsg. von Reinhold Grimm. 3. Aufl. Darmstadt: Wiss. Buchgesellschaft, 1987 (Wege der Forschung, 111).

Zu weiterer Literatur, vor allem zur Lyrik einzelner Epochen und Strömungen sowie zu kleineren Gattungen -> die Literaturverzeichnisse in B 550-570, D 1170, D 3830, D 3840, wo auch Interpretationssammlungen verzeichnet sind, sowie die einschlägigen Artikel der Reallexika (-> C 530ff.).

Zum Drama

Eine umfassende Geschichte des deutschen Dramas von den Anfängen bis zur Gegenwart, die den neuesten Forschungsstand berücksichtigt, ist ein dringendes Desiderat.

B 2550 Mann, Otto: Geschichte des deutschen Dramas. 3. Aufl. Stuttgart: Kröner, 1969 (Kröners Taschenausgaben, 296).
Behandelt nach einem kurzen Überblick über die Entwicklung des Dramas in Antike und Mittelalter die Geschichte des deutschen Dramas vom Humanismus bis nach dem Zweiten Weltkrieg. Oft nur kursorische Darstellung.

B 2560 Ziegler, Klaus: Das deutsche Drama der Neuzeit. In: Deutsche Philologie im Aufriß (-> B 1030) Bd. 2, Sp. 1997-2350.

B 2570 Dietrich, Margret: Das moderne Drama. 3. Aufl. Stuttgart: Kröner, 1974 (Kröners Taschenausgaben, 220).
Behandelt das deutsche Drama im internationalen Kontext. Umfangreiche Darstellung mit weiterführenden Literaturangaben.

B 2580 Handbuch des deutschen Dramas. Hrsg. von Walter Hinck. Düsseldorf: Bagel, 1980.
Einzelbeiträge zur Geschichte des Dramas und der Dramentheorie. Grundbegriffe der Interpretation von Dramen. Volkstheater. Probleme der Adaption von Dramen im Fernsehen. Das Drama im Unterricht.

B 2585 Kafitz, Dieter: Grundzüge einer Geschichte des deutschen Dramas von Lessing bis zum Naturalismus. 2 Bde. Frankfurt/M: Athenäum, 1982 (AT 2175-2176).

B 2590 Cowen, Roy C.: Das deutsche Drama im 19. Jahrhundert. Stuttgart: Metzler, 1988 (Sammlung Metzler, 247).

B 2600 Beiträge zur Poetik des Dramas. Hrsg. von Werner Keller. Darmstadt: Wissenschaftliche Buchgesellschaft, 1976.

B 2610 Szondi, Peter: Theorie des modernen Dramas. Frankfurt/M.: Suhrkamp, 1963 u.ö. (edition suhrkamp, 27).

B 2620 Klotz, Volker: Geschlossene und offene Form im Drama. 11. Aufl. München: Hanser, 1985 (Literatur als Kunst).

B 2630 Pütz, Peter: Die Zeit im Drama. Zur Technik dramatischer Spannung. 2. Aufl. Göttingen: Vandenhoeck & Ruprecht, 1977.

Sonderformen:

B 2635 Aust, Hugo; Haida, Peter; Hein, Jürgen: Volksstück. Vom Hanswurstspiel zum sozialen Drama der Gegenwart. München: Beck, 1989.

B 2640 Kesting, Marianne: Das epische Theater. Zur Struktur des modernen Dramas. 7. Aufl. Stuttgart: Kohlhammer, 1978 (Urban-Taschenbuch, 36).

B 2645 Barton, Brian: Das Dokumentartheater. Stuttgart: Metzler, 1987 (Sammlung Metzler, 232).

B 2650 Esslin, Martin: Das Theater des Absurden. Reinbek: Rowohlt, 1965 u.ö. (rowohlts enzyklopädie, 414).

B 2660 Sengle, Friedrich: Das historische Drama in Deutschland. Geschichte eines literarischen Mythos. 3. Aufl. Stuttgart: Metzler, 1974.

B 2670 Dosenheimer, Elise: Das deutsche soziale Drama von Lessing bis Sternheim. Darmstadt: Wiss. Buchgesellschaft, 1974 (*Nachdruck der Ausgabe* Konstanz 1949).

B 2680 Melchinger, Siegfried: Geschichte des politischen Theaters. 2 Bde. Frankfurt/M.: Suhrkamp, 1974 (suhrkamp taschenbuch, 153-154).

Literatur zum Drama und zur Dramentheorie einzelner Epochen und zu einzelnen Gattungen (Tragödie, Komödie usw.) -> B 580 - B 610 sowie die einschlägigen Artikel der Reallexika (-> C 530ff.).

Zur Erzählliteratur

Wie beim Drama fehlt auch eine umfassende Geschichte der erzählenden Dichtung. Es liegen lediglich Arbeiten zu einzelnen Gattungen (Roman, Novelle usw.) vor. Der gegenwärtige Forschungsstand spiegelt sich in:

B 2690 Erzählforschung. Theorien, Modelle und Methoden der Narrativik. Hrsg. von Wolfgang Haubrichs. 3 Bde. Göttingen: Vandenhoeck & Ruprecht, 1976-1978 (Zeitschrift für Literaturwissenschaft und Linguistik, 4, 6, 8).

B 2700 Erzählung und Erzählforschung im 20. Jahrhundert. Tagungsbeiträge eines Symposiums der Alexander von Humboldt-Stiftung 1980. Hrsg. von Rolf Klopfer und Gisela Janetzke-Dillner. Stuttgart u. a.: Kohlhammer, 1981 (Internationale Fachgespräche).

Roman und Erzählung:

B 2710 Emmel, Hildegard: Geschichte des deutschen Romans. 3 Bde. Bern, München: Francke, 1972-1978 (Sammlung Dalp, 103, 105, 106).
Bd. 1 (1972): Vom 15. Jh. bis zur Romantik; Bd. 2 (1975): Von der Goethezeit bis zur Mitte des 20. Jhs.; Bd. 3 (1978): Der Weg in die Gegenwart.

B 2715 Handbuch des deutschen Romans. Hrsg. von Helmut Koopmann. Düsseldorf: Bagel, 1983.

B 2720 Weydt, Günter: Der deutsche Roman von der Renaissance und Reformation bis zu Goethes Tod. In: Deutsche Philologie im Aufriß (-> B 1030) Bd. 2, Sp. 1217-1356.

B 2725 Mahoney, Dennis F.: Der Roman der Goethezeit (1774-1829). Stuttgart: Metzler, 1988 (Sammlung Metzler, 241).

B 2730 Majut, Rudolf: Der deutsche Roman vom Biedermeier bis zur Gegenwart. In: Deutsche Philologie im Aufriß (-> B 1030) Bd. 2, Sp. 1357 bis 1794.

B 2740 Welzig, Werner: Der deutsche Roman im 20. Jahrhundert. 2. Aufl. Stuttgart: Kröner, 1970 (Kröners Taschenausgaben, 367).

B 2750 Durzak, Manfred: Der deutsche Roman der Gegenwart. Entwicklungsvoraussetzungen und Tendenzen. 3. Aufl. Stuttgart: Kohlhammer, 1978 (Sprache und Literatur, 70).

B 2760 Handbuch der deutschen Erzählung. Hrsg. von Karl Konrad Polheim. Düsseldorf: Bagel, 1981.
Beiträge zur Geschichte der Erzählung vom Mittelalter bis zur Gegenwart und zu einzelnen Erzählern. Jeder Beitrag mit weiterführender Literatur.

B 2770 Hillebrand, Bruno: Theorie des Romans. 2 Bde. München: Winkler, 1972.
Bd. 1: Von Heliodor bis Jean Paul; Bd. 2: Von Hegel bis Handke. Mit weiterführender Bibliographie.

B 2780 Deutsche Romantheorien. Hrsg. von Reinhold Grimm. Frankfurt/M., Bonn: Athenäum, 1968.

B 2790 Zur Poetik des Romans. Hrsg. von Volker Klotz. 2. Aufl. Darmstadt: Wiss. Buchgesellschaft, 1969 (Wege der Forschung, 35).

B 2800 Zur Struktur des Romans. Hrsg. von Bruno Hillebrand. Darmstadt: Wiss. Buchgesellschaft, 1978 (Wege der Forschung, 488).

B 2810 Stanzel, Franz K.: Theorie des Erzählens. 4. Aufl. Göttingen: Vandenhoeck & Ruprecht, 1982 (UTB 904).

Sonderformen:

B 2814 Selbmann, Rolf: Der deutsche Bildungsroman. Stuttgart: Metzler, 1984 (Sammlung Metzler, 214).

B 2815 Jacobs, Jürgen; Krause, Markus: Der deutsche Bildungsroman. Gattungsgeschichte vom 18. bis zum 20. Jahrhundert. München: Beck, 1989.

B 2818 Hein, Jürgen: Die Dorfgeschichte. Stuttgart. Metzler, 1976 (Sammlung Metzler, 145).

B 2822 Nusser, Peter: Kriminalroman. Stuttgart: Metzler, 1980 (Sammlung Metzler, 191).

Novelle:

B 2840 Kunz, Josef: Die deutsche Novelle zwischen Klassik und Romantik. 2. Aufl. Berlin: E. Schmidt, 1971 (Grundlagen der Germanistik, 2).

B 2850 Kunz, Josef: Die deutsche Novelle im 19. Jahrhundert. 2. Aufl. Berlin: E. Schmidt, 1978 (Grundlagen der Germanistik, 10).

B 2860 Kunz, Josef: Die deutsche Novelle im 20. Jahrhundert. Berlin: E. Schmidt, 1977 (Grundlagen der Germanistik, 23).

B 2870 Novelle. Hrsg. von Josef Kunz. Darmstadt: Wiss. Buchgesellschaft, 1973 (Wege der Forschung, 55).
Aufsatzsammlung zur Geschichte der Novellentheorie. Mit Bibliographie.

B 2880 Wiese, Benno von: Novelle. 8. Aufl. Stuttgart: Metzler, 1982 (Sammlung Metzler, 27).
Einführung mit umfassenden Literaturhinweisen.

Kurzgeschichte:

B 2890 Durzak, Manfred: Die Kunst der Kurzgeschichte. Zur Theorie und Geschichte der deutschen Kurzgeschichte. München: Fink, 1989 (UTB 1519).
Mit ausführlicher Bibliographie.

B 2900 Marx, Leonie: Die deutsche Kurzgeschichte. Stuttgart: Metzler, 1985 (Sammlung Metzler, 216).

Kleinere Formen

B 2910 Jolles, André: Einfache Formen. Legende, Sage, Mythe, Rätsel, Spruch, Kasus, Memorabile, Märchen, Witz. 6. Aufl. Tübingen: Niemeyer, 1976 (Konzepte der Sprach- und Literaturwissenschaft, 15).
Seit der 1. Aufl. von 1930 unverändert.

B 2920 Schrader, Monika: Epische Kurzformen. Theorie und Didaktik. 2. Aufl. Königstein: Scriptor, 1986 (Scriptor Taschenbuch, 151).
Behandelt Sage, Märchen, Fabel, Parabel, Anekdote.

Zu weiteren epischen Formen bzw. zur Entwicklung epischer Texte in einzelnen Epochen und Strömungen -> die Literaturverzeichnisse in B 620 - B 640 sowie die einschlägigen Artikel der Reallexika (-> C 530 ff.). Interpretationssammlungen: -> D 3830 - D 3840.

Literarische Gebrauchsformen

B 2930 Gebrauchsliteratur. Methodische Überlegungen und Beispielanalysen. Hrsg. von Ludwig Fischer, Knut Hickethier und Karl Riha. Stuttgart: Metzler, 1976.

B 2935 Prosakunst ohne Erzählen. Die Gattungen der nicht-fiktionalen Kunstprosa. Hrsg. von Klaus Weissenberger. Tübingen: Niemeyer, 1985.
Behandelt Aphorismus, Autobiographie, Biographie, Brief, Dialog, Essay, Fragment, Predigt, Reisebericht und Tagebuch.

Darbietungsformen der neuen Medien

B 2940 Fischer, Eugen K.: Das Hörspiel. Form und Funktion. Stuttgart: Kröner, 1964 (Kröners Taschenausgaben, 337).

B 2950 Würffel, Stefan Bodo: Das deutsche Hörspiel. Stuttgart: Metzler, 1978 (Sammlung Metzler, 172).

B 2960 Siegel, Christian: Die Reportage. Stuttgart: Metzler, 1978 (Sammlung Metzler, 164).

B 2970 Das Fernsehspiel. Möglichkeiten und Grenzen. Hrsg. von Peter von Rüden. München: Fink, 1975 (Kritische Information, 22).

B 2980 Waldmann, Werner: Das deutsche Fernsehspiel. Ein systematischer Überblick. Wiesbaden: Athenaion, 1977 (Athenaion Literaturwissenschaft, 2).

B 2990 Hickethier, Knuth: Das Fernsehspiel der Bundesrepublik. Themen, Form, Struktur, Theorie und Geschichte. 1951-1977. Stuttgart: Metzler, 1980.

6.4 HANDBÜCHER MIT BESONDERER THEMENSTELLUNG

Die Anordnung erfolgt alphabetisch nach Schlagwörtern.

Arbeiterliteratur

B 3000 Handbuch zur deutschen Arbeiterliteratur. 2 Bde. Hrsg. von Heinz Ludwig Arnold. München: edition text + kritik, 1977.
Bd. 1: Zur Entwicklung der Arbeiterliteratur vom 19. Jahrhundert bis zum "Werkkreis Literatur der Arbeitswelt"; Bd. 2 -> D 1320.

B 3010 Ludwig, Martin H.: Arbeiterliteratur in Deutschland. Stuttgart: Metzler, 1976 (Sammlung Metzler, 149).

Autobiographie

B 3020 Misch, Georg: Geschichte der Autobiographie. 4 Bde. in 8 Teilen. Frankfurt/M.: Schulte-Bulmke, 1949-1969.
Bd. 1: Das Altertum; Bd. 2: Das Mittelalter in der Frühzeit; Bd. 3: Das Hochmittelalter im Anfang; Bd. 4, 1: Das Hochmittelalter in der Vollendung; Bd. 4, 2 (bearb. von Bernd Neumann): Von der Renaissance bis zu den autobiographischen Hauptwerken des 18. und 19. Jhs. - Die Bde. liegen in unterschiedlichen Neuauflagen vor.

Kinder- und Jugendliteratur

B 3030 Handbuch zur Kinder- und Jugendliteratur. Von 1750 bis 1800. Hrsg. von Theodor Brüggemann in Zusammenarbeit mit Hans Heino Ewers. Stuttgart: Metzler, 1982.
Mit ausführlicher Bibliographie.

Leseforschung, Lesergeschichte

B 3040 Lesen - Ein Handbuch. Lesestoff, Leser und Leseverhalten, Lesewirkungen, Leseerziehung, Lesekultur. Hrsg. von Alfred Clemens Baumgärtner. Hamburg: Verlag für Buchmarktforschung, 1974.
Jedes Kapitel mit Auswahlbibliographie. Sach-, Namenregister.

Literarische Wertung

B 3050 Schulte-Sasse, Jochen: Literarische Wertung. 2. Aufl. Stuttgart: Metzler, 1976 (Sammlung Metzler, 98).
Mit reichhaltigen Literaturangaben.

Literarisches Leben

B 3060 Literaturbetrieb in der Bundesrepublik Deutschland. Ein kritisches Handbuch. Hrsg. von Heinz Ludwig Arnold. 2. Aufl. München: edition text + kritik, 1981.
Behandelt u.a. Literaturmärkte und Medien, Literaturszenen, Berufsbilder, Organisationen.

B 3070 Fohrbeck, Karla; Wiesand, Andreas J.: Der Autorenreport. Reinbek: Rowohlt, 1972 (das neue Buch, 11).
Zur Situation des Schriftstellers in der Bundesrepublik.

B 3080 Handbuch der Kulturpreise und der individuellen Künstlerförde-

rung in der Bundesrepublik Deutschland 1985. Im Auftrage des Bundesministeriums des Innern erstellt von Karla Fohrbeck und Andreas Johannes Wiesand. Köln: DuMont, 1985.
Verzeichnet Kulturpreise aller Sparten mit Preisträgern.

Niederdeutsch

B 3085 Handbuch zur niederdeutschen Sprach- und Literaturwissenschaft. Unter Mitarbeit zahlreicher Fachgelehrter hrsg. von Gerhard Cordes und Dieter Möhn. Berlin: E. Schmidt, 1983.

Stoff- und Motivgeschichte

B 3090 Frenzel, Elisabeth: Stoff- und Motivgeschichte. 2. Aufl. Berlin: E. Schmidt, 1974 (Grundlagen der Germanistik, 3).

Symbolforschung

B 3100 Pongs, Hermann: Das Bild in der Dichtung. 4 Bde. Marburg: Elwert, 1927-1973.
Bd. 1 (5. Druck der 2. Aufl. 1971): Versuch einer Morphologie der metaphorischen Formen; Bd. 2 (3. Aufl. 1967): Voruntersuchungen zum Symbol; Bd. 3 (1969): Der symbolische Kosmos der Dichtung; Bd. 4 (1973): Symbolik der einfachen Formen.

Toposforschung

B 3110 Curtius, Ernst Robert: Europäische Literatur und lateinisches Mittelalter. 10. Aufl. Bern, München: Francke, 1984.
Zeigt sehr materialreich den Zusammenhang zwischen antiker Literatur und den neueren europäischen Literaturen in der Geschichte einzelner Topoi auf.

Trivialliteratur

B 3120 Zimmermann, Hans-Dieter: Trivialliteratur? Schema-Literatur! Entstehung, Formen, Bewertung. 2. Aufl. Stuttgart: Kohlhammer, 1982 (Urban-Taschenbuch, 299).
Einführende Darstellung mit weiterführender Literatur.

Zensur

B 3150 Breuer, Dieter: Geschichte der literarischen Zensur in Deutschland. Heidelberg: Quelle & Meyer, 1982 (UTB 1208).

7 HANDBÜCHER UND DARSTELLUNGEN
ZUR LITERATURDIDAKTIK

B 3300 Germanistik und Deutschunterricht im Zeitalter der Technologie - Selbstbestimmung und Anpassung. Vorträge des Berliner Germanistentages 1987. Hrsg. von Norbert Oellers. 4 Bde. Tübingen: Niemeyer, 1988.
Bd. 1: Das Selbstverständnis der Germanistik. Aktuelle Diskussionen; Bd. 2: Politische Aufgaben und soziale Funktionen von Germanistik und Deutschunterricht; Bd. 3: Literatur und Literaturunterricht in der Moderne; Bd. 4: Neue Technologien und Medien in Germanistik und Deutschunterricht.

B 3310 Projekt Deutschunterricht. 12 Bde. Hrsg. von Heinz Ide und Bodo Lecke. Stuttgart: Metzler, 1971-1977.
Umfassende Darstellung mit Unterrichtsprogrammen, Beispielanalysen und Materialien. - Bd. 1 (4. Aufl. 1974): Kritisches Lesen. Märchen, Sage, Fabel, Volksbuch; Bd. 2 (4. Aufl. 1974): Sozialisation und Manipulation durch Sprache; Bd. 3 (2. Aufl. 1973): Soziale Fronten in der Sprache; Bd. 4 (2. Aufl. 1974): Sprache und Realität; Bd. 5 (2. Aufl. 1974): Massenmedien und Trivialliteratur; Bd. 6 (1974): Kritischer Literaturunterricht - Dichtung und Politik; Bd. 7 (1974): Literatur der Klassik I - Dramenanalysen; Bd. 8 (1974): Politische Lyrik; Bd. 9 (1975): Literatur der Klassik II - Lyrik, Epik, Ästhetik; Bd. 10 (1976): Kommunikative Übungen - Sprachgebrauch; Bd. 11 (1976): Kommunikationsanalyse I - Sprachbetrachtung; Bd. 12 (1977): Kommunikationsanalyse II - Sprachkritik.

B 3320 Handbuch Deutschunterricht. Hrsg. von Peter Braun und Dieter Krallmann. 2 Bde. Düsseldorf: Schwann, 1983.
Bd. 1 (Sprachdidaktik): Zur Didaktik einzelner Schulstufen; Sprechen/Schreiben; Rechtschreibung/Rechtschreibunterricht; Grammatik/Grammatikunterricht. Bd. 2 (Literaturdidaktik): Lesen/Leseunterricht; Einzelwerke/Textsorten; Literaturwissenschaft/literaturdidaktische Ansätze; Didaktik der Trivialliteratur.

B 3330 Essen, Erika: Methodik des Deutschunterrichts. 10. Aufl. Heidelberg: Quelle & Meyer, 1980.

B 3340 Ivo, Hubert: Kritischer Deutschunterricht. 4. Aufl. Frankfurt/M.: Diesterweg, 1974.

B 3350 Kochan, Detlef C.: Forschungen zum Deutschunterricht. Weinheim, Basel: Beltz, 1975.
Forschungsbericht mit reichhaltigen Literaturangaben.

B 3360 Geißler, Rolf: Prolegomena zu einer Theorie der Literaturdidaktik. Bestandsaufnahme - Kritik - Neuansatz. 2. Aufl. Hannover: Schroedel, 1973.

B 3370 Weber, Albrecht: Grundlagen der Literaturdidaktik. München: Ehrenwirth, 1975.

B 3380 Handbuch "Deutsch". Für Schule und Hochschule. Sekundarstufe I. Hrsg. von Norbert Hopster. 3 Bde. Paderborn: Schöningh, 1984ff. (UTB - Große Reihe).
Bd. 1 (1984).

Weiterführende Literatur, auch zu Einzelproblemen -> D 3830 sowie die einschlägigen Artikel der Lexika (-> C 1010 ff.).

8 HANDBÜCHER UND DARSTELLUNGEN ZUR THEATERWISSENSCHAFT

B 3500 In Hinblick auf das entstehende *Informationshandbuch Theater, Film, Funk und Fernsehen*, das die Theaterliteratur umfassend dokumentieren wird, werden hier nur wenige Titel genannt.

B 3510 Kindermann, Heinz: Theatergeschichte Europas. 10 Bde. Salzburg: Müller, 1957-1976.
Bd. 1 (2. Aufl. 1966): Das Theater der Antike und des Mittelalters; Bd. 2 (2. Aufl. 1966): Das Theater der Renaissance; Bd. 3 (2. Aufl. 1967): Das Theater der Barockzeit; Bd. 4-5 (2. Aufl. 1972-1976): Von der Aufklärung zur Romantik; Bd. 6 (1964): Romantik; Bd. 7 (1965): Realismus; Bd. 8 (1968): Naturalismus und Impressionismus I: Deutschland, Österreich, Schweiz; Bd. 9 (1970): Naturalismus und Impressionismus II: Frankreich, Rußland, England, Skandinavien; Bd. 10 (1974): Naturalismus und Impressionismus III: [übriges Europa].

B 3520 Borcherdt, Hans Heinrich: Geschichte des deutschen Theaters. In: Deutsche Philologie im Aufriß (-> B 1030), Bd. 3, Sp. 1099-1144.
Mit reichhaltigen Literaturangaben.

B 3530 Knudsen, Hans: Deutsche Theatergeschichte. 2. Aufl. Stuttgart: Kröner, 1970 (Kröners Taschenausgaben, 270).

B 3550 Kindermann, Heinz: Theatergeschichte der Goethezeit. Wien: Baur, 1948.
Umfangreiche Darstellung zum 18. und frühen 19. Jahrhundert. Mit reichhaltigen Literaturangaben.

B 3560 Theaterwissenschaft im deutschsprachigen Raum. Texte zum Selbstverständnis. Hrsg. von Helmar Klier. Darmstadt: Wiss. Buchgesellschaft, 1981 (Wege der Forschung, 548).

Zu weitergehenden Literaturhinweisen -> D 4140 (dort auch Detailuntersuchungen zur Geschichte des Theaters im deutschsprachigen Raum) und die einschlägigen Artikel in den Theaterlexika (-> C 1040 ff.).

9 HANDBÜCHER UND DARSTELLUNGEN ZU MEDIENKUNDE UND MASSENKOMMUNIKATIONSFORSCHUNG

B 3600 Im Hinblick auf das entstehende *Informationshandbuch Theater, Film, Funk und Fernsehen*, das die einschlägige Literatur umfassend dokumentieren wird, werden hier nur Titel zu den Printmedien genannt.

B 3610 Pross, Harry: Medienforschung. Film, Funk, Presse, Fernsehen. Darmstadt: Habel, 1972 (Das Wissen der Gegenwart).

B 3620 Massenkommunikationsforschung. 3 Bde. Hrsg. von Dieter Prokop. Frankfurt/M.: Fischer, 1972-1977 u.ö. (Fischer-Taschenbuch, 6151, 6152, 6343).
Bd. 1 (4. Aufl. 1976): Produktion; Bd. 2 (1973): Konsumtion; Bd. 3 (1977): Produktanalysen.

B 3630 Gesellschaftliche Kommunikation und Information. Forschungsrichtungen und Problemstellungen. Ein Arbeitsbuch zur Massenkommunikation. Hrsg. von Jörg Aufermann u. a. 2 Bde. Frankfurt/M.: Athenäum, 1973 (AT 4021-4022).

B 3640 Handbuch der Medienarbeit. Loseblattausgabe. Leverkusen: Leske und Budrich, 1978ff.

B 3650 Literaturwissenschaft - Medienwissenschaft. Hrsg. von Helmut Kreuzer. Heidelberg: Quelle & Meyer, 1977 (Medium Literatur, 6).
Zur Verbindung von Literatur- und Medienwissenschaft. Mit interdisziplinärer Auswahlbibliographie.

-> auch die Literaturverzeichnisse in B 820ff., die einschlägigen Artikel der Lexika (C 1160ff.) und die entsprechenden Bibliographien (D 4260ff.).

Verlagswesen, Buchhandel, Presse

B 3660 Handbuch des Buchhandels in vier Bänden. Hrsg. von Peter Meyer-Dohm u.a. Hamburg: Institut für Buchmarktforschung, 1974-1977.
Bd. 1 (1974): Allgemeines; Bd. 2 (1975): Verlagsbuchhandel; Bd. 3 (2. Aufl. 1974):

Sortimentsbuchhandel; Bd. 4 (1977): Übrige Formen des Bucheinzelhandels - Zwischenbuchhandel und Buchgemeinschaft.

B 3670 Kapp, Friedrich; Goldfriedrich, Johann: Geschichte des deutschen Buchhandels. 4 Bde. Aalen: Scientia, 1970 (*Nachdruck der Ausgabe Leipzig 1886-1923*).
Bd. 1 (1886): Geschichte des deutschen Buchhandels bis ins 17. Jh.; Bd. 2 (1908): Vom Westfälischen Frieden bis zum Beginn der klassischen Literaturperiode (1648 bis 1740); Bd. 3 (1909): Von der klassischen Literaturperiode bis zum Beginn der Fremdherrschaft (1740-1804); Bd. 4 (1913-1923): Vom Beginn der Fremdherrschaft bis zur Reform des Börsenvereins (1805-1889).

B 3680 Handbuch der Publizistik. Hrsg. von Emil Dovifat. 3 Bde. Berlin: de Gruyter, 1968-1969.
Zur allgemeinen und zur praktischen Publizistik.

B 3690 Haacke, Wilmont: Handbuch des Feuilletons. 3 Bde. Emsdetten: Lechte, 1951-1953.
Gattungsprobleme des Feuilletons, zur Geschichte des Feuilletons; Bibliographie, Zeittafel, Namen- und Sachregister.

B 3700 Dovifat, Emil: Zeitungslehre. 2 Bde. 6. Aufl. von Jürgen Wilke. Berlin: de Gruyter, 1976 (Sammlung Göschen, 2090-2091).
Bd. 1 : Theoretische und rechtliche Grundlagen; Nachricht und Meinung; Sprache und Form. Bd. 2: Redaktion; Verlag und Vertrieb, Wirtschaft und Technik; Sicherung der öffentlichen Aufgabe.

B 3710 Kirchner, Joachim: Das deutsche Zeitschriftenwesen. Seine Geschichte und seine Probleme. Wiesbaden: Harrasowitz, 1958-1962.
Bd. 1 (2. Aufl. 1958): Von den Anfängen bis zum Zeitalter der Romantik; Bd. 2: Vom Wiener Kongreß bis zum Ausgang des 19. Jhs.; mit einem wirtschaftsgeschichtlichen Beitrage von Hans M. Kirchner.

TEIL C: LEXIKA UND WÖRTERBÜCHER

C 10 Wie die Einführungen und Handbücher in Teil B erfüllen auch die nachstehenden Lexika eine doppelte Funktion. Sie informieren je nach ihrer Aufgabe nicht nur über Autoren, Werke, Sachbegriffe usw., sondern verzeichnen darüber hinaus literarische Quellen und wissenschaftliche Literatur. Besonders die großen Fachlexika - so etwa das *Deutsche Literatur-Lexikon* (-> C 50), das *Kritische Lexikon zur deutschsprachigen Gegenwartsliteratur* (-> C 330) oder das *Reallexikon der deutschen Literaturgeschichte* (-> C 530) - stellen zuverlässige Auswahlbibliographien dar und vermitteln einen ersten Zugang zum Primär- und Sekundärschrifttum.

C 20 Bei der Auswahl der Lexika wurde darauf geachtet, daß auch solche Nachschlagewerke Aufnahme finden, die für entlegenere Fragestellungen heranzuziehen sind. So wurden nicht nur Anonymen- und Pseudonymenlexika sowie Literaturführer, sondern auch Fachlexika der Nachbarwissenschaften, allgemeine biographische Nachschlagewerke, Verzeichnisse wissenschaftlicher Institutionen und literarischer Stätten erfaßt. Dieser Teil wird abgerundet durch eine Auswahl neuhochdeutscher Wörterbücher (-> C 2610 ff.), deren Kenntnis für den Literaturwissenschaftler unerläßlich ist.

Umfassende Bibliographie der Lexika:

C 30 Zischka, Gert A.: Index Lexicorum. Bibliographie der lexikalischen Nachschlagewerke. Wien: Hollinek, 1980.

1 LITERATURWISSENSCHAFTLICHE LEXIKA

C 40 Hier werden zunächst die umfangreichsten Autorenlexika vorgestellt, die wie das *Deutsche Literatur-Lexikon* (-> C 50), die *Deutsche Literatur* (-> C 70) und das *Literatur-Lexikon* (-> C 80) ein hohes Maß an Vollständigkeit anstreben. Ab C 90 folgen auswählende Nachschlagewerke, die einen intensiven, enggefaßten Literaturbegriff vertreten. Solange die großen Literaturlexika C 50 bis C 80 noch nicht abgeschlossen sind, wird man noch eine Reihe älterer, meist epochenbezogener Nachschlagewerke heranziehen müssen, vor allem dann, wenn es um sehr spezialisierte Fragestellungen geht. Dies gilt vor allem für Autoren des 16. bis 18. Jahrhunderts. Die lexikalischen Verzeichnisse von Jöcher, Hamberger und Meusel (-> C 200ff.) sind nicht vollständig in neuere Lexika übernommen worden; ihre Weiterbenutzung wird meist auch von heutigen Lexikographen stillschweigend vorausgesetzt. Kaum bekannte Autoren, wie etwa reine Lokalgrößen oder in den offiziellen Kanon der Literaturgeschichtsschreibung nicht eingegangene Schriftstellerinnen, sind in den Lexika von Brümmer (C 270), Woods/Fürstenwald (C 230), Friedrichs (C 280f.) und Pataky (-> C 300) nachgewiesen. Spezielle Lexika zur Literatur des 20. Jahrhunderts -> C 310ff.

1.1 AUTORENLEXIKA

C 50 Deutsches Literatur-Lexikon (DLL). 3. völlig neu bearb. Aufl. H
v. Bruno Berger, Heinz Rupp u. a. (ab Bd. 6 von Heinz Rupp und (
Ludwig Lang). Bd. 1ff. Bern, München, Stuttgart: Francke, 1968ff.
Bis Januar 1990: 12 Bde. (- Rilke). Umfangreiches, zuverlässiges und maßgebli
Autorenlexikon. Vertritt einen extensiven Literaturbegriff. Verzeichnet außer Sc
stellern (durch Verzicht auf literarästhetisch wertende Auswahl mit einem hohen
an Vollständigkeit) auch Germanisten, Philosophen, Theologen u.a. Gliederung
einzelnen Artikel in Biographisches, Primärtexte, Sekundärliteratur (bei längeren *
keln weitere Spezifizierung). Hinweise auf Nachlässe, Archive, Dichtergesellscha
- *Ersetzt nach Fertigstellung nachfolgendes Lexikon und eine Reihe älterer N
schlagewerke.*

C 60 Kosch, Wilhelm: Deutsches Literatur-Lexikon. Biographisches
bibliographisches Handbuch. 2. Aufl. 4 Bde. Bern: Francke, 1949-195
Enthält auch Sachartikel.

C 70 Die Deutsche Literatur. Biographisches und bibliographisches L
kon. Unter Mitarbeit zahlreicher Fachgelehrter hrsg. von Hans-Gert
loff. Lfg. 1 ff. Bern, Frankfurt/M., Las Vegas: Lang, 1979ff.
Als monumentales Werk geplantes Lexikon, das die deutsche Literatur umfassend
mit Vollständigkeitscharakter verzeichnen soll. Vorgesehen sind folgende Reihe
Die deutsche Literatur von den Anfängen bis 1450; II. Die deutsche Literatur :
schen 1450 und 1620; III. Die deutsche Literatur zwischen 1620 und 1720; IV.
deutsche Literatur zwischen 1720 und 1830; V. Die deutsche Literatur zwischen 1
und 1890; VI. Die deutsche Literatur zwischen 1890 und 1975. Die Reihen sin
zwei Abteilungen gegliedert: A = Autorenlexikon, B = Forschungsliteratur (in s\
matischer Gliederung). Erscheint in Lieferungen.
Bis Herbst 1989: Reihe II, Abt. A: Autorenlexikon, Lfg. 1-6 (- Agricola); Abt. B: l
schungsliteratur Bd. I, Lfg. 1-6; Bd. II, Lfg. 1-2.

C 80 Literatur-Lexikon. Autoren und Werke deutscher Sprache. H
von Walter Killy unter Mitarb. von Hans Fromm u.v.a. Bd. 1ff. Güters
München: Bertelsmann Lexikon Verlag, 1988ff.
Bis Herbst 1989: Bd. 1-4 (- Hap). Geplant sind 15 Bde. Gliederung: Autoren und V
ke von A-Z (Bd. 1-12); Literaturwissenschaft und Buchwesen (Bd. 13-14); Regi
(Bd. 15). Die Artikel von recht unterschiedlicher Länge bestehen aus einem knap
biographischen Abriß mit Charakteristik der wichtigsten Werke, der Nennung weit
Werke und einer Auswahl der Sekundärliteratur. Bildteile zu bedeutenden Autore
Nach Abschluß des Lexikons steht ein *Literaturauskunftsdienst* zur Verfügung (N
markterstr. 20, 8000 München 80), der konkrete Fragen zu Autoren, Werken
Sachbegriffen im Sinne eines persönlichen Benutzer-Service beantwortet (an Kauf
Lexikons gebunden).

C 90 Metzler Autoren-Lexikon. Deutschsprachige Dichter und Schriftsteller vom Mittelalter bis zur Gegenwart. Hrsg. von Bernd Lutz. Stuttgart: Metzler, 1986.
Darstellungen zu rd. 340 Autorinnen und Autoren. Spärliche Literaturhinweise.

C 100 Wilpert, Gero von: Deutsches Dichterlexikon. Biographisch bibliographisches Handwörterbuch zur deutschen Literaturgeschichte. 3. erw., Aufl. Stuttgart: Kröner, 1988 (Kröners Taschenausgaben, 288).
Erfaßt rd. 3000 Autoren und Autorinnen. Knappe Angaben zur Biographie, Auswahl der wichtigsten Werke.

Die deutschsprachige Literatur im weltliterarischen Kontext behandeln:

C 110 Lexikon der Weltliteratur. Bd. 1: Biographisch-bibliographisches Handwörterbuch nach Autoren und anonymen Werken. Unter Mitarbeit zahlreicher Fachgelehrter hrsg. von Gero von Wilpert. 3., vollst. überarb. Aufl. Stuttgart: Kröner, 1988.
Kurze biographische Angaben zu rd. 10500 Autoren und anonymen Werken, Werkverzeichnis, Auswahl der Sekundärliteratur. Bd. 2 -> C 520.

C 120 Der Literatur-Brockhaus. 3 Bde. Hrsg. von Werner Habicht u.a. Mannheim: Bibliographisches Institut, 1988.
Verzeichnet Personen, Länder, Institutionen und Sachbegriffe in einem Alphabet. Kurzcharakteristiken der Autoren, Verzeichnis der wichtigsten Werke, knappe Auswahl der Sekundärliteratur.

C 130 Harenbergs Lexikon der Weltliteratur. Autoren - Werke - Begriffe. 5 Bde. Dortmund: Harenberg, 1989.
Reich illustriertes, anschauliches Lexikon mit Artikeln über rd. 3000 Autoren, rd. 1400 Werke und rd. 500 Sachbegriffe in einem Alphabet. Übersichtsartikel und -tabellen.

Lexika zu einzelnen Epochen

C 170 Die deutsche Literatur des Mittelalters. Verfasserlexikon. Unter Mitarb. zahlr. Fachgenossen hrsg. von Wolfgang Stammler (ab Bd. 3: Karl Langosch). 5 Bde. Berlin: de Gruyter, 1933-1955.
Umfassendes Lexikon zur mittelalterlichen Literatur. Bd. 1-4: A-Z; Bd. 5: Nachträge. *Neubearbeitung*:

C 180 Die deutsche Literatur des Mittelalters. Verfasserlexikon. Begründet von Wolfgang Stammler, fortgeführt von Karl Langosch. 2., völlig neu bearb. Aufl. unter Mitarbeit zahlreicher Fachgelehrter hrsg. von Kurt

Ruh u.a. Redaktion: Kurt Illing, Christine Stöllinger. Lfg. 1 ff. Berlin, New York: de Gruyter, 1978ff.
Bis Herbst 1989: Bd. 1-6 und 7, Lfg. 1-2 (- Psysiologus). Die 2. Auflage bringt eine völlige Neufassung der einzelnen Artikel und ist beträchtlich erweitert (vermehrte Aufnahme lateinischer Literatur). Knappe Literaturhinweise.

C 190 Lexikon des Mittelalters. Lfg. 1 ff. München, Zürich: Artemis, 1977ff.
Bis Herbst 1989: Bd. 1-3 und Bd. 4, Lfg. 1-8 (- Gunther). Umfassendes Nachschlagewerk zu Geschichte, Kultur, Literatur und den Lebensformen des gesamten europäischen Mittelalters (300-1500). Artikel zu Sachbegriffen, Personen, Ländern und Städten. Umfangreiche, übergreifende "Dachartikel". Weiterführende Literaturangaben. Registerbd. geplant.

C 200 Jöcher, Christian Gottlieb: Allgemeines Gelehrten-Lexikon, darinne die Gelehrten aller Stände, sowohl männ- als weiblichen Geschlechts, welche vom Anfange der Welt bis auf die jetzige Zeit gelebt und sich der gelehrten Welt bekannt gemacht, nach ihrer Geburt, Leben merkwürdigen Geschichten, Absterben und Schriften aus den glaubwürdigsten Scripenten in alphabetischer Ordnung beschrieben werden. 4 Tle. nebst Fortsetzungen und Ergänzungen [= weitere 7 Bde.]. Leipzig u.a.: Weidmann, 1750-1897 [*Neudruck*: Hildesheim: Olms, 1960-1961].
Das Grundwerk (Bd. 1-4) erfaßt bis 1750, die Ergänzungsbände verzeichnen mit gleitender Berichtszeit bis 1820 Verstorbene (- Romuleus). Versagt Jöcher, empfiehlt sich die Benutzung folgender Ergänzungen:

C 201 Dunkel, Johann Gottlieb Wilhelm: Historisch-kritische Nachrichten von verstorbenen Gelehrten und deren Schriften. (Insonderheit aber denjenigen, welche in der allerneuesten Ausgabe des Jöcherischen Allgemeinen Gelehrten-Lexikons entweder gänzlich mit Stillschweigen übergangen, oder doch mangelhaft und unrichtig angeführet werden.) 3 Bde. Dessau, Cöthen 1753-1760 [*Neudruck*: Hildesheim: Olms, 1968].

C 202 Hennicke, Karl August: Beiträge zur Ergänzung und Berichtigung des Jöcher'schen Allgemeinen Gelehrten Lexikon's und des Meusel'schen Lexikon's der von 1750 bis 1800 verstorbenen deutschen Schriftsteller. 3 in 1 Bd. Leipzig 1811 bis 1812 [*Neudruck*: Hildesheim: Olms, 1969].

C 210 Jördens, Karl-Heinrich: Lexikon deutscher Dichter und Prosaisten. 6 Bde. Leipzig: Weidmann, 1806-1811 [*Neudruck*: Hildesheim: Olms, 1970].
Bd. 1-5: A-Z, Zusätze und Berichtigungen; Bd. 6: Supplemente. Umfangreiche Artikel mit biographischen Angaben und Schriftenverzeichnis (Auswahl).

C 220 Neumeister, Erdmann; Grohmann, Friedrich: De Poetis Germanicis hujus seculi praecipuis dissertatio compendiaria. 1695 [*Nachdruck*: Bern, München: Francke, 1978].

Nachdruck mit Übersetzung und umfangreichem bio-bibliographischem Apparat zu allen aufgenommenen Autoren (des 17. Jhs.).

C 230 Woods, Jean M.; Fürstenwald, Maria: Schriftstellerinnen, Künstlerinnen und gelehrte Frauen des deutschen Barock. Ein Lexikon. Stuttgart: Metzler, 1984 (Repertorien zur Deutschen Literaturgeschichte, 10).
Erfaßt rd. 700 Frauen, die zwischen 1580 und 1720 geboren wurden und durch Publikationen, künstlerische Tätigkeit und Gelehrsamkeit hervorgetreten sind, mit biographischen Daten, Werken (auch unselbständig erschienenen) und Sekundärliteratur.

C 250 Hamberger, Georg Christoph; Meusel, Johann Georg: Das gelehrte Deutschland oder Lexikon der jetzt lebenden deutschen Schriftsteller. 5. Ausgabe. 23 Bde. Lemgo: Meyer, 1796-1834 [*Neudruck*: Hildesheim: Olms, 1965-1967. Mit einem Nachtrag von Paul Raabe].
Erfaßt Personen, die in den Berichtsjahren 1795-1827 lebten, in 6 Alphabeten. Knappe biographische Angaben, *sehr ausführliche Schriftenverzeichnisse.*Gesamtregister zu Bd. 1-12 in Bd. 12. Nachtrag 5 (Berichtsjahr 1827) bricht mit Buchstabe L ab. - *Registerbd.* zu Bd. 1-23, bearb. von Maria Th. Kirchberg und Rainer Pörzgen. München: Saur, 1979.

C 260 Meusel, Johann Georg: Lexikon der vom Jahr 1750 bis 1800 verstorbenen deutschen Schriftsteller. 15 Bde. Leipzig: Fleischer, 1802-1816 [*Neudruck*: Hildesheim: Olms, 1967-1968. Mit einem Geleitwort von Paul Raabe.]
Ergänzung zu Hamberger/Meusel (C 250) und zu Jöcher (C 200). Ausführliches Schriftenverzeichnis.

C 270 Brümmer, Franz: Lexikon der deutschen Dichter und Prosaisten vom Beginn des 19. Jahrhunderts bis zur Gegenwart. 6., völlig neu bearb. u. stark verm. Aufl. 8 Bde. Leipzig: Reclam, 1913 [*Neudruck*: Nendeln: Kraus, 1975].
Umfassendes Lexikon zur Literatur des 19. Jhs., das auch kaum bekannte bzw. heute völlig unbekannte Autoren mit ihren wichtigsten Werken verzeichnet.

C 280 Friedrichs, Elisabeth: Literarische Lokalgrößen 1700-1900. Verzeichnis der in regionalen Lexika und Sammelwerken aufgeführten Schriftsteller. Stuttgart: Metzler, 1967 (Repertorien zur deutschen Literaturgeschichte, 3).
Schlüsselt rd. 600 regionale Lexika und Sammelwerke auf und verzeichnet so u.a. auch viele in größere Lexika nicht aufgenommene Autoren (mit Verweis auf die Fundstellen). Register.

C 290 Friedrichs, Elisabeth: Die deutschsprachigen Schriftstellerinnen des 18. und 19. Jahrhunderts. Ein Lexikon. Stuttgart: Metzler, 1981 (Repertorien zur deutschen Literaturgeschichte, 9).

Bietet zu fast 4000 Autorinnen, die zwischen 1700 und 1875 geboren sind, knappe biographische Angaben mit Verweis auf Referenzwerke. Namenregister.

C 300 Pataky, Sophie: Lexikon deutscher Frauen der Feder. Eine Zusammenstellung der seit dem Jahre 1840 erschienenen Werke weiblicher Autoren, nebst Biographien der lebenden und einem Verzeichnis der Pseudonyme. Berlin: C. Pataky, 1898 [*Nachdruck*: 2 Bde. Bern 1971].
Knappe biographische Angaben (oft nur Verweis auf andere Quellen). Werkverzeichnis.

C 305 Schmid-Bortenschlager, Sigrid; Schmedl-Bubenicek, Hanna: Österreichische Schriftstellerinnen 1880-1938. Eine Bio-Bibliographie. Stuttgart: Heinz, 1982 (Stuttgarter Arbeiten zur Germanistik, 119).

C 310 Geissler, Max: Führer durch die deutsche Literatur des zwanzigsten Jahrhunderts. Weimar: Duncker, 1913.
Detaillierte zeitgenössische Darstellung von Autoren und literarischen Werken der Zeit von 1900-1910.

C 320 Biographisches Handbuch der deutschsprachigen Emigration nach 1933. 3 Bde. Hrsg. vom Institut für Zeitgeschichte. München u.a.: Saur, 1980 - 1983.
Bd. 1: Politik, Wirtschaft, Öffentliches Leben (1980); Bd. 2, 1-2: Wissenschaften, Kunst, Literatur (1983); Bd. 3: Gesamtregister (1983).

C 330 Kritisches Lexikon zur deutschsprachigen Gegenwartsliteratur (KLG). Hrsg. von Heinz Ludwig Arnold. München: edition text + kritik, 1978ff.
Erscheint als Loseblatt-Ausgabe mit regelmäßigen Nachlieferungen (Ergänzungen und Aktualisierungen). Die einzelnen Artikel (Herbst 1989: zu rd. 430 Autoren) enthalten Angaben zur Biographie, über Auszeichnungen, eine Werkanalyse und einen bibliographischen Teil (Primär- und Sekundärliteratur, einschl. der Zeitungsbeiträge). - Das *KLG-Archiv* enthält alle Artikel und Rezensionen aus Tages- und Wochenzeitungen, die im Verzeichnis der Sekundärliteratur aufgeführt sind. Sie können über den KLG Textdienst (c/o edition text + kritik, Levelingstr. 6a, D-8000 München 80) gegen Gebühr in Kopie bezogen werden (Näheres im Vorwort des KLG).

C 340 Lennartz, Franz: Deutsche Schriftsteller der Gegenwart. 400 Einzeldarstellungen zur schönen Literatur in deutscher Sprache. 11. erw. Aufl. Stuttgart: Kröner, 1978 (Kröners Taschenausgaben, 151).
Biographischer Abriß deutschsprachiger Autoren, Werke (mit knapper Inhaltsbeschreibung).

C 350 Handbuch der deutschen Gegenwartsliteratur. Begründet von Hermann Kunisch, neubearb. und hrsg. von Herbert Wiesner. München: Nymphenburger 1981.

C 370 Kürschners Deutscher Literatur-Kalender. Jg. 1ff. Berlin: de Gruyter, 1897ff. - *Neueste Ausgabe*: Jg. 60 (1988).
Erfaßt lebende deutschsprachige Schriftsteller mit kurzen biographischen und bibliographischen Angaben. Nekrolog (seit der letzten Ausgabe Verstorbene); Festkalender; literarische Übersetzer; belletristische Bühnenverlage; literarische Agenturen; Rundfunkanstalten; deutschsprachige Zeitschriften zur Förderung und Kritik der Literatur; Autorenverbände und literarische Vereinigungen; Literaturpreise; geographische Übersicht.

C 380 Nekrolog über Kürschners Literatur-Kalender 1901-1935. Hrsg. von Gerhard Lüdtke. Berlin: de Gruyter, 1936. - 1936-1970. Hrsg. von Werner Schuder. Ebda. 1973.
Zusammenfassung der Nekrologe aus den einzelnen Jahrgängen.

C 390 Who's who in Literature. A biographical encyclopedia containing some 8000 biographies and addresses of prominent personalities, publishing companies, libraries and archives, associations and organisations of the Federal Republic of Germany, Australia and Switzerland. Some 5000 latest titles are listed. Ed. by Otto J. Groeg. 2 vol. Wörthsee: Who's who-book & publishing; Gesellschaft für internationale biographische Enzyklopädien, 1978-1979.
Bd. 1: A-S; 2: T-Z, Appendix. Erfaßt rd. 8000 Personen (Schriftsteller, Publizisten, Kritiker, Übersetzer, Wissenschaftler), Verlage, Bibliotheken, Archive usw. Knappe biographische Angaben, Anschrift, Publikationen auf der Basis von Fragebögen, die von den aufgenommenen Personen beantwortet wurden. Informationswert recht unterschiedlich. Im Anhang Verzeichnis der neuesten Publikationen, der Literaturpreise, Schriftstellerverbände, Literarischen Gesellschaften und Stiftungen, Bibliotheken und Archive, Institute und Akademien, deutschen Kulturzentren im Ausland, der Verlage, Zeitungen und Zeitschriften (nicht immer zuverlässig).

C 400 Schriftsteller der Deutschen Demokratischen Republik (bearb. von Joachim Ret, Egon Sartorius, Helmut Donner, Hans Heininger). 2. Aufl. Leipzig: Verlag für Buch- und Bibliothekswesen, 1975.

C 410 Bortenschlager, Wilhelm: Österreichische Dramatiker der Gegenwart. Kreativ-Lexikon. Wien: Österreichische Verlagsanstalt, 1976.
Biographische Angaben, knappe Werkanalysen. Dramenindex.

C 420 Schweiz. Suisse. Svizzera. Schriftsteller der Gegenwart. Bern: Verbandsdruckerei, 1978.
Knappe biographische Angaben. Werkverzeichnis.

C 430 Literaten. 250 Schriftsteller der Gegenwart aus dem Internationalen Biographischen Archiv. Ravensburg: Munzinger-Archiv, 1980 (Personen aktuell). -> C 2210.

1.2 WERKLEXIKA

C 510 Kindlers Literatur Lexikon (Dt. Ausgabe begr. von Wolfgang von Einsiedel unter Mitarb. zahlreicher Fachberater). 7 Bde. und Ergänzungsbd. München: Kindler, 1965-1974. - *12bändige Sonderausgabe*: Darmstadt: Wiss. Buchgesellschaft, 1970-1974. - *Taschenbuchausgabe*: 25 Bde. München: dtv, 1974 (dtv 5999).

Nach Originaltiteln geordnetes, umfassendes Verzeichnis wichtiger Werke der Weltliteratur. Durch weitgefaßten Literaturbegriff auch literaturtheoretische sowie bedeutende philosophische, psychologische, pädagogische und naturwissenschaftliche Schriften aufgenommen. Die einzelnen Artikel bestehen aus Inhaltsangabe, Kurzanalyse und bibliographischen Angaben (Erstdruck, evtl. Uraufführung, Abdruck in Werkausgabe, evtl. Verfilmung, kleine Auswahl an Sekundärliteratur). Beigegeben sind Essays zur Geschichte der einzelnen Nationalliteraturen. - *Neubearbeitung*:

C 515 Kindlers Neues Literatur Lexikon. Hrsg. von Walter Jens. Bd. 1ff. München: Kindler, 1988ff.

Auswahlprinzip und Anlage der Artikel wie in der älteren Ausgabe, jedoch *anderer Aufbau*: Maßgebliches Ordnungswort ist jetzt der Name des Autors. - Geplant sind 20 Bde. *Bis Herbst 1989*: 6 Bde (- Gr).

C 520 Lexikon der Weltliteratur. Bd. 2: Hauptwerke der Weltliteratur in Charakteristiken und Kurzinterpretationen. Unter Mitarbeit zahlreicher Fachgelehrter hrsg. von Gero von Wilpert. 2. Aufl. Stuttgart: Kröner, 1980.

Kurzgefaßte Artikel zu einer Auswahl wichtiger Werke der Weltliteratur. Weiterführende Literaturangaben. Bd. 1 -> C 110.

1.3 SACHLEXIKA

C 530 Reallexikon der deutschen Literaturgeschichte. Begr. von Paul Merker und Wolfgang Stammler. 2. Aufl. neu bearb. und unter red. Mitarb. von Klaus Kanzog sowie Mitw. zahlr. Fachgelehrter hrsg. von Werner Kohlschmidt und Wolfgang Mohr (ab Bd. 4 von Klaus Kanzog und Achim Masser). 4 Bde. u. Reg.bd. Berlin: de Gruyter, 1958-1988.

Maßgebliches Sachwörterbuch zur Literaturwissenschaft mit z.T. recht umfangreichen Artikeln. Weiterführende Literaturangaben. Durch die lange Bearbeitungsdauer in den ersten Teilen des Alphabets nicht auf dem neuesten Forschungsstand.

Folgende Lexika enthalten Kurzdefinitionen zu zahlreichen Begriffen aus Literaturwissenschaft und -geschichte, mit weiterführenden Literaturangaben:

C 540 Handlexikon zur Literaturwissenschaft. Hrsg. von Diether Krywalski. 2. Aufl. München: Ehrenwirth, 1976. - *Taschenbuchausgabe*: 2 Bde. Reinbek: Rowohlt, 1978.
Sachwörterbuch mit begrenzter Anzahl von Stichwörtern.

C 550 Wilpert, Gero von: Sachwörterbuch der Literatur. 7., grundlegend überarb. Aufl. Stuttgart: Kröner, 1989 (Kröners Taschenausgaben, 231).
Ca. 5000 Stichwörter, mit reichhaltigen Literaturangaben.

C 560 Metzler Literatur-Lexikon. Stichwörter zur Weltliteratur. Hrsg. von Günther und Irmgard Schweikle. Stuttgart: Metzler, 1984.
Rd. 280 Stichwörter. 2., verb. Aufl. für 1990 vorgesehen.

C 570 Wörterbuch der Literaturwissenschaft. Hrsg. von Claus Träger. Leipzig: Bibliographisches Institut, 1986.

C 580 Best, Otto F.: Handbuch literarischer Fachbegriffe. Definitionen und Beispiele. Überarb. und stark erweiterte Ausg. Frankfurt/M.: Fischer, 1982 (Fischer Taschenbuch, 6478).

C 590 Moderne Literatur in Grundbegriffen. Hrsg. von Dieter Borchmeyer und Viktor Žmegač. Frankfurt/M.: Athenäum, 1987.
Enthält umfangreichere Artikel zu sechzig Grundbegriffen (z.B. einzelne Epochen, Gattungen).

1.4 THEMATISCH BEGRENZTE LEXIKA

Die Anordnung erfolgt alphabetisch nach Schlagwörtern.

Comics

C 610 The World Encyclopedia of Comics. Edited by Maurice Horn. New York: Chelsea House Publ., 1976.
Autoren-, Sach- und Werkartikel. Abriß der Geschichte der Comics, Auswahlbibliographie, Anhänge, Register.

Germanisches Altertum

C 620 Reallexikon der germanischen Altertumskunde. Hrsg. von Johannes Hoops. 4 Bde. Straßburg: Vereinigung wissenschaftlicher Verleger,

1911-1919.- 2. neu bearb. u. stark erw. Auflage. Hrsg. von Heinrich]
[u.a.]. Bd. 1ff. Berlin, New York: de Gruyter, 1973 ff.
Bis Herbst 1989: Bd. 1-6 (A-Einbaum). *Maßgebliches Lexikon* der germanische
tertumskunde. Weiterführende Literaturangaben.

Kinder- und Jugendliteratur

C 630 Lexikon der Kinder- und Jugendliteratur. Hrsg. von Klaus Dod
3 Bde. u. Erg.bd. Weinheim, Basel: Beltz, 1975-1982.
Personen-, Sach- und Länderartikel. Weiterführende Literaturangaben.

Literarische Figuren

C 635 Rinsum, Annemarie und Wolfgang van: Lexikon literarischer
stalten. Deutschsprachige Werke. Stuttgart: Kröner, 1988 (KTA 420).
Bietet zu rd. 3500 Stichwörtern knappe Hinweise über Vorkommen, psycholog
Anlagen und literarhistorische Einordnung.

Literarisches Leben

C 637 Basse, Michael; Pfeifer, Eckard: Literaturwerkstätten und Li
turbüros in der Bundesrepublik. Ein Handbuch der Literaturförderung
der literarischen Einrichtungen der Bundesländer. Lebach/Saar: Her
1988.

Märchen und Sagen

C 640 Enzyklopädie des Märchens. Handwörterbuch zur historischen
vergleichenden Erzählforschung. Hrsg. von Kurt Ranke zusammen
Hermann Bausinger u.a. Bd. 1 ff. Berlin, New York: de Gruyter, 1977
Bis Herbst 1989: Bd. 1-5 (A-Gott). Geplant sind zwölf Bände.

C 650 Handwörterbuch der Sage. Hrsg. von Will-Erich Peuckert. Lfg
(A-Auf.). Göttingen: Vandenhoeck & Ruprecht, 1961-1963.
Mehr nicht erschienen.

Mystik

C 655 Wörterbuch der Mystik. Hrsg. von Peter Dinzelbacher. Stutt
Kröner, 1989 (Kröners Taschenausgaben, 456).
Rd. 1200 Artikel zur Mystik von der Antike bis zur Gegenwart unter Einschlu
Frauenmystik.

Mythologie

C 660 Hederich, Benjamin: Gründliches mythologisches Lexikon. Leipzig: Gleditsch, 1770 [*Nachdruck*: Darmstadt: Wiss. Buchgesellschaft, 1967].

C 665 Simek, Rudolf: Lexikon der germanischen Mythologie. Stuttgart: Kröner, 1984.
Rd. 1700 Artikel.

Zur Mythologie der Römer, Griechen und Ägypter -> C 1320ff.

Science Fiction

C 670 Alpers, Hans-Joachim; Fuchs, Werner; Hahn, Ronald M.; Jeschke, Wolfgang: Lexikon der Science Fiction Literatur. 2 Bde. München: Heyne, 1980 (Heyne-Buch 7111-7112).
Entwicklungsgeschichte der Science-fiction-Literatur. Biographisches Lexikon. Bibliographisches Lexikon. Wichtige SF-Preise. Auswahl der Literatur über SF. Personenregister. -> C 720 - C 725.

Stoffe und Motive

C 690 Frenzel, Elisabeth: Stoffe der Weltliteratur. Ein Lexikon dichtungsgeschichtlicher Längsschnitte. 7. Aufl. Stuttgart: Kröner, 1988 (Kröners Taschenausgaben, 300).
Behandelt in alphabetischer Folge die literarischen Bearbeitungen ausgewählter Stoffe, wobei unter Stoff eine durch Handlungskomponenten verknüpfte, schon außerhalb der Dichtung vorgeprägte Fabel verstanden wird. Literaturhinweise.

C 700 Frenzel, Elisabeth: Motive der Weltliteratur. Ein Lexikon dichtungsgeschichtlicher Längsschnitte. 3. verb. Aufl. Stuttgart: Kröner, 1988 (Kröners Taschenausgaben, 301).
Beschreibendes Verzeichnis der kleineren stofflichen Einheiten der Literatur. Weiterführende Literaturangaben.

Symbolkunde

C 710 Wörterbuch der Symbolik. Hrsg. von Manfred Lurker. 4. Aufl. Stuttgart: Kröner, 1989 (Kröners Taschenausgaben, 464).
Informiert in ca. 1000 Artikeln über Symbolik in Dichtung, Kunst, Musik, Religion, Volksbrauch und politisch-öffentlichem Leben.

Utopie

C 720 Versins, Pierre: Encyclopédie de l'utopie, des voyages extraordinaires et de la Science fiction. Lausanne: Editions l'Age d'Homme, 1972.
Personen-, Sach- und Länderartikel. *Keine* weiterführende Literatur.

C 725 Bibliographisches Lexikon der utopisch-phantastischen Literatur. Hrsg. von Joachim Körber. Bd. 1ff. Meitlingen: Corian, 1984ff.
Loseblattlexikon mit laufenden Ergänzungslieferungen.

Verbotene Literatur

C 730 Houben, Heinrich Hubert: Verbotene Literatur von der klassischen Zeit bis zur Gegenwart. Ein historisch-kritisches Lexikon über verbotene Bücher, Zeitschriften und Theaterstücke, Schriftsteller und Verleger. 2 Bde. (Bd. 1 in 2. Aufl.). Dessau: Rauch bzw. Bremen: Schünemann, 1925-1928 [*Nachdruck*: Hildesheim: Olms, 1965].
Bd. 1 und 2 jeweils A-Z. Schlagwortregister in Bd. 2.

Volkskunde

C 740 Handwörterbuch des deutschen Aberglaubens. Hrsg. von Hanns Bächtold-Stäubli. 10 Bde. Berlin: de Gruyter, 1927-1942 (Handwörterbuch zur deutschen Volkskunde, Abt. 1).
Artikel zum Aberglauben in allen Gebieten des Lebens.

C 750 Beitl, Richard : Wörterbuch der deutschen Volkskunde. 3. Aufl. Stuttgart: Kröner, 1981 (Kröners Taschenausgaben, 127).

1.5 ANONYMEN- UND PSEUDONYMENLEXIKA, TITELBÜCHER

Hilfsmittel zur Aufschlüsselung der Verfasserschaft bei anonym bzw. pseudonym erschienenen Schriften:

C 810 Weller, Emil: Lexicon pseudonymorum. Wörterbuch der Pseudonymen aller Zeiten und Völker. 2. Aufl. Regensburg: Coppenrath, 1886 [*Nachdruck*: Hildesheim: Olms, 1963].
Verzeichnet alphabetisch die Pseudonyme mit Angabe der ermittelten wahren Namen.

C 820 Holzmann, Michael; Bohatta, Hans: Deutsches Anonymen-Lexikon. Aus den Quellen bearb. 7 Bde. Weimar: Gesellschaft der Bibliophilen, 1902-1928 [*Nachdruck*: Hildesheim: Olms, 1961].
Verzeichnet in mehreren Alphabeten die Sachtitel von rd. 83000 anonym (gelegentlich

auch pseudonym) erschienenen Schriften unter Angabe der erschlossenen Verfasser und der Quellen.

C 830 Holzmann, Michael; Bohatta, Hans: Deutsches Pseudonymen-Lexikon. Wien: Akademischer Verlag, 1906 [*Nachdruck*: Hildesheim: Olms, 1961 und 1970].
Alphabetisches Verzeichnis von rd. 20000 Pseudonymen unter Angabe der richtigen Verfassernamen und der Quellen. Ergänzung zum Anonymenlexikon.

Für die neuere Zeit wird die Aufgabe der Anonymen- und Pseudonymenlexika von den Nationalbibliographien übernommen (-> D 4700ff.).

C 840 Schneider, Georg: Die Schlüsselliteratur. 3 Bde. Stuttgart: Hiersemann, 1951-1953.
Verzeichnis zur Entschlüsselung von literarischen Werken, die reale Personen und Vorgänge in verkleideter Form wiedergeben. Bd. 1: historische und methodische Ausführungen; Bd. 2: deutsche Schlüsselliteratur 1500-1914; Bd. 3: fremdsprachige Literatur. Nach Autoren alphabetisch geordnet.

Hilfsmittel zum Nachweis der Autoren literarischer Werke:

C 850 Schneider, Max: Deutsches Titelbuch. Ein Hilfsbuch zum Nachweis von Verfassern deutscher Literaturwerke. 2. verb. und wesentlich verm. Aufl. Berlin: Haude & Spener, 1927.
Verzeichnet literarische Werke, die vor 1915 erschienen sind, in alphabetischer Folge unter ihrem Sachtitel unter Angabe der Autoren. Decknamen-, Verfasser-, Sachregister. - *Fortführung*:

C 860 Ahnert, Heinz-Jörg: Deutsches Titelbuch 2. Ein Hilfsbuch zum Nachweis von Verfassern deutscher Literaturwerke 1915-1965 mit Nachträgen und Berichtigungen zum Deutschen Titelbuch 1 für die Zeit von 1900 bis 1914. Berlin: Haude & Spener, 1966.

C 870 Dühmert, Anneliese: Von wem ist das Gedicht? Eine bibliographische Zusammenstellung aus fünfzig deutschsprachigen Anthologien. Berlin: Haude & Spener, 1969.
Verzeichnet Gedichte aus 50 Anthologien alphabetisch nach Gedichtanfängen bzw. nach -überschriften unter Angabe der Verfasser. Register der Verfasser, historischen Personennamen, geographischen Namen.

C 875 Sechstausend Gedicht-Anfänge und ihre Verfasser. Hrsg. von Kurt Rüdiger. Karlsruhe: Der Karlsruher Bote, o.J.

1.6 LITERATURFÜHRER, ZITATENSAMMLUNGEN

Literaturführer

C 880 Der Romanführer. Begr. von Wilhelm Olbrich und Johannes Beer unter Mitw. von Karl Weitzel, fortgef. von Alfred Clemens Baumgärtner und Bernd Gräf. Bd. 1ff. Stuttgart: Hiersemann, 1950ff.

Enthält Inhaltsreferate zu über 5000 literarisch bedeutenden und vielgelesenen Romanen, Erzählungen und Novellen der Weltliteratur.

Bd. 1-2 (2. Aufl. 1960): Deutsche Erzählliteratur bis etwa 1914; Bd. 3-5: bis ca. 1950; Bd. 6-8: ausländische Literatur bis etwa 1914; Bd. 9-12: bis in die 50er Jahre; Bd. 13: deutsche Literatur 1954-1963; Bd. 14: ausländische Literatur 1956-1965; Bd. 15: Generalregister zu Bd. 1-14; Bd. 16: deutsche Literatur 1964-1973; Bd. 17: ausländische Literatur 1967-1973; Bd. 18-19: deutsche Literatur 1974-1985; Bd. 20-22: ausländische Literatur 1974-1987 (1989 bzw. in Vorber.)

C 890 Romanführer A-Z. Hrsg. vom Kollektiv für Literaturgeschichte. 3 in 4 Bden. Berlin (Ost): Volk und Wissen, 1972-1978.

Bd. 1: Der deutsche, österreichische und schweizerische Roman. Von den Anfängen bis Ende des 19. Jhs.; Bd. 2, 1-2: 20. Jh. Der deutsche Roman bis 1949. Romane der DDR; Bd. 3: 20. Jh. Der österreichische und schweizerische Roman. Romane der BRD. Romanchronologie.

C 900 Der Schauspielführer. Begr. von Joseph Gregor, fortgef. (ab Bd. 7) von Margret Dietrich mit Unterstützung des Instituts für Theaterwissenschaft an der Universität Wien. Bd. 1ff. Stuttgart: Hiersemann, 1953ff.

Enthält Inhaltsreferate der bedeutendsten Theaterstücke der Weltliteratur (mit Angabe des Erstdrucks, der Uraufführung u. ä.). Bd. 1-5 (1953-1957): deutsche und ausländische Schauspiele bis zu den 50er Jahren; Bd. 6 (1957): Nachträge. Vergleichender Abriß der dramatischen Weltliteratur, *Gesamtregister* zu Bd. 1-6; Bd. 7 (1964): Ergänzungen; Bd. 8 (1967): 1956-1965; Bd. 9 (1972): 1966-1970; Bd. 10 (1976): 1971 bis 1973; Bd. 11 (1979): 1974-1976; Bd. 12 (1982): 1977-1979; Bd. 13 (1986): 1980 bis 1983; Bd. 14 (1988): 1984-1986.

C 910 Berger, Karl Heinz; Böttcher, Kurt; Hoffmann, Ludwig; Naumann, Manfred: Schauspielführer. 3 in 6 Bden. Berlin: Henschel, 1975.

Bd. 1,1: Antike, italienische, spanische und französische Dramatik; Bd. 1,2: Englische und irische Dramatik. Dramatik der USA und skandinavische Dramatik; Bd. 2, 1-2: Deutsche Dramatik bis 1945. Dramatik der BRD. Dramatik der DDR; Bd. 3,1: Österreichische, Schweizer, niederländische, finnische und osteuropäische Dramatik; Bd. 3,2: Russische und sowjetische, asiatische und lateinamerikanische Dramatik. Autoren-, Werkregister.

C 912 Kienzle, Siegfried: Schauspielführer der Gegenwart. Interpretationen zum Theater heute. 4., erw. Aufl. Stuttgart: Kröner, 1984.

C 915 Dramenlexikon. Hrsg. vom Deutschen Theatermuseum. Bearb. von Heinrich Huesmann, Jürgen Kirschner und Claudia Schmiederer. Jahrbd. 1985ff. München: edition text + kritik, 1986ff.
Jährlich erscheinende Dokumentation der Bühnenliteratur mit Inhaltsangaben der neuen Stücke.

Zitatensammlungen

C 920 Büchmann, Georg: Geflügelte Worte. Der klassische Zitatenschatz. Hrsg. von Winfried Hofmann. Berlin: Ullstein, 1986.

C 930 Zoozmann, Richard: Zitatenschatz der Weltliteratur. Wiesbaden: Fourier, 1986.

C 940 Peltzer, Karl; Normann, Reinhard von: Das treffende Zitat. Gedankengut aus drei Jahrtausenden nach Stichwörtern alphabetisch geordnet. 8. erw. u. überarb. Aufl. Thun, München: Ott, 1985.

C 950 Lipperheide, Franz Frhr. von: Sprichwörterbuch. 9. Aufl. Berlin: Haude & Spener, 1982.

C 960 Wander, Karl Friedrich Wilhelm : Deutsches Sprichwörterbuch. Ein Hausschatz für das deutsche Volk. 5 Bde. Leipzig: Brockhaus, 1862-1880 [*Nachdruck*: Aalen: Scientia, 1963].

2 LEXIKA ZUR LITERATURDIDAKTIK

C 1010 Lexikon zum Deutschunterricht. Mit einem Glossar. Hrsg. von Ernst Nündel. 2. Aufl. München, Wien, Baltimore: Urban & Schwarzenberg, 1981.
Sachbegriffe zum Deutschunterricht. Weiterführende Literatur.

C 1020. Taschenlexikon zur Literatur- und Sprachdidaktik. Hrsg. von Karl Stocker. 2 Bde. Kronberg: Scriptor; Frankfurt/M.: Hirschgraben, 1976.
Sachbegriffe zum Deutschunterricht. Berücksichtigt sachliche und unterrichtspraktische Aspekte. Weiterführende Literaturangaben.

C 1030 Kritische Stichwörter zum Deutschunterricht. Ein Handbuch. Hrsg. von Erika Dingeldey und Jochen Vogt. München: Fink, 1974 (UTB 299).
Sachbegriffe. Weiterführende Literaturangaben.

-> C 1570ff.

3 LEXIKA ZUR THEATERWISSENSCHAFT

Im Hinblick auf das entstehende *Informationshandbuch Theater, Film, Funk und Fernsehen* werden hier nur wenige große Lexika genannt.

C 1040 Enciclopedia dello spettacolo. Fondata da Silvio d'Amico. 9 Vol. Roma: Maschere, 1954-1962.
Rd. 30000 Artikel über Personen, Organisationen, Städte und Dramengattungen des Welttheaters. - Ergänzungen und Aktualisierungen:

C 1050 Enciclopedia dello spettacolo. Aggiornamento 1955-1965. Roma: Unione Editoriale, 1966.

C 1060 Enciclopedia dello spettacolo. Appendice di aggiornamento: Cinema. Roma: Istituto per la Collaborazione Culturale, 1963.
Biographische Angaben zu Filmschaffenden.

C 1070 Enciclopedia dello spettacolo. Indice repertorio. Roma: Unione Editorale, 1969.
Register zum Hauptwerk und den Nachträgen.

C 1080 Kosch, Wilhelm: Deutsches Theater-Lexikon. Biographisches und bibliographisches Handbuch. Bd. 1-2: Klagenfurt 1953-1960. Bd. 3 fortgeführt von Hanspeter Bennwitz und Ingrid Biegler-Marschall. Bern, München: Francke, 1965ff.
Bis Herbst 1989: Bd. 1-2 und 3, Lfg. 19-22 (- Schütz-Witte). Artikel zu Personen, Sachbegriffen, Werktiteln und Städten.

C 1090 Deutsches Bühnen-Jahrbuch. Theatergeschichtliches Jahr- und Adreßbuch. Theater, Film, Funk, Fernsehen. Jg. 1 ff. Hamburg 1889ff.
Zuletzt: 97. Jg. 1989 (Spielzeit 1988/89). Verzeichnet die Vorstände und Mitglieder der deutschen Theater und der deutschsprachigen Theater im Ausland, Festspiele, Rundfunk- und Fernsehanstalten, Orchester, Organisationen u.ä.

4 LEXIKA ZUR MEDIENKUNDE
(Printmedien)

C 1150 Im Hinblick auf das entstehende *Informationshandbuch Theater, Film, Funk und Fernsehen* werden hier nur wenige Lexika zu den Printmedien genannt.

C 1160 Koszyk, Kurt; Pruys, Karl Hugo: Handbuch der Massenkommunikation. München: Saur, 1981. - *Taschenbuchausgabe*: München: dtv, 1981 (dtv 4370).
Sachartikel zu Presse, Rundfunk, Fernsehen. Mit weiterführender Literatur.

C 1180 Publizistik. Hrsg. von Elisabeth Noelle-Neumann und Winfried Schulz. Frankfurt/M.: Fischer, 1971 u.ö. (Das Fischer Lexikon). Sachbegriffe. Mit Bibliographie.

5 FACHLEXIKA DER KONTAKTDISZIPLINEN

C 1310 Um bei fächerübergreifenden Arbeiten erste Nachschlagemöglichkeiten an die Hand zu geben, wird hier eine Auswahl fachspezifischer Lexika der Kontaktdisziplinen verzeichnet. Von ihnen ausgehend kann - auch unter Zuhilfenahme weiterführender Handbücher - sehr leicht bibliographisches Material erfaßt werden.

Antike

C 1320 Pauly-Wissowa: Realencyclopädie der klassischen Altertumswissenschaft. Neue Bearb. Stuttgart: Metzler (seit 1964: Druckenmüller), 1894 ff.
Bisher 68 Halbbde. und 15 Suppl.-Bde.: A-Z. Sowie Nachträge. Register d. Nachtr. u. Suppl. 1981.

C 1330 Der kleine Pauly. Lexikon der Antike. Hrsg. von Konrad Ziegler, Walther Sontheimer und Hans Gärtner. 5 Bde. Stuttgart: Druckenmüller, 1964-1975. - *Taschenbuchausgabe*: 5 Bde. München: dtv, 1980.

C 1340 Reallexikon für Antike und Christentum. Sachwörterbuch zur Auseinandersetzung des Christentums mit der antiken Welt. Hrsg. von Theodor Klauser. Bd. 1ff. Stuttgart: Hiersemann, 1950ff.
Bis Herbst 1989: Bd. 1-14 (- Hexe). - Dazu Suppl.-Lieferungen 1985ff.

C 1350 Ausführliches Lexikon der griechischen und römischen Mythologie. Hrsg. von Wilhelm Heinrich Roscher. 6 Bde. (nebst) Suppl. 1-4. Leipzig: Teubner, 1884-1937.

C 1360 Hunger, Herbert: Lexikon der griechischen und römischen Mythologie mit Hinweisen auf das Fortwirken antiker Stoffe und Motive in der bildenden Kunst, Literatur und Musik des Abendlandes bis zur Gegenwart. 7. Aufl. Wien: Hollinek, 1975. - *Taschenbuchausgabe*: Reinbek: Rowohlt, 1974 (rororo Ratgeber und Handbücher, 6178).

Buch- und Bibliothekswesen

C 1370 Lexikon des Bibliothekswesens. Hrsg. von Horst Kunze und Gotthard Rückl. 2. Aufl. Pullach: Verlag Dokumentation, 1974-1975 (*Nachdruck*: München: Saur, 1986).

C 1380 Lexikon des Buchwesens. Hrsg. von Joachim Kirchner. 4 Bde. Stuttgart: Hiersemann, 1952-1956.

C 1390 Lexikon des gesamten Buchwesens. 2., völlig neu bearb. und erw. Aufl. Hrsg. von Severin Corsten u.a. Bd. 1ff. Stuttgart: Hiersemann, 1987ff.
Bis Herbst 1989: Bd. 1-2 (A - Foster).

Geschichte

C 1400 Handbuch der europäischen Geschichte. Hrsg. von Theodor Schieder. Bd. 1ff. Stuttgart: Klett, 1976ff.

C 1410 Gebhardt, Bruno: Handbuch der deutschen Geschichte. 9. neu bearb. Aufl. hrsg. von Herbert Grundmann. 4 Bde. Stuttgart: Union Deutsche Verl. Ges., 1970-1976. - *Taschenbuchausgabe*: 22 Bde. München: dtv, 1973-1980 u.ö. (dtv-WR 4201-4222).

C 1420 Geschichtliche Grundbegriffe. Historisches Lexikon zur politisch-sozialen Sprache in Deutschland. Bd. 1 ff. Stuttgart: Klett, 1972ff.
Bis Herbst 1989: Bd. 1-5 (A-Soz.).

C 1430 Biographisches Wörterbuch zur deutschen Geschichte. Begr. von Hellmut Rössler und Günther Franz. 2., völlig neu bearb. Aufl. Bearb. von Karl Bosl u.a. 3 Bde. München: Francke, 1973-1975.

C 1440 Rössler, Hellmut; Franz, Günther: Sachwörterbuch zur deutschen Geschichte. München: Oldenburg, 1958.

C 1450 Sachwörterbuch der Geschichte Deutschlands und der deutschen Arbeiterbewegung. 2 Bde. Berlin (Ost): Dietz, 1969-1970.

C 1460 Lexikon der deutschen Geschichte. Personen, Ereignisse, Institutionen. 2. Aufl. Hrsg. von Gerhard Taddey. Stuttgart: Kröner, 1983.

Kunstgeschichte

C 1470 Allgemeines Lexikon der bildenden Künstler von der Antike bis zur Gegenwart. Hrsg. von Ulrich Thieme und Felix Becker. 37 Bde. Leipzig: Seemann, 1907-1950.

C 1480 Vollmer, Hans: Allgemeines Lexikon der bildenden Künstler des 20. Jahrhunderts. 6 Bde. Leipzig: Seemann, 1953-1962.

C 1490 Reallexikon zur deutschen Kunstgeschichte. Begr. von Otto

Schmitt (fortgef. von Ernst Gall, Ludwig Heinrich Heydenreich, Hans Martin Frhr. von Erffa u. Karl-August Wirth; ab Bd. 6 hrsg. vom Zentralinstitut für Kunstgeschichte München). Bd. 1ff. Stuttgart: Metzler (ab 1948ff.: Druckenmüller, dann München: Beck), 1937ff.
Bis Herbst 1989: Bd. 1-8 und Bd. 9, Lfg. 98 (A-Fischfang).

Musikwissenschaft

C 1500 Die Musik in Geschichte und Gegenwart. Allgemeine Enzyklopädie der Musik. Hrsg. von Friedrich Blume. 14 Bde. und Suppl.-Bde. Kassel: Bärenreiter, 1949-1968 und 1973ff. - *Taschenbuchausgabe*: 17 Bde. München: dtv, 1989 (dtv 5913).

C 1510 Eitner, Robert: Biographisch-bibliographisches Quellen-Lexikon der Musiker und Musikgelehrten der christlichen Zeitrechnung bis zur Mitte des 19. Jahrhunderts. 10 Bde. Leipzig: Breitkopf & Härtel, 1900 bis 1904.

C 1520 Riemann, Hugo: Musik-Lexikon. 12., völlig neubearb. Aufl. von Wilibald Gurlitt u.a. 3 Bde. und 2 Erg.bde. Mainz: Schott, 1959-1975. - *Taschenbuchausgabe*: 5 Bde. München: Piper-Schott, 1989 (Serie Musik).
Bd. 1-2: Personenteil A-Z: Bd. 3: Sachteil. Erg.bde.: Personenteil A-Z. Artikel mit weiterführenden Literaturangaben.

C 1530 Das Große Lexikon der Musik in acht Bänden. Hrsg. von Marc Honegger und Günther Massenkeil. 10 Bde. Freiburg u.a.: Herder, 1978-1983.
Bd. 1-8 (A-Z); Personen-, Werktitel-, Sachartikel mit weiterführenden Literaturangaben. Berücksichtigt auch die Pop-Musik. Bd. 9-10: Geschichte der Musik.

Pädagogik

C 1570 The Encyclopedia of Education. Ed. Lee C. Deighten. 10 Vol. o.O.: Macmillan, 1971.

C 1580 Lexikon der Pädagogik. Hrsg. von Heinrich Raubach. 4 Bde. Freiburg: Herder, 1971-1975.

C 1590 Handbuch pädagogischer Grundbegriffe. Hrsg. von Josef Speck und Gerhard Wehle. 2 Bde. München: Kösel, 1970 (*Studienausgabe* 1973).

C 1600 Handlexikon zur Pädagogischen Psychologie. Hrsg. von Hans Schiefele und Andreas Krapp. München: Ehrenwirth, 1985.

C 1610 Handlexikon zur Didaktik der Schulfächer. Hrsg. von Leo Roth. München: Ehrenwirth (auch Darmstadt: Wiss. Buchgesellschaft), 1980.

C 1620 Böhm, Winfried: Wörterbuch der Pädagogik. 13. überarb. Aufl. Stuttgart: Kröner, 1988 (Kröners Taschenausgaben, 94).

Philosophie

C 1630 Historisches Wörterbuch der Philosophie. Hrsg. von J. Ritter und K. Gründer. Bd. 1 ff. Basel: Schwabe, 1971 ff.
Bis Herbst 1989: Bd. 1-7 (A-Q). Bis zur Fertigstellung ist zurückzugreifen auf:

C 1640 Eisler, Rudolph: Wörterbuch der philosophischen Begriffe. Historisch-quellenmäßig bearb. 4. Aufl. 3 Bde. Berlin: Mittler, 1927-1930.

C 1650 Ueberweg-Heinze: Grundriß der Geschichte der Philosophie. 12. Aufl. 5 Bde. Berlin: Mittler, 1923-1928 [Nachdruck: Basel 1967].

C 1660 Handbuch philosophischer Grundbegriffe. 3 Bde. Hrsg. von Hermann Krings u.a. München: Kösel, 1973-1974 (*Studienausgabe*: 6 Bde. 1973-1974).

C 1670 Philosophisches Wörterbuch. Hrsg. von Georg Klaus und Manfred Buhr. 2 Bde. 13. Aufl. Berlin: das europäische Buch, 1985.
Auf marxistischer Grundlage. *Taschenbuchausgabe*:

C 1680 Marxistisch-leninistisches Wörterbuch der Philosophie. Hrsg. von Georg Klaus und Manfred Buhr. 3 Bde. Reinbek: Rowohlt, 1972 u.ö. (rororo Ratgeber und Handbücher, 6155-6157).

C 1690 Philosophisches Wörterbuch. Begr. von Heinrich Schmidt, neu bearb. v. Georgi Schischkoff. 21. Aufl. Stuttgart: Kröner, 1982 (Kröners Taschenausgaben, 13).

C 1695 Lexikon der philosophischen Werke. Hrsg. von Franco Volpi und Julian Nida-Rümelin. Stuttgart: Kröner, 1988.
Enthält rd. 1150 Artikel über die bekanntesten und wirkungsgeschichtlich bedeutendsten Werke von der Antike bis zur Gegenwart.

Psychologie

C 1699 *Vgl. dazu*: Horst Wilhelm: Informationshandbuch Psychologie. Frankfurt/M.: Fischer, 1987, Teil C.

C 1700 International Encyclopedia of Psychiatry, Psychology, Psycho-

analysis, and Neurology. Ed. Benjamin B. Wolman. 12 Vol. New York: Nostrand, 1977.
Bd. 1-11 (A-Z); Bd. 12 (Indexes).

C 1710 Dorsch, Friedrich: Psychologisches Wörterbuch. 10., neubearb. Aufl. Bern u.a.: Huber, 1982.

C 1720 Sury, Kurt von: Wörterbuch der Psychologie und ihrer Grenzgebiete. 4. vollst. neubearb. Aufl. Olten, Freiburg/Br.: Walter, 1974.

C 1730 Arnold, Wilhelm; Eysenck, Hans-Jürgen; Meili, Richard: Lexikon der Psychologie. Studienausg. 3 Bde. Freiburg: Herder, 1984.

C 1740 Hehlmann, Wilhelm: Wörterbuch der Psychologie. 13. Aufl. Stuttgart: Kröner, 1985 (Kröners Taschenausgaben, 269).

Religionen

C 1750 Die Religion in Geschichte und Gegenwart. Handwörterbuch für Theologie und Religionswissenschaft. 3. Aufl. hrsg. von K. Galling. 6 Bde. und Registerbd. Tübingen: Mohr, 1957-1965.

C 1760 Lexikon für Theologie und Kirche. Begr. von Michael Buchberger. 2. Aufl. hrsg. von J. Höfer und K. Rahner. 10 Bde., Reg.bd., 3 Erg.-Bde. Freiburg i. Br.: Herder, 1957-1969.
Bd. 1-10: A-Z; Reg.-Bd.; Erg.-Bde. 1-3: Das Zweite Vatikanische Konzil.

C 1770 Enciclopedia cattolica. 12 Vol. Roma, Firenze 1948-1954.

C 1780 Handbuch theologischer Grundbegriffe. 2 Bde. Hrsg. von Heinrich Fries u.a. München: Kösel, 1963 (*Studienausgabe* 1976).

C 1785 The Encyclopedia of Religion. 16 vols. New York, London: Macmillan, 1987.
Vol. 1-15: A-Z; Vol. 16: Index.

C 1790 Encyclopaedia Judaica. Das Judentum in Geschichte und Gegenwart. 10 Bde. Berlin: Eschkol-Verlag, 1928-1934.

C 1800 Encyclopaedia Judaica. Ed. in chief: Cecil Roth, Geoffrey Wigoder. 16 Vol. Jerusalem: Encyclopaedia Judaica, 1971-1972.

C 1810 Große jüdische National-Bibliographie. Ein Nachschlagewerk für das jüdische Volk und dessen Freunde. Hrsg. von S. Wininger. 7 Bde. Cernauti 1925-1935.

C 1820 Enzyklopädie des Islam. Geographisches, ethnographisches und biographisches Wörterbuch der muhammedanischen Völker. Hrsg. von M. T. Houtsma. 4 Bde. (nebst) Ergänzungsbd. Leiden: Brill, 1908-1938.

C 1825 Lurker, Manfred: Lexikon der Götter und Dämonen. Namen, Funktionen, Symbole/Attribute. 2., erw. Aufl. Stuttgart: Kröner, 1984.
Rd. 2000 Artikel über die wichtigsten Götter und Dämonen aller Zeiten und Völker.

C 1827 Bertholet, Alfred: Wörterbuch der Religionen. Neubearb., erw. und hrsg. von Kurt Goldammer. 4. Aufl. Stuttgart: Kröner, 1985.

Soziologie

C 1830 Wörterbuch der Soziologie. Hrsg. von Wilhelm Bernsdorf. 2. Aufl. Stuttgart: Enke, 1969. - *Gekürzte Taschenbuchausgabe*: 3 Bde. Frankfurt/M.: Fischer, 1972 u.ö. (Fischer Taschenbuch, 6131-6133).

C 1840 Handbuch der Soziologie. Bearb. von H. Eichler u.a. Stuttgart: Enke, 1967.

C 1850 Hartfiel, Günter; Hillmann, Karl-Heinz: Wörterbuch der Soziologie. 3. Aufl. Stuttgart: Kröner, 1982 (Kröners Taschenausgaben, 410).

6 ALLGEMEINE LEXIKA, ENZYKLOPÄDIEN

C 1910 Für die Arbeit des Literaturwissenschaftlers sind auch die älteren Auflagen der nachstehenden Lexika von Bedeutung, weil sie oft die einzige Möglichkeit darstellen, Namen nicht kanonisierter Autoren nachzuschlagen, und weil sich in ihnen der Wissensstand zur Zeit älterer literarischer Epochen spiegelt. Zu den allgemeinen Lexika und Enzyklopädien vgl. auch die beschreibenden Darstellungen in den Bibliographien der Bibliographien (-> D 5160ff.) sowie:

C 1920 Lenz, Werner: Kleine Geschichte großer Lexika. Gütersloh u.a.: Bertelsmann, 1972.

C 1930 Brockhaus Enzyklopädie in zwanzig Bänden. 17., völlig neubearb. Aufl. des Großen Brockhaus. 20 Bde. und 5 Erg.-Bde. Wiesbaden: Brockhaus, 1966-1981.
Bd. 1-20: A-Z; Bd. 21: Karten; Bd. 22-23: Ergänzungen A-Z; Bd. 24: Bildwörterbuch der deutschen Sprache; Bd. 25: Ergänzungen A-Z. *Bibliographische Angaben.* (Dazu auch -> C 2660.)

C 1935 Brockhaus Enzyklopädie in vierundzwanzig Bänden. 19., völlig neu bearb. Aufl. Bd. 1ff. Mannheim: Brockhaus, 1986ff.
Bis Herbst 1989: Bd. 1-10 (- Is).

C 1940 Meyers Enzyklopädisches Lexikon in fünfundzwanzig Bänden. 9. Aufl. 25 Bde., Erg.-Bde. und Atlas. Mannheim, Wien, Zürich: Bibliographisches Institut, 1971-1981.

Bd. 1-25 (A-Z); Bd. 26: Nachträge A-Z; Bd. 27: Weltatlas; Bd. 28: Personenregister; Bd. 29: Bildwörterbuch; Bd. 30: Das große Wörterbuch der deutschen Sprache. - Größere Rahmenartikel. *Bibliographische Angaben.* Dazu: Jahrbücher (1974-1983).

C 1970 Allgemeine Encyclopädie der Wissenschaften und Künste. Hrsg. von Johann Samuel Ersch und Johann Georg Gruber. Sect. 1, Th. 1-99 (A-G). Sect. 2, Th. 1-43 (H-Ligatur). Sect. 3, Th. 1-25 (O-Phyxios). Leipzig: Brockhaus, 1818-1889. [*Nachdruck*: 167 Bde. Graz: Akadem. Druckund Verlagsanstalt, 1969ff.].

Trotz der Unvollständigkeit bis heute umfangreichstes Werk dieser Art. Artikel zu den einzelnen Schlagwörtern von unterschiedlicher Länge (bis zu mehreren Bänden). *Bibliographische Angaben.* - Auch heute noch von großer Bedeutung.

C 1980 (Zedler, Heinrich:) Großes vollständiges Universal-Lexikon aller Wissenschaften und Künste. 64 Bde. und 4 Suppl.-Bde. Halle: Zedler, 1732-1754 [*Nachdruck*: 68 Bde. Graz: Akad. Druck- und Verlagsanstalt, 1961-1964].

Umfassendes Lexikon, das den Wissensstand zur Mitte des 18. Jhs. spiegelt. *Bibliographische Angaben.*

Fremdsprachige Enzyklopädien:

C 1990 The New Encyclopaedia Britannica in 30 vols. Chicago, London, Toronto u.a. 1974.

Besteht aus: Propaedia (= systematische Übersicht); Micropaedia (= enzyklopädisches Lexikon): 10 Bde.; Macropaedia (= Enzyklopädie): 19 Bde.

C 2000 Svensk Uppslagbok. 2. bearb. u. erw. Aufl. 32 Bde. Malmö 1947 bis 1955 [seither unveränderte Nachdrucke].

C 2010 Grote Winkler Prins. Encyclopedie in 20 delen. 2. Opl. 20 D. [nebst] Suppl. Amsterdam: Elsevier, 1970-1976.

C 2020 Grand Larousse encyclopédique. 10 Vols. u. Suppl. Paris: Larousse, 1960-1968. - Neubearbeitung:

C 2030 La grande Encyclopédie. 60 Vols., App., Index. Paris: Larousse, 1972-1981.

Bd. 1-60: A-Z; Index; Suppl. (1981).

C 2035 Encyclopaedia Universalis. 23 Vols. Paris 1988.
Vol. 1-18: A-Z; Vol. 19-20: Symposium; Vol. 21-23: Thesaurus/Index.

C 2040 Enciclopedia italiana di scienze, lettere ed arti. 36 Vol., 3 App.
Roma: Istituto della Enciclopedia italiana, 1929-1961.
Bd. 1-35: A-Z; Bd. 36: Indici; Bd. 37-39: App.

C 2050 Grande Dizionario enciclopedico UTET. 3. ed. riv. e accr. 19 Vol.
Torino: UTET, 1967-1973.

C 2060 Enciclopedia universal Illustrada Europeo-americana. 70 Bde.
und 10 Suppl. Barcelona u.a.: Espasa, 1905-1933. Ab 1934ff.: Suplemento anual.
Umfassende Enzyklopädie auch zum ibero-amerikanischen Kulturraum.

C 2070 Diccionario Enciclopédico Espasa. Octava Edición. 12 Vol. Madrid: Espasa, 1978.

C 2080 Bol'šaja sovetskaja enciclopedija. 3. izd. 30 T. (u. Erg. Bd.)
Moskva 1970-1981.
Erscheint auch in englischer Übersetzung (Great Soviet Encyclopedia. Vol. 1ff. London 1973 ff.).

7 ALLGEMEINE BIOGRAPHISCHE NACHSCHLAGEWERKE

C 2110 Allgemeine Deutsche Biographie (ADB). Hrsg. durch die Historische Commission bei der Königlichen Akademie der Wissenschaften.
Red. von Rochus Frhr. von Liliencron und Franz Xaver von Wegele. 56
Bde. Leipzig: Duncker & Humblot, 1875-1912 [*Nachdruck*: 56 Bde. Berlin: Duncker & Humblot, 1967].
Erfaßt bedeutende Persönlichkeiten, die bis 1899 verstorben sind. Bd. 1-45: Grundwerk A-Z, Zusätze, Berichtigungen, Nachträge (bis Bd. 55); Bd. 56: Generalregister.
Knappe *bibliographische Hinweise.*

C 2120 Neue deutsche Biographie (NDB). Hrsg. von der Historischen
Kommission bei der Bayerischen Akademie der Wissenschaften. Bd. 1ff.
Berlin: Duncker & Humblot, 1953ff.
Bis Herbst 1989: Bd. 1-15 (- Mal). Erfaßt bedeutende Persönlichkeiten, die bis zum (gleitenden) Berichtsschluß der einzelnen Bände verstorben sind. Register (in jedem Bd.). Bibliographische Hinweise.

C 2130 Deutsches Biographisches Archiv (DBA). Microfiche-Edition.
Hrsg. von Bernhard Fabian. Bearb. unter Leitung von Willi Gorzny. München: Saur, 1982-1985.

Kumulation aus 264 der wichtigsten biographischen Nachschlagewerke für den deutschen Bereich *bis zum Ausgang des 19. Jhs.* Nachweis von rd. 200000 Personen. 623000 Seiten auf 1447 Microfiches. *Dazu:*

C 2131 Deutscher Biographischer Index. Ein Register zum Deutschen Biographischen Archiv. 4 Bde. Hrsg. von Willi Gorzny. München: Saur, 1986.

C 2135 Deutsches Biographisches Archiv. Neue Folge (bis zur Mitte des 20 Jhs.) Microfiche-Edition. Hrsg. von Willi Gorzny. München: Saur, 1989ff.
Auswertung von ca. 280 biographischen Lexika mit rd. 280000 Personen. Abschluß für 1993 und Index geplant.

C 2150 Kürschners Deutscher Gelehrten-Kalender. Jg. 1ff. Leipzig [später: Berlin]: de Gruyter, 1925ff. - *Zuletzt erschienen*: 15. Ausg. 3 Bde., 1987.
Verzeichnet lebende Gelehrte aus allen Fachgebieten. Nekrolog (seit der letzten Ausgabe Verstorbene); Festkalender; Register der Gelehrten nach Fachgebieten; wissenschaftliche Verlage.

C 2160 Wer ist wer? Das deutsche Who's who. Bundesrepublik Deutschland und West-Berlin. 27. Ausg. Lübeck: Schmidt-Römhild, 1988.

C 2170 Buch, Günther: Namen und Daten. Biographien wichtiger Personen der DDR. 4. Aufl. Berlin, Bonn-Bad Godesberg: Dietz, 1987.

C 2180 Österreichisches biographisches Lexikon, 1815-1950. Hrsg. von der Österreichischen Akademie der Wissenschaften. Bd. 1ff. Graz, Köln: Böhlau, 1957ff.
Bis Herbst 1989: Bd. 1-9 (- Savic). Erfaßt zwischen 1815 und 1950 Verstorbene. *Bibliographische Angaben.*

C 2190 Historisch-biographisches Lexikon der Schweiz. Dictionnaire historique et biographique de la Suisse. 7 Bde. und Suppl. Neuenburg/Neuchâtel 1921-1934.
Erfaßt im Berichtszeitraum 1919-1932 verstorbene und lebende Personen. Enthält auch Sachartikel aus Geschichte und Landeskunde der Schweiz. *Bibliographische Angaben.*

C 2200 Schweizer biographisches Archiv. Archives biographiques suisses. Archivo biografico Svizzero. 6 Bde. Zürich, Lugano, Vaduz 1952 bis 1958.

C 2210 Internationales Biographisches Archiv. Hrsg. vom Munzinger Ar-

chiv (Archiv für publizistische Arbeit). Berlin, Dresden, (seit 1946:) Ravensburg: Munzinger Archiv, 1913ff.
Biographisches Lexikon in Loseblattform. Wöchentlich erscheinen 25 neue bzw. aktualisierte Biographien. Berücksichtigt u.a. Personen aus Literatur, Theater, Funk, Fernsehen, Wissenschaft. Anschrift für evtl. Rückfragen: Munzinger-Archiv GmbH, Hans-Züricher-Weg 7, D-7980 Ravensburg. Tel.: 0751-31916.

C 2220 Zu den biographischen Nachschlagewerken des außerdeutschen Sprachraums vgl. Helmut Allischewski [-> D 5170] und Hans-Joachim Koppitz [-> D 5190].

8 VERZEICHNISSE WISSENSCHAFTLICHER INSTITUTIONEN

C 2260 The World of Learning. 1. ed. ff. London: Europa Publications, 1947ff.
Herbst 1989: 39st ed. 1989. Verzeichnet internationale und nationale wissenschaftliche Organisationen (Akademien, wiss. Gesellschaften, Universitäten, Bibliotheken, Archive usw.) unter Angabe ihrer periodischen Veröffentlichungen.

C 2270 Minerva. Internationales Verzeichnis wissenschaftlicher Institutionen. 33. Ausg. Berlin, New York: de Gruyter, 1972.
Verzeichnet Universitäten und Fachhochschulen unter Angabe der periodischen Veröffentlichungen der Institutionen.

C 2280 Internationales Verzeichnis wissenschaftlicher Verbände und Gesellschaften. Hrsg. von Michael Zils. 4. Ausg. München: Saur, 1984 (Handbuch der internationalen Dokumentation und Information, 13).
5. Ausg. für 1990 geplant.

C 2290 Internationales Universitäts-Handbuch. World Guide to Universities. Bearb. von Michael Zils. 2. Ausgabe. München: Saur, 1976-1977 (Handbuch der internationalen Dokumentation und Information, 10).
Teil I: Europa; Teil II: Afrika, Amerika, Asien, Ozeanien.

C 2300 Handbuch der Universitäten und Fachhochschulen Bundesrepublik Deutschland, Österreich, Schweiz. Hrsg. von Helga Lengenfelder. 4. Aufl. München u.a.: Saur, 1988.

C 2310 Domay, Friedrich: Handbuch der deutschen wissenschaftlichen Akademien und Gesellschaften, einschließlich zahlreicher Vereine, Forschungsinstitute und Arbeitsgemeinschaften in der Bundesrepublik Deutschland. 2., völlig neu bearb. Aufl. Wiesbaden: Steiner, 1977.
Umfangreiche Darstellung zu allen Fachgebieten. Verzeichnet auf literaturwissenschaftlichem Sektor 16 literarische Gesellschaften mit Auszügen aus den Satzungen und Bibliographie ihrer Publikationen.

C 2320 DOGE. Dokumentationsstellen Geisteswissenschaften. Bundesrepublik Deutschland und Berlin (West). Hrsg. von der Informationsstelle zum Fachinformationsbereich Geisteswissenschaften (IFG). Ausgabe 1 (1982). Saarbrücken 1982.

C 2330 Verzeichnis Deutscher Informations- und Dokumentationsstellen. Bundesrepublik Deutschland und Berlin [West]. 4. Ausg. München: Saur, 1982.

C 2340 Verzeichnis deutscher Datenbanken, Datenbank-Betreiber und Informationsvermittlungsstellen. Bundesrepublik Deutschland und Berlin [West]. 2. Aufl. München u.a.: Saur, 1988.

C 2350 Internationales Bibliothekenhandbuch. World Guide to Libraries. Hrsg. von Helga Lengenfelder. 9. Ausg. München u.a.: Saur, 1989 (Handbuch der Internationalen Dokumentation und Information, 8).

C 2355 Internationales Handbuch der Spezialbibliotheken. 1. Ausg. München u.a.: Saur, 1983 (Handbuch der Internationalen Dokumentation und Information, 17).
2. Ausg. für 1990 vorgesehen.

C 2360 Archive. Archive im deutschsprachigen Raum. 2 Bde. 2. Aufl. Berlin, New York: de Gruyter, 1974 (Minerva-Handbücher).

C 2370 Jahrbuch der deutschen Bibliotheken. Hrsg. vom Verein deutscher Bibliothekare. Wiesbaden: Harrassowitz (erscheint alle zwei Jahre).
Bis Herbst 1989: 53 (1989). Erfaßt rd. 670 wissenschaftliche Bibliotheken der Bundesrepublik Deutschland mit Bestandsangaben, Sondereinrichtungen, Publikationen. Leihverkehrsliste, Zentralkataloge; Personalverzeichnis.

C 2380 Jahrbuch der Bibliotheken, Archive und Informationsstellen der Deutschen Demokratischen Republik. Hrsg. vom Bibliotheksverband der DDR. Leipzig: VEB Bibliographisches Institut (erscheint im Zweijahresrhythmus).
Bis Herbst 1989: Ausgabe 13 (1983/85), 1987. Verzeichnet Anschriften, Sammelgebiete, Bestände, Informations- und Dokumentationsdienste.

C 2385 Schatzberg, Karin: Frauenarchive und Frauenbibliotheken. Göttingen: edition herodot, 1985 (Göttinger Schriften zur Sprach- und Literaturwissenschaft).

C 2390 Internationales Germanistenverzeichnis. 3. Ausg. 2 Tle. Hrsg. von

Aloys M. Hagspihl und Hans-Gert Roloff. Bern, Frankfurt/M., Las Vegas: Lang, 1980ff. (Jahrbuch für Internationale Germanistik, Reihe D, Bd. l).
Teil 1: Dokumentation der Institutionen (Stand der Angaben: 1978). Gliederung: I Europa (*ohne* DDR!); II Amerika; III Australien, Neuseeland, Afrika, Asien. Register der Universitätsorte, der Personennamen. Teil 2: Dokumentation der Wissenschaftler (in Vorber.).

C 2400 Germanistik an deutschen Hochschulen. Verzeichnis der Hochschullehrer in der Bundesrepublik Deutschland. Ausgabe 1987. Zusammengestellt von Friedrich W. Hellmann. Bonn: DAAD, 1987.
Verzeichnet - nach Universitäten geordnet - Hochschullehrer mit Angabe der Forschungs- und Lehrgebiete sowie einer Auswahl ihrer Publikationen.

C 2410 Germanistik an französischen Hochschulen. Répertoire de la Germanistique Française. Ausgabe 1980. Zusammengestellt vom DAAD *Paris*. Bonn: DAAD, 1980.

C 2415 Directory of German Departments, German Studies Faculties and Programs in the United States 1985. Ed. by Valters Nollendorfs with Karl F. Markgraf. Bonn: DAAD, 1986
In Zusammenarbeit mit der Zeitschrift *Monatshefte* (-> E 910). Nach Staaten und Universitäten geordnet.

Verlage und Buchhandel:

C 2420 Adreßbuch für den deutschsprachigen Buchhandel. 2 Bde. Frankfurt/M.: Buchhändlervereinigung (jährlich neu).
Bd. 1: Verlage; Bd. 2: Buchhandel.

Verlagsanschriften auch im *Verzeichnis lieferbarer Bücher* (-> D 4820), in *Kürschners Deutschem Literatur-Kalender* (-> C 370) und *Kürschners Deutschem Gelehrten-Kalender* (-> C 2150).

9 VERZEICHNISSE LITERARISCHER STÄTTEN

-> Teil G.

C 2430 Oberhauser, Fred und Gabriele: Literarischer Führer durch Deutschland. Frankfurt/M.: Insel, 1983 (Insel-Taschenbuch, 527). - *Neubearb. in Vorber.*
Verzeichnet Autoren und literarische Ereignisse unter dem jeweiligen Ort ihres Wirkens bzw. des Geschehens. Enthält Hinweise auf Bibliotheken, Sammlungen, Museen, Literarische Gesellschaften. Abbildungen. Karten (Rundreisen). Literaturverzeichnis. Personen-, Ortsregister.

C 2440 Literarische Museen und Gedenkstätten in der Deutschen Demokratischen Republik. Berlin (Ost): Nationaler Museumsrat der DDR, 1981.
Reich illustrierte, alphabetisch nach Autoren geordnete Beschreibung.

C 2450 "... in Dichters Lande..." Literarische Museen und Gedenkstätten in Baden-Württemberg. Eine Ausstellung im Schiller Nationalmuseum. Katalog von Thomas Scheuffelen, Eva Dambacher und Hildegard Dieke. Marbach: Deutsche Schillergesellschaft, 1981.
Beschreibendes Verzeichnis mit zahlreichen Textauszügen aus den Exponaten.

C 2460 Gräber, Carlheinz; Schmidt, Hans Dieter: "... muß in Dichters Lande gehen ...". Dichterstätten in Franken. Bad Windsheim: Delp, 1989.

10 WÖRTERBÜCHER

C 2610 Hier werden nur wenige für die literaturwissenschaftliche Arbeit wichtige neuhochdeutsche Wörterbücher aufgeführt. Zu Wörterbüchern älterer Sprachzustände (germanisch bis frühneuhochdeutsch) und einzelner Dialekte -> Hansel (D 80), S. 46-49 und 61f.

Umfassende Bibliographie:

C 2620 Zaunmüller, Wolfram: Bibliographisches Handbuch der Sprachwörterbücher. Stuttgart: Hiersemann, 1958.
Erfaßt rd. 5600 Wörterbücher der Jahre 1460-1958 für mehr als 500 Sprachen und Dialekte (Sp. 47-92: deutsche Wörterbücher).

C 2625 Kühn, Peter: Deutsche Wörterbücher. Eine systematische Bibliographie. Tübingen: Niemeyer, 1978 (Reihe Germanistische Linguistik, 15).

C 2630 Grimm, Jacob und Wilhelm: Deutsches Wörterbuch. Hrsg. von der Deutschen Akademie der Wissenschaften zu Berlin. 16 in 32 Bden. Leipzig: Hirzel, 1854-1960. - *Taschenbuchausgabe*: München: dtv, 1984. - Dazu Quellenverzeichnis. Ebd. 1971.
Umfassendes und maßgebliches Wörterbuch der deutschen Sprache mit reichhaltigen Belegstellen und Zitaten. Artikel z.T. sehr umfangreich. - Neubearbeitung:

C 2640 Grimm, Jacob und Wilhelm: Deutsches Wörterbuch. Neubearbeitung. Hrsg. von der Akademie der Wissenschaften der DDR in Zusammenarbeit mit der Akademie der Wissenschaften zu Göttingen. Lfg. 1ff. Leipzig: Hirzel, 1965ff.

Bis Herbst 1989: Bd. 1 (1983); Bd. 2, Lfg. 1-2; Bd. 6 (1983); Bd. 7, Lfg. 1-4.

C 2650 Duden. Das große Wörterbuch der deutschen Sprache. Hrsg. vom Wissenschaftlichen Rat und den Mitarbeitern der Dudenredaktion. 6 Bde. Mannheim: Bibliographisches Institut, 1976-1981.
Erscheint auch als Bd. 30ff. von *Meyers Enzyklopädischem Lexikon* (-> C 1940).

C 2660 Brockhaus - Wahrig. Deutsches Wörterbuch in sechs Bänden. Hrsg. von Gerhard Wahrig, Hildegard Krämer, Harald Zimmermann. Wiesbaden: Brockhaus; Stuttgart: Deutsche Verlagsanstalt, 1980-1984.

C 2670 Wörterbuch der deutschen Gegenwartssprache. Hrsg. von Ruth Klappenbach und Wolfgang Steinitz. 6 Bde. Berlin: Akademie-Verlag, 1961-1977.
Bedeutungswörterbuch, mit stilistischen Hinweisen, Quellenbibliographie in Bd. 6. Die Bände liegen in unterschiedlichen Neuauflagen vor. - Die Auswahl der Stichwörter und ihre Deutung orientiert sich zunehmend an marxistisch-leninistischer Weltanschauung.

C 2680 Küpper, Heinz: Illustriertes Lexikon der deutschen Umgangssprache. 8 Bde. Stuttgart: Klett, 1982-1984.

C 2690 Paul, Hermann: Deutsches Wörterbuch. 8. Aufl. von Werner Betz. Tübingen: Niemeyer, 1981.
Schwerpunkt: Wortschatz der Goethezeit.

C 2700 Wahrig, Gerhard: Deutsches Wörterbuch. Aktualisierte und erw. Neuausg. München: Mosaik, 1986.
Rd. 230000 Stichwörter und Redewendungen, vor allem der Gegenwartssprache.

Zum Bedeutungswandel der Wörter und zu ihrer Entstehung:

C 2710 Deutsche Wortgeschichte. Hrsg. von Friedrich Maurer und Heinz Rupp. 3. Aufl. 3 Bde. Berlin, New York: de Gruyter, 1974 (Grundriß der germanischen Philologie, 17).
Behandelt auch die Modewörter einzelner Epochen und Strömungen.

C 2712 Etymologisches Wörterbuch des Deutschen. Erarbeitet im Zentralinstitut für Sprachwissenschaft der Akademie der Wissenschaften der DDR. Hrsg. von Wolfgang Pfeifer. 3 Bde. Berlin (Ost): Akademie-Verlag, 1989.

C 2715 Duden. Das Herkunftswörterbuch. Etymologie der deutschen Sprache. Bearb. von Günter Drosdowski. 2. Aufl. Mannheim: Dudenverlag, 1989.

Fremdwörterbücher:

C 2720 Deutsches Fremdwörterbuch. Begonnen von Hans Schulz, fortgeführt von Otto Basler, weitergeführt im Institut für deutsche Sprache. 6 Bde. Straßburg: Trübner (später Berlin, New York: de Gruyter), 1913-1983.
Bd. 1 (1913): A-K; Bd. 2 (1942): L-P; Bd. 3 (1977): Q-R; Bd. 4 (1978): S; Bd. 5 (1981): T; Bd. 6 (1983): U-Z.

C 2730 Duden. Fremdwörterbuch. Bearb. von Wolfgang Müller. 4. Aufl. Mannheim: Bibliographisches Institut, 1982 (Der Große Duden, 5).

TEIL D: BIBLIOGRAPHIEN UND REFERATENORGANE

D 10 Mit diesem Teil D, der Bibliographien und Referatenorgane verzeichnet, werden die eigentlichen Nachschlagewerke zur Literaturermittlung vorgestellt. Mit ihrer Hilfe ist es möglich, das Schrifttum zu einzelnen Fragestellungen (nahezu) vollständig zusammenzustellen (-> Teil A).

D 20 Der bibliographische Weg soll hier noch einmal kurz skizziert werden. Sobald Einführungen, Handbücher und Lexika als erste Phase der Literaturermittlung ausgeschöpft sind bzw. wegen des Anspruches der Arbeit als Literaturauskunftsmittel nicht genügen, sollte die erste Frage lauten: Gibt es zu diesem Thema eine Spezialbibliographie? Je nach Themenstellung könnte dies eine Epochenbibliographie (-> D 460ff.), eine Sachthemen-Bibliographie (-> D 1310ff.) oder eine Personalbibliographie (-> D 2010ff.) sein. Kann diese Frage bejaht werden, ist vom jeweiligen Redaktionsschluß an (meist auf der Rückseite des Titelblatts oder im Vorwort angegeben) mit Hilfe der periodischen (bei Abschluß der Spezialbibliographie vor 1970 auch der abgeschlossenen) Fachbibliographien (-> D 160ff.) weiter zu recherchieren. Liegt keine Spezialbibliographie vor, sind die abgeschlossenen und periodischen Fachbibliographien gleich zu konsultieren. Mit diesen kommt man relativ nahe an die eigene Gegenwart heran (Verzugszeit durchschnittlich ein Jahr). Um auch die Literatur der letzten Monate zu erfassen, sind die periodischen Allgemeinbibliographien (-> D 4690ff. für selbständig, -> D 4910ff. für unselbständig erschienenes Schrifttum) herauszuziehen. Mit Hilfe des CIP-Neuerscheinungs-Sofortdienstes der Deutschen Bibliothek (-> D 4760, Reihe N) ist sogar die selbständig erscheinende Literatur der kommenden Wochen zu eruieren. Statt der Durchsicht der periodischen Allgemeinbibliographie kann sich eine Recherche in den einschlägigen Datenbanken (-> H 130ff.) zeitlich lohnen (-> die Tabellen A 280, A 310, A 370).

D 30 Schließlich wurden die wichtigsten Allgemeinbibliographien, Bücherverzeichnisse (-> D 4560ff.) und für diffizile Fragestellungen Bibliothekskataloge (-> D 5020ff.) aufgenommen (vgl. die Ausführungen D 4560ff. und D 5010). Am Ende dieses Teils stehen die Bibliographien der Bibliographien (-> D 5160ff.), mit deren Hilfe über die Angaben dieses Informationshandbuches hinaus einschlägige Nachschlagewerke erfaßt werden können. Insbesondere sei auf die periodische *Bibliographie germanistischer Bibliographien* von Carl Paschek (-> D 5280) hingewiesen.

D 40 Auch in diesem Teil sind wie in den vorhergehenden Literaturdidaktik, Vergleichende Literaturwissenschaft, Theaterwissenschaft und Medienkunde mit einer Auswahl der wichtigsten Bibliographien vertreten. Auf die Aufnahme wesentlicher Bibliographien der Kontaktdisziplinen - wie im Falle der Lexika - wurde hier verzichtet, da dies durch die Vielzahl der Publikationen eine überproportionale Ausweitung mit sich gebracht hätte. Die in Teil C (-> C 1310ff.) aufgenommenen Lexika der Nachbarwissenschaften enthalten ohnehin bereits weiterführende Literaturangaben.

D 50 Teil D beginnt mit den einführenden Bibliographien als Einstieg in die bibliographische Arbeit. Die Publikationen von Hansel (-> D 80), Raabe (-> D 90), Landwehr (-> D 100) verfolgen mit unterschiedlicher Gewichtung ähnliche Zielsetzungen wie die Teile B-E dieses Informationshandbuches.

1 BIBLIOGRAPHIEN ZUR LITERATURWISSENSCHAFT

1.1 EINFÜHRENDE FACHBIBLIOGRAPHIEN

D 60 Arnold, Robert F.: Allgemeine Bücherkunde zur neueren deutschen Literaturgeschichte. 4. Aufl. neu bearb. von Herbert Jacob. Berlin: de Gruyter, 1966.
Standardwerk, das zu zentralen und Randgebieten der deutschen Literatur und Literaturwissenschaft ein- und weiterführende Titel nennt. Trotz des Redaktionsschlusses von Herbst 1965 noch nicht überholt, bedürfte aber dringend der Ergänzung. Gegliedert in: Literaturkundliche Grundlagen; Weltliteratur; Deutsche Literatur; Biographie; Bibliographie; Randgebiete. Innerhalb der Abschnitte jeweils vom Allgemeinen zum Besonderen fortschreitend. Erschlossen durch mehrere Register.

D 70 Hansel, Johannes: Bücherkunde für Germanisten. Wie sammelt man das Schrifttum nach dem neuesten Forschungsstand? Berlin: E. Schmidt, 1959.

D 80 Hansel, Johannes: Bücherkunde für Germanisten. Studienausgabe. 8. Aufl. bearb. von Lydia Tschakert. Berlin: E. Schmidt, 1983.
Gekürzte, aber zum jeweiligen Redaktionsschluß aktualisierte Studienausgabe von D 70. Bietet einen Wegweiser zur bibliographischen Schulung, der über fünf Stufen (Darstellungen [Einführungen, Forschungsberichte, Handbücher, Lexika], abgeschlossene Fachbibliographien, periodische Fachbibliographien, periodische Allgemeinbibliographien, Zeitschriften) führt. Souverän auswählende, kenntnisreiche Darstellung zum Gesamtgebiet der Germanistik unter Berücksichtigung auch neuerer Forschungsrichtungen (Sozio-, Psycho-, Textlinguistik). Erfaßt rd. 1200 Titel.

D 90 Raabe, Paul: Einführung in die Bücherkunde zur deutschen Literaturwissenschaft. Mit 13 Tabellen im Anhang. 10., durchgesehene Auflage unter Mitarbeit von Werner Arnold und Ingrid Hannich-Bode. Stuttgart: Metzler, 1984 (Sammlung Metzler, 1).
Gut lesbare Einführung in das Bibliographieren mit für den Anfänger überschaubarem Material. Beschränkung auf das Gebiet der Literaturwissenschaft. Gliedert sich in einen darstellenden (A), praktischen (B) und bibliographischen (C) Teil. Die Angaben in A repräsentieren nicht immer den aktuellen Forschungs- und Publikationsstand. Neuere Forschungstendenzen sind kaum berücksichtigt. Praktisch vor allem wegen der Tabellen im Anhang. Erfaßt etwa 300 Titel.

D 100 Landwehr, Jürgen; Mitzschke, Matthias; Paulus, Rolf: Praxis der Informationsermittlung: "Deutsche Literatur". Systematische Einführung in das fachbezogene Recherchieren. Theorie und Verfahren des Recherchierens - Handbücher und Bibliographien - Zeitschriften - Institutionen. München: Fink, 1978.
Kurz gefaßte Einführung in das Bibliographieren und Recherchieren, die zwar im

bibliographischen Teil etwas knapp ist, aber durch Anführung auch anderer Informationsstellen den traditionellen Rahmen bisheriger Bücherkunden sprengt. Erfaßt 367 Buchtitel, Zeitschriften und Institutionen.

D 110 Paschek, Carl: Praxis der Literaturermittlung Germanistik. 2 Bde. Bern u.a.: Lang, 1986 (Germanistische Lehrbuchsammlung, 48).
Bd. 1: Grundbegriffe und Methodik; Bd. 2: Systematisches Verzeichnis. - Umfassende Einführung in die konventionelle und computergestützte Literatursuche zur Linguistik und Literaturwissenschaft. Erfaßt 1436 Bücher und Zeitschriften.

D 120 Heidtmann, Frank; Fertig, Elmar; Ulrich, Paul S.: Wie finde ich Literatur zur deutschen Literatur. Berlin: Berlin Verlag, 1979 (Orientierungshilfen, 9; = Veröffentlichungen des Instituts für Bibliothekarausbildung der Freien Universität Berlin, 20).
Einführung in die Bibliotheksarbeit, in Sachauskunftsmittel, Literaturauskunftsmittel und in Suchstrategien für die Bibliothekarausbildung. Enthält ein bibliothekarisch-bibliographisches Fach- und Fremdwortverzeichnis.

1.2 FACHBIBLIOGRAPHIEN ZUM GESAMTBEREICH DER LITERATURWISSENSCHAFT

1.2.1 ABGESCHLOSSENE FACHBIBLIOGRAPHIEN

D 160 Primär- und Sekundärliteratur in Auswahl verzeichnen auch die bibliographischen Lexika (-> C 50ff.). Besonders wird verwiesen auf das *Deutsche Literaturlexikon. DLL* (-> C 50), *Die Deutsche Literatur* (-> C 70) und das KLG (-> C 330).

D 170 Bibliographisches Handbuch der deutschen Literaturwissenschaft. 1945-1969/1972. Hrsg. von Clemens Köttelwesch. Mitarbeit H. Hüttemann und C. Maihofer. 3 Bde. Frankfurt/M.: Klostermann, 1973-1979.
Verzeichnet in repräsentativer Auswahl rd. 80000 Titel wissenschaftliches Schrifttum zum Gesamtgebiet der deutschen Literatur, das im Zeitraum von 1945-1969 (Bd. 1) bzw. 1945-1972 (Bd. 2) erschienen ist. Systematische Gliederung. Kumulierung und Ergänzung von D 360. Bd. 3: Verfasser-, Sachregister.

D 180 Internationale Bibliographie zur Geschichte der deutschen Literatur von den Anfängen bis zur Gegenwart. Gesamtredaktion: Günter Albrecht und Günter Dahlke. 3 Teile in 4 Bden. Berlin: Aufbau-Verlag, 1969-1977; München: Saur, 1970-1977. - Erg.-Bde. für 1965-1974. Ebd. 1984.
Auswahlbibliographie zum Gesamtbereich der deutschen Literatur (unter besonderer Berücksichtigung der Personalbibliographien). Systematische Gliederung. Starke Betonung der osteuropäischen Germanistik, von daher Ergänzung der mehr westlich orientierten Bibliographien von Köttelwesch (-> D 170) und Stapf (-> D 200). Teil 1: Von den Anfängen bis 1789. Teil 2 (= 2 Bde.): Von 1789 bis zur Gegenwart. Teil 3: Sach-, Personen-, Werkregister. Erg.-Bde. mit analoger Gliederung.

D 190 Körner, Josef: Bibliographisches Handbuch des deutschen Schrifttums. 3., völlig umgearb. Aufl. Bern: Francke, 1949 [4. Aufl. (= Nachdruck der 3. Aufl.) ebda. 1966].

Auswahl der wichtigsten Ausgaben und der Sekundärliteratur zum Gesamtgebiet der deutschen Literatur. Erfaßt bis Mitte der 40er Jahre. Wurde ersetzt durch:

D 200 Handbuch der deutschen Literaturgeschichte. 2. Abt: Bibliographien. Hrsg. v. Paul Stapf. Bd. 1ff. Bern, München: Francke, 1969ff.

Auswahlbibliographie zum Gesamtbereich der deutschen Literatur für den Bedarf der Studierenden. Erfaßt Primär- und Sekundärliteratur (mit gleitendem Berichtszeitraum). Systematisch-chronologische Ordnung. *Gliederung*: Bd. 1: Henry Kratz: Frühes Mittelalter (1970); Bd. 2: Michael Batts: Hohes Mittelalter (1969); Bd. 3: George F. Jones: Spätes Mittelalter (1971); Bd. 4: James E. Engel: Renaissance, Humanismus, Reformation (1969); Bd. 5: Ingrid Merkel: Barock (1971); Bd. 6: E. K. Grotegut und G. F. Leneaux: Das Zeitalter der Aufklärung (1974); Bd. 7 (noch nicht ersch.); Bd. 8: John Osborne: Romantik (1971); Bd. 9: Roy C. Cowen: Neunzehntes Jahrhundert. 1830-1880 (1970); Bd. 10: Penrith Goff: Wilhelminisches Zeitalter (1970); Bd. 11: Gertrud B. Pickar: Deutsches Schrifttum zwischen den beiden Weltkriegen. 1915 bis 1945 (1974); Bd. 12: Jerry Glenn: Deutsches Schrifttum der Gegenwart. Ab 1945 (1971). Alle Bände mit Namenregister.

D 210 Goedeke, Karl: Grundriß zur Geschichte der deutschen Dichtung. Aus den Quellen. 2. bzw. 3., ganz neu bearb. Aufl. 15 in 22 Bden. Dresden: Ehlermann; Berlin: Akademie-Verlag, 1884-1966 [Nachdruck: Nendeln: Kraus, 1975]; Bd. 16ff. Ebd. 1985ff.

Umfassende, auf Vollständigkeit zielende Bibliographie vom Mittelalter bis zur ausgehenden Romantik (noch nicht abgeschlossen). Erfaßt selbständig und unselbständig erschienenes Schrifttum, auch Zeitungsaufsätze. Obwohl einzelne Bände oder Teilbereiche (so etwa Bd. 1, 2, 5) heute überholt sind, ist "der Goedeke" unverzichtbar als Quellenbibliographie des 17. und 18. Jhs.; als solche noch nicht ersetzt. Benutzbarkeit wegen des komplizierten Aufbaus recht schwierig, jedoch durch einen 1975 erschienenen Autorenindex [-> D 230] erleichtert. - *Aufbau*:

Bd. 1 (2. Aufl. 1884): Das Mittelalter [- 1515].

Bd. 2 (2. Aufl. 1886): Das Reformationszeitalter [1515-1600].

Bd. 3 (2. Aufl. 1887): Vom Dreißigjährigen bis zum Siebenjährigen Krieg [1600 bis 1750].

Bd. 4 (in 5 Teilbden.) - 5: Vom Siebenjährigen bis zum Weltkriege [= Napoleonische und Befreiungskriege; 1750-1800]. - Bd. 4, Teil 1 (3. Aufl. 1916): Aufklärung, Vorklassik, Sturm und Drang. - Teil 2 (3. Aufl. 1910): Biographisches zu Goethe, Literatur über Goethe. - Teil 3 (3. Aufl. 1912): Goethes Werke und Sekundärliteratur darüber. - Teil 4 (3. Aufl. 1913): Nachträge, Berichtigungen und Register zu Teil 2-4. - Teil 5 (3. Aufl. 1960): Goethe-Bibliographie 1912-1950. - Bd. 5 (2. Aufl. 1893): Schiller; Goethes und Schillers Zeitgenossen.

Bd. 6-7: Die Zeit des Weltkrieges [1800-1815]. - Bd. 6 (2. Aufl. 1898): Die Zeit der Romantik: Dichter aus der Schweiz und aus Österreich. - Bd. 7 (1900): Dichter aus

Österreich (Forts.), aus einzelnen deutschen Landschaften und dem Ausland; Mundartdichtung; Übersetzungen.

Bd. 8-18: Vom Weltfrieden bis zur Französischen Revolution [1815-1830]. - Bd. 8 (1905): Zeitschriften und Almanache; Lyriker und Dramatiker der Spätromantik. - Bd. 9 (2. Aufl. 1910): Romanschriftsteller nach Landschaften. - Bd. 10 (2. Aufl. 1913): Unterhaltungsschriftsteller. - Bd. 11, Teil 1 (2. Aufl. 1951): Drama und Theater in Deutschland [1815-1830]. - Bd. 11, Teil 2 (2. Aufl. 1953): Drama und Theater in Österreich [1815-1830]. - Bd. 12 (2. Aufl. 1929): Dichtung der Schweiz, Österreichs und Bayerns (meist Lyriker). - Bd. 13 (2. Aufl. 1938): Dichtung in West- und Mitteldeutschland (einschl. Südwest- und Nordwestdeutschland). - Bd. 14 (2. Aufl. 1959): Dichtung in Nordostdeutschland. - Bd. 15 (2. Aufl. 1966): Ausland; Mundartdichter. - Bd. 16 (1985): Geistliche Dichtung; Autodidakten; Übersetzungen. - Bd. 17, Lfg. 1 (1989)ff.: Übersetzer. - Bd. 18 (in Vorber.): Generalregister zu Bd. 1-17.

D 220 Goedekes Grundriß zur Geschichte der deutschen Dichtung. Neue Folge. Fortführung von 1830-1880. Hrsg. von d. Dt. Akademie der Wissenschaften zu Berlin. Bearb. von Georg Minde-Pouet und Eva Rothe. Bd. 1ff. Berlin (Ost): Akademie-Verlag, 1962ff.
Bis Herbst 1989: Bd. 1 (- Ayßlinger). Allgemeiner Teil, dann alphabetisch nach Autoren gegliedert. Aufgenommen sind Autoren, die ab etwa 1800 geboren sind und bis 1880/90 publiziert haben.

D 230 Rambaldo, Hartmut: Index zu Goedeke, Grundriß zur Geschichte der deutschen Dichtung. Aus den Quellen. Nendeln: Kraus, 1975.
Autorenindex zu Bd. 2-15 des Grundwerkes und zu Bd. 1 der Neuen Folge.

Auswertung von Festschriften:

D 240 Hannich-Bode, Ingrid: Germanistik in Festschriften von den Anfängen (1877) bis 1973. Verzeichnis germanistischer Festschriften und Bibliographie der darin abgedruckten germanistischen Beiträge. Stuttgart: Metzler, 1976 (Repertorien zur deutschen Literaturgeschichte, 7).
Teil I: Verzeichnis der germanistischen Festschriften und der Festschriften mit germanistischen Beiträgen. Teil II: Systematisch-chronologisches Verzeichnis der Beiträge. Teil III: Verfasser-, Autoren-, Sach-, Titelregister.

1.2.2 PERIODISCHE FACHBIBLIOGRAPHIEN

Mit Hilfe periodischer Fachbibliographien ist das wissenschaftliche Schrifttum der jüngsten Vergangenheit zu erfassen. Dies kann vor allem mit der *Bibliographie der deutschen Sprach- und Literaturwissenschaft* (-> D 360), mit der *Germanistik* (-> D 380), der *MLA* (-> D 390) und für die Berichtsjahre 1980-1982 mit der *Internationalen*

Germanistischen Bibliographie (-> D 370) geschehen. Für bibliographische Recherchen, die das Schrifttum der ersten Jahrhunderthälfte betreffen, greift man auf die Jahresberichte zurück (-> D 320-350); selbständig erschienene Literatur dieses Zeitraums ist auch im GV (-> D 4670) verzeichnet.

D 320 Jahresbericht über die Erscheinungen auf dem Gebiete der germanischen Philologie. Hrsg. von der Gesellschaft für deutsche Philologie. Jg. 1 (1879) - 42 (1920). Berlin 1880-1923. Neue Folge: Jg. 1 (1921) - 16/19 (1939). Berlin 1924-1954.
Systematisch gegliederte Bibliographie mit kurzen Annotationen (vor Berichtsjahr 1921 Trennung in Literaturbericht und Bibliographie). Erfaßt Sekundärliteratur zur deutschen Dichtung bis zum Beginn des Barock.

D 330 Jahresberichte für neuere deutsche Literaturgeschichte. Hrsg. von Julius Elias (u.a.). Jg. 1 (1890) - 26 (1915). Stuttgart: [versch. Verlage] 1892-1919.
Jahrgang 1-12 stellen Forschungsberichte dar; ab Jg. 13 sind Bericht und Bibliographie voneinander getrennt. Erfaßt Sekundärliteratur zur deutschen Dichtung ab dem Barockzeitalter. Fortführung:

D 340 Jahresbericht über die wissenschaftlichen Erscheinungen auf dem Gebiete der neueren deutschen Literatur. Hrsg. von der Literaturarchiv-Gesellschaft in Berlin. NF. Jg. 1 (1921) - 16/19 (1939). Berlin: de Gruyter, 1924-1956.
Die Lücke 1916-1920 kann mit folgenden Hilfsmitteln geschlossen werden:
Alfred Rosenbaum: Bibliographie der in den Jahren 1914/18 erschienenen Zeitschriftenaufsätze und Bücher zur deutschen Literaturgeschichte. Stuttgart 1922 (Euphorion, Erg.-H. 12). - Paul Merker: Neuere deutsche Literaturgeschichte. Gotha 1922 (Wissenschaftliche Forschungsberichte, 8). - D 320 (erfaßt für das Berichtsjahr 1919 bis 1770, für 1920 bis 1832, für 1921 bis 1700). - Literaturblatt für germanische und romanische Philologie Jg. 37 (1916)ff.

D 350 Jahresbericht für deutsche Sprache und Literatur. Bd. 1 (1940 bis 1945)ff. Bearbeitet von Gerhard Marx. Berlin (Ost): Akademie-Verlag, 1960ff.
Zusammenfassung von D 320 und D 340. Systematisch gegliederte, sehr sorgfältig erarbeitete Bibliographie zum Gesamtbereich der Germanistik (mit Vollständigkeitscharakter). Nachteil: ungewöhnlich große Verzugszeit. Bis Herbst 1989: Bd. 1-2 (1940 bis 1950).

D 360 Bibliographie der deutschen [ab Bd. 9 (1969): Sprach- und] Literaturwissenschaft. Begründet von Hanns W. Eppelsheimer, fortgef. von Clemens Köttelwesch, hrsg. von Bernhard Koßmann. Bd. 1 (1945-1953)ff. Frankfurt/M.: Klostermann, 1957ff.
Erscheinungsweise: 1 Bd. pro Jahrgang (Verzugszeit 1989: rd. 14 Monate). Periodi-

sche Bibliographie zum Gesamtgebiet der deutschen Sprach- und Literaturwissenschaft in systematischer Gliederung. Erfaßt werden die Veröffentlichungen (Bücher, Sammelwerke, Zeitschriftenaufsätze, Zeitschriftenbeiträge und wichtige Rezensionen) zur deutschen Literaturwissenschaft (in den letzten Jahren zunehmend mit Vollständigkeitscharakter) und zur Sprachwissenschaft (im Hinblick auf die *Bibliographie linguistischer Literatur* in Auswahl). Namen-, Sachregister.

D 370 Internationale Germanistische Bibliographie. IGB. [Bd. 1-3] 1980 bis 1982. Hrsg. von Hans-Albrecht Koch und Uta Koch. München u.a.: Saur, 1981-1984.
Erscheinungsweise: 1 Bd. pro Jahrgang. Systematische Gliederung. Mit rd. 13000 Titeln (1980) hoher Grad an Vollständigkeit. Namen-, Sachregister. *Erscheinen eingestellt.*

D 380 Germanistik. Internationales Referatenorgan mit bibliographischen Hinweisen. Jg. 1ff. Tübingen: Niemeyer, 1960ff.
Erscheint in vier Heften pro Jahrgang (Verzugszeit 1989: wenige Monate bis 3 Jahre). Erfaßt Neuerscheinungen zum Gesamtbereich der Germanistik, die teils nur verzeichnet, teils aber auch kritisch referiert werden. Systematische Gliederung in 34 Sachgruppen. Verfasser- und Namen-, ab Jg. 20 (1979) auch Sachregister (in Heft 4).

D 390 MLA International Bibliography of Books and Articles on the Modern Languages and Literatures. Vol. 1 (1921)ff. New York: Modern Language Association, 1922ff.
Erscheinungsweise: 1 Bd. pro Jahrgang (Verzugszeit: rd. 1 Jahr). Deutsche Literatur und Literaturwissenschaft in Bd. II. Systematisch-alphabetische Anordnung. Starke Betonung der englischsprachigen Sekundärliteratur. Verzeichnet überwiegend Zeitschriftenaufsätze und Bücher, die in einer Serie erscheinen. Die Titelaufnahmen der *MLA International Bibliography* sind ab Berichtsjahr 1976 in einer Datenbank gespeichert und dort abrufbar (-> H 140).

D 400 MLA Abstracts of Articles on Scholarly Journals. Compiled by J.H. Fisher and W.S. Achten (ab 1972: Eileen H. Mackesy). Jg. 1970ff. New York: Modern Language Association, 1972ff.
Abstracts zu ausgewählten Aufsätzen (Deutsche Literaturwissenschaft jeweils in Bd. II). Systematisch-alphabetische Gliederung analog zur MLA Bibliography. Subject Index.

D 410 The year's work in modern language studies. Vol. 1 (1929)ff. Oxford [später: Cambridge] 1931 ff.

D 420 Zeitschriftenschau. In: Mitteilungen des Deutschen Germanistenverbandes (-> E 880).
Auswahlbibliographie von Zeitschriftenaufsätzen (Linguistik und Literaturwissenschaft).

1.3 EPOCHENBIBLIOGRAPHIEN

Mittelalter

D 460 Eine umfassende Bibliographie zur mittelalterlichen Literatur entsteht mit dem großen bio-bibliographischen Lexikon *Die Deutsche Literatur* (-> C 70). Reihe I, Abt. A wird das Autorenlexikon, Abt. B die Forschungsliteratur enthalten. Bis zu dessen Fertigstellung -> die abgeschlossenen Fachbibliographien (-> D 170, D 180) sowie:

D 470 Kratz, Henry: Frühes Mittelalter -> D 200 (Bd. 1).

D 480 Batts, Michael: Hohes Mittelalter -> D 200 (Bd. 2).

D 490 Jones, George F.: Spätes Mittelalter -> D 200 (Bd. 3).

Literaturhinweise enthalten auch:

D 500 Deutsches Literaturlexikon. DLL -> C 50.

D 510 Die deutsche Literatur des Mittelalters. Verfasserlexikon -> C 180.

Handschriftenkataloge verzeichnet:

D 520 Hansel, Johannes: Bücherkunde (-> D 70), S. 177-219.

Zu einzelnen Autoren bzw. Denkmälern:

D 530 Bibliographien zur deutschen Literatur des Mittelalters. Hrsg. von Ulrich Pretzel und Wolfgang Bachofer. Berlin: E. Schmidt, 1950ff.
Bd. 1: Nibelungenlied (-> D 3110); Bd. 2 : Wolfram von Eschenbach (-> D 3360); Bd. 4: Walther von der Vogelweide (-> D 3350); Bd. 5 und 9: Gottfried von Straßburg (-> D 2370); Bd. 6: Hartmann von Aue (-> D 2550); Bd. 7: Otfrid von Weißenburg (-> D 3140); Bd. 8: Wernher der Gartenaere (-> D 3353).

Zum Minnesang:

D 540 Tervooren, Helmut: Bibliographie zum Minnesang und zu den Dichtern aus "Minnesangs Frühling". Berlin: E. Schmidt, 1969 (Bibliographien zur deutschen Literatur des Mittelalters, 3).

Zur Rezeption mittelalterlicher Literatur:

D 550 Grosse, Siegfried; Rautenberg, Ursula: Die Rezeption mittelalterlicher deutscher Dichtung. Eine Bibliographie ihrer Übersetzungen und Bearbeitungen seit der Mitte des 18. Jahrhunderts. Tübingen: Niemeyer, 1989.

15./16. Jahrhundert

D 570 Für das 15. und 16. Jahrhundert fehlen noch umfassende literaturwissenschaftliche Spezialbibliographien. Die Quellenliteratur von der Erfindung des Buchdrucks bis 1500 wird vollständig der *Gesamtkatalog der Wiegendrucke* (-> D 4600) verzeichnen. Für das 16. Jahrhundert sind bei der Bayerischen Staatsbibliothek München und der Herzog August Bibliothek Wolfenbüttel Arbeitsstellen eingerichtet, die eine Bibliographie der Drucke des 16. Jahrhunderts erstellen, deren Gesamtumfang einmal rund 150000 bibliographische Einheiten betragen wird. Umfassende Hinweise auf bibliographische und lexikalische Hilfsmittel zu diesem Zeitraum finden sich in: *Die Deutsche Literatur* (-> C 70). Reihe II, Abt. B, Lfg. 1f.

Quellenverzeichnisse:

D 580 Gesamtkatalog der Wiegendrucke (GW) -> D 4600.

D 590 Verzeichnis der im deutschen Sprachbereich erschienenen Drucke des 16. Jahrhunderts -> D 4610.

D 600 Johnson, Alfred Forbes; Scholderer, Victor: Short-Title Catalogue of books printed in the German speaking Countries and German books printed in the other Countries from 1455 to 1600, now in the British Museum. London: Trustees of the British Museum, 1962.

Sekundärliteratur:

D 610 Schottenloher, Karl: Bibliographie zur deutschen Geschichte im Zeitalter der Glaubensspaltung 1517-1585. 6 Bde. Leipzig: Hiersemann, 1933-1940. [*Unveränderter Neudruck*: Stuttgart: Hiersemann, 1956-1958] - Nachtragsbd. (= Bd. 7): Das Schrifttum von 1938-1960. Bearb. von Ulrich Thürauf. Stuttgart: Hiersemann, 1966.
Kritische Bibliographie der Sekundärliteratur (rd. 65000 Titel) zur Reformationszeit auf thematisch breiter Basis. Bd. 1-2: Personen; Bd. 3: Reich und Kaiser, Territorien und Landesherren; Bd. 4: Gesamtdarstellungen, Stoffe: Bd. 5: Ergänzungen, Berichtigungen, Zeittafel; Bd. 6: Verfasser und Titelregister; Bd. 7: Fortführung und Nachträge.

D 615 Der Buchdruck im 15. Jahrhundert. Eine Bibliographie. Hrsg. von Severin Corsten und Reimar Walter Fuchs. Unter Mitarbeit von Kurt Hans Staub. Bd. 1ff. Stuttgart: Hiersemann, 1988ff. (Hiersemanns bibliographische Handbücher, 7).
Bd. 1 (1988): Bibliographie der inkunabelkundlichen Fachliteratur mit rd. 15000 Titelnachweisen; Bd. 2 (in Vorber.): Ergänzungen und Register.

D 620 Engel, James E.: Renaissance, Humanismus, Reformation -> D 200 (Bd. 4).

D 630 Bibliographie internationale de l'Humanisme et de la Renaissance. Vol. 1 (1965)ff. Genève: Droz, 1966ff.
Erscheint periodisch (allerdings mit mehrjähriger Verzugszeit).

17. Jahrhundert

D 650 Eine umfassende bibliographische Erschließung der Drucke des 17. Jahrhunderts ist bisher über erste Schritte nicht hinausgekommen, so daß sich hier die Lage kaum anders darstellt als für das 15. und 16. Jahrhundert auch. Im Gegenteil, sie gestaltet sich wegen unübersichtlicher Druckverhältnisse vor allem während des Dreißigjährigen Krieges noch schwieriger. Allerdings ist auf literarischem Sektor schon einiges vorgearbeitet worden, während auf naturwissenschaftlichem, politischem, historischem, geistlichem oder juristischem Gebiet kaum Ansätze vorhanden sind. Abhilfe wird hier Martin Birchers *Deutsche Drucke des Barock 1600-1720* schaffen (-> D 670), ein Verzeichnis der umfangreichen Bestände der Herzog August Bibliothek Wolfenbüttel (-> H 90). Als Bibliographie der Nachschlagemöglichkeiten ist zu empfehlen:

D 660 Hermann Schüling: Bibliographischer Wegweiser zu dem in Deutschland erschienenen Schrifttum des 17. Jahrhunderts. Gießen 1964 (Berichte und Arbeiten aus der Universitätsbibliothek Gießen, 4).

Weitergehende bibliographische Hinweise -> D 710.

Quellenverzeichnisse:

D 670 Bircher, Martin: Deutsche Drucke des Barock 1600-1720 in der Herzog August Bibliothek Wolfenbüttel, Bd. 1ff. Nendeln: KTO (dann: München u.a.: Saur), 1977ff.
Vorgesehen sind 4 Abteilungen: A: Bibliotheca Augusta; B: Mittlere Aufstellung; C: Helmstedter Bestände; D: Sonderbestände. *Bis Herbst 1989 erschienen*: Abt. A, Bd. 1 bis 7; Abt. B, Bd. 1-8; Abt. C, Bd. 1-6; *Register* zu den Bänden A1-A7, B1-B6, C1 bis C3: Namen, Anonyma, Verleger und Drucker, Verlage und Druckorte.

D 680 Goedeke Bd. 3: Vom Dreißigjährigen bis zum Siebenjährigen Kriege -> D 210.

D 690 Faber du Faur, Curt von: German Baroque Literature. A catalogue of the collection in the Yale University Library. 2 Vol. New Haven: Yale, 1958-1969.

Systematisch gegliedertes, exakt beschreibendes Verzeichnis der Barocksammlung der Yale University Library (insgesamt 2382 Nrr.). Indices of Authors, Composers, Illustrators.

D 700 German Baroque Literature. A descriptive catalogue of the collection of Harold Jantz. 2 Vol. New Haven: Research Publications, 1974.
Systematisch-alphabetisch angelegtes Verzeichnis, mit Hinweisen auf Mikrofilme. General Index; Indices of Portraits, Illustrators, Titles.

D 710 Dünnhaupt, Gerhard: Bibliographisches Handbuch der Barockliteratur. Hundert Personalbibliographien deutscher Autoren des siebzehnten Jahrhunderts. 3 Bde. Stuttgart: Hiersemann, 1980-1981 (Hiersemanns Bibliographische Handbücher, 2, I-III). - *Neubearb. in Vorber.*
Erfaßt vollständig zeitgenössische Drucke von 100 Dichtern und Gelehrten, alphabetisch nach Autoren geordnet. Kurzbiographie, Titelangaben mit Standortnachweisen, Hinweis auf moderne Editionen, knappe Auswahl der Sekundärliteratur. Enthält eine *Bibliographie der Bibliographien* mit über 750 allgemeinen Quellen- und Nachschlagewerken zum deutschen Schrifttum des 17. Jahrhunderts. Mehrere Register.

D 720 Habersetzer, Karl-Heinz: Bibliographie der deutschen Barockliteratur. Ausgaben u. Reprints 1945-1976. Hamburg: Hauswedell, 1978 (Dokumente des Internationalen Arbeitskreises für Barockliteratur, 5).
Verzeichnet Editionen auf Mikrofilm, Neudrucke in Anthologien und Einzeldrucke. Herausgeber- und Bearbeiter-Register.

D 725 Valentin, Jean-Marie: Le Théâtre des Jésuites dans les Pays de Langue Allemande. Répertoire chronologique des Pièces représentées et des Documents conservés (1555-1773). 2 Teilbde. Stuttgart: Hiersemann, 1983-1984.
Repertorium der erhaltenen Dokumente und aufgeführten Stücke. 7650 Eintragungen mit genauer Beschreibung, Literaturhinweisen, Standortangaben. Autoren- und Namenregister. Bühnenregister. Stoff- und Themenregister.

D 730 Asper, Helmut G.: Spieltexte der Wanderbühne. Ein Verzeichnis der Dramenmanuskripte des 17. und 18. Jahrhunderts in Wiener Bibliotheken. Wien: Verband der wiss. Gesellschaften Österreichs, 1975 (Quellen zur Theatergeschichte, 1).
S. 97-134: Katalog der Dramenmanuskripte; S. 159-182: Bibliographie.

Zur Emblemforschung:

D 740 Emblemata. Handbuch zur Sinnbildkunst des XVI. und XVII. Jahrhunderts. Hrsg. im Auftrag der Göttinger Akademie der Wissenschaften von Arthur Henkel und Albrecht Schöne. Ergänzte Neuauflage. Stuttgart: Metzler, 1976.

D 750 Landwehr, John: German Emblem Books (1531-1888). A Bibliography. Utrecht, Leiden 1972 (Bibliotheca emblematica, 5).

Sekundärliteratur:

D 760 Bibliographie zur deutschen Literaturgeschichte des Barockzeitalters. Begründet von Hans Pyritz, fortgef. und hrsg. von Ilse Pyritz. 1. Teil: Allgemeine Bibliographie. Bearb. von Reiner Bölhoff. 2. Teil: Dichter und Schriftsteller, Anonymes. Textsammlungen. Bearb. von Ilse Pyritz. Lfg. 1ff. Bern/München: Francke, 1980ff.
Umfassende Bibliographie der Sekundärliteratur (mit Vollständigkeitscharakter). Bis Herbst 1989: 1. Teil, Fasz. 1-2 (in systematisch-chronologischer Anordnung); 2. Teil (in alphabetisch-systematisch-chronologischer Anordnung).

D 770 Merkel, Ingrid: Barock -> D 200 (Bd. 5).

D 780 Gabel, Gernot Uwe: Drama und Theater des deutschen Barock. Eine Handbibliographie der Sekundärliteratur. Hamburg 1974.
Systematisch-alphabetisch angelegtes Verzeichnis. Teil V: Sekundärliteratur zu einzelnen Dramatikern.

D 790 Periodische Bibliographie der Forschungsliteratur zum 17. Jahrhundert in den "Wolfenbütteler Barock-Nachrichten" (1976ff.).

18. Jahrhundert
(Aufklärung bis Romantik)

D 850 Als Quellenbibliographie ist auch heute noch Goedekes *Grundriß* (Bd. IV, 1-5, V, VI, VII -> D 210) unentbehrlich.

Weitere Quellenverzeichnisse:

D 860 Schulte-Strathaus, Ernst: Bibliographie der Originalausgaben deutscher Dichtungen im Zeitalter Goethes. Nach den Quellen bearb. Bd. 1, Abt. 1 (mehr nicht erschienen). München: Georg Müller, 1913.

D 870 Brieger, Leopold: Ein Jahrhundert deutscher Erstausgaben. Die wichtigsten Erst- und Originalausgaben von etwa 1750 bis etwa 1880. Die Schweizer Autoren bearb. v. Hans Bloesch. Stuttgart: J. Hoffmann, 1925 (Taschenbibliographien für Büchersammler, 2).

D 875 Meyer, Reinhart: Bibliographia dramatica et dramaticorum. Kom-

mentierte Bibliographie der im ehemaligen Reichsgebiet gedruckten und gespielten Dramen des 18. Jahrhunderts, nebst deren Bearbeitungen und Übersetzungen und ihrer Rezeption bis in die Gegenwart. Abt. 1ff., Bd. 1ff. Tübingen: Niemeyer, 1986ff.
Bis Herbst 1989: Abt. 1, Bd. 1-3 (Werkausgaben, Sammlungen, Reihen).

D 880 Meyer, Reinhart: Das deutsche Trauerspiel des 18. Jahrhunderts. Eine Bibliographie. Mit ca. 1250 Titeln, einer Einleitung sowie Verfasser- und Stichwortverzeichnis. München: Fink, 1977.
Chronologisch-alphabetisches Verzeichnis, das den Zeitraum von 1730 (Gottsched: *Cato*) bis 1799 umfaßt.

D 885 Weber, Ernst; Mithal, Christine: Deutsche Originalromane zwischen 1680 und 1780. Eine Bibliographie mit Besitznachweisen (Bundesrepublik Deutschland und Deutsche Demokratische Republik). Berlin: E. Schmidt, 1983.
Alphabetisch nach Romantiteln geordnet (Ordnungskriterien beachten [S. 82ff.]). Ermittelt wurden rd. 1700 deutsche Originalromane, die zwischen 1680 und 1780 erstmals erschienen sind, Neuauflagen dieser Romane mit verändertem Titel, erweiterte Neuauflagen, erweiterte Übersetzungen, fiktive Übersetzungen sowie romanverwandte Schriften. Autoren- und Werk-, Verleger- und Drucker-, Namenregister. Verzeichnis der bibliographischen Quellen, wiss. Literatur, Bibliothekssigel.

D 890 Hadley, Michael: Romanverzeichnis. Bibliographie der zwischen 1750-1800 erschienenen Erstausgaben. Bern, Frankfurt/M., Las Vegas: Lang, 1977 (Europäische Hochschulschriften I, 166).
Verzeichnet über 5000 Romane, nach Erscheinungsjahren und innerhalb eines Jahres alphabetisch nach Autoren geordnet. Autorenregister.

D 892 Germer, Helmut: The German Novel of Education from 1764 to 1792. A complete Bibliography and Analysis. Bern, Frankfurt: Lang, 1982 (European University Studies I, 550).

D 893 Germer, Helmut: The German Novel of Education from 1792 to 1805. A complete Bibliography and Analysis. Introductory Remarks by Heinrich Meyer. Bern: Lang, 1968 (German Studies in America, 3).
Darstellung und Bibliographie zum deutschen Erziehungsroman der 2. Hälfte des 18. Jahrhunderts. Erfaßt Primär- und Sekundärliteratur.

D 897 Weiß, Christoph: Quellen- und Forschungsbibliographie zur deutschsprachigen Autobiographie im 18. Jahrhundert (1974-1984). In: Das achtzehnte Jahrhundert. Mitteilungen der Deutschen Gesellschaft für die Erforschung des achtzehnten Jahrhunderts (-> I 110) 11, 1987, H. 1, S. 45-62.
Rd. 200 Titel.

D 900 Leser und Lektüre im 18. Jahrhundert. Die Ausleihbücher der Herzog August Bibliothek Wolfenbüttel 1714-1799. Bearb. von Mechthild Raabe. 4 Bde. München: Saur, in Vorber. für 1989/90ff.

D 905 Bartel, Klaus J.: German Literary History 1777-1835. An annotated bibliography. Bern, Frankfurt/M.: Lang, 1976 (German studies in America, 22).
Beschreibende Bibliographie der Literaturgeschichten, die im angegebenen Zeitraum erschienen sind (meist mit Inhaltsangaben).

Zeitschrifteninhaltsauswertung -> E 90.

Sekundärliteratur:

D 910 Grotegut, E. K. und G. F. Leneaux: Das Zeitalter der Aufklärung -> D 200 (Bd. 6).

D 920 Osborne, John: Romantik -> D 200 (Bd. 8).

D 930 Internationale Bibliographie zur deutschen Klassik 1750-1850. Bearb. von Klaus Hammer, Hans Henning u.a. Folge 1-10. In: Weimarer Beiträge 6-10 (1960-1964). - Ab Folge 11/12 (1964/65): Bearb. von Hans Henning und Siegfried Seifert. Weimar 1968ff. (in selbständiger Form).
Erscheinungsweise: 2 Hefte, ab 1976 1 Bd. pro Jahr. Mehrjährige Verzugszeit. Periodische Bibliographie der Primär- und Sekundärliteratur aller literarischen Strömungen in der Zeit zwischen 1750 und 1850 (wesentlich umfassender als der Titel vermuten läßt). Systematisch-alphabetische Verzeichnung von Primär- und Sekundärliteratur einschl. der Rezensionen. Namen- und Sachregister.

D 940 The Eighteenth Century. A current bibliography. In: Philological Quarterly 50 (1971)ff.
Internationale Bibliographie zum 18. Jh. mit kurzen Annotationen.

D 950 The Romantic Movement. A selective and critical bibliography. In: Philological Quarterly 29 (1949)- 43 (1964). - Weiterführung in: English Language Notes, Suppl. 3,1 (1965)ff.

D 960 Marx, Reiner: Bibliographische Berichte. Germanistische Arbeiten zum 18. Jahrhundert. Bücher und Aufsätze. In: Das 18. Jahrhundert. Mitteilungen der Deutschen Gesellschaft für die Erforschung des 18. Jahrhunderts (-> I 110).
Berichtszeit 1976/77 (Jg. 2, H. 2, S. 20-66); 1978/80 (Jg. 5, H. 2, S. 144-162 und Jg. 6, H. 1, S. 34-90); Nachtrag 1976/80 (Jg. 6, H. 2, S. 146-158 und Jg. 7, H. 1, S. 66-97); 1981 (Jg. 8, H. 1, S. 73-110).

19. Jahrhundert

D 1010 Epochenbibliographien für das 19. Jh. im Anschluß an den von D 930 abge-
deckten Zeitraum sind dringende Desiderate. Da die Neue Folge des *Goedeke* (1830
bis 1880, -> D 220) noch nicht über den Buchstaben A hinausreicht, fehlt es auch an
zuverlässigen Quellenbibliographien. Für selbständig erschienenes Schrifttum liegt
das *Gesamtverzeichnis 1700-1910* (-> D 4630) vor. Die Zeitschriftenerfassung und
-analyse ist in die Wege geleitet (-> E 120ff).

Quellenverzeichnisse:

Goedeke, Karl: Grundriß (Bd. 8-17 und Neue Folge Bd. 1) -> D 210, D
220.

D 1015 Bibliographie der deutschsprachigen Lyrikanthologien 1840 bis
1914. Hrsg. von Günter Häntzschel. 2 Bde. München u.a.: Saur, in Vorber. für 1989/90.

D 1020 Realismus und Gründerzeit. Manifeste und Dokumente zur deut-
schen Literatur 1848-1880. 2 Bde. Hrsg. von Max Bucher, Werner Hahl,
Georg Jäger und Reinhard Wittmann. Stuttgart: Metzler, 1975-1976.
Bd. 1, S. 337-483: Quellenbibliographie mit knappen Annotationen (1486 Nrr.).

D 1025 Hänsel, Markus: Die anonym erschienenen autobiographischen
Schriften des 19. Jahrhunderts. Bibliographie. Mit einem Nachweis für
die Bibliotheken Deutschlands. München: Saur, 1986.

D 1030 Schlawe, Fritz: Die Briefsammlungen des 19. Jahrhunderts.
Bibliographie der Briefausgaben und Gesamtregister der Briefschreiber
und Briefempfänger 1815-1915. 2 Bde. Stuttgart: Metzler, 1969 (Repertorien zur deutschen Literaturgeschichte, 4).
Teil A: Bibliographie der Briefsammlungen (alphabetisch nach Briefschreibern) mit
knappen Annotationen. Teil B: Gesamtregister der Briefempfänger. Teil C: Gesamtregister der Briefschreiber. Teil D: Berufsregister.

Sekundärliteratur:

D 1040 Cowen, Roy C.: Neunzehntes Jahrhundert -> D 200 (Bd. 9).

D 1050 Goff, Penrith: Wilhelminisches Zeitalter -> D 200 (Bd. 10).

D 1060 German Literature of the nineteenth century (1830-1880). A current bibliography. In: Modern Language Forum 32 (1947) bis 36 (1951). -
Fortgeführt für die Berichtsjahre 1950-1958 in: Germanic Review 28
(1953) - 35 (1960).

Ein umfassender Forschungsbericht zum 19. Jahrhundert mit reichhaltiger Bibliographie liegt vor in:

D 1070   Wunberg, Gotthart: Deutsche Literatur des 19. Jahrhunderts. Bern, Frankfurt/M., Las Vegas: Lang, 1980 (Jahrbuch für Internationale Germanistik, Reihe C, Bd. 1).
Erfaßt die internationale Forschungsliteratur von 1960-1975.

20. Jahrhundert

D 1110 Wie für das 19. sind Epochenbibliographien auch für das 20. Jahrhundert dringende Desiderate. Zur Erfassung der selbständig erschienenen Quellen zieht man das *Gesamtverzeichnis 1911-1965* (-> D 4640) bzw. die Nationalbibliographien (-> D 4680ff.) heran. Für die Sekundärliteratur ist man auch hier - mit wenigen Ausnahmen - auf die Fachbibliographien zum Gesamtbereich der Literaturwissenschaft angewiesen (-> D 170, D 180, D 200).

Quellenbibliographien:

D 1115 Raabe, Paul: Die Autoren und Bücher des literarischen Expressionismus. Ein bibliographisches Handbuch, in Zusammenarbeit mit Ingrid Hannich-Bode. Stuttgart: Metzler, 1985.
Verzeichnet Einzel-, Sammel- und Gesamtausgaben, Nachlässe. Literaturhinweise. Bibliographie.

D 1120 Melzwig, Brigitte: Deutsche sozialistische Literatur 1918-1945. Bibliographie der Buchveröffentlichungen. Berlin, Weimar: Aufbau, 1975 (Veröffentlichung der Akademien der Künste der Deutschen Demokratischen Republik).
Alphabetisch nach Autoren gegliedert. Verzeichnet auch Anthologien. Chronologischer Index. Titel-, Personenregister.

D 1125 Born, Jürgen: Deutschsprachige Literatur Prags und der böhmischen Länder 1900-1925. Chronologische Übersicht und Bibliographie. 3. Aufl. München u.a.: Saur, 1989.

D 1130 Sternfeld, Wilhelm; Tiedemann, Eva: Deutsche Exil-Literatur 1933-1945. Eine Bio-Bibliographie. Mit einem Vorwort von Hanns Wilhelm Eppelsheimer. 2. erw. Aufl. Heidelberg: Schneider, 1970 (Veröffentlichungen der Deutschen Akademie für Sprache und Dichtung, 29).
Alphabetisch nach Exilanten geordnet. Kurzer biographischer Abriß, knappe bibliographische Angaben. Verzeichnis der Schriftenreihen der Emigration, anonymen Schriften, Sammelwerke, Verlage, speziellen Nachschlagewerke.

D 1135 Deutsches Exilarchiv 1933-1945. Katalog der Bücher und Broschüren. Deutsche Bibliothek Frankfurt am Main. Stuttgart: Metzler, 1989.
Alphabetisch nach Autoren. Über 6900 Einträge.

D 1140 Deutsche Exilliteratur seit 1933. Hrsg. von John M. Spalek, Joseph Strelka, Sandra H. Hawrylchak. Bd. 1ff. Bern, München: Francke, 1976ff.
Bis Herbst 1989: Bd. 1: Kalifornien, Teil 2: Bibliographien und quellenkundliche Berichte. Alphabetisch nach Exilanten geordnet.

D 1150 Spalek, John M.: Guide to the Archival Materials of Germanspeaking Emigration to the United States after 1933. Verzeichnis der Quellen und Materialien der deutschsprachigen Emigration in den USA seit 1933. Charlottesville: UP of Virginia, 1978.
Umfangreiche, nach Personen alphabetisch geordnete Zusammenstellung von Dokumenten (Manuskripte, Briefe, Zeitungsausschnitte usw.) deutschsprachiger Emigranten in amerikanischen Bibliotheken und Archiven.

D 1155 Jacob, Herbert: Literatur in der DDR. Bibliographische Annalen. 3 Bde. Berlin (Ost): Akademie-Verlag, 1986.
Bd. 1: 1945-1954; Bd. 2: 1955-1962; Bd. 3: Register.

D 1160 Lyrik - 25 Jahre. Bibliographie der deutschsprachigen Lyrikpublikationen 1945-1970. Hrsg. von Hans-Jürgen Schlütter. Bd. 1. Hildesheim, New York: Olms, 1974 (Bibliographien zur deutschen Literatur, 1).
Erfaßt rd. 9700 Lyrik-Publikationen, alphabetisch nach Autoren gegliedert.

D 1170 Paulus, Rolf; Steuler, Ursula: Bibliographie zur deutschen Lyrik nach 1945. 2. Aufl. Wiesbaden: Athenaion, 1977.
Systematisch gegliedertes Verzeichnis von Primärtexten und Sekundärliteratur. Namenregister.

Auslandsdeutsche Literatur:

D 1175 Bibliographie zur deutschen Sprache und deutschsprachigen Literatur im Ausland (1945ff.). Hrsg. von Hartmut Froeschle und Alexander Ritter. Hildesheim: Olms, (in Vorber.).
Die deutschsprachige Literatur Luxemburgs wird ab 1988 erfaßt in:

D 1178 Meintz, Claude: Bibliographie courante de la littérature luxembourgoise. 1988ff. Luxembourg: Archives nationales, 1989ff.

Zeitschriftenauswertung:

D 1180 Raabe, Paul: Index Expressionismus. Bibliographie der Beiträge in den Zeitschriften und Jahrbüchern des literarischen Expressionismus. 1910-1925. 18 Bde. Nendeln: Kraus, 1972.
Analytische Zeitschriftenbibliographie. Serie A: 4 Bde. Alphabetischer Index (Autoren). Serie B: 5 Bde. Systematischer Index (Anordnung der Beiträge nach Sachgruppen). Serie C: 5 Bde. Index nach Zeitschriften (Verzeichnis der Beiträge alphabetisch nach dem Zeitschriftentitel. Achtung: Artikel zählt als Ordnungswort!). Serie D: 2 Bde. Titelregister (alphabetisch nach Werktiteln). Serie E: 2 Bde. Gattungsregister (alphabetisch nach Beitragstyp).

Sekundärliteratur:

D 1190 Goff, Penrith: Wilhelminisches Zeitalter -> D 200 (Bd. 10).

D 1200 Pownall, David E.: Articles on Twentieth Century Literature. An Annotated Bibliography. 1954 to 1970. New York: Kraus Thompson Org., 1973ff.
Verzeichnet in Auswahl Sekundärliteratur zu einzelnen Autoren (ohne nationale Einschränkung) mit kurzem Kommentar.

D 1210 Hill, Claude; Ley, Ralph: The Drama of German Expressionism. A German-English Bibliography. Chapel Hill: Univ. of North Carolina Press, 1960.
Verzeichnet rd. 4000 Titel zum Drama des Expressionismus und zu 16 Dramatikern. Register der Dramen und der Verfasser.

D 1220 Pickar, Gertrud B.: Deutsches Schrifttum zwischen den beiden Weltkriegen -> D 200 (Bd. 11).

D 1230 Glenn, Jerry: Deutsches Schrifttum der Gegenwart -> D 200 (Bd. 12).

1.4 SACHTHEMENBIBLIOGRAPHIEN

Die Anordnung erfolgt alphabetisch nach Schlagwörtern.

Arbeiterliteratur

D 1310 Eberlein, Alfred: Die Presse der Arbeiterklasse und der sozialen Bewegungen. Von den dreißiger Jahren des 19. Jahrhunderts bis zum Jahre 1967. Bibliographie und Standortverzeichnis der Presse der deutschen, der österreichischen und der schweizerischen Arbeiter-, Gewerkschafts- und Berufsorganisationen (einschl. der Protokolle und Tätigkeitsberichte). Mit einem Anhang: Die deutschsprachige Presse der Arbeiter-, Gewerkschafts- und Berufsorganisationen anderer Länder. 5 Bde. Frankfurt/M.; Saur & Auvermann, 1968-1970 (Archivalische Forschungen zur Geschichte der deutschen Arbeiterbewegung, 6, 1-5).

Umfassendes, alphabetisch angelegtes Verzeichnis von rd. 22800 Zeitschriften und Zeitungen mit Standortnachweis. Bd. 5: Personen-, Schlag- und Stichwortregister, Geographisches Register, Verzeichnis der Betriebe und Institutionen (Betriebszeitungen).

D 1320 Handbuch zur deutschen Arbeiterliteratur. Hrsg. von Heinz Ludwig Arnold. 2 Bde. München: edition text + kritik, 1977.

Bd. 2: Bibliographie. Bearb. von Manfred Bosch. Systematisch-alphabetisch angelegtes Verzeichnis (4429 Nrr.). Verfasser-, Themen-, (Autoren-, Stichwort-) Index. -> B 3000.

Autobiographien

D 1325 Jessen, Jens: Bibliographie der Autobiographien. Bd. 1ff. München: Saur, 1987ff.

Bd. 1 (1987): Selbstzeugnisse, Erinnerungen, Tagebücher und Briefe deutscher Schriftsteller und Künstler; Bd. 2 (1987): ... deutscher Geisteswissenschaftler; Bd. 3 (1989) ... deutscher Mathematiker, Naturwissenschaftler und Techniker. Geplant sind 6 Bde.

D 1330 Bode, Ingrid: Die Autobiographien zur deutschen Literatur, Kunst und Musik 1900-1965. Bibliographie und Nachweise der persönlichen Begegnungen und Charakteristiken. Stuttgart: Metzler, 1966 (Repertorien zur dt. Literaturgeschichte, 2).

Alphabetisches und systematisches Verzeichnis von über 500 Autobiographien (mit Inhaltsangaben). Alphabetisches Repertorium der in den Autobiographien vorkommenden Namen.

D 1340 Westphal, M.: Die besten deutschen Memoiren. Lebenserinnerungen und Selbstbiographien aus sieben Jahrhunderten. Leipzig: Koehler & Volckmar, 1923 [*Neudruck*: München, Berlin: Verlag Dokumentation, 1971].

Systematisch gegliederte, annotierte Verzeichnung von deutschen Memoiren (auch von ausländischen in deutscher Übersetzung erschienenen). Namenregister, Sammlungen, Berufsregister.

D 1350 Sagarra, Eda: Quellenbibliographie autobiographischer Schriften von Frauen im deutschen Kulturraum 1730-1918. In: Internationales Archiv für Sozialgeschichte der deutschen Literatur 11, 1986, S. 175-231.

Verzeichnet 591 Titel. Verfasser-, Berufs-/Tätigkeits-, Epochenregister.

Begriffsgeschichte

D 1360 Flasche, Hans; Wawrzinek, Utta: Materialien zur Begriffsgeschichte. Eine Bibliographie deutscher Hochschulschriften von 1900 bis 1955. Bonn: Bouvier, 1960 (Archiv für Begriffsgeschichte, V).

Comic strips

D 1370 Skodzik, Peter: Deutsche Comic-Bibliographie. 1946-1970. Berlin: Comicaze, 1978. - 1971-1985. Frankfurt/M.: Ullstein, 1985.
Umfassende Dokumentation. Register der Zeichner, Texter, Serien.

D 1380 Kempkes, Wolfgang: Bibliographie der internationalen Literatur über Comics. 2. verb. Aufl. Pullach b. München: Verlag Dokumentation, 1974.
Systematisch-alphabetisch (zunächst nach Ländern, dann nach Autoren) geordnetes Verzeichnis von 4697 Titeln. Autorenregister.

Erotische Literatur

D 1390 Hayn, Hugo; Gotendorf, Alfred N.: Bibliotheca Germanorum erotica et curiosa. Verzeichnis der gesamten deutschen erotischen Literatur mit Einschluß der Übersetzungen nebst Beifügung der Originale. 3. Aufl. 8 Bde. und Ergänzungsbd. von Paul Englisch. München: Georg Müller, 1912-1929 [*Nachdruck*: Hanau: Müller & Kiepenheuer, 1968].
Rd. 60000 Titel deutscher erotischer und kurioser Literatur, nach Verfassern, Anonyma, z.T. auch Schlagwörtern alphabetisch geordnet. Erfaßt auch unterdrückte, verbotene Literatur und Privatdrucke. Deshalb wichtige Ergänzung zu den Allgemeinbibliographien und Bücherverzeichnissen.

Faust

D 1400 Henning, Hans: Faust-Bibliographie. 3 Tle. in 5 Bden. Berlin, Weimar: Aufbau, 1966-1976 (Bibliographien, Kataloge und Bestandsverzeichnisse).
Teil I (1966): Allgemeines. Grundlagen. Gesamtdarstellungen. Das Faust-Thema vom 16. Jahrhundert bis 1790. Insgesamt 3338 Titel Primär- und Sekundärliteratur in systematisch-chronologischer Folge. Register der Faust-Splitter, der anonym oder pseudonym erschienenen Titel, der Namen. - Teil II, 1 (1968): Goethes Faust. Ausgaben und Übersetzungen. Register. - Teil II, 2-3 (1970): Sekundärliteratur zu Goethes Faust, in systematisch-chronologischer Gliederung. Register der Begriffe, Themen, Personen, anonymen bzw. pseudonymen Titel, Namen. Insgesamt 7759 Titel. - Teil III (1976): Das Faust-Thema neben und nach Goethe, einschl. der Adaptionen in den neuen Medien. 4741 Titel. Anonymen-, Pseudonymen-, Namenregister.

Frauenliteratur

D 1410 Sveistrup, Hans; Zahn-Harnack, Agnes von: Die Frauenfrage in Deutschland. Strömungen und Gegenströmungen 1790-1930. Hrsg., zusammengestellt und mit Anmerkungen versehen von H. S. und A.v.Z.-H. 2., unv. Aufl. Tübingen: Hofer, 1961 (1. Aufl.: Burg 1934).
Verzeichnet in Kap.18 "Die Frauenfrage in der Dichtung" a) Sekundärliteratur zum Bild der Frau in der Literatur und b) Dichtungen mit einem neuen Frauenbild. Fortführung: Die Frauenfrage in Deutschland, hrsg. vom Deutschen Akademikerinnen-Bund. Bd. 10 (1931-1980 [= Kumulation und Ergänzung von Bd. 2-9], München 1981)ff. *Enthält dieses Kapitel nicht mehr.*

D 1415 Bock, Ulla; Witych, Barbara: Thema Frau. Bibliographie der deutschsprachigen Literatur zur Frauenfrage 1949-1979. Bielefeld: AJZ-Druck und Verlag, 1980.
Verzeichnet über 4000 Titel. Kap. 32: Die Darstellung der Frau in der Literatur und die Frau als Literatin (Nr. 3152-3627, 4040-4065).

D 1420 Spazierer, Monika; Dombrowski, Kristine: Bibliographie von unveröffentlichten Arbeiten zu frauenspezifischen Themen: Diplom-, Magister-, Seminar- und Zulassungsarbeiten, Dissertationen und Referate. Bd. I (1976). München: Frauenoffensive, 1976.
Referierende Bibliographie, alphabetisch nach Schlagwörtern geordnet.

D 1422 Drechsel, Wiltrud: Titelverzeichnis unveröffentlicher Prüfungsschriften mit frauenspezifischen Fragestellungen. Diplom- und Staatsexamensarbeiten an der Universität Bremen 1976-1986. Bremen: Universität, 1987.
-> H 155.

Frauenmystik

D 1425 Lewis, Gertrud Jaron: Bibliographie zur deutschen Frauenmystik des Mittelalters. Mit einem Anhang zu Beatrijs von Nazareth und Hand ewijch von Frank Willaert und Marie-José Govers. Berlin: E. Schmidt, 1989 (Bibliographien zur deutschen Literatur des Mittelalters, 10).
Verzeichnet 3320 Titel in systematisch-chronologischer Folge. Register der Mystikerinnen, Klöster und Orte, Verfasser und Rezensenten.

Freimaurer

D 1430 Wolfstieg, August: Bibliographie der freimaurerischen Literatur. 4 Bde. Burg 1911-1926 [*Nachdruck*: Hildesheim: Olms, 1964].
Bd. 1-2: systematisches Verzeichnis von über 43300 Titeln. Bd. 3: Register. Bd. 4: Erg.-Bd. 1 (mehr nicht erschienen) mit rd. 11000 Titeln. Register.

Gattungspoetik

D 1440 Ruttkowski, Wolfgang: Bibliographie der Gattungspoetik. München: Hueber, 1973.
Verzeichnet über 3000 Bücher, Dissertationen und Zeitschriftenartikel über allgemeine Gattungspoetik und zu Geschichte und Theorie einzelner Gattungen. Gattungs-, Autorenindex.

Kinder- und Jugendliteratur

D 1450 Seebaß, Adolf: Alte Kinderbücher und Jugendschriften. Basel: Haus der Bücher, o.J. (Katalog 636).
Exakt beschreibender, über 2100 Nrr. umfassender Antiquariatskatalog. Autoren-, Illustratorenregister.

D 1460 Wegehaupt, Heinz; Fichtner, Edith (Mitarb.): Alte deutsche Kinderbücher. Bibliographie 1507-1850. Zugleich Bestandsverzeichnis der Kinder- und Jugendbuchabteilung der Deutschen Staatsbibliothek zu Berlin. Hamburg: Hauswedell, 1979.
Verzeichnet alphabetisch nach Autoren 2360 Titel mit knappen Annotationen. Mehrere Register.

D 1465 Klotz, Aiga: Kinder- und Jugendliteratur in Deutschland 1840 bis 1950. Bd. 1ff. Stuttgart: Metzler, in Vorber. für 1990ff. (Repertorien zur deutschen Literaturgeschichte, 11ff.).
Geplant sind 5 Bde. und Reg.bd.

D 1470 Wegehaupt, Heinz: Deutschsprachige Kinder- und Jugendliteratur der Arbeiterklasse von den Anfängen bis 1945. Bibliographie. Berlin (Ost): Kinderbuchverlag, o.J. (Resultate).
Chronologisch-alphabetisches Verzeichnis von rd. 1100 Periodika und Einzelschriften von 1870 bis 1941. Register der Verfasser, Bearbeiter, Herausgeber, Titel.

D 1480 Pleticha, Heinrich: Bibliographie der Kinder- und Jugendliteratur. München: Selbstverlag, 1979.

D 1490 Weismann, Willi: Deutschsprachige Bilderbücher. Ein Verzeichnis 1945-1975 erschienener Titel. München u.a.: Verlag Dokumentation, 1980.

D 1500 Wegehaupt, Heinz: Theoretische Literatur zum Kinder- und Jugendbuch. Bibliographischer Nachweis von den Anfängen im 18. Jahrhundert bis zur Gegenwart. München-Pullach: Dokumentation, 1972.
Verzeichnet in systematisch-chronologischer Ordnung rd. 2200 Publikationen aus aller Welt. Verfasser- und Herausgeber-, Stichwortregister.

D 1510 Maier, Karl Ernst: Sekundärliteratur zur Kinder und Jugendbuch-theorie. Unter Mitarbeit von Michael Sahr. Baltmannsweiler: Burgbüche-rei Schneider, 1979 (Schriftenreihe der Deutschen Akademie für Kinder-und Jugendliteratur).
Erfaßt Bücher und Buchbeiträge von 1960, Zeitschriftenaufsätze von 1970 bis Sept. 1978. Anordnung alphabetisch nach Verfassern. Erschließung über Verzeichnis nach Sachgebieten.

Leseforschung, Lesergeschichte

D 1520 Fertig, Eymar; Steinberg, Heinz: Bibliographie Buch und Lesen. Gütersloh: Verlag für Buchmarktforschung, 1979.
Verzeichnet rd. 1000 Titel zu Medienforschung und Kommunikationstheorie, zu So-ziologie, Psychologie und Pädagogik des Lesens, zu Buchmarkt und Bibliothekswe-sen. Sach-, Namenregister.

Literarische Wertung

D 1530 Schüling, H.: Zur Geschichte der ästhetischen Wertung. Biblio-graphie der Abhandlungen über den Kitsch. Gießen 1971 (Schriften zur Ästhetik und Kunstwissenschaft, 1).
Chronologisches Verzeichnis. Verfasser- und Herausgeber-, Schlagwort-, Ortsregister.

Literarisches Leben

D 1540 Becker, Eva D.; Dehn, Manfred: Literarisches Leben. Eine Bibliographie. Hamburg: Verlag für Buchmarkt-Forschung, 1968 (Schrif-ten zur Buchmarkt-Forschung, 13).
Systematisch-alphabetisches Verzeichnis von rd. 2500 selbständig und unselbständig erschienenen Titeln zum literarischen Leben im deutschsprachigen Raum von der Mit-te des 18. Jhs. bis zur Mitte der 1960er Jahre.

Literaturpsychologie

D 1545 Pfeiffer, Joachim: Literaturpsychologie 1945-1987. Eine systema-tische und annotierte Bibliographie. Würzburg: Königshausen & Neu-mann, 1989.
Verzeichnet über 2400 Titel. Liste der Zeitschriften und Sammelbände. Verfasser-, Schlagwortregister.

Niederdeutsche Literatur

D 1550 Borchling, Conrad; Claussen, Bruno: Niederdeutsche Bibliogra-phie. Gesamtverzeichnis der niederdeutschen Drucke bis zum Jahre 1800. 2 Bde. u. 3. Bd., Teil 1. Neumünster: Wachholtz, 1931-1936 und 1957 [*Nachdruck* von Bd. 1-2: Utrecht: HES, 1976].

Bd. 1: 1479-1600; Bd. 2: 1601-1800. Nachträge. Register. Bd. 3,1: Nachträge, Ergänzungen, Verbesserungen zu Bd. 1-2.

Revolutionsliteratur

D 1610 Haasis, Helmut G.: Bibliographie zur linksrheinischen Revolutionsbewegung in den Jahren 1792-1793. Die Schriften der demokratischen Revolutionsbewegung im Gebiet zwischen Mainz, Worms, Speyer, Landau, Sarre-Union, Saarbrücken und Bad Kreuznach. Kronberg: Scriptor, 1976 (Literaturwissenschaft).

D 1620 Dippel, Horst: Americana-Germanica 1770-1800. Bibliographie der Rezeption der amerikanischen Revolution in Deutschland. Stuttgart: Metzler, 1976 (Amerikastudien, 42).

Sozialgeschichte

D 1630 Wehler, Hans-Ulrich: Bibliographie zur modernen deutschen Sozialgeschichte (18.-20. Jahrhundert). Göttingen: Vandenhoeck & Ruprecht, 1976 (Arbeitsbücher zur modernen Geschichte, 1; UTB 620).
Systematisch gegliederte, sehr viele Gesichtspunkte berücksichtigende Verzeichnung. Kein Register.

Stoff- und Motivgeschichte

D 1660 Schmitt, Franz Anselm: Stoff- und Motivgeschichte der deutschen Literatur. Eine Bibliographie. 3. Aufl. Berlin: de Gruyter, 1976.
Nach einzelnen Schlagwörtern geordnetes Verzeichnis von Sekundärliteratur zu einzelnen Stoffen und Motiven. Gruppenschlagwort-, Verfasserregister.

D 1670 Schmitt, Franz Anselm: Beruf und Arbeit in deutscher Erzählung. Ein literarisches Lexikon. Stuttgart: Hiersemann, 1952.
Verzeichnet rd. 12400 "Berufserzählungen" unter ca. 400 Berufssparten.

D 1680 Luther, Arthur; Friesenhahn, Heinz: Land und Leute in deutscher Erzählung. Ein bibliographisches Literaturlexikon. Stuttgart: Hiersemann, 1954.
Teil 1 verzeichnet für 430 Orte rd. 8000 Romane und Erzählungen, in denen diese eine herausragende Rolle spielen; Teil 2 führt etwa 2200 literarische Werke über rd. 700 historische Persönlichkeiten auf.

D 1690 Thompson, Stith: Motif Index of Folk Literature. 6 Vol. 2. Aufl. Kopenhagen 1955-1958.

Symbolforschung

D 1700 Lurker, Manfred: Bibliographie zur Symbolkunde. 3 Bde. Baden-Baden: Heitz, 1964-1968 (Bibliotheca Bibliographica Aureliana, 12, 18, 24).
Auswahlverzeichnis mit rd. 11400 Titeln. Autoren-, Sachregister. Fortsetzung (periodisch):

D 1710 Bibliographie zur Symbolik, Ikonographie und Mythologie. Internationales Referateorgan. Hrsg. von Manfred Lurker. Jg. 1 (1968)ff. Baden-Baden: Heitz (ab 1970: Koerner), 1968 ff.
Generalregister zu Bd. 1-10 u. Erg.-Bd. hrsg. von Werner Bies u.a.

Trivialliteratur

D 1720 Plaul, Hainer: Bibliographie deutschsprachiger Veröffentlichungen über Unterhaltungs- und Trivialliteratur. Vom letzten Drittel des 18. Jahrhunderts bis zur Gegenwart. München u. a.: Saur, 1980.
Verzeichnet 3300 Titel Forschungsliteratur in systematisch-alphabetischer Ordnung. Kein Register.

Utopische Literatur

D 1730 Winter, Michael: Compendium Utopiarum. Typologie und Bibliographie literarischer Utopien. 1. Teilbd.: Von der Antike bis zur deutschen Frühaufklärung. Stuttgart: Metzler, 1978 (Repertorien zur deutschen Literaturgeschichte, 8.1).
Chronologisch angelegtes Verzeichnis literarischer Utopien von Lykurgos (7./8. Jh. v. Chr.) bis Abbé de Terrasson (1731), insgesamt 153 Nrr., die meisten mit Inhaltsreferat, Zitaten aus der Forschungsliteratur und Bemerkungen zur Wirkungsgeschichte. Typologische Tabellen. Bibliographie der Sekundärliteratur (573 Nrr., systematisch-alphabetisch gegliedert). Autoren-, Titel-, Namen-, Sachregister.

1.5 PERSONALBIBLIOGRAPHIEN

D 2010 Umfassende Informationen über das Schrifttum von und über einen Autor erhält man durch die Personalbibliographie. Sie sollte zunächst ausgeschöpft werden, ehe man selbst mit Hilfe abgeschlossener und periodischer oder gar der Allgemeinbibliographien (-> D 4600ff.) das Material zusammenträgt. Der bequemere Weg führt immer über die (vorausgesetzt: zuverlässige) Personalbibliographie, um erst dann von deren Redaktionsschluß ausgehend auf dem in der Einleitung geschilderten Weg weiter zu recherchieren. Gerade auf dem Sektor der Personalbibliographie ist in den letzten Jahren eine begrüßenswerte Entwicklung eingetreten. Vermehrt werden annotierte Bibliographien erstellt, die es dem Literatursuchenden erlauben, bereits anhand des

Verzeichnisses für seinen Bedarf zu selektieren. Die annotierte Form der Personalbibliographie ist - trotz der Subjektivität, die sich einschleichen kann, sobald die Annotationen über ein reines Inhaltsreferat hinausgehen - die benutzerfreundlichste, vor allem dann, wenn sie durch ein Schlagwort-, Namen- und Werkregister erschlossen wird.

Informationen über Personalbibliographien werden im Abschnitt 1.5.2 gegeben, der überwiegend selbständige Bibliographien verzeichnet. - Der Zugang zu weiteren, vor allem auch zu den unselbständig oder versteckt erschienenen Personalbibliographien erfolgt über die anschließend genannten Bibliographien der Personalbibliographien, die unsere Auswahl weder ersetzen kann noch will.

1.5.1 BIBLIOGRAPHIEN DER PERSONALBIBLIOGRAPHIEN

D 2020 Arnim, Max; Hodes, Franz: Internationale Personalbibliographie. 2. Aufl. 5 Bde. Leipzig (später: Stuttgart): Hiersemann, 1952-1987.

Bd. 1 (A-K, 1952) und 2 (L-Z, 1952) erfassen selbständig und unselbständig erschienene Werkverzeichnisse von rd. 62000 Schriftstellern, Künstlern, Gelehrten aller Wissensgebiete für den Zeitraum 1800 bis 1943. Bd. 3 (A-H, 1981), 4 (I-R, 1984) und 5 (S-Z, 1987) enthalten mit gleitendem Redaktionsschluß Nachweise zu rd. 80000 Autoren des Zeitraums 1944 bis 1986.

D 2030 Hansel, Johannes: Personalbibliographie zur deutschen Literaturgeschichte. Studienausgabe. 2. Aufl. (neubearb. und erg. von Carl Paschek). Berlin: E. Schmidt, 1974.

Verzeichnet Personalbibliographien, Forschungsberichte, Nachlaßverzeichnisse, Dichtergesellschaften von rd. 350 Schriftstellern vom Mittelalter bis zur Gegenwart.

D 2040 Wiesner, Herbert; Živsa, Irene; Stoll, Christoph: Bibliographie der Personalbibliographien zur deutschen Gegenwartsliteratur. 2. Aufl. München: Nymphenburger, 1970.

Erfaßt Personalbibliographien von über 500 Autoren des 20. Jhs.

D 2050 Stock, Karl F.; Heilinger, Rudolf; Stock, Marylene: Personalbibliographien österreichischer Dichter und Schriftsteller. Von den Anfängen bis zur Gegenwart. Mit Auswahl einschlägiger Bibliographien, Nachschlagewerke, Sammelbiographien, Literaturgeschichten und Anthologien. Pullach: Verlag Dokumentation, 1972.

Verzeichnet allgemeine Bibliographien, Lexika, Literaturgeschichten zur deutschen und österreichischen Literatur sowie rd. 4500 selbständig, unselbständig und versteckt erschienene Personalbibliographien. Nachträge. Register.

1.5.2 PERSONALBIBLIOGRAPHIEN

D 2060 Die Kurzbeschreibungen enthalten Hinweise auf den Umfang, die Anordnung und Erschließung des Titelmaterials. Besonders hervorgehoben wurde, wenn es sich um eine in irgendeiner Form annotierte Bibliographie handelt. Auf Begriffe wie "subjektive" und "objektive" bzw. "subjektiv-objektive Bibliographie" wurde verzichtet, weil sie für Nicht-Bibliographen oft mißverständlich sind.

D 2070 Weitere bibliographische Hilfsmittel, auf die hier nur summarisch verwiesen werden kann, stellen die Bände der *Sammlung Metzler*, die *Winkler Kommentare* (-> A 200), die Hefte der Zeitschrift *Text und Kritik* (-> E 1050), die Jahrbücher der Dichtergesellschaften (-> E 1210ff.), die Bestandsverzeichnisse der Literaturarchive (-> D 3620ff. und Teil F und G) sowie auch die Kataloge bedeutender Ausstellungen dar.

Abraham a Sancta Clara (1644-1709)

D 2080 Bertsche, Karl: Die Werke Abraham a Sancta Claras in ihren Frühdrucken. 2. verb. Aufl. (von Michael O. Krieg). Wien: Krieg, 1961.
Exakt beschreibendes Verzeichnis von 65 Drucken. Titelregister.

Achim von Arnim (1781-1831)

D 2090 Mallon, Otto: Arnim-Bibliographie. Berlin: Fraenckel, 1925 [*Neudruck*: Hildesheim: Olms, 1965].
Verzeichnet im Hauptteil alle Arnim-Drucke von 1799 bis 1857 (255 Nrr.) und alle Erstdrucke von 1855-1925 (Nr. 256-323). Der Anhang verzeichnet u.a. Auswahl-Sammelausgaben, Briefe, Briefempfänger und Sekundärliteratur. Namenregister.

Ingeborg Bachmann (1926-1973)

D 2100 Bareiss, Otto; Ohloff, Frauke: Ingeborg Bachmann: Eine Bibliographie. Mit einem Geleitwort von Heinrich Böll. München, Zürich: Piper, 1978.
Erfaßt die gesamte Primärliteratur (von der Dissertation über selbständige/unselbständige Veröffentlichungen, Libretti, Gespräche, Interviews, Sprechplatten zu den Übersetzungen) und die Sekundärliteratur einschließlich der Rezensionen in der Tagespresse (über 2000 bibliographische Angaben). Verfasser- und Personenregister, Werkregister, Sach- und Stichwortregister.

Ernst Barlach (1870-1938)

D 2110 Kröplin, Karl-Heinz: Ernst-Barlach-Bibliographie. Berlin (Ost) 1972 (Deutsche Staatsbibliothek, Bibliographische Mitteilungen, 25).
Verzeichnet Primärliteratur (einschl. Bildbände, Ausstellungskataloge [100 Nrr.]) und Sekundärliteratur (Nr. 101-404). Autorenregister.

Johann Beer (1655-1700)

D 2115 Hardin, James: Johann Beer. Eine beschreibende Bibliographie. Bern: Francke, 1983 (Bibliographien zur deutschen Barockliteratur, 2).
Exakt beschreibendes Verzeichnis der Primärliteratur. Liste der Neudrucke (Nr. 1-44) und der Sekundärliteratur (Nr. 45-415).

Gottfried Benn (1886-1956)

D 2120 Lohner, Edgar: Gottfried Benn. Bibliographie 1912-1956. Wiesbaden: Limes, 1958.
Chronologisch angelegtes Verzeichnis der Primär- (einschl. der Übersetzungen) und Sekundärliteratur. Verfasser- und Übersetzerverzeichnis. Sach- und Namenregister.

Johannes Bobrowski (1917-1965)

D 2130 Grützmacher, Curt: Das Werk von Johannes Bobrowski. Eine Bibliographie. München: Fink, 1974.
Verzeichnet Primärliteratur in systematisch-chronologischer und Sekundärliteratur in systematisch-alphabetischer Folge. Erfaßt auch Bibliographien und Lexikonartikel.

Jakob Böhme (1575-1624)

D 2140 Buddecke, Werner: Verzeichnis von Jakob Böhme-Handschriften. Göttingen: Häntzschel, 1934 (Hainbergschriften, 1).
Erfaßt 219 Böhme-Handschriften sowie handschriftliche und gedruckte Verzeichnisse. Mehrere Register.

D 2150 Buddecke, Werner: Die Jakob Böhme-Ausgaben. Ein beschreibendes Verzeichnis. 2 Tle. Göttingen: Häntzschel, 1937-1957 (Bd. 1 = Hainbergschriften, 5; Bd. 2 = Arbeiten aus der Staats- und Universitätsbibliothek Göttingen, 2).
Bd. 1: Exakte Beschreibung von 240 Ausgaben in deutscher Sprache. Mehrere Register. Bd. 2: 229 Übersetzungen. Nachträge und Berichtigungen zum Verzeichnis der Böhme-Handschriften und zu Bd. 1; mehrere Register.

Heinrich Böll (1917-1985)

D 2160 Martin, Werner: Heinrich Böll. Eine Bibliographie seiner Werke. Hildesheim, New York: Olms, 1975 (Bibliographien zur deutschen Literatur, 2).
Erfaßt die Primärliteratur einschl. der Übersetzungen und Bölls Übersetzertätigkeit. Chronologische Titel-Übersicht. Alphabetisches Titel-Verzeichnis.

D 2162 Lengning, Werner: Der Schriftsteller Heinrich Böll. Ein biographisch-bibliographischer Abriß. 5., überarb. Aufl. München: dtv, 1977.

D 2163 Heinrich Böll. Auswahlbibliographie zur Primär- und Sekundärliteratur. Mit einleitenden Textbeiträgen von und über Heinrich Böll. Hrsg. von Gerhard Rademacher. Bonn: Bouvier, 1989 (Abhandlungen zur Kunst-, Musik- und Literaturwissenschaft, 384).
Verzeichnet Primärliteratur (Nr. 1-142), Titel aus dem literarischen Umfeld (Nr. 143 bis 221) und Sekundärliteratur (rd. 170 Titel).

Sebastian Brandt (1457-1521)

D 2165 Knape, Joachim; Wuttke, Dieter: Sebastian-Brandt-Bibliographie. Forschungsliteratur von 1800 bis 1985. Tübingen: Niemeyer, in Vorber. für 1990.

Bertolt Brecht (1899-1956)

D 2170 Seidel, Gerhard: Bibliographie Bertolt Brecht. Titelverzeichnis. Bd. 1: Deutschsprachige Veröffentlichungen aus den Jahren 1913-1972. Werke von Brecht, Sammlungen, Dramatik. Berlin, Weimar: Aufbau-Verl., 1975 (Veröffentlichung der Akademie der Künste der DDR).
Exakt beschreibendes Verzeichnis der Sammel- und Einzelausgaben. Material zu den *Versuchen*. Vorläufiges Register.

D 2175 Petersen, Klaus-Dietrich: Bertolt-Brecht-Bibliographie. Bad Homburg: Gehlen, 1968 (Bibliographien zum Studium der deutschen Sprache und Literatur, 2).
Kurzgefaßtes Verzeichnis der Primärliteratur (61 Nrr.) unter besonderer Berücksichtigung leicht zugänglicher Ausgaben. Sekundärliteratur (Nr. 62-762) systematisch-chronologisch gegliedert. Verfasserregister.

D 2178 Bock, Stephan: Bertolt-Brecht-Auswahl- und Ergänzungsbibliographie. Bochum: Brockmeyer, 1980.
Primär- und Sekundärliteratur.

D 2180 Knopf, Jan: Brecht-Handbuch. Sonderausgabe. 2 Bde. Stuttgart: Metzler, 1986.

Clemens Brentano (1778-1842)

D 2200 Mallon, Otto: Brentano-Bibliographie. Berlin: Fraenkel, 1926 [*Neudruck*: Hildesheim: Olms, 1965].
Verzeichnet im Hauptteil alle Brentano-Drucke von 1795 bis 1862 (248 Nrr.) und alle Erstdrucke von 1863-1926 (Nr. 249-353). Im Anhang: Verzeichnis der Sammelausgaben, Briefe, Briefempfänger und der Sekundärliteratur. Namenregister.

Max Brod (1884-1968)

D 2210 Kayser, Werner; Gronemeyer, Horst: Max Brod [Eine Bibliographie]. Eingeleitet von Willy Haas und Jörg Mayer. Hamburg: Christians, 1972 (Hamburger Bibliographien, 12).

Verzeichnet die Primärliteratur nach Gattungen geordnet (Lyrik Nr. 1-140; Dramen Nr. 141-175; Opernlibretti Nr. 176-196; Romane und Erzählungen Nr. 197-360; Skizzen, Essays, Abhandlungen Nr. 361-647; über Franz Kafka Nr. 648-772; Rezensionen Nr. 773-827; Autobiographie Nr. 828-844; Briefwechsel Nr. 845-852. Sekundärliteratur Nr. 853-968. Personenregister, Titelregister. Beigefügt sind die Briefe Brods an Hugo und Olga Salus und an Richard Dehmel.

Arnolt Bronnen (1895-1959)

D 2220 Klinger, Edwin: Arnolt Bronnen. Werk und Wirkung. Eine Personalbibliographie. Hildesheim: Gerstenberg, 1974.

Verzeichnet die Primärliteratur (Nr. 1-185) in systematisch-chronologischer Ordnung und die Sekundärliteratur (Nr. 186-647) in systematisch-alphabetischer Ordnung. Werk-, Rezensionen-, Personenregister.

D 2225 Aspetsberger, Friedbert: Ergänzungen zur Bronnen-Bibliographie von E. Klinger. In: Vasilo 35, 1985, S. 241-250 [212 Titel].

Georg Büchner (1813-1837)

D 2230 Schlick, Werner: Das Georg Büchner-Schrifttum bis 1965. Hildesheim: Olms, 1968.

Verzeichnis der Primärliteratur in chronologischer Folge, der Sekundärliteratur in alphabetischer Anordnung (Nr. 1-556), der Büchner-Preisträger (Nr. 557-563), der Büchner-Gedenktage (Tagespresse, Nr. 564-597), der Theater-Rezensionen (Tagespresse, Nr. 598-784) und der Dichtungen über Büchner. Mehrere Register.

Wilhelm Busch (1832-1908)

D 2240 Vanselow, Albert: Die Erstdrucke und Erstausgaben der Werke von Wilhelm Busch. Ein bibliographisches Verzeichnis. Leipzig: Weigel, 1913.

Paul Celan (1920-1970)

D 2245 Bohrer, Christiane: Paul-Celan-Bibliographie. Bern u.a.: Lang, 1989 (Literarhistorische Untersuchungen, 14).

Verzeichnet Werke (Nr. 1-165) und Sekundärliteratur (Nr. 166-1236). Anhang 1: Tagungen, Kolloquien; 2: Dissertationen; 3: Register der besprochenen Gedichte.

D 2246 Glenn, Jerry: Paul Celan. Eine Bibliographie. Wiesbaden: Harrassowitz, 1989 (Studien der Forschungsstelle Ostmitteleuropa an der Universität Dortmund, 5).
Annotierte Bibliographie der Primärliteratur, einschl. der Briefe und Übersetzungen (S. 13-34) und der Sekundärliteratur (S. 35-285). Mehrere Register (einschl. Sachregister und Register der Interpretationen).

Alfred Döblin (1887-1957)

D 2250 Huguet, Louis: Alfred Döblin Bibliographie. Berlin: Aufbau-Verlag, 1972.
Verzeichnet die Primärliteratur (1180 Nrr.) einschl. der Übersetzungen und die Sekundärliteratur (Nr. 1181-2976) nach systematisch-chronologischer Folge (einschl. der Rundfunksendungen und Fernsehbeiträge). Titel-, Namenregister.

Annette von Droste-Hülshoff (1797-1848)

D 2260 Haverbusch, Aloys: Droste-Bibliographie. 2 Bde. Tübingen: Niemeyer, 1984-1985 (= Annette von Droste-Hülshoff: Historisch-kritische Ausgabe. Werke, Briefwechsel. Bd. XIV, 1-2).
Umfassende, teilweise annotierte Bibliographie der Primär- und Sekundärliteratur mit Vollständigkeitscharakter (unter weitgehender Berücksichtigung der Zeitungsbeiträge). Bd. 1: Verzeichnis sämtlicher gedruckter Werke und Briefe, einschl. der Briefe an die Droste (Nr. 1-1093), Werk-, Namenregister. Bd. 2: Sekundärliteratur, Institutionen, Preise (Nr. 1094-4102).

Friedrich Dürrenmatt (1921-)

D 2270 Hansel, Johannes: Friedrich-Dürrenmatt-Bibliographie. Bad Homburg u.a.: Gehlen, 1968 (Bibliographien zum Studium der deutschen Sprache und Literatur, 3).
Verzeichnet Primärliteratur (207 Nrr.) und Sekundärliteratur (Nr. 208-677) in systematisch-chronologischer Folge. Register der Übersetzungen, Zeitschriften, Verfasser.
Vgl. auch *Die Dürrenmatt-Literatur* von Klaus W. Jonas. In: Börsenblatt für den Deutschen Buchhandel. Frankfurter Ausgabe, 24. Jg., Nr. 59 v. 23.7.68 (Aus dem Antiquariat VII), S. 1725-1738 [rd. 500 Titel Sekundärliteratur. Werkregister. Zeitschriftenregister].

Kasimir Edschmid (1890-1966)

D 2280 Brammer, Ursula G.: Kasimir Edschmid Bibliographie. Mit einer Einführung von Fritz Usinger. Heidelberg: Schneider, 1970 (Veröffentlichungen der Deutschen Akademie für Sprache und Dichtung, 43).
Verzeichnis der Primär- (Nr. 1-677) und Sekundärliteratur (Nr. 679-786). Personen-, Periodikaregister.

Joseph von Eichendorff (1788-1857)

D 2290 Eichendorff, Karl von: Ein Jahrhundert Eichendorff-Literatur. Regensburg: Habbel, 1924 (E., Sämtliche Werke, Bd. 22).
Zeugnisse und Darstellungen zur Lebens- und Wirkungsgeschichte (S. 1-72), Primärliteratur (S. 73-131); Sekundärliteratur (1835-1926) in systematisch-chronologischer Folge (S. 132-160). - Fortführung bis 1958:

D 2300 Kron, Wolfgang: Eichendorff-Bibliographie. In: Eichendorff heute. Hrsg. von Paul Stöcklein. München 1960, S. 280-329.

D 2310 Krabiel, Klaus-Dieter: Joseph von Eichendorff. Kommentierte Studienbibliographie. Frankfurt/M.: Athenäum, 1971.
Auswahlbibliographie der Primär- (Nr. 1-93) und Sekundärliteratur (Nr. 94-494) in systematischer Folge. Verfasserregister.

Theodor Fontane (1819-1898)

D 2320 Schobess, Joachim: Literatur von und über Theodor Fontane. 2. verm. Aufl. Potsdam 1965.
Rd. 2300 Titel Primär- und Sekundärliteratur. Register.

Georg Forster (1754-1794)

D 2330 Fiedler, Horst: Georg-Forster-Bibliographie. 1767-1970. Berlin: Akademie-Verlag, 1971.
Rd. 1200 Titel Primär- (Nr. 1-468a) und Sekundärliteratur (Nr. 469-1213) Nachträge. Register.

Stefan George (1868-1933)

D 2340 Landmann, Georg Peter: Stefan George und sein Kreis. Eine Bibliographie. 2. Aufl. Hamburg: Hauswedell, 1976.
Chronologisch-alphabetisches Verzeichnis der Primär- und Sekundärliteratur (insgesamt rd. 2800 Titel) Gesondertes Verzeichnis der Bücher Georges, der Mitarbeiter der *Blätter für die Kunst*, der Publikationen von Freunden Georges (außerhalb des Georgekreises). Verzeichnis der Anfangszeilen von Georges Gedichten und der Vertonungen. Namenregister.

Johann Wolfgang Goethe (1749-1832)

D 2350 Hagen, Waltraud: Die Drucke von Goethes Werken. Berlin: Akademie-Verlag, 1971 (Werke Goethes. Erg. Bd. 1).
Verzeichnet 780 selbständige und unselbständige Drucke der Jahre 1765-1837 mit detaillierter Beschreibung.

D 2360 Pyritz, Hans: Goethe-Bibliographie. Unter red. Mitarb. von Paul Raabe. Fortgef. von Heinz Nicolai und Gerhard Burkhardt. 2 Bde. Heidelberg: Winter, 1965-1968.

Souverän auswählende in vierzehn Hauptgruppen gegliederte Bibliographie, die das Material systematisch-chronologisch bzw. systematisch-alphabetisch ordnet. Bd. 1: 10701 Titel; Bd. 2: 2489 Titel, Nachträge zu Bd. 1, Gesamtregister. Berichtszeit: bis 1964. [Fortsetzung durch Heinz Nicolai und Hans Henning in *Goethe* und im *Goethe-Jahrbuch* (-> E 1260).]

Vgl. auch Goedeke [-> D 210] Bd. IV, Abt. 2-5 (Berichtszeit: bis 1950 [mit Vollständigkeitscharakter!]) sowie D 1400.

Gottfried von Straßburg

D 2370 Steinhoff, Hans-Hugo: Bibliographie zu Gottfried von Straßburg. 2 Bde. Berlin: E. Schmidt, 1971-1986 (Bibliographien zur deutschen Literatur des Mittelalters, 5 und 9).

Bd. 1: Verzeichnis der Handschriften und der Sekundärliteratur (769 Nrr.) in systematisch-chronologischer Folge. Verfasser- und Rezensentenregister. - Bd. 2: Fortführung für die Jahre 1971-1983.

Johann Christoph Gottsched (1700-1763)

D 2375 Mitchel, P.M.: Gottsched-Bibliographie. Berlin, New York: de Gruyter, 1987 (J.C. Gottsched: Ausgewählte Werke, Bd. 12).

Primärliteratur (S. 9-262), Werkregister (S. 263-298), Sekundärliteratur (S. 299-429).

Christian Dietrich Grabbe (1801-1836)

D 2380 Bergman[n], Alfred: Grabbe-Bibliographie. Amsterdam: Rodopi, 1973 (Amsterdamer Publikationen zur Sprache und Literatur, 3).

Verzeichnet allgemeine Hilfsmittel der Grabbe-Forschung (Nr. 1-96), Primärliteratur (Nr. 97-371, einschl. der zeitgenöss. Lebenszeugnisse), Sekundärliteratur (Nr. 372 bis 1318) und Zeugnisse zur Wirkungsgeschichte (Nr. 1319-2158) mit Kommentar. Nachtrag. Werk-, Personenregister.

D 2390 Rudin, Neil Herbert: Grabbe Scholarship 1918-1970. An annotated bibliography. Diss. Buffalo: State Univ. of New York, 1974.

Oskar Maria Graf (1894-1967)

D 2400 Pfanner, Helmut F.: Oskar Maria Graf. Eine kritische Bibliographie. Bern, München: Francke, 1976.
Detaillierte und exakte Beschreibung der Primärliteratur (einschl. der Manuskripte 2228 Nrr.) und der Sekundärliteratur (Nr. 2229-6324) mit kritischem Referat. Verzeichnis der im Entstehen begriffenen Sekundärliteratur (Nr. 6325-6330), der von O.M. Graf inspirierten Dichtungen (Nr. 6331-6346), Miszellen (Nr. 6347-6366). Im Anhang: Schallplatten, Tonbänder; Filme (Nr. 6367-6385). Nachträge (Nr. 6386-7018). Titel-, Namenregister.

Günter Grass (1927-)

D 2510 O'Neill, Patrick: Günter Grass. A Bibliography. 1955-1975. Toronto, Buffalo: Univ. of Toronto Press, 1976.
Systematisch-chronologisches Verzeichnis der Primär- (416 Nrr. einschl. Interviews) und Sekundärliteratur (Nr. 500-1682; Nr. 417-499 nicht besetzt). Index.

D 2520 Everett, George A.: A select Bibliography of Günter Grass (From 1956 to 1973). New York: Franklin, 1974.
Rd. 1000 Titel Primär- und Sekundärliteratur.

Hans Jakob Christoph von Grimmelshausen (1620-1676)

D 2530 Battafarano, Italo Michele: Grimmelshausen-Bibliographie 1666 bis 1972. Werk - Forschung - Wirkungsgeschichte. Unter Mitarb. von Hildegard Eilert. Napoli: Istituto universitario orientale, 1975 (Aion. Quaderni degli Annali, 9).
Verzeichnet Primärliteratur, einschl. der Bearbeitungen und Übersetzungen (385 Nrr.), Sekundärliteratur (Nr. 386-1212) und Zeugnisse zur Wirkungsgeschichte (Nr. 1213 bis 1378). Register.

Johann Christian Günther (1695-1723)

D 2540 Bölhoff, Reiner: Johann Christian Günther. 1695-1975. Kommentierte Bibliographie, Schriftenverzeichnis, Rezeptions- und Forschungsgeschichte. 3 Bde. Köln, Wien: Böhlau, 1980-1983.
Bd. 1: Kommentierte Bibliographie. Umfassendes Verzeichnis der Primärliteratur (einschl. Vertonungen, Schallplatten und Rundfunksendungen [433 Nrr.]) und der Sekundärliteratur (Quellen und Zeugnisse, Gesamtdarstellungen, Einzeldarstellungen, Belletristische Darstellungen [Nr. 434-954]. Verzeichnis der Porträts und Faksimiles. Reicher Abbildungsteil. Namenregister. - Bd. 2: Schriftenverzeichnis. Abbildungen. Register. - Bd. 3: Rezeptions- und Forschungsgeschichte (Darstellung).

Hartmann von Aue

D 2550 Neubuhr, Elfriede: Bibliographie zu Hartmann von Aue. Berlin:
E. Schmidt, 1977 (Bibliographien zur dt. Literatur des Mittelalters, 6).
Verzeichnis der Handschriften und der Sekundärliteratur (1299 Nrr.) in systematisch-
chronologischer Folge. Autoren- und Rezensentenregister.

Gerhart Hauptmann (1862-1946)

D 2560 Hoefert, Sigfrid: Internationale Bibliographie zum Werk Gerhart
Hauptmanns. 2 Bde. Berlin: E. Schmidt, 1986-1988 (Veröffentlichungen
der G.-Hauptmann-Gesellschaft, 3-4).
Bd. 1 verzeichnet Ausgaben, Übersetzungen, Fragmente, Verstreute Gedichte, Reden,
Aufsätze und Gelegenheitsäußerungen, Interviews und Gespräche, Briefe, Telegram-
me, Tagebuchaufzeichnungen (insgesamt 4170 Nrr.). Namen-, Werkregister. - Bd. 2
erfaßt selbständige Veröffentlichungen in deutscher Sprache (Nr. 4171-4609f), unselbständige Veröffentlichungen in deutscher Sprache (Nr. 4610-9979z), fremdsprachiges
Schrifttum (Nr. 9980-11584); Nachtrag zu Bd. 1 (Nr. 11597-11625) in chronologisch-
alphabetischer Folge. Namen-, Werk-, Sachregister.

D 2570 Ziesche, Rudolf: Der Manuskriptnachlaß Gerhart Hauptmanns.
Teil I: Handschriften 1-230. Katalog. Wiesbaden: Harrasowitz, 1977
(Staatsbibliothek Preußischer Kulturbesitz, Kataloge der Hss.-Abt. 2, 2/1).

Friedrich Hebbel (1813-1863)

D 2590 Gerlach, Ulrich Henry: Hebbel-Bibliographie 1910-1970. Heidelberg: Winter, 1973.
Verzeichnet Primär- (451 Nrr. einschl. der Briefe) und Sekundärliteratur (Nr. 452-
2627) in systematisch-alphabetischer Anordnung. Verfasser-, Briefempfänger-, Sachregister.

Heinrich Heine (1797-1856)

D 2600 Wilhelm, Gottfried: Heine-Bibliographie. Unter Mitarb. von
Eberhard Galley. 2 Tle. nebst Erg.-Bd. von Siegfried Seifert (1954-1964).
Weimar: Arion (bzw. Berlin: Aufbau-Verlag), 1960-1968 (Bibliogra-
phien, Kataloge und Bestandsverzeichnisse).
Teil I: Primärliteratur (1817-1953) einschl. der Übersetzungen (2011 Nrr.) Namen-,
Titelregister. Verzeichnis der ausgewerteten Periodika und Aufsatzsammlungen. Teil
II: Sekundärliteratur (1822-1953: 4032 Nrr.) in systematisch-chronologischer Folge.
Verfasser-, Sachregister. Erg.-Bd. 1954-1964: Primärliteratur (635 Nrr.), Sekundärlite-
ratur (Nr. 636-2647). Berichtigungen zu Teil I-II. Verzeichnis der ausgewerteten Pe-
riodika, Sach-, Namenregister. - Fortführung:

D 2601 Seifert, Siegfried; Volgina, Albina A.: Heine-Bibliographie 1965 bis 1982. Berlin (Ost), Weimar: Aufbau-Verlag, 1986.
Primär- und Sekundärliteratur (3117 Nrr.).

D 2605 Höhn, Gerhard: Heine-Handbuch. Stuttgart: Metzler, 1987.

Johann Gottfried Herder (1744-1803)

D 2610 Günther, Gottfried; Volgina, Albina A.; Seifert, Siegfried: Herder-Bibliographie. Berlin, Weimar: Aufbau-Verlag, 1978.
Verzeichnet Primärliteratur einschl. der Übersetzungen (1517 Nrr.) und Sekundärliteratur (Nr. 1518-4382) in systematisch-chronologischer Folge. Namen- und Sachregister.

Hermann Hesse (1877-1962)

D 2620 Mileck, Joseph: Hermann Hesse. Biography and Bibliography. 2 Vol. Berkeley u. a.: Univ. of California Pr., 1977.
Biographischer Abriß (S. 1-108), Beschreibung der Hesse-Sammlungen und Bibliographien (S. 109-142); Primärliteratur (S. 143-1137) einschl. der Manuskripte; Verzeichnis der Hesse gewidmeten Literatur und der Dissertationen über Hesse (S. 1139 bis 1161). Mehrere Register. Keine Verzeichnung der Sekundärliteratur im üblichen Sinn, kann die Bibliographie von Bareiss nicht ersetzen.

D 2630 Bareiss, Otto: Hermann Hesse. Eine Bibliographie der Werke über Hermann Hesse. 2 Tle. Basel: Maier-Bader, 1962-1964.
Systematisch-alphabetisch gegliedertes Verzeichnis (2827 Nrr., einschl. der Beiträge zu den Gedenktagen, Literaturpreisen, Dichterlesungen u.ä.). Verfasser- und Personenregister, Sach- und Stichwortregister, Werkregister.

Paul Heyse (1830-1914)

D 2640 Martin, Werner: Paul Heyse. Eine Bibliographie seiner Werke. Mit einer Einf. von Norbert Miller. Hildesheim: Olms, 1978 (Bibliographien zur dt. Literatur, 3).
Verzeichnis der Primär- (415 Nrr.) und Sekundärliteratur (1044 Nrr.). Mehrere Register.

Wolfgang Hildesheimer (1916-)

D 2645 Jehle, Volker: Wolfgang Hildesheimer. Eine Bibliographie. Bern u.a.: Lang, 1984 (Helicon, 3).
Verzeichnet Primär- (S. 4-168) und Sekundärliteratur (S. 169-318) in systematischer Anordnung sowie Literaturpreise und Ausstellungen. Personenregister.

Friedrich Hölderlin (1770-1843)

D 2650 Kohler, Maria: Internationale Hölderlin-Bibliographie (IHB). 1804-1983. Hrsg. vom Hölderlin-Archiv der Württembergischen Landesbibliothek Stuttgart. Erste Ausgabe 1804-1983. Stuttgart: Frommann-Holzboog, 1985.
Verzeichnet nach Schlagwörtern (Sachbegriffe, Namen; Übersicht: S. 3-45) alphabetisch geordnet 8928 Titel. Verzeichnisse der Verfasser, Zeitschriften, Sammelbände und Hölderlin-Ausgaben.

E.T.A. Hoffmann (1776-1822)

D 2670 Voerster, Jürgen: 160 Jahre E.T.A. Hoffmann-Forschung 1805 bis 1965. Eine Bibliographie mit Inhaltserfassung und Erläuterungen. Stuttgart: Eggert, 1967 (Bibliographien des Antiquariats Fritz Eggert, 3).
Verzeichnis der Primärliteratur (einschl. der Kompositionen, Zeichnungen, Bilder, Tagebücher, Briefe) und der Sekundärliteratur in systematisch-chronologischer Folge. Der alphabetische Teil erfaßt 22 Werkausgaben und 1264 Titel aus der Sekundärliteratur.

Hugo von Hofmannsthal (1874-1929)

D 2680 Weber, Horst: Hugo von Hofmannsthal-Bibliographie. Werke, Briefe, Gespräche, Übersetzungen, Vertonungen. Berlin: de Gruyter, 1972.
Berichtszeit: 1892-1970. Nach Gattungen gegliedertes, chronologisch geordnetes Verzeichnis der Primärliteratur. Register der Titel, Periodika, Personen.

D 2690 Weber, Horst: Hugo von Hofmannsthal. Bibliographie des Schrifttums 1892-1963. Berlin: de Gruyter, 1966.
Chronologisch-alphabetisch angelegtes Verzeichnis. Verfasser-, Sach-, Periodikaregister. Fortgeführt durch:

2700 Koch, Hans Albrecht; Koch, Uta: Hugo von Hofmannsthal. Bibliographie 1964-1976. Freiburg i.Br.: Dt. Seminar, 1976 (Hofmannsthal-Forschungen, 4).

Hans Henny Jahnn (1894-1959)

D 2710 Meyer, Jochen: Verzeichnis der Schriften von und über Hans Henny Jahnn. Neuwied: Luchterhand, 1967 (die mainzer reihe, 21).
Primärliteratur (Nr. 1-268), Sekundärliteratur (269-1159), im Entstehen begriffene Dissertationen (1160-1185); systematisch-chronologische Gliederung. Verfasserregister.

Jean Paul (1763-1825)

D 2720 Berend, Eduard: Jean-Paul-Bibliographie. Neu bearb. von Johannes Krogoll. Stuttgart: Klett, 1963 (Veröffentlichungen der Deutschen Schillergesellschaft, 26).
Exakt beschreibendes Verzeichnis der Werkausgaben (746 Nrr.), Briefausgaben (Nr. 747-949) und der Sekundärliteratur (Nr. 950-2604) in systematisch-chronologischer Folge. Werk-, Personenregister. Nachträge, Ergänzungen, Berichtigungen.

Uwe Johnson (1934-1984)

D 2730 Riedel, Nicolai: Uwe Johnson Bibliographie 1959-1980. Bd. 1: Das schriftstellerische Werk und seine Rezeption in literaturwissenschaftlicher und feuilletonistischer Kritik in der Bundesrepublik Deutschland. Mit Annotationen und Exkursen zur multimedialen Wirkungsgeschichte. 2. Aufl. Bonn: Bouvier, 1981 (Abhandlungen zur Kunst-, Musik- und Literaturwissenschaft, 200).
Verzeichnet Bibliographien (Nr. 1-14), Primär- (Nr. 15-385) und Sekundärliteratur (Nr. 386-1722) in systematisch-alphabetischer Folge. Titelverzeichnis, Werkindex, Chronologie, Rezensionentabelle, Stichwort-, Periodika-, Personenregister. Verzeichnis der Lesungsorte.

D 2740 Riedel, Nicolai: Uwe Johnson-Bibliographie 1959-1977. Bd. 2: Das schriftstellerische Werk in fremdsprachigen Textausgaben und seine internationale Rezeption in literaturwissenschaftlicher Forschung und Zeitungskritik. Bonn: Bouvier, 1978 (Abhandlungen zur Kunst-, Musik- und Literaturwissenschaft, 272).
Verzeichnet 66 fremdsprachige Textausgaben und ausländische Forschungsliteratur (Nr. 67-747). Register der Werke, Personen, Periodika.

Ernst Jünger (1895-)

D 2750 Paetel, Karl O.: Ernst Jünger. Eine Bibliographie. Stuttgart: Lutz & Meyer, 1953.
Systematisch-chronologisches bzw. systematisch-alphabetisches Verzeichnis der Primär- und Sekundärliteratur. Kein Register.

D 2760 Des Coudres, Hans Peter; Mühleisen, Horst: Bibliographie der Werke Ernst Jüngers. Neubearb. und erw. Ausg. Stuttgart: Klett, 1985.
Systematisch-chronologisches Verzeichnis der Primärliteratur (bis 1984). Register. Zeittafel.

Franz Kafka (1883-1924)

D 2770 Dietz, Ludwig: Franz Kafka. Die Veröffentlichungen zu seinen Lebzeiten (1908-1924). Eine textkritische und kommentierte Bibliographie. Heidelberg. Stiehm, 1982.
Sehr exakte und detailreiche Kommentierung von 66 Kafka-Titeln mit Hinweisen zur Entstehungs- und Druckgeschichte (unter Einschluß der versicherungstechnischen Publikationen Kafkas). Verzeichnis der Übersetzungen. Register der Werke, Periodika, Namen.

D 2775 Caputo-Mayr, Maria Luise; Herz, Julius M.: Franz Kafkas Werke. Eine Bibliographie der Primärliteratur (1908-1980). Bern, München: Francke, 1982.

D 2776 Caputo-Mayr, Maria Luise; Herz, Julius M.: Franz Kafka. Eine kommentierte Bibliographie der Sekundärliteratur (1955-1980, mit Nachtrag 1985). Bern, Stuttgart: Francke, 1987.
Erfaßt in großer Vollständigkeit die internationale Sekundärliteratur. Gliederung: 1. Bibliographien; 2. Sammelbände; 3. Dissertationen; 4. Artikel und kleinere Beiträge; 5. Bücher (alphabetisch nach Autoren). Addenda (bis 1985). Werk-, knappes Sach- und Namenregister.

D 2780 Binder, Hartmut: Kafka-Handbuch. 2 Bde. Stuttgart: Kröner, 1979.

Marie Luise Kaschnitz (1901-1974)

D 2810 Linpinsel, Elsbet: Kaschnitz-Bibliographie. Hamburg, Düsseldorf: Claassen, 1971.
Primär- (243 Nrr.) und Sekundärliteratur (Nr. 244-480) mit Kurzkommentaren. Namenregister.

Gottfried Keller (1819-1890)

D 2820 Zippermann, Charles G.: Gottfried Keller. Bibliographie 1844 bis 1934. Zürich: Rascher, 1935.
Verzeichnis der Primär- und Sekundärliteratur (1887 Nrr.). Werk-, Namenregister.

Heinrich von Kleist (1777-1811)

D 2830 Sembdner, Helmut: Kleist-Bibliographie 1803-1862. Heinrich von Kleists Schriften in frühen Drucken und Erstveröffentlichungen. Stuttgart: Eggert, 1966.
Exakt beschreibendes Verzeichnis von 59 Drucken bis 1863 [!]. Namen-, Werkregister.

D 2840 Rothe, Eva: Kleist-Bibliographie 1945 bis 1960. In: Jahrbuch der Deutschen Schillergesellschaft 5, 1961, S. 414-547.
Systematisch-chronologisches Verzeichnis der Primär- (209 Nrr.) und Sekundärliteratur (Nr. 210-671) mit Kurzkommentaren.

Friedrich Gottlieb Klopstock (1724-1803)

D 2850 Burkhardt, Gerhard; Nicolai, Heinz: Klopstock-Bibliographie. Berlin, New York: de Gruyter, 1975 (F.G. Klopstock: Werke und Briefe, Hist.-krit. Ausg., Abt. Add., I).
Verzeichnet Bibliographien und Forschungsberichte (Nr. 1-46), Editionen (Nr. 47-113) und übrige Sekundärliteratur (Nr. 114-2000) in systematisch-chronologischer Folge. Namenregister.

D 2855 Boghardt, Christiane; Martin Boghardt; Rainer Schmidt: Die zeitgenössischen Drucke von Klopstocks Werken. Eine deskriptive Bibliographie. 2 Bde. Berlin, New York: de Gruyter, 1981 (F.G. Klopstock: Werke und Briefe. Hist.-krit. Ausg., Abt. Add., III, 1-2).
Bd. 1: Nr. 1-2004: Bd. 2: Nr. 2005-3343. Schließt mit dem Berichtsjahr 1803.

Siegfried Kracauer (1889-1966)

D 2865 Levin, Thoma Y.: Siegfried Kracauer. Eine Bibliographie seiner Veröffentlichungen. Marbach a.N.: Deutsches Literaturarchiv, 1989.

Karl Kraus (1874-1936)

D 2870 Kerry, Otto: Karl-Kraus-Bibliographie. Mit einem Register der Aphorismen, Gedichte, Glossen und Satiren. München: Kösel, 1970.
Verzeichnet die Primärliteratur und 2316 Titel Sekundärliteratur. Namen und Titel-, Zeitschriftenregister.

Karl Krolow (1915-)

D 2880 Paulus, Rolf: Karl-Krolow-Bibliographie. Frankfurt/M.: Athenäum, 1972.
Primär- (1133 Nrr.) und Sekundärliteratur (Nr. 1134-1385). Gedichttitel-, Zeitschriften-, Namenregister.

D 2881 Paulus, Rolf: Lyrik und Poetik Karl Krolows 1940-1970. Bonn: Bouvier, 1980 (Abhandlungen zur Kunst-, Musik- und Literaturwissenschaft, 301).
Mit Spezialbibliographie (S. 295-491): Primärliteratur (2428 Nrr.) und Sekundärliteratur (Nr. 2429-2502).

Günter Kunert (1929-)

D 2885 Riedel, Nicolai: Internationale Günter-Kunert-Bibliographie. Bd. 1ff. Hildesheim: Olms, 1987ff. (Bibliographien zur deutschen Literatur, 5).

Bd. 1: Das poetische und essayistische Werk in Editionen, Einzeldrucken und Übersetzungen. Systematisch-chronologische Anordnung (2486 Nrr.). Erschließung durch mehrere Register.

Gotthold Ephraim Lessing (1729-1781)

D 2890 Seifert, Siegfried: Lessing-Bibliographie. Berlin: Aufbau-Verlag, 1973.

Verzeichnet Primär- (2629 Nrr.) und Sekundärliteratur (Nr. 2630-6313) in systematisch-chronologischer Ordnung (bis August 1971). Namen- und Sachregister.

D 2891 Kuhles, Doris: Lessing-Bibliographie. 1971-1985. Unter Mitarbeit von Erdmann von Wilamowitz-Moellendorf. Berlin (Ost), Weimar: Aufbau, 1988 (Bibliographien, Kataloge und Bestandsverzeichnisse).

Fortführung von D 2890 mit 2841 Nrr.

D 2895 Milde, Wolfgang: Gesamtverzeichnis der Lessing-Handschriften. Bd. 1: Lessing-Handschriften Herzog August Bibliothek Wolfenbüttel, Deutsche Staatsbibliothek Berlin DDR, Bibliotheka Uniwersytecka Wrocław. Bearb. von Wolfgang Milde unter Mitarbeit von Christian Hardenberg. Heidelberg: Schneider, 1982 (Bibliothek der Aufklärung, 2).

Verzeichnet 1) alles von Lessings Hand Geschriebene, 2) alle Briefe an ihn, 3) alle handschriftlichen Dokumente über sein Leben und Wirken, die nicht von seiner Hand geschrieben sind (sofern sie zum festen Bestand einer Sammlung gehören, die handschriftliches Material wie unter 1) und 2) genannt enthält), mit größter Genauigkeit.

Georg Christoph Lichtenberg (1742-1799)

D 2900 Jung, Rudolf: Lichtenberg-Bibliographie. Heidelberg: Stiehm, 1972 (Repertoria Heidelbergensia, 2).

Primär- (2263 Nrr.) und Sekundärliteratur (Nr. 3001-3507; 2264-3000 unbesetzt) in systematisch-chronologischer Folge. Werk-, Briefempfänger-, Verfasserregister.

Daniel Casper von Lohenstein (1635-1683)

D 3000 Müller, Hans von: Bibliographie der Schriften D. Caspers von Lohenstein. In: Werden und Wirken. Ein Festgruß Karl W. Hiersemann zugesandt. Leipzig 1924, S. 182-261.

Martin Luther (1483-1546)

D 3010 Wolf, Herbert: Germanistische Luther-Bibliographie. Martin Luthers deutsches Sprachschaffen im Spiegel des internationalen Schrifttums der Jahre 1880-1980. Heidelberg: Winter, 1985 (Germanistische Bibliothek, NF 6).
Erfaßt 4003 Titel.

Heinrich Mann (1871-1950)

D 3020 Zenker, Edith: Heinrich-Mann-Bibliographie. Werke. Berlin: Aufbau-Verl., 1967.
Erfaßt nur Primärliteratur (rd. 1090 Titel) bis 1964 in systematisch-chronologischer Folge. Werk-, Personenregister.

Klaus Mann (1906-1949)

D 3030 Klaus-Mann-Schriftenreihe. Hrsg. Fredric Kroll. Bd. 1: Bibliographie. Mit Vorworten von Klaus Blahak u. Fredric Kroll. Wiesbaden: Blahak, 1976.
Primärliteratur (einschl. ungedruckter Manuskripte 1104 Nrr.) und Sekundärliteratur (einschl. Rundfunk- und Fernsehbeiträge; Nr. 1105-3097). Inhalt der Sammelwerke Manns. Register der Periodika und der Rundfunk- und Fernsehanstalten.

Thomas Mann (1875-1955)

D 3040 Bürgin, Hans: Das Werk Thomas Manns. Eine Bibliographie unter Mitarbeit von Walter A. Reichart und Erich Neumann. Frankfurt/M.: S. Fischer, 1959.
Verzeichnis der selbständigen und unselbständigen Publikationen Th. Manns in systematisch-chronologischer Ordnung (einschl. der Sprechplatten). Titel-, Sach-, Namenregister.

D 3045 Wenzel, Georg: Thomas Manns Briefwechsel. Bibliographie gedruckter Briefe aus den Jahren 1889-1955. Berlin (Ost): Akademie, 1969 (Veröffentlichungen des Instituts für deutsche Sprache und Literatur, 41).
Erfaßt 2970 Briefe (S. 1-159). Inhaltliche Erschließung in den Anmerkungen (S. 161 bis 209). Briefempfänger-, Werk-, Namenregister.

D 3050 Matter, Harry: Die Literatur über Thomas Mann: Eine Bibliographie 1898-1969. 2 Bde. Berlin: Aufbau-Verl., 1972.
Umfassende Dokumentation der Forschungsliteratur in systematisch-chronologischer Folge. Insgesamt 14426 Nrr. Zeitschriften-, Sach-, Werk-, Verfasserregister.

D 3051 Jonas, Klaus Werner: Die Thomas-Mann-Literatur. Bibliographie der Kritik. 2 Bde. Berlin: E. Schmidt, 1972-1979.

Bd. 1: Handschriftenverzeichnis. Bibliographie der Sekundärliteratur (1896-1955) in chronologisch-alphabetischer Folge. Verfasser-, Werk-, Sach-, Zeitschriftenregister. - Bd. 2: Bibliographie der Sekundärliteratur (1956-1975) in chronologisch-alphabetischer Folge. Nachträge und Ergänzungen zu Bd. 1. Gesamtregister zu Bd. 1 und 2.

D 3055 Thomas-Mann-Handbuch. Mensch und Zeit - Werk - Rezeption. Hrsg. von Helmut Koopmann. Stuttgart: Kröner, in Vorber. für 1989/90.

Karl May (1842-1912)

D 3070 Plaul, Hainer: Illustrierte Karl-May-Bibliographie. Unter Mitw. von Gerhard Klussmeier. München u.a.: Saur, 1989.

D 3072 Karl-May-Handbuch. Hrsg. von Gert Ueding. Stuttgart: Kröner, 1987.
Mit ausführlicher Bibliographie, Werkregister und Konkordanz.

Moses Mendelssohn (1729-1786)

D 3080 Meyer, Herrmann M. Z.: Moses Mendelssohn Bibliographie. Berlin: de Gruyter, 1965 [vielm. 1967] (Veröffentlichungen der Historischen Kommission zu Berlin, 26. Bibliographien, 2).
Mit einigen Ergänzungen zur Geistesgeschichte des 18. Jhs. Nachschlagewerke (Nr. 1-32), Werke (Nr. 33-684), Sekundärliteratur (Nr. 685-1398), Bildnisse (118). Titelregister, Hebraica, Rezensionen, Brief-, Namenregister. Ergänzungen und Berichtigungen.

Robert Musil (1880-1942)

D 3090 Thöming, Jürgen C.: Robert-Musil-Bibliographie. Bad Homburg u.a.: Gehlen, 1968 (Bibliographien zum Studium der deutschen Sprache und Literatur, 4).
Primär- (139 Nrr. einschl. der Übersetzungen) und Sekundärliteratur (Nr. 140-533) in systematisch-chronologischer Ordnung. Verfasser- und Übersetzerregister.

D 3091 Mae, Michiko: Robert Musil-Bibliographie. In: L'Herne. Robert Musil. Paris 1981, S. 295-341.
Verzeichnet auch alle bisherigen Musil-Bibliographien.

Johann Nepomuk Nestroy (1801-1862)

D 3100 Conrad, Günter: Johann Nepomuk Nestroy. 1801-1862. Bibliographie zur Nestroyforschung und -rezeption. Berlin: E. Schmidt, 1980.
Systematisch gegliedertes Verzeichnis von Primär- und Sekundärliteratur (rd. 540 Nrr.). Verfasser-, Rezensentenregister.

Nibelungenlied

D 3110 Krogmann, Willy; Pretzel, Ulrich: Bibliographie zum Nibelungenlied und zur Klage. 4. Aufl. Berlin: E. Schmidt, 1966 (Bibliographien zur deutschen Literatur des Mittelalters, 1).
Rd. 550 Titel in systematisch-chronologischer Folge. Verfasser- und Rezensentenverzeichnis.

Otfrid von Weißenburg

D 3140 Belkin, Johanna; Meier, Jürgen: Bibliographie zu Otfrid von Weißenburg und zur altsächsischen Bibeldichtung (Heliand und Genesis). Berlin: E. Schmidt, 1975 (Bibliographien zur deutschen Literatur des Mittelalters, 7).
430 Titel zu Otfrid und 659 Titel zur as. Bibeldichtung in systematisch-chronologischer Folge. Verfasser- und Rezensentenverzeichnis (S. 55-59; 132-137).

Wilhelm Raabe (1831-1910)

D 3150 Meyen, Fritz: Wilhelm-Raabe-Bibliographie. 2. Aufl. Göttingen: Vandenhoeck, 1973 (Wilhelm Raabe: Sämtliche Werke. Hrsg. von Karl Hoppe, Erg.-Bd. 1).
Verzeichnis der Primär- (822 Nrr.) und Sekundärliteratur (Nr. 823-3258) in systematisch-chronologischer Folge. Auflistung des handschriftl. Nachlasses. Namen-, Sachregister.

Gottlieb Wilhelm Rabener (1714-1771)

D 3160 Blinn, Hansjürgen: Gottlieb Wilhelm Rabener. Eine Bio-Bibliographie. In: Antiquariat 21, 1971, S. 5-10; 17-21.
Verzeichnet Primär- (117 Nrr.) und Sekundärliteratur (Nr. 118-263) bis 1968.

Fritz Reuter (1810-1874)

D 3170 Günther, Georg: Fritz-Reuter-Bibliographie. Überarb. von Walter Lehmbecker. Lübeck: Fritz Reuter-Ges., 1971.

Rainer Maria Rilke (1875-1926)

D 3180 Ritzer, Walter: Rainer Maria Rilke Bibliographie. Wien: Kerry, 1951.
Verzeichnis der Primär- (S. 6-206) und der Sekundärliteratur in systematisch-alphabetisch-chronologischer Folge. Einzeldarstellungen nach Schlagwörtern geordnet. Personenregister.

D 3190 Katalog der Rilke-Sammlung Richard von Mises. Bearb. und hrsg. von Paul Obermüller und Herbert Steiner unter Mitarb. von Ernst Zinn. Frankfurt/M.: Insel-Verlag, 1966.
Verzeichnis der Primär- (943 Nrr. einschl. der Übersetzungen) und Sekundärliteratur (Nr. 944-1757, einschl. der Vertonungen und der Quellen zu Leben und Werk). Nachwort. Titel-, Namenregister.

D 3200 Simon, Walter: Verzeichnis der Hochschulschriften über Rainer Maria Rilke. 2., erw. Aufl. Hildesheim: Olms, 1987.
Verzeichnet 400 Hochschulschriften alphabetisch nach Autoren (mit Inhaltsreferat) bis 1986. Chronologisches Verzeichnis. Dissertationsvorhaben. Register der Eigennamen, der Titel, Überschriften und Anfänge, der Begriffe und Sachen.

Friedrich Rückert (1788-1866)

D 3210 Uhrig, Rainer: Rückert-Bibliographie. Ein Verzeichnis des Rückert-Schrifttums von 1813-1977. Schweinfurt: Rückert-Ges., 1979 (Veröffentlichungen der Rückert-Ges., Sonderbd.).
Systematisch-alphabetisch gegliederte Verzeichnung der Sekundärliteratur mit dem Ziel der Vollständigkeit. Namenregister.

Hans Sachs (1494-1576)

D 3220 Holzberg, Niklas: Hans-Sachs-Bibliographie. Schriften-Verzeichnis zum 400jährigen Todestag. Zusammengest. unter Mitarb. von Hermann Hilsenbeck. Nürnberg: Selbstverl. d. Stadtbibl., 1976 [Beilage: Nachtr. 1977] (Beiträge zur Geschichte und Kultur der Stadt Nürnberg, 20).
Verzeichnis der Handschriften und Ausgaben (Nr. 27-268; einschl. der Sekundärliteratur zu den Drucken); Diskographie (Nr. 269-274); Sekundärliteratur (Nr. 1-26; 275 bis 886) in systematisch-chronologischer Folge; Wirkungsgeschichte (Nr. 887-1068). Werkindex, Namenregister.

Friedrich Schiller (1759-1805)

D 3230 Vulpius, Wolfgang: Schiller Bibliographie 1893-1958 nebst Erg.-Bd. 1959-1963. Weimar: Arion (bzw. Berlin: Aufbau-Verl.), 1959-1967.
Fortführung:

D 3240 Wersig, Peter: Schiller-Bibliographie 1964-1974. Berlin: Aufbau Verl., 1977.
Alle drei Bde. verzeichnen in gleicher Anordnung Primär- und Sekundärliteratur der angegebenen Zeiträume in systematisch-chronologischer Folge. Namenregister. Bd. 1: 7202 Nrr.; Bd. 2: 1907 Nrr.; Bd. 3: 2001 Nrr.

D 3245 Koopmann, Helmut: Schiller-Forschung 1970-1980. Ein Bericht. Marbach 1982 (Deutsches Literaturarchiv. Verzeichnisse, Berichte, Informationen, 12).

Arno Schmidt (1914-1979)

D 3250 Bock, Hans-Michael: Bibliographie Arno Schmidt: 1949-1978. 2. verb. u. erg. Ausg. München: edition text + kritik, 1979.
Verzeichnet Primär- (S. 13-86) und Sekundärliteratur (S. 89-255). Register.

Arthur Schnitzler (1862-1931)

D 3260 Allen, Richard H.: An annotated Arthur Schnitzler Bibliography. Editions and Criticism in German, French, and English 1879-1965. Chapel Hill: Univ. of North Carolina Press, 1966.
Verzeichnis der Primär- (S. 14-100) in systematisch-chronologischer und der Sekundärliteratur (S. 101-130) in systematisch-chronologisch-alphabetischer Folge. Werk-, Namen-, Zeitschriftenregister. - Fortführung:

D 3261 Berlin, Jeffrey B.: An Annotated Arthur Schnitzler Bibliography 1965-1977. München: Fink, 1978.
Primär-, Sekundärliteratur. Werk-, Sach-, Namenregister.

Friedrich Spee von Langenfeld (1591-1635)

D 3270 Dimler, G. Richard: Friedrich Spee von Langenfeld, eine beschreibende Bibliographie. In: Daphnis 15, 1986, S. 649-703.

Carl Sternheim (1878-1942)

D 3280 Billetta, Rudolf: Sternheim-Kompendium. Carl Sternheim. Werk, Weg, Wirkung (Bibliographie und Bericht). Wiesbaden: Steiner, 1975 (Akademie der wiss. und der Literatur, Mainz. Dokumentar-Veröffentlichung).
Exakt beschreibendes Verzeichnis der Primärliteratur (S. 3-81) und der Sekundärliteratur (S. 85-483) in systematisch-chronologischer Folge (Sekundärliteratur mit Inhaltsreferat). Sternheims Dramen auf der Bühne, in Hörfunk und Fernsehen. Bericht und Kritik (S. 487-632). Bildnisse, Stammtafel, Biographisches. Verzeichnisse der Werke, Übersetzungen, Periodika, Theaterhefte, Aufführungsorte, Verfasser und Herausgeber, erwähnter Personen.

Adalbert Stifter (1805-1868)

D 3290 Eisenmeier, Eduard: Adalbert Stifter-Bibliographie. Linz: Oberösterreichischer Landesverlag, 1964. - 1. Forts. 1964 bis 1970. Ebda. 1971. - 2. Forts. 1971-1977. Ebda. 1978 (Schriftenreihe des Adalbert-Stifter-Instituts des Landes Oberösterreich, 21, 26, 31).
Bd. 1: Verzeichnis der Primär- (1340 Nrr.) und der Sekundärliteratur (Nr. 1341-4936) in systematisch-alphabetischer Folge. Personen, Sachregister. Bd. 2: Primär- (Nr. 4937-5052) und Sekundärliteratur (Nr. 5053-6232). Personen-, Sachregister. Berichtigungen und Ergänzungen zu Bd. 1 mit eigenem Register. Bd. 3: Primär- (Nr. 6233 bis 6347) und Sekundärliteratur (Nr. 6348-7232). Personen-, Sachregister. Berichtigungen und Ergänzungen zu Bd. 1-2.

Theodor Storm (1817-1888)

D 3300 Teitge, Hans-Erich: Theodor Storm-Bibliographie. Berlin: Deutsche Staatsbibliothek, 1967.
Primär- (1563 Nrr.) und Sekundärliteratur (Nr. 1565-2858). Personenregister.

Ernst Toller (1893-1939)

D 3310 Spalek, John M.: Ernst Toller and his critics. A bibliography. Publ. by the Bibliographical Society of the Univ. of Virginia. Charlottesville: Univ. Pr., 1968.
Exakt beschreibende und kommentierende Verzeichnung der Primär-   (1064 Nrr. einschl. der Briefe) und Sekundärliteratur (Nr. 1065-3764). Bildnisse. Verzeichnis der Aufführungen. Verfasser-, Sachregister.

Georg Trakl (1887-1914)

D 3320 Ritzer, Walter: Trakl-Bibliographie. Salzburg: Otto Müller, 1956 (Trakl-Studien, 3).
Verzeichnis der Primär- (S. 1-40) und Sekundärliteratur (737 Nrr.) in systematisch-chronologischer Folge. Bildnisse. Werkregister. Nachtrag. Periodika-, Personenverzeichnis. - Fortführung:

D 3325 Brown, Russel E.: Trakl-Bibliographie 1956-1969. In: Librarium 13, 1970, S. 120-126, 195-199.

Kurt Tucholsky (1890-1935)

D 3330 Bonitz, Antje; Wirtz, Thomas: Kurt Tucholsky. Eine Bibliographie seiner Veröffentlichungen. Marbach a.N.: Deutsches Literaturarchiv, in Vorber. für 1990.

Martin Walser (1927-)

D 3340 Saueressig, Heinz; Beckermann, Thomas: Martin Walser-Bibliographie 1952-1970. Biberach: Wege und Gestalten, 1970.
Primärliteratur, einschl. Interviews, Übersetzungen, Rundfunk- und Fernsehbeiträgen, Inszenierungen. Verzeichnis der Aufführungen.

Walther von der Vogelweide

D 3345 Scholz, Manfred Günter: Bibliographie zu Walther von der Vogelweide. Berlin: E. Schmidt, 1969 (Bibliographien zur deutschen Literatur des Mittelalters, 4).
Primär- und Sekundärliteratur (rd. 890 Titel) in systematisch-chronologischer Folge. Nachträge. Verfasser- und Rezensentenverzeichnis.

Wernher der Gartenaere

D 3350 Seelbach, Ulrich: Bibliographie zu Wernher der Gartenaere. Berlin: E. Schmidt, 1981 (Bibliographien zur deutschen Literatur des Mittelalters, 8).

Christoph Martin Wieland (1733-1813)

D 3355 Günther, Gottfried; Zeilinger, Heidi: Wieland-Bibliographie. Berlin (Ost), Weimar: Aufbau-Verlag, 1983 (Bibliographien, Kataloge und Bestandsverzeichnisse).
Verzeichnet Primär- (Nr. 1-1912) und Sekundärliteratur (Nr. 1913-4208) in systematisch-chronologischer Folge. Personen-, Titel-, Sachregister.

Wolfram von Eschenbach

D 3360 Pretzel, Ulrich; Bachofer, Wolfgang: Bibliographie zu Wolfram von Eschenbach. 2. stark erw. Aufl. Berlin: E. Schmidt, 1968 (Bibliographien zur deutschen Literatur des Mittelalters, 2).
Primär- und Sekundärliteratur (rd. 1060 Titel) in systematisch-chronologischer Folge. Verfasser- und Rezensentenverzeichnis.

Karl Wolfskehl (1869-1948)

D 3370 Schlösser, Manfred: Karl Wolfskehl. Eine Bibliographie. Darmstadt: Erato, 1971.
Primär- (462 Nrr.) und Sekundärliteratur (Nr. 463-968). Nachdrucke (Nr. 969-988). Gedichtkonkordanz. Sach-, Personenregister.

Philipp von Zesen (1619-1689)

D 3380 Otto, Karl Frederick: Philipp von Zesen. A bibliographical catalogue. Bern, München: Francke, 1972 (Bibliographien zur dt. Barockliteratur, 1).
Verzeichnet Ausgaben (280 Nrr.) von 1638-1929, unveröffentlichte Werke (56 Nrr.) und Sekundärliteratur (rd. 160 Titel) in chronologischer Folge. Index.

Carl Zuckmayer (1896-1977)

D 3390 Jacobius, Arnold John: Carl Zuckmayer. Eine Bibliographie 1917-1971. Ab 1955 fortgeführt und auf den jüngsten Stand gebracht von Harro Kieser. Frankfurt/M.: Fischer, 1971.
Verzeichnis der Primärliteratur (S. 21-77) einschl. der Übersetzungen, Schallplatten, Verfilmungen und der Sekundärliteratur (S.81-330) in systematisch-chronologischer Folge. Übersicht über Filme, an denen Zuckmayer mitgearbeitet hat. Verfasserregister.

Arnold Zweig (1887-1968)

D 3400 Wenzel, Georg: Arnold Zweig 1887-1968. Werk und Leben in Dokumenten und Bildern. Mit unveröffentlichten Manuskripten und Briefen aus dem Nachlaß. Berlin: Aufbau-Verlag, 1978 (Veröffentlichungen der Akademie der Künste der DDR).
Verzeichnet Erstausgaben und Sekundärliteratur unter Auswertung des Archivmaterials des Arnold-Zweig-Archivs der Akademie der Künste der DDR. Werk-, Namenregister.

D 3405 Lange, Ilse: Findbuch des literarischen Nachlasses von Arnold Zweig. 2 Teile. Berlin (Ost): Akademie der Künste der DDR, 1983.

Stefan Zweig (1881-1942)

D 3410 Klawiter, Randolph J.: Stefan Zweig. A bibliography. Chapel Hill: Univ. of North Carolina Press, 1964.
Verzeichnet die Primärliteratur, einschl. der Übersetzungen, und die deutschsprachige wie fremdsprachige Sekundärliteratur (rd. 3400 Nrr.). Anmerkungen. Werktitel-, Periodika-, Übersetzer- und Herausgeber-, Namenregister.

1.6 QUELLENREPERTORIEN

D 3510 Epochen- bzw. themenbezogene Quellenverzeichnisse sind in den Abschnitten 1.3 Epochenbibliographien bzw. 1.4 Sachthemenbibliographien verzeichnet.

D 3520 Raabe, Paul: Einführung in die Quellenkunde zur neueren deutschen Literaturgeschichte. 3. Aufl. Stuttgart: Metzler, 1974 (Sammlung Metzler, 73).

Zur Überlieferung, Bewahrung und Typologie literarischer Quellen (Handschriften, Drucke, Werkzeugnisse, Lebenszeugnisse).

D 3530 Raabe, Paul; Ruppelt, Georg: Quellenrepertorium zur neueren deutschen Literaturgeschichte. 3. vollst. neubearb. Aufl. Stuttgart: Metzler, 1981 (Sammlung Metzler, 74).

Dokumentationsband zur *Quellenkunde*.

D 3540 Wilpert, Gero von; Gühring, Adolf: Erstausgaben deutscher Dichtung. Eine Bibliographie zur deutschen Literatur 1600-1960. Stuttgart: Kröner, 1967.

Verzeichnet rd. 47000 Erstausgaben von 1360 deutschsprachigen Schriftstellern. *Neubearbeitung in Vorber.*

D 3550 Handbuch der Editionen. Deutschsprachige Schriftsteller. Ausgang des 15. Jahrhunderts bis zur Gegenwart. Bearb. von Waltraud Hagen u. a. München: Beck, 1979.

Verzeichnet die für die wissenschaftliche Arbeit wichtigen Gesamt- und Sammelausgaben von rd. 240 deutschsprachigen Schriftstellern der Neuzeit.

D 3560 Internationale Bibliographie der Reprints. International Bibliography of Reprints. Bearb. von Christa Gnieß. 2 Bde. in 4 Tlen. München: Saur, 1976-1980.

Bd. 1, 1-2: Bücher und Reihen (alphabetisch nach Autoren); Bd. 1, 3: Register; Bd. 2: Zeitschriften, Zeitungen, Jahrbücher, Konferenzberichte usw.

D 3570 Bulletin of Reprints. Vol. 11-17 (1974-1980) München u.a.: Saur, 1976-1981.

Erscheinungsweise: vier Hefte im Jahr; alphabetisch nach Autoren gegliedert. General Index in Heft 4.

1.7 NACHLASSVERZEICHNISSE

D 3610 Über den Standort der Nachlässe der wichtigsten Autoren informieren auch Teil F dieses Informationshandbuches, die Personalbibliographien [D 2060ff.] sowie das *Deutsche Literaturlexikon* (-> C 50). Für vollständige Erfassung und detaillierte Beschreibung wird auf folgende spezielle Nachlaßverzeichnisse hingewiesen, die durch Bestandsverzeichnisse der wichtigsten Literaturarchive ergänzt werden.

Weitere Bestandsverzeichnisse werden in den Teilen F und G erfaßt. Auskünfte über die Standorte von Nachlässen und einzelnen Autographen erteilt auch die "Zentralkartei der Autographen" bei der Staatsbibliothek Preußischer Kulturbesitz (-> H 50), die über mehr als 1 Mio. Eintragungen verfügt.

D 3620 Frels, Wilhelm: Deutsche Dichterhandschriften von 1400 bis 1900. Gesamtkatalog der eigenhändigen Handschriften deutscher Dichter in den Bibliotheken und Archiven Deutschlands, Österreichs, der Schweiz und der CSR. Leipzig: Hiersemann, 1934 (Bibliographical Publications. Germ. Sect. Mod. Lang. Association of America, 2) [*Neudruck*: Stuttgart: Hiersemann, 1970].

Alphabetisch nach Personennamen geordnet. Im Standort-Nachweis teilweise überholt, brauchbar wegen der genauen Inhaltsbeschreibungen.

D 3630 Denecke, Ludwig: Die Nachlässe in den Bibliotheken der Bundesrepublik Deutschland. 2. Aufl., völlig neu bearbeitet von Tilo Brandis. Boppard: Boldt, 1981 (Verzeichnis der schriftlichen Nachlässe in deutschen Archiven und Bibliotheken, 2).

Alphabetisch nach Personennamen geordnet. Verzeichnet rd. 7640 Fundstellen zu 6343 Namen. Kurzbeschreibung des Nachlasses (Umfang und Inhalt) mit Verweis auf weiterführende detaillierte Verzeichnisse und Kataloge. Erfaßt auch die wichtigsten Literaturarchive, deshalb teilweise Überschneidung mit:

D 3640 Mommsen, Wolfgang A.: Die Nachlässe in den deutschen Archiven. Mit Ergänzungen aus anderen Beständen. 2 Bde. Boppard: Boldt, 1971-1983 (Verzeichnis der schriftlichen Nachlässe in deutschen Archiven und Bibliotheken, 1).

Teil I: Einleitung und Verzeichnis; Teil II: Nachträge und Register. Verzeichnet insgesamt nahezu 8000 Nachlässe. Erschließung über mehrere Register.

D 3650 Rogalla von Bieberstein, Johannes: Literarische Nachlässe in Nordrhein-Westfalen. Erhebungen und Gutachten durchgeführt im Jahre 1978 im Auftrag des Kultusministers des Landes Nordrhein-Westfalen. Köln: Greven, 1979 (Kulturförderung in NRW, 1).

Nach Bibliothekstypen, dann alphabetisch nach Orten angelegtes Verzeichnis. Kein Register.

D 3660 Dachs, Karl: Die schriftlichen Nachlässe in der Bayerischen Staatsbibliothek. Wiesbaden: Harrassowitz, 1970 (Catalogus codicum manuscriptorum Bibliothecae Monacensis, IX, 1).

Alphabetisch nach Namen geordnetes Verzeichnis von 630 Nachlässen, darunter von zahlreichen Dichtern, Schriftstellern, Germanisten. Knappe Kennzeichnung. Berufsregister. Zeitregister.

D 3670 Kußmaul, Ingrid: Die Nachlässe und Sammlungen des Deutschen Literaturarchivs Marbach am Neckar. Ein Verzeichnis. 2. Aufl. Marbach: Deutsche Schillergesellschaft, 1986 (Verzeichnisse, Berichte, Informationen, 10).

Alphabetisch nach Nachlassern geordnet. Personenregister, Register der Geburtsjahre.

D 3680 Lohrer, Liselotte: Bestandsverzeichnis des Cotta-Archivs. Bd. I: Dichter und Schriftsteller. Stuttgart: Klett, 1963 (Veröffentlichungen der Deutschen Schillergesellschaft, 25).
Exakte, alphabetisch nach Autoren geordnete Beschreibung. Register.

D 3690 Behrens, Jürgen; Habermann, Beatrix; Philippsborn, Leo: Katalog der Handschriften des Freien Deutschen Hochstifts - Frankfurter Goethe-Museum. Tübingen: Niemeyer, 1982 (Freies Deutsches Hochstift. Reihe der Schriften, 25).
Detailliertere Beschreibung der Handschriften der bedeutenderen Autoren; Pauschalverzeichnung bei weniger wichtigen Beständen.

D 3700 Gelehrten- und Schriftstellernachlässe in den Bibliotheken der DDR. T. 1-3. Berlin (Ost): Dt. Staatsbibliothek, 1959-1971.
Teil 1: Wissenschaftliche Allgemeinbibliotheken; Teil 2: Wissenschaftliche Institute, Museen und allgemeinbildende Bibliotheken; Teil 3: Nachträge, Ergänzungen; Standort-, Sach-, Namenregister. - Jeder Bd. alphabetisch nach Namen geordnet mit Kurzbeschreibung des Nachlaßmaterials.

D 3710 Kirsten, Christa: Übersicht über die Bestände des Archivs der Deutschen Akademie der Wissenschaften zu Berlin. Berlin: Akademie-Verlag, 1960.

D 3720 Übersicht über die von der Deutschen Akademie der Künste betreuten Schriftstellernachlässe. Berlin (Ost): Literatur-Archiv der Deutschen Akademie der Künste zu Berlin, 1962 (Dt. Akademie der Künste zu Berlin. Schriftenreihe der Literatur-Archive, 8).
Exakt beschreibendes, nur maschinenschriftlich vervielfältigtes Verzeichnis der Nachlässe, Teilnachlässe und Einzelhandschriften.

D 3730 Hahn, Karl-Heinz: Goethe- und Schiller-Archiv. Bestandsverzeichnis. Weimar: Arion, 1961 (Bibliographien, Kataloge und Bestandsverzeichnisse).
Verzeichnet in zwei Alphabeten Nachlässe, Teilnachlässe und Einzelhandschriften mit genauerer Beschreibung. Register.

D 3740 Schmutz-Pfister, Anne-Marie: Repertorium der handschriftlichen Nachlässe in den Bibliotheken und Archiven der Schweiz. Bern: Benteli, 1967 (Quellen zur Schweizer Geschichte, N.F. IV, 8).
Alphabetisch nach Namen geordnetes Verzeichnis mit kurzer Beschreibung der Nachlaßmaterialien.

D 3750 Folter, Roland: Deutsche Dichter- und Germanistenbibliotheken. Eine kritische Bibliographie ihrer Kataloge. Stuttgart: Eggert, 1975.

2 BIBLIOGRAPHIEN ZUR FACHDIDAKTIK

Fachdidaktische Publikationen werden zum großen Teil auch in den literaturwissenschaftlichen Bibliographien (-> D 170ff.) verzeichnet.

D 3810 Schmidt, Heiner: Bibliographie zur literarischen Erziehung. Gesamtverzeichnis von 1900 bis 1965. Zürich/Einsiedeln, Köln: Benziger, 1967.

Erfaßt selbständig und unselbständig erschienenes Schrifttum zur Sprach- und Literaturdidaktik, zur Jugendkunde und -pflege. Berücksichtigt auch Kinder- und Jugendliteratur. Zeitschriften-, Autoren- und Titel-, Sachregister.

D 3820 Boueke, Dietrich u.a.: Bibliographie Deutschunterricht. Ein Auswahlverzeichnis. 3. Aufl. Paderborn: Schöningh, 1978 (UTB 230). - Erg.-Bd. 1977-1984. Ebd. 1984 (UTB 1333).

Systematisch gegliederte Auswahlbibliographie zu allgemeinen Fragen des Deutschunterrichts, zum Sprach-, Schreib-, Rechtschreib-, Aufsatz-, Lese- und Literaturunterricht.

D 3830 Schmidt, Heiner: Quellenlexikon der Interpretationen und Textanalysen. Personal- und Einzelwerkbibliographie zur deutschen Literatur von den Anfängen bis zur Gegenwart. Ein Handbuch für Schule und Hochschule. 12 Bde. Duisburg: Verlag für Pädagogische Dokumentation, 1984-1987 (Beihefte zum BIB-Report, 28-39).

Bd. 1-7: Quellenlexikon; Bd. 8: Register; Bd. 9-12: Nachträge A-Z.

D 3840 Schlepper, Reinhard: Was ist wo interpretiert? Eine bibliographische Handreichung für den Deutschunterricht. 7. Aufl. Paderborn: Schöningh, 1986.

Verzeichnet Interpretationen zu Romanen, Novellen, Kurzgeschichten, Bühnenstücken, Hörspielen und Gedichten.

3 BIBLIOGRAPHIEN ZUR VERGLEICHENDEN LITERATURWISSENSCHAFT

D 3910 Hier wird nur eine kleine Auswahl komparatistischer Bibliographien angeführt. Weitere Angaben in den Literaturverzeichnissen von Remak (D 3920) und den Einführungen in das Studium der Vergleichenden Literaturwissenschaft (-> B 750-B 770). Die Bibliographien zur deutschen Literaturwissenschaft (-> D 170ff.) verzeichnen auch komparatistische Arbeiten, wenn diese die deutsche Literatur berühren.

D 3915 Internationale Bibliographie zu Geschichte und Theorie der Komparatistik. Hrsg. von Hugo Dyserinck und Manfred S. Fischer. Stuttgart: Hiersemann, 1985.

Erfaßt systematisch-theoretische und programmatische Beiträge zur Komparatistik; Beiträge zu Geschichte und aktuellem Stand des Faches; Beiträge, die für Entwicklung und Ausbau der Komparatistik als akademischer Disziplin Bedeutung aufweisen. Insgesamt rd. 4000 Titel.

D 3920 Remak, Henry H. H.: Definition und Funktion der Vergleichenden Literaturwissenschaft. In: Komparatistik. Aufgaben und Methoden. Hrsg. von Horst Rüdiger. Stuttgart: Kohlhammer, 1973, S. 11-54.
Enthält auf den S. 32-54 eine kritisch kommentierte Auswahlbibliographie mit den Abschnitten: Übersichten über die Vergl. Literaturwiss. als Disziplin; Untersuchungen über grundlegende Aspekte der Definition und Funktion der Vergl. Lit.wiss.; Umfassende internationale Darstellungen der Literaturgeschichte und der Literaturkritik; Zeittafeln; Bibliographien zur Vergl. Literaturwiss.; Zeitschriften; Nachschlagewerke.

D 3930 Baldensperger, Fernand; Friedrich, Werner P.: Bibliography of comparative literature. 2. Aufl. New York 1966 (University of North Carolina Studies in comparative literature, 1).
Umfassende Bibliographie zur Vergleichenden Literaturwissenschaft. Standardwerk.
Fortführung:

D 3940 Yearbook of comparative and general literature. Ed. by W. P. Friedrich, Vol. 1ff. Chapel Hill 1952ff.

D 3950 Index translationum. Repertoire international des traductions. International bibliography of translations. Paris 1932ff. - Neue Folge (für 1948ff.) Paris: Unesco, 1950ff.
Umfassende Bibliographie der Übersetzungsliteratur.

D 3960 Fromm, Hans: Bibliographie deutscher Übersetzungen aus dem Französischen. 1700-1948. 6 Bde. Baden-Baden: Verlag für Kunst und Wissenschaft, 1950-1953

D 3965 Zehn Jahre deutsche Übersetzungen aus dem Französischen (1945-1955). Bearb.: I. Wenger. Hamburg: Blüchen, 1956.

D 3970 Bihl, Liselotte; Epting, Karl: Bibliographie französischer Übersetzungen aus dem Deutschen 1487-1944. In Verbindung mit Kurt Wais hrsg. von der UB Tübingen. 2 Bde. Tübingen: Niemeyer, 1987.

D 3975 Siebenmann, Gustav; Casetti, Donatella: Bibliographie der aus dem Spanischen, Portugiesischen und Katalanischen ins Deutsche übersetzten Literatur 1945-1983. Tübingen: Niemeyer, 1985.

D 3980 Price, Lawrence Marsden: Die Aufnahme englischer Literatur in Deutschland 1500-1960. Bern: Francke, 1961, S. 379-464.

Auswahlbibliographie (1685 Nrr.) der Sekundärliteratur zur Rezeption der englischen Literatur in Deutschland.

D 4000 Schloesser, Anselm: Die englische Literatur in Deutschland von 1895-1934. Mit einer vollständigen Bibliographie der deutschen Übersetzungen und der im deutschen Sprachgebiet erschienenen englischen Ausgaben. Jena: Frommann, 1937.

D 4005 O'Neill, Patrick: German literature in English translation. A select bibliography. Toronto, London: Univ. Press, 1981.

D 4010 Gentikow, Barbara: Skandinavische und deutsche Literatur. Bibliographie der Schriften zu den literarischen, historischen und kulturgeschichtlichen Wechselbeziehungen. Neumünster: Wachholtz, 1975 (Skandinavistische Studien, 3).
Verzeichnet in systematischer Ordnung rd. 2300 Titel (darunter zahlreiche weiterführende Bibliographien). Verfasser-, Sachregister.

D 4020 Fallenstein, Robert; Hennig, Christian: Rezeption skandinavischer Literatur in Deutschland 1870-1914. Quellenbibliographie. Neumünster: Wachholtz, 1977 (Skandinavistische Studien, 7).
Alphabetisch nach Autoren geordnet (rd. 8500 Titel). Werk-, Verfasser-, Zeitschriftenregister.

D 4025 Quandt, Regina: Schwedische Literatur in deutscher Übersetzung. 1830-1980. Eine Bibliographie. Hrsg. von Fritz Paul und Heinz-Georg Halbe. Bd. 1ff Göttingen: Vandenhoeck & Ruprecht, 1987ff. (Abhandlungen der Akademie der Wissenschaften zu Göttingen, phil.-hist. Kl. 3, 161 bis 164).
Bd. 1: Anthologien A-Z; Bd. 2: Autoren A-G; Bd. 3: H-Linderholm; Bd. 4: Lindgren bis R.

D 4030 A syllabus of comparative literature, compiled by the Faculty of Comparative Literature, Livingston College, Rutgers University. Ed.: John O. Mc Cormick. 2. Aufl. Metuchen, N.J.: Scarecrow PR., 1972.

4 BIBLIOGRAPHIEN ZUR THEATERWISSENSCHAFT

D 4110 Im Hinblick auf das entstehende *Informationshandbuch Theater, Film, Funk und Fernsehen* werden hier nur einige wenige Spezialbibliographien zur Theaterwissenschaft genannt. Eine umfangreiche Verzeichnung findet sich bei O. G. Schindler (-> D 4130). Grundsätzlich referieren auch die abgeschlossenen und periodischen Bibliographien zur Literaturwissenschaft (-> D 170ff.) über theaterwissenschaftliche Arbeiten.

D 4120 Heidtmann, Frank; Ulrich, Paul S.: Wie finde ich film- und theaterwissenschaftliche Literatur? Berlin: Berlin-Verlag, 1978 (Veröffentlichungen des Instituts für Bibliothekarausbildung der Freien Universität Berlin, 17; Orientierungshilfen, 11).
Einführung in die Bibliotheksarbeit und die Auskunftsmittel zu den Bereichen Film und Theater, hauptsächlich für die Bibliothekarausbildung.

D 4130 Schindler, Otto G.: Theaterliteratur. Ein bibliographischer Behelf für das Studium der Theaterwissenschaft. Mit einem Anhang: Bibliographie zur österreichischen Theatergeschichte, zusammengestellt von Fritz Fuhrich. 6. Ausg. Wien: Wiener Gesellschaft für Theaterforschung, 1978.
Als Manuskript vervielfältigt. Verzeichnet Nachschlagewerke und Schriften zur Theorie, Methodik und Geschichte der Theaterwissenschaft sowie Arbeiten zum Drama, zur Schauspielkunst, zu Inszenierung und Regie, Theaterbau und Bühnentechnik, zu Bühnenbild und Kostüm und zu den einzelnen Gattungen des Theaters (Musiktheater, Ballett, Tanz, Pantomime, Kabarett, Variété, Zirkus). Ebenso aufgenommen ist eine reiche Auswahl von wissenschaftlicher Literatur zu soziologischen, psychologischen, pädagogischen, ökonomischen und verwandten Aspekten des Theaters. Schließt die Medien Film, Fernsehen und Hörfunk mit ein. Umfaßt insgesamt fast 2300 Titel.

D 4140 Hadamowsky, Franz: Bücherkunde deutschsprachiger Theaterliteratur. 3 Teile. Wien, Köln, Graz: Böhlau, 1982-1988 (Maske und Kothurn, Beiheft 5-6).
Teil 1,1 (1750-1899; 1988); Teil 1,2 (1900-1944; 1986); Teil 2 (1945-1979; 1982). Erfaßt rd. 22700 Titel zum Gesamtbereich des Theaters (einschl. Musik- und Tanztheater).

5 BIBLIOGRAPHIEN ZUR MEDIENKUNDE

D 4250 Hagelweide, Gert: Literatur zur deutschsprachigen Presse. Eine Bibliographie. Bd. 1ff. München u.a.: Saur, 1985ff. (Dortmunder Beiträge zur Zeitungsforschung, 35).
Bd. 1 (1985): Handbücher, Lexika, Bibliographien, Pressesammlung und -dokumentation, Organisation der Presse (Verbände), Zeitungs-, Publizistik- und Kommunikationswissenschaft, Presse im Wechselspiel der Medien und der Öffentlichkeit. Bd. 2 (1989): Presseverlag - Träger der Aussage - Presseinhalt: Formgebung und Gestaltung - Inhaltsbeschaffung und -vermittlung - Nachrichtenwesen. Bd. 3 (1989): Technische Herstellung und Vertrieb - Der Rezipient. Bd. 4-9 in Vorber.

D 4260 Schanze, Helmut: Medienkunde für Literaturwissenschaftler. Einführung und Bibliographie. Mitarbeit: Manfred Kammer. München: Fink, 1974 (UTB 302).
Systematisch-alphabetisch geordnete Auswahlbibliographie (S. 82-114). Nicht in das Register einbezogen.

D 4270 Keckeis, Hermann: Das deutsche Hörspiel (1923-1973). Ein systematischer Überblick mit kommentierter Bibliographie. Frankfurt/M.: Athenäum, 1973.
Enthält auf den Seiten 148-183 eine kommentierte Bibliographie in systematisch-chronologischer Anordnung.

D 4280 Rosenbaum, Uwe: Das Hörspiel. Eine Bibliographie. Texte - Tondokumente - Literatur. Hamburg: Hans-Bredow-Institut, 1974 (Studien zur Massenkommunikation, 6).
Verzeichnet Hörspieltexte (Buchausgaben) und Tondokumente sowie Sekundärliteratur (u.a. zur Geschichte, zur Dramaturgie und Form, zur Produktion und Rezeption). Verzeichnis preisgekrönter Hörspiele. Zeitschriften- und Zeitungs-, Titel-, Autorenregister.

D 4290 Emmler, Klaus-Dieter; Niggemeyer, Hanneliese: Das Hörspiel. Ein Literaturverzeichnis. 3 Teile. 2. erw. Aufl. Köln: Westdt. Rundfunk, Bibliothek, 1976 (Kleine Rundfunkbibliothek, 1).
Teil 1: Texte; Teil 2: Sekundärliteratur; Teil 3: Manuskripte.

D 4295 Würffel, Stefan Bodo: Das deutsche Hörspiel. Stuttgart: Metzler, 1978 (Sammlung Metzler, 172).

D 4300 Ubbens, Wilbert: Presse, Rundfunk, Fernsehen, Film. Ein Verzeichnis deutschsprachiger Literatur zur Massenkommunikation (1968 bis 1971). Berlin: Spiess, 1971.
Fortführung:

D 4301 Ubbens, Wilbert: Literaturverzeichnis Massenkommunikation (1971-1973). Berlin: Spieß, 1975.
Fortführung:

D 4302 Ubbens, Wilbert: Jahresbibliographie Massenkommunikation. 1974/75ff. Bremen: Universität (ab 1979 [1981]ff.: Berlin: Spiess), 1976ff.

D 4330 Bibliographie der österreichischen Literatur zur Massenkommunikation 1945-1975. Projektleitung: Benno Signitzer. Mitarbeit: Hedwig Cech u.a. Hrsg. vom Institut für Publizistik und Kommunikationstheorie der Universität Salzburg. Salzburg 1978.
Ca. 4600 Titelnachweise österreichischer Veröffentlichungen zur Massenkommunikation.

D 4340 Schriftsteller und Film. Dokumentation und Bibliographie. Hrsg. von E. Pick. Berlin (Ost): Henschel, 1979.

D 4350 Paech, Joachim: Literatur und Film. Stuttgart: Metzler, 1988 (Sammlung Metzler, 235).

D 4360 Tadikk, Hans; Ellner, Silvia (Red.): Katalog der Literaturvorlagen in Film und Fernsehen. o.O.: Deutsche Gesellschaft für Filmdokumentation, 1973 (Texte, 1).
Alphabetisch nach Literaturvorlagen (Autorenname als Ordnungswort) gegliedert. Nachträge. Kein Register.

6 HOCHSCHULSCHRIFTENVERZEICHNISSE

D 4410 Hochschulschriften (Dissertationen, Habilitationsschriften u.ä.) sind in der Regel in den abgeschlossenen und periodischen Fachbibliographien (-> D 160ff., D 310ff.) verzeichnet. Systematisch werden sie für den Zeitraum bis 1965 in den beiden *Gesamtverzeichnissen des deutschsprachigen Schrifttums* (-> D 4630, D 4640) erfaßt. Für den Zeitraum 1965-1980 ist heranzuziehen:

D 4415 Gesamtverzeichnis deutschsprachiger Hochschulschriften 1966 bis 1980. Hrsg. von Willi Gornzy. Bd. 1ff. München: Saur, 1984ff.
Verzeichnet rd. 300000 Titel aus der Bundesrepublik Deutschland, der DDR, Österreich und der Schweiz. Alphabetische Anordnung nach Autoren, Hochschulen und Sachtiteln.

Für die Zeit nach 1980 sind heranzuziehen:

D 4420 Jahresverzeichnis der deutschen Hochschulschriften (JdH). Bearb. von der Deutschen Bücherei. Jg. 1 (1885-86)ff. Berlin (später: Leipzig) 1887ff.
Ab 1970 u.d.T.: Jahresverzeichnis der Hochschulschriften der DDR, BRD und Westberlins. Gliederung innerhalb der Teile Deutschlands alphabetisch nach Hochschulorten, innerhalb der Hochschulen nach den Gruppen: allgemeine Schriften, Habilitationsschriften, Dissertationen (alphabetisch nach Verfassern). Verfasser-, Stichwortregister (andere Anlage in den älteren Jahrgängen). - *Hinweis*: Bei Fernleihebestellungen maschinenschriftlicher Dissertationen empfiehlt sich die Angabe der U-Nummer des JdH.

D 4430 Deutsche Nationalbibliographie. Reihe C: Dissertationen und Habilitationsschriften. Leipzig 1968ff.
Erscheint *monatlich*. Erfaßt alle deutschen Hochschulen der Bundesrepublik und der DDR. Gliederung nach Sachgruppen (wie Reihe A [-> D 4700]). Verfasser-, Stichwortregister.

D 4440 Deutsche Bibliographie. Reihe H: Hochschulschriften-Verzeichnis. Unter Mitwirkung dt. Hochschulbibliotheken bearb. u. hrsg. von der Deutschen Bibliothek Frankfurt am Main. Frankfurt 1972ff.

Erscheint *monatlich*. Erfaßt ab Berichtsjahr 1971 die Hochschulschriften aus der Bundesrepublik, aus Berlin und aus der DDR. Gliederung in 65 (bis 1981: 26) Sachgruppen (vgl. Reihe A [-> D 4760]). Verfasser-, Titel- und Stichwortregister.

D 4450 Jahresverzeichnis der schweizerischen Hochschulschriften. Catalogue des écrits académiques suisses. Jg. 1 (1897/98ff) Basel: Univ. Bibl., 1898 ff.

Verzeichnet Reden, Habilitationsschriften und Dissertationen (alphabetisch nach Verfassern), gegliedert nach Hochschulorten und Hochschulen. Titel- und Sach-, Verfasserregister.

D 4460 Gesamtverzeichnis österreichischer Dissertationen. Bd. 1 (1966)ff. Wien: Verlag der wiss. Verbände Österreichs, 1967ff.

Erscheint *jährlich*. Verzeichnet Dissertationen österreichischer Hochschulen, alphabetisch gegliedert nach Hochschulorten. Verfasser-, Stichwort-, Personenregister.

D 4470 Verzeichnis der literaturwissenschaftlichen Dissertationen an österreichischen Hochschulen. Studienjahr 1969/70ff. In: Sprachkunst 1, 1970ff. (-> E 1030).

Über Dissertationsvorhaben informieren:

D 4490 Verzeichnis der im Entstehen begriffenen Dissertationen aus dem Gebiete der deutschen Sprache und Literatur (Red.: Georg Bangen). Liste 1-10. Berlin-Dahlem: Germanisches Seminar der Freien Universität, 1958-1969. - Fortgef. als:

D 4500 Verzeichnis der germanistischen Dissertationsvorhaben, zugest. von Georg Bangen. Liste 11: In: *Jahrbuch für Internationale Germanistik* (-> E 810) 2, 1970, H. 2, S. 5-257; Liste 12: 6, 1974, H. 2, S. 167-199; Liste 13: 10, 1979, H. 2, S. 144-190.

Ab Liste 14 erscheint das *Verzeichnis germanistischer Dissertationsvorhaben* in der Reihe B des *Jahrbuchs für Internationale Germanistik*. Bd. 7: Liste 14 (Meldungen vom 1.4.1978 bis 31.3.1981); Bd. 10: Liste 15 (Meldungen vom 1.4.1981 bis 31.7.1986).

Meldungen werden erbeten an: Zentrale Kartei germanistischer Dissertationen. Germanisches Seminar der Freien Universität Berlin, Habelschwerdter Allee 45, D-1000 Berlin 33 (unter Angabe von Thema, Name und Adresse des Doktoranden, Name des Betreuers, Universität, voraussichtlichem Abschlußtermin).

D 4510 Jahrbuch für Internationale Germanistik. Reihe B: Germanistische Dissertationen in Kurzfassung. Bd. 1ff. Bern, Frankfurt/ M., Las Vegas: Lang, 1975ff.

D 4520 Schweizerische Dissertationszentrale. Mitteilungen der Schweizerischen Dissertationszentrale. Informations de la Centrale Suisse des thèses. Jg. 1ff. Bern 1969ff.

Hochschulschriftenverzeichnisse des außerdeutschen Sprachraums -> Hansel, Bücherkunde (-> D 70, S. 155-161) und -> H 140.

7 ALLGEMEINBIBLIOGRAPHIEN UND BÜCHERVERZEICHNISSE

D 4560 Zur bibliographischen Erfassung der Primärliteratur und der neuesten Sekundärliteratur (einschl. der in nächster Zukunft erscheinenden) muß man auf die Allgemeinbibliographien zurückgreifen.

D 4570 Im Falle der Primärliteratur wird man zunächst prüfen, ob nicht bereits ein Quellenverzeichnis (-> Epochenbibliographien D 460ff. bzw. D 3610ff.) oder eine Personalbibliographie (-> D 2010ff.) vorliegt (für Schriftsteller bis zum Beginn des 19. Jahrhunderts siehe auch Goedekes *Grundriß* [-> D 210, D 220]). Dann wird man die beiden *Gesamtverzeichnisse des deutschsprachigen Schrifttums* (-> D 4630, D 4640) und die Verzeichnisse der *Deutschen Bibliographie* (-> D 4740ff.) bzw. der *Deutschen Nationalbibliographie* (-> D 4680ff.) heranziehen, mit deren Hilfe bis in die unmittelbare Gegenwart hinein selbständig erschienenes Schrifttum erfaßt werden kann. Mit Hilfe des *CIP Neuerscheinungen-Sofortdienstes* (Reihe N der *Deutschen Bibliographie* [-> D 4760]) und des *Verzeichnisses lieferbarer Bücher* (-> D 4830) wird sogar eine Vorausschau auf die Publikationen der nächsten Wochen möglich. Neuerdings verzeichnet auch die *Bibliographie der deutschen Sprach- und Literaturwissenschaft* (-> D 360) Textausgaben bereits bekannter Autoren (in Auswahl). - Zur Erfassung unselbständig erschienener literarischer Texte vgl. die Ausführungen in der Einleitung (-> A 340ff.).

D 4580 Die Allgemeinbibliographien müssen aber auch herangezogen werden, wenn man die Sekundärliteratur der jüngsten Zeit erfassen will. Die Verzugszeit der einzelnen Fachbibliographien beträgt je nach Erscheinungsweise und Art der Verzeichnung mehrere Monate bis zu vier Jahren. Diese Lücke kann für die selbständige Literatur mit den Halbjahres- und wöchentlichen Verzeichnissen der *Deutschen Bibliographie* (-> D 4750f.) bzw. den entsprechenden Verzeichnissen der *Deutschen Nationalbibliographie* (-> D 4690f.) geschlossen werden. Auch hier ist eine Vorausschau mit Hilfe des *CIP Neuerscheinungen-Sofortdienstes* (-> D 4760) bzw. des *VLB* (-> D 4830) möglich. Unter Umständen kann sich die - kostenpflichtige - Benutzung der nationalbibliographischen Datenbank der Deutschen Bibliothek BIBLIODATA (-> H 130) lohnen, weil sich dadurch die zeitraubende und mühselige Suche in den wöchentlichen Verzeichnissen erübrigt.

D 4590 Die unselbständig erschienene Sekundärliteratur (Zeitungs- und Zeitschriftenbeiträge, Aufsätze in Jahrbüchern und sonstigen Periodika) ist über die *Internationale Bibliographie der Zeitschriftenliteratur* (-> D 4910ff. bzw. H 135, 5), den *Zeitungsindex* (-> D 4980), den *Citation Index* (-> D 4990), die Datenbank MLA (-> H 140) bzw. durch die eigene Auswertung der wichtigsten einschlägigen Zeitschriften (-> E 610ff.) zu eruieren.

D 4600 Gesamtkatalog der Wiegendrucke. Hrsg. von der Kommission für den Gesamtkatalog der Wiegendrucke. Bd. 1-8, Lfg. 1. Leipzig 1925-1940. - 2. Aufl. (= Nachdruck von Bd. 1-7) Stuttgart: Hiersemann, 1968. - Fortführung: Bd. 8ff Stuttgart: Hiersemann, 1972ff.
Umfassendes internationales Verzeichnis, das sich seit 1904 in Vorbereitung befindet. Bd. 1-8: Abano-Flühe. Bd. 9ff. (Fogeda -).

D 4610 Verzeichnis der im deutschen Sprachbereich erschienenen Drucke des 16. Jahrhunderts. Hrsg. von der Bayerischen Staatsbibliothek München in Verb. mit der Herzog August Bibliothek in Wolfenbüttel. Redaktion: Irmgard Bezzel. Bd. 1ff. Stuttgart: Hiersemann, 1983ff.
Vorgesehen sind 3 Abteilungen mit insgesamt 40 Bden. Bis Herbst 1989: Abt. I (Verfasser, Körperschaften, Anonyma), Bd. 1-14 (A-Ni).

Weitere Verzeichnisse der Drucke des 16. Jhs. -> D 570, D 600.

D 4630 Gesamtverzeichnis des deutschsprachigen Schrifttums (GV) 1700-1910. Bearb. unter der Leitung von Peter Geils und Willi Gorzny. Bibliogr. u. redaktionelle Beratung: Hans Popst und Rainer Schöller. 160 Bde. u. Nachtrag. München u.a.: Saur, 1979-1987.
Umfassende Bibliographie des selbständig erschienenen deutschen Schrifttums für 1700-1910. Ausgewertet wurden 178 nationalbibliographische und sonstige Bücher- und Schriftenverzeichnisse. Ersetzt ältere Bücher- und Hochschulschriftenverzeichnisse für den Zeitraum bis 1910. Aus literaturwissenschaftlicher Sicht vor allem wichtig für die Zeiträume, für die es keine Quellenverzeichnisse gibt. Fortführung:

D 4640 Gesamtverzeichnis des deutschsprachigen Schrifttums (GV) 1911 bis 1965. Hrsg. von Reinhard Oberschelp. 150 Bde. München u.a.: Verlag Dokumentation Saur, 1976-1981.
Umfassende Bibliographie des selbständig erschienenen deutschen Schrifttums und des deutschsprachigen Schrifttums im außerdeutschen Raum für den oben angesprochenen Zeitabschnitt. Ausgewertet wurden 15 Nationalbibliographien und sonstige Bücher- und Schriftenverzeichnisse. Verzeichnet im Buchhandel erschienene Bücher und Landkarten, Zeitschriften (1951-1965 in Auswahl), Veröffentlichungen außerhalb des Buchhandels, deutsche und österreichische Hochschulschriften, schweizerische Hochschulschriften der Hochschulen in Basel, Bern, Freiburg, St. Gallen und Zürich, deutsche Schulprogramme. Ersetzt folgende Allgemeinbibliographien und Hochschulschriften-Verzeichnisse: D 4680, D 4740, D 4780, D 4790, D 4800, D 4420, D 4450 für den Zeitraum 1911-1965.

D 4680 Deutsches Bücherverzeichnis (DBV). Eine Zusammenstellung der im deutschen Buchhandel erschienenen Bücher, Zeitschriften und Landkarten. Nebst Stich- und Schlagwortregister. Bd. 1 (1911)ff. Leipzig: Verlag des Börsenvereins, 1916ff. [*Nachdruck:* 22 Bde. Graz: Akad. Druck- u. Verlagsanstalt, 1960-1962.]

Fünfjahresbände (mit wenigen Ausnahmen). Verzeichnet alles selbständige Schrifttum, das in Deutschland erscheint oder im Ausland in deutscher Sprache veröffentlicht wurde. Entsteht durch Kumulierung von:

D 4690 Jahresverzeichnis des deutschen Schrifttums. Bearb. und hrsg. von der Deutschen Bücherei und dem Börsenverein der deutschen Buchhändler. Leipzig: Börsenverein, 1948ff.

Erschien bis 1944 in halbjährlichem Rhythmus. Zusammenfassung von:

D 4700 Deutsche Nationalbibliographie. Bearb. von der Deutschen Bücherei. Leipzig: Börsenverein, 1931ff.

Reihe A: Erscheint *wöchentlich.* Verzeichnet Neuerscheinungen des Buchhandels in 29 Sachgruppen. Gruppe 22: Kultur, Wissenschaft, Bildung. 23: Philologische Wissenschaften. Belletristik. 27: Allgemeines Schrifttum. Kalender. Jahrbücher. 28: Literarische Schallplatten. Verfasser-, Titel-, Stichwortregister (einschl. der korporativen Verfasser; vierteljährliche Kumulierung); Verlagsregister. Zusammenfassung zu Jahres- (-> D 4690) und Mehrjahresbänden (-> D 4680). - In der Berichterstattung nicht so aktuell wie das Frankfurter Verzeichnis (-> D 4760).

Reihe B: Erscheint *halbmonatlich.* Verzeichnet Neuerscheinungen außerhalb des Buchhandels. Sachgruppen wie Reihe A. Verfasser-, Sachtitel-, Stichwortregister (vierteljährliche Kumulierung). Bisher noch keine vollständige Zusammenfassung (bis 1965 im GV [-> D 4640]).

Reihe C: -> D 4430.

D 4710 Deutsche Nationalbibliographie. Ergänzung 1: Verzeichnis der Schriften, die 1933-1945 nicht angezeigt werden durften. Leipzig 1949 [*Nachdruck:* Ebd. 1974].

Verzeichnet rd. 5500 Titel alphabetisch nach Autoren bzw. nach dem Sachtitel (bei Anonyma). Stichwortregister.

D 4720 Deutsche Nationalbibliographie. Ergänzung 2: Verzeichnis der Schriften, die infolge von Kriegseinwirkungen vor dem 8. Mai 1945 nicht angezeigt werden konnten. Leipzig 1949 [*Nachdruck:* ebd. 1974].

Verzeichnet rd. 7200 Titel alphabetisch nach Autoren bzw. nach dem Sachtitel (bei Anonyma). Stichwortregister. Nicht aufgenommen wurden alle nationalsozialistischen und militaristischen Titel, die aber über eine "Liste der auszusondernden Literatur" (1946 und "Nachträge", 1947ff) erfaßt werden.

D 4725 Gittig, H.: Illegale antifaschistische Tarnschriften 1933-1945. Leipzig 1972.

D 4730 Bedingt durch die Teilung Deutschlands wurde in Frankfurt/M.

1946/47 die Deutsche Bibliothek (-> H 10) als Archivbibliothek und nationalbibliographisches Informationszentrum gegründet. Sie publiziert (parallel zur *Deutschen Nationalbibliographie*):

D 4740 Deutsche Bibliographie. Bearb. von der Deutschen Bibliothek. Frankfurt/M.: Verlag der Buchhändlervereinigung, 1953ff.
Fünfjahresbände. Teil I: Alphabetisches Titelverzeichnis; Teil II: Schlagwort- und Stichwortregister. Verzeichnet alles selbständige deutsch- oder fremdsprachige Schrifttum, das in der Bundesrepublik Deutschland, der DDR, Österreich und der deutschsprachigen Schweiz erscheint, sowie in deutscher Sprache publizierte Bücher anderer Länder. Publikationen außerhalb des Verlagsbuchhandels sind für beide deutsche Staaten von 1945-1965 vollständig, für 1966-1975 in Auswahl und für 1976 bis 1980 nicht enthalten. Von 1945-1955 und ab 1966 werden auch zeitschriftenartige Reihen (Jahrbücher, Jahresberichte) und ab 1971 auch Zeitschriften und Tonträger aufgenommen. Karten sind nur bis 1965 verzeichnet. - Entsteht durch Kumulierung von:

D 4750 Deutsche Bibliographie. Halbjahresverzeichnis. Bd. 1 (1951)ff. Frankfurt/M.: Verlag der Buchhändlervereinigung, 1951ff.
Erscheint *halbjährlich.* - Teil I: Alphabetisches Titelverzeichnis; Teil II: Schlagwort- und Stichwortregister. Ab 1981 Zusammenfassung der Reihen A, B und C von:

D 4760 Deutsche Bibliographie. Wöchentliches Verzeichnis. Jg. 1ff. Frankfurt a.M.: Verlag der Buchhändlervereinigung, 1947ff.
Reihe A: Erscheint *wöchentlich.* Verzeichnet Erscheinungen des Verlagsbuchhandels in 65 (bis 1981: 26) Sachgruppen. Sachgruppen 51-58: Sprach- und Literaturwissenschaften; 59: Belletristik; 02: Buch- und Bibliothek; 03: Nachschlagewerke, Bibliographien; 06: Publizistik; 07: Kinder- und Jugendliteratur; 22: Erziehung, Bildung, Unterricht; 23: Schulbücher. 25: Volkskunde, Völkerkunde; 48: Musik, 49: Theater, Tanz Film.
ISSN/ISBN-Register, Verfasser-, Titel- und Stichwortregister (mit monatlicher Kumulierung), Verlagsregister. Zusätzlich enthält das Vierteljahresregister alle im gleichen Zeitraum in der *Österreichischen Bibliographie* und in *Das Schweizer Buch - Serie A* verzeichneten Verlagsveröffentlichungen. Kumulierung im *Halbjahresverzeichnis* (-> D 4750).
Reihe B: Erscheint *14täglich.* Verzeichnet Publikationen außerhalb des Verlagsbuchhandels (ohne Einzelkarten und Hochschulschriften) und deutschsprachige Publikationen des Auslands; schweizerische Veröffentlichungen werden ab 1972 und österreichische ab 1977 aufgenommen. ISSN/ISBN-Register, Verfasser-, Titel-, Stichwortregister (jährliche Kumulierung bis einschl. 1980). Bis 1975 ist Reihe B nur in Auswahl, ab 1981 vollständig im *Halbjahresverzeichnis* und in den Fünfjahresbänden enthalten.
Reihe C: Erscheint *vierteljährlich.* Verzeichnet Einzelkarten (Kartenwerke in Sachgruppe 62 in A und B). ISSN/ISBN-Register, Verfasser-, Titel-, Stichwortregister. Verlagsregister. Ab 1981 ist Reihe C vollständig im *Halbjahresverzeichnis* und in den Fünfjahresbänden enthalten.

Reihe H: -> D 4440.

Reihe N: Erscheint *wöchentlich*. Neuerscheinungen-Sofortdienst (CIP). Verzeichnet Neuerscheinungen mehrere Wochen vor Auslieferung durch den Verlag. Anlage vergleichbar Reihe A. Mehrere Kumulationen.

Reihe T: Erscheint *monatlich*. Musiktonträger-Verzeichnis (Literarische Schallplatten und Cassetten in A und B). Verfasser-, Titel-, Stichwortregister. Jährliche Kumulierungen.

D 4770 Die Titelaufnahmen der Reihen A, B, C, H und N sind ab Berichtsjahr 1966 bzw. 1972 auch in der Datenbank der Deutschen Bibliothek (BIBLIODATA -> H 130) gespeichert und dort abrufbar.

D 4780 Österreichische Bibliographie. Verzeichnis der österreichischen Neuerscheinungen. Bearb. von der Österreichischen Nationalbibliothek. Wien 1946ff.

Erscheint *halbmonatlich*. Verzeichnet Erscheinungen innerhalb und außerhalb des Buchhandels, gegliedert in Sachgruppen. Verfasser-, Stichwortregister (vierteljährliche und jährliche Kumulierung). Zusammenfassung der im Buchhandel erscheinenden Titel in den Mehrjahresverzeichnissen der *Deutschen Bibliographie* und der *Deutschen Nationalbibliographie*.

D 4790 Das Schweizer Buch. Le livre suisse. Il libro svizzero. Bibliographisches Bulletin der Schweizerischen Landesbibliothek. Jg. 1 (1901)ff. Bern 1901 ff.

Serie A: Erscheint *halbmonatlich*. Verzeichnet Veröffentlichungen des Buchhandels. Autoren- und Stichwortregister.

Serie B: Erscheint *zweimonatlich*. Verzeichnet Veröffentlichungen außerhalb des Buchhandels. Autoren- und Stichwortregister. - Halbjahres- und Jahresregister für beide Reihen gemeinsam. Zusammenfassung des Titelmaterials in:

D 4800 Schweizerische Nationalbibliographie. Katalog der Schweizerischen Landesbibliothek. Fünfjahres-Ausgabe. Bd. 1 (1951-1955)ff. Bern 1956ff.

Zusammenfassung des deutschsprachigen Titelmaterials (Verlagspublikationen) auch in den Mehrjahresverzeichnissen der *Deutschen Bibliographie* und der *Deutschen Nationalbibliographie* (-> D 4740, D 4680).

D 4810 Bibliographie luxembourgeoise. Jg. 1 (1945)ff. Luxembourg: Bibliothèque nationale, 1945ff.

Erscheint *jährlich*. Mit Nachträgen.

Zu den Nationalbibliographien anderer Länder vergleiche: Allischewski (-> D 5170), Koppitz (->D 5190) und Domay (-> D 5215).

Als wichtiges Nachschlagewerk bei der Titelermittlung dient auch:

D 4820 Verzeichnis lieferbarer Bücher (VLB). German books in print. Bücherverzeichnis im Autorenalphabet kumuliert mit Titel und Stichwortregister mit Verweisung auf den Autor. 6 Bde. Frankfurt/M.: Verlag der Buchhändler-Vereinigung (jährlich neu).

Erscheint jeweils im Herbst (mit Ergänzungsband im Frühjahr). Alphabetisch nach Autoren bzw. Sachtiteln geordnet. Verlagsanschriften. Verzeichnis der ISBN-Nummern. Durch frühzeitige Meldungen der Verlage wird bereits ein Teil der Neuerscheinungen der kommenden Monate angezeigt. Erschließung durch:

D 4830 Verzeichnis lieferbarer Bücher (VLB). Subject guide to German books in print. Schlagwort-Verzeichnis. 4 Bde. Frankfurt/M.: Verlag der Buchhändler-Vereinigung (jährlich neu).

D 4840 DDR-Gesamtkatalog [Jahr]. Leipzig: Buchexport (jährlich neu).

Verzeichnet die lieferbaren Bücher der DDR-Verlage. Besteht aus: alphabetischem Grundkatalog, Sammlungen und Schriftenreihen, Titel-Stichwort-Register, Sachgebietsregister.

Auswählend bzw. ergänzend:

D 4850 Verzeichnis lieferbarer alternativer Bücher (VLaB). Hrsg. von Rainer Breuer. Katalog zur Gegenbuchmesse. Konz: Edition Trèves (jährlich neu).

D 4860 Käsmayr, Benno (Hrsg.): Bücher, die man sonst nicht findet. Katalog der Minipressen. Gersthofen: Maro (erscheint im Zweijahresrhythmus).

D 4870 Guide to Microforms in print. Autor, Title. Edited by Ardis Voegelin-Carleton. Westport/London: Microform Review Inc./Mansell (jährlich neu).

Verzeichnet Bücher, die als Mikrofilm oder auf Microfiches lieferbar sind.

Zeitschriftenauswertung:

D 4910 Internationale Bibliographie der Zeitschriftenliteratur. Begr. von Felix Dietrich. Abt. A-C. Leipzig (seit 1946: Osnabrück): Dietrich, 1897 bis 1964.

Umfangreiche Dokumentation der Zeitschriftenliteratur aus allen Gebieten des Wissens. Die rd. 335 Bde. erfassen einen Berichtszeitraum von über 100 Jahren. Erscheinungsverlauf und Anlage lassen es bei systematischer Suche ratsam erscheinen, sich näher mit dem Gesamtaufbau zu beschäftigen (vgl. Helmut Allischewski [-> D 5170] S. 341-354). *Durch die hohe Zahl der Nachträge muß in oft sechs bis acht Registern nachgeschlagen werden, um ein Jahr zuverlässig zu erfassen. Gliederung:*

D 4920 Abt. A: Bibliographie der deutschen Zeitschriftenliteratur mit Einschluß von Sammelwerken. 128 Bde., 20 Erg.-Bde., 6 ungez. Sonderbde. Leipzig 1897-1964 [*Nachdruck*: New York 1961-1962].
Erschien anfangs jährlich, dann *halbjährlich*. Berichtszeitraum: 1896-1944, 1947 bis 1964, mit Erg.-Bden. für die Zeit von 1895-1861. Verzeichnet Aufsätze und Beiträge von wissenschaftlichen oder fachlichem Charakter aus allen Wissensgebieten, die in deutschsprachigen Zeitschriften, Sammelwerken (Festschriften, Tagungsberichten, Aufsatzsammlungen [auch eines Verfassers]) und Zeitungsbeilagen erschienen sind. Ausgeschlossen blieben alle rein literarischen, unterhaltenden oder sonst nichtfachlichen Beiträge.
Ausgewertet wurden bis zu 5000 Periodika; Zahl der jährlich nachgewiesenen Aufsätze: bis zu 140000. *Aufbau*: Verzeichnis der ausgewerteten Zeitschriften, der Aufsätze (nach Schlagwörtern), der Verfasser (jeweils in alphabetischer Folge). Nachträge. Kumulierung der Register in Ansätzen (Sonderbde.); keine Kumulierung des Titelmaterials.
D 4930 Abt. A-Beilage: Verzeichnis von Aufsätzen aus deutschen Zeitungen. 31 Bde. 1908-1922;1928-1944 (die Lücke von 1923-1927 wird durch A geschlossen).
Erscheinungsweise wechselnd. Verzeichnet Aufsätze aller Wissensgebiete *von literarischen oder wissenschaftlichem Anspruch* aus den wichtigsten deutschsprachigen Zeitungen. Ausgewertet wurden zwischen 50 und 100 Zeitungen; Zahl der jährlich nachgewiesenen Aufsätze: bis zu 15000. Nur Jahressach- und Jahresverfasserregister (keine Kumulierungen).
D 4940 Abt. B: Bibliographie der fremdsprachigen Zeitschriftenliteratur. 22 Bde. 1911-1921/25. NF. 51 Bde. 1925-1964.
Erscheinungsweise wechselnd. Berichtszeitraum: 1911-1943, 1949-1964. Auswahl nach den gleichen Kriterien wie in Abt. A, nur daß hier die fremdsprachigen Periodika zugrunde gelegt werden. Ausgewertet wurden bis zu 3800 Zeitschriften, Sammelwerke und Zeitungen mit jährlich bis zu 125000 Verzeichnungen. Aufbau wie Abt. A.
D 4950 Abt. C: Bibliographie der Rezensionen und Referate. 77 Bde. 1900-1943.
Erscheinungsweise wechselnd. Berichtszeitraum: 1900-1943. Verzeichnet deutschsprachige, für die Berichtsjahre 1911-1919 und 1925-1943 auch fremdsprachige Rezensionen. Ausgewertet wurden bis zu 9000 Periodika mit bis zu 60000 jährlich nachgewiesenen Buchbesprechungen.

D 4960 Internationale Bibliographie der Zeitschriftenliteratur aus allen Gebieten des Wissens (IBZ). Hrsg. von Otto Zeller. Jg. 1ff. Osnabrück 1965ff.
Fortführung des "Dietrich" Abt. A und B. - Erscheinungsweise: *halbjährlich* (jeweils mehrere Bände). Berichtszeit: 1965ff. Auswahlkriterien wie bei "Dietrich" Abt. A (-> D 4920). Ausgewertet werden rd. 8000 Zeitschriften, Tagungsberichte und Sammelwerke der westlichen (z.T. auch des slawischen) Sprachkreise mit jährlich rd. 100000 Verzeichnungen. *Aufbau*: wie "Dietrich" Abt. A, jedoch enthält hier ab Jg. 5 auch das Verfasserverzeichnis die vollständige Titelaufnahme. Ab 2. Halbjahr 1983 auch als Datenbank (-> H 135, Punkt 5).

D 4970 Internationale Bibliographie der Rezensionen wissenschaftlicher Literatur (IBR). Hrsg. von Otto Zeller. Jg. 1ff. Osnabrück 1971 ff.
Wiederaufnahme des "Dietrich" Abt. C. Erscheinungsweise wie IBZ, ebenso die Auswahlkriterien. Rd. 2500 ausgewertete Periodika mit ca. 20000 jährlich nachgewiesenen Rezensionen. Ab 2. Halbjahr 1983 auch als Datenbank (-> H 135, Punkt 6).

D 4980 Zeitungsindex. Verzeichnis wichtiger Aufsätze aus deutschsprachigen Zeitungen. Hrsg. von Willi Gorzny. Jg. 1ff. München: Saur, 1974ff. - Dazu Beihefte: Buchrezensionen H. 1ff. ebda. 1974ff.
Erscheinungsweise: *vierteljährlich*. Verzeichnet Artikel und Rezensionen, die namentlich gekennzeichnet sind. Ausgewertet werden rd. 20 deutschsprachige Tages- und Wochenzeitungen von überregionaler Verbreitung. Jährlich ca. 20000 Verzeichnungen.

D 4990 Arts & Humanities Citation Index (A&HCI). Jg. 1976ff. Philadelphia: Institute for Scientific Information, 1977ff.
Der A&HCI wertet laufend auf internationaler Ebene eine große Zahl von Zeitschriften und sonstigen Periodika im Hinblick auf die in den Anmerkungen zitierten Publikationen aus. Der Gedanke, der hinter dieser Art von Literaturverzeichnung steht, ist der, daß jede wissenschaftliche Veröffentlichung nicht ohne Zitate aus der zeitgenössischen oder früheren Literatur auskommt und daß der Zitierzusammenhang in wissenschaftlichen Publikationen auch immer ein Sachzusammenhang ist. Durch diese Art der Verzeichnung ergibt sich ein feinmaschiges Netz der Sacherschließung, wie es mit konventionellen Formen nicht erreicht werden kann.
Bd. 1-2: Citation Index. Alphabetisches Verzeichnis der zitierten Literatur (Autor, Titel [originalspr. oder engl.], zitierende Literatur [in kürzester Form]). Bd. 3: Source Index. Corporate Index. Alphabetisches Verzeichnis der zitierenden Literatur (Autor, Titel, Publikationsorgan, Liste der zitierten Literatur [mit Verweis auf Bd. 1-2]). Corporate Index. Alphabetisches Verzeichnis der Institutionen, denen die Autoren der zitierenden Literatur angehören. Bd. 4: Permuterm Subject Index. Alphabetisches Verzeichnis kombinierter Sachbegriffe (auch Autorennamen) mit Verweis auf Bd. 3. Ausführliche Benutzungsanleitung. - Als Datenbank -> H 145.

8 BIBLIOTHEKSKATALOGE, SONSTIGE BESTANDSVERZEICHNISSE

D 5010 Bei älteren oder besonders seltenen Publikationen, die in den vorgenannten Bücherverzeichnissen nicht zu finden sind, erweisen sich oft die großen Bibliothekskataloge als unentbehrliche Helfer. Deshalb sei hier summarisch auf sie verwiesen (genaue Beschreibung: Helmut Allischewski [-> D 5170] S. 42-81):

D 5020 British Museum. General Catalogue of printed books. Photolithographic edition to 1955. 263 vols. London 1959-1966. [Nebst] Ten-year Supplement 1956-1965. 50 Vols. London 1968. Five-year Supplement

1966-1970. 26 Vols. London 1971-1972. Five-year Supplement 1971 bis 1975. 13 Bde. London 1978-1979.
Verzeichnet im Grundkatalog etwa 4 Mio. Titel. Ständige Aktualisierung als Microfiche-Edition.

D 5030 Bibliothèque nationale. Départements des imprimés. Catalogue général. Auteurs. 231 Vols. Paris 1897-1981.
Enthält mit gleitender Berichtszeit die Erwerbungen bis 1959. - Fortführungen:

D 5040 Catalogue général des livres imprimés. 1960-1969. Paris 1973 bis 1978. - 1970-1979. Paris 1983-1985.
Weitere Aktualisierung als Microfiche - Katalog.

D 5060 The National Union Catalog. Pre-1956 imprints. 685 Vols. London, Chicago 1968-1981.
Enthält rd. 13 Mio. Titel, die bis 1955 erschienen sind. Für 1956ff.:

D 5070 The National Union Catalog. A cumulativ author list representing Library of Congress printed cards and titles reported by other American Libraries. Vol. 1ff. Washington 1956ff.
Mehrere Kumulationen. Auch Microfiches-Version.

Auswertung der Bibliotheksbestände:

D 5100 Gebhardt, Walther: Spezialbestände in deutschen Bibliotheken. Bundesrepublik Deutschland einschl. Berlin (West). Im Auftrag der Deutschen Forschungsgemeinschaft bearb. Berlin, New York: de Gruyter, 1977.
Verzeichnet alphabetisch nach Orten rd. 870 Bibliotheken der Bundesrepublik und gibt Auskunft über Pflichtexemplare, Sondersammel- und Besondere Sammelgebiete sowie die Standorte von Depot- und Gelehrtenbibliotheken mit jeweiligen Spezialbeständen. Erschließung durch Begriffs-Konkordanz und Hauptregister.

D 5110 Fischer, Ludwig; Pforte, Dietger; Zerges, Kristina; Dunger, Hella (Hrsg.): Zur Archäologie der Popularkultur. Eine Dokumentation der Sammlungen von Produkten der Massenkunst, Massenliteratur und Werbung. Berlin: Univ.-Bibliothek der TU, 1979.
Verzeichnis der Archive, Museen, Bibliotheken und Privatsammler in der Bundesrepublik Deutschland (einschl. West-Berlins), die populäre Massenliteratur (Heftromane, Comics u. ä.), Massenkunst (Gebrauchsgraphik, Buch- und Schallplattencover, Ansichtskarten, Kalender, Nippes usw.), Firmenwerbung (Plakate, Firmenfestschriften, Hörfunk-Werbespots usw.) und Werbung außerhalb der Warenwirtschaft (Flugblätter, Theaterzettel, Parteienwerbung usw.) sammeln. Erläuternde Studien zur Dokumentation sind beigefügt. Erschließung durch mehrere Register.

D 5120 Roob, Helmut: Sondersammlungen in Bibliotheken der DDR. Ein Verzeichnis. Berlin (Ost): Methodisches Zentrum für wissenschaftliche Bibliotheken beim Minister für Hoch- und Fachschulwesen, 1975.

-> C 2370, C 2380.

9 BIBLIOGRAPHIEN DER BIBLIOGRAPHIEN
(Metabibliographien)

D 5160 Umfassende Informationen über bibliographische Hilfsmittel bieten die *Bibliographien der Bibliographien*. Aus der Vielzahl dieser Meta-Bibliographien wurde eine kleine Auswahl getroffen, um Nachschlagemöglichkeiten für Problemfelder, die in diesem Handbuch nicht erfaßt sind, aufzuzeigen. Spezielle Bibliographie germanistischer Bibliographien: -> D 5280.

9.1 EINFÜHRENDE UND ABGESCHLOSSENE VERZEICHNISSE

D 5170 Allischewski, Helmut: Bibliographienkunde. Ein Lehrbuch mit Beschreibungen von mehr als 200 Druckschriftenverzeichnissen und allgemeinen Nachschlagewerken. 2. Aufl. Wiesbaden: Reichert, 1986.
Verzeichnet rd. 200 Bibliographien und verwandte Nachschlagewerke mit sehr genauer Beschreibung und Benutzungsanleitung. Als Wegweiser bei der systematischen Ausschöpfung großer und kompliziert aufgebauter Bibliographien unentbehrlich.

D 5180 Allischewski, Helmut: Abbildungen zur Bibliographienkunde. Abbildungen aus Katalogen und Bibliographien, zur Einführung in die Probleme der Erschließung und Ordnung in Druckschriftenverzeichnissen ausgewählt und erläutert. 2., neubearb. und erw. Aufl. Wiesbaden: Reichert, 1986.

D 5190 Koppitz, Hans-Joachim: Grundzüge der Bibliographie. München: Saur, 1977.
Verzeichnis der wichtigsten Allgemein- und Spezialbibliographien aus allen Wissensbereichen mit kurzen Annotationen. Register.

D 5200 Totok, Wilhelm; Weitzel, Rolf: Handbuch der bibliographischen Nachschlagewerke. 6., neubearb. Aufl. Hrsg. von Hans-Jürgen und Dagmar Kernchen. 2 Bde. Frankfurt/M.: Klostermann, 1984-1985.

Bewährtes, auswählendes Verzeichnis der Allgemein- (Bd. 1) und Fachbibliographien (Bd. 2).

D 5210 Besterman, Theodore: A World Bibliography of bibliographies and of bibliographical catalogues, calendars, abstracts, digests, indexes, and the like. 4. ed. 5 Vols. Genf 1965-1966. [Nachdruck: Totowa, New Jersey 1971].

Verzeichnet selbständig erschienene Bibliographien ohne nationale Eingrenzung unter fast 16000 alphabetisch geordneten Schlagwörtern (auch Personennamen). Bd. 1-4: mit rd. 117000 Titel; Bd. 5: Index. - Fortgeführt u.d. gleichen Titel von:
Alice F. Toomey. 1964-1974. 2 Vols [Bd. 1: A-J; Bd. 2: K-Z]. Totowa, New Jersey: Rowman and Littlefield, 1977. - Aktualisierung im Zehn-Jahres-Rhythmus geplant.

D 5215 Domay, Friedrich: Bibliographie der nationalen Bibliographien. Stuttgart: Hiersemann, 1987.

Umfangreiche Beschreibung nationaler Bibliographien und ihrer Vorläufer in 130 Ländern. Rd. 3000 Titel- und Literaturnachweise.

D 5220 Guide to Reference Books. 10th Edition. Edited by Eugene P. Sheely. Chicago, London: American Library Ass., 1986.

Verweist auf Bibliographien, Lexika und Handbücher aus allen Gebieten des Wissens (mit kurzen Annotationen). Index.

D 5230 Bibliographie der versteckten Bibliographien aus deutschsprachigen Büchern und Zeitschriften 1930-1953. Bearb. von der Deutschen Bücherei. Leipzig 1956 (Sonderbibliographien der Dt. Bücherei, 3) [*Nachdruck*: Ebd. 1983].

Enthält nur bibliographisch unselbständig erschienene Literaturverzeichnisse. Fortführung (unter Einbezug auch der selbständig erschienenen Bibliographien):

D 5240 Bibliographie der deutschen Bibliographien. Jahresverzeichnis der selbständig erschienenen und der in deutschsprachigen Büchern und Zeitschriften enthaltenen versteckten Bibliographien. Bearb. von der Deutschen Bücherei. Jg. 1-12 (1954-1965). Leipzig 1957-1969.

Fortführung: D 5250.

9.2 LAUFENDE VERZEICHNISSE

D 5250 Bibliographie der [bis 1971: deutschen] Bibliographien. Monatliches Verzeichnis der selbständigen und versteckten Bibliographien Deutschlands, der Literaturverzeichnisse deutschsprachiger Veröffentlichungen des Auslandes, der im Ausland erschienenen Bibliographien über Deutschland und Personen des deutschen Sprachgebietes sowie wichtiger ungedruckter Titelzusammenstellungen. Bearb. von der Deutschen Bücherei. Jg. 1 (1966) H. 1ff. Leipzig 1966ff.

Nach Sachgruppen und Untergruppen geordnet. Sachregister (mit jährlicher Kumulation).

D 5260 The bibliographic Index. A cumulation bibliography of bibliographies. Vol. 1 (1937)ff. New York 1938ff.
Verzeichnet nach Schlagworten alphabetisch angeordnet selbständige und unselbständige Bibliographien.

D 5270 Bibliographische Berichte. Bibliographical Bulletin. Für das Deutsche Bibliographische Kuratorium bearb. von Erich Zimmermann. - Ab 12 (1970) von der Staatsbibliothek Preußischer Kulturbesitz hrsg. Jg. 1ff. Frankfurt 1959-1987.
Systematisch geordnetes Verzeichnis selbständiger und unselbständiger Bibliographien. Fünfjahresregister.

D 5280 Paschek, Carl: Bibliographie germanistischer Bibliographien. Beschreibendes Auswahlverzeichnis germanistischer Sach- und Personalbibliographien. Folge 1 (1976)ff. In: Jahrbuch für Internationale Germanistik 9, 1977, H. 1ff. [-> E 810].
Erscheint *zweimal jährlich*. Verzeichnet selbständig und unselbständig sowie versteckt erschienene Bibliographien zum Gesamtgebiet der Germanistik unter Auswertung von Monographien, Sammelbänden, Festschriften, Forschungsberichten und Zeitschriften.

Bibliographien der Personalbibliographien: -> D 2020ff.

TEIL E: ZEITSCHRIFTEN UND ZEITUNGEN

E 10 Um unselbständig erscheinendes Schrifttum bis in die unmittelbare Gegenwart hinein erfassen zu können, zieht man die Zeitschriften heran (-> Teil A). Sie sind ein wesentliches Instrument wissenschaftlichen Austausches. Durch regelmäßige Durchsicht der wichtigsten Periodika verschafft man sich einen Überblick über den neuesten Forschungsstand (zur Zeitschriftenauswertung -> auch D 360-390, D 420, D 4960). - Mit ihrem Rezensionenteil und ihren Verzeichnissen eingetroffener Bücher erfüllen sie wichtige bibliographische Aufgaben und sind auch von daher wesentliche Informationsträger. - Die literarischen Zeitschriften vermitteln einen Überblick über Tendenzen und Strömungen der Gegenwartsliteratur.

E 20 Im folgenden werden literarische (-> E 400ff.), literaturwissenschaftliche (-> E 610ff.), literaturdidaktische (-> E 1710ff.), theaterwissenschaftliche (-> E 1800ff.), medienkundliche (-> E 1860ff.), allgemeine Kultur-Zeitschriften (-> E 1900ff.) sowie Tages- und Wochenzeitungen mit relevantem Literaturteil (E 2110ff.) in Auswahl vorgestellt. Der Zugang zu weiteren Titeln wird über die Zeitschriftenverzeichnisse (-> E 30ff.) ermöglicht.

1 ZEITSCHRIFTENVERZEICHNISSE

1.1 VERZEICHNISSE FACHSPEZIFISCHER ZEITSCHRIFTEN

E 30 Diesch, Carl: Bibliographie der germanistischen Zeitschriften. Leipzig: Hiersemann, 1927 (Bibliographical Publications, 1 [*Nachdruck*: Stuttgart: Hiersemann, 1970]).
Verzeichnet über 4600 Zeitschriften, wobei der Begriff *germanistisch* sehr weit gefaßt ist. Es wurden nicht nur wissenschaftliche, sondern auch unterhaltende und satirische Blätter aufgenommen, ebenso die Theaterzeitschriften und fremdsprachige Zeitschriften. Unverzichtbares Nachschlagewerk für den Zeitraum vom ausgehenden 17. Jahrhundert bis 1926.

E 40 Zeitschriftenverzeichnis Germanistik/Linguistik. Bestände der Sondersammelgebietsbibliothek. Frankfurt/M.: Stadt- und Universitätsbibliothek, (in unregelmäßigen Abständen neu).
Verzeichnet Zeitschriften aus den Fachgebieten: Allgemeine und Vergleichende Sprachwissenschaft, Allgemeine und Vergleichende Literaturwissenschaft, Germanistik allgemein, Indogermanistik, Niederlandistik, Skandinavistik, Literarische Zeitschriften, allgemeine und internationale Kulturzeitschriften. Ergänzend einbezogen wurden: allgemeine wissenschaftliche Zeitschriften, Zeitschriften von Universitäten und anderen wissenschaftlichen Institutionen, Zeitschriften aus den Bereichen Buchhandel, Buch- und Bibliothekswesen, Regionalzeitschriften. Alle aufgenommenen Zeitschriften sind in der Stadt- und Universitätsbibliothek Frankfurt/M. (Sondersammelgebiet: Germanistik) vorhanden und ggf. über den Leihverkehr der Bibliotheken zu erhalten.

E 70 Wilke, Jürgen: Literarische Zeitschriften des 18. Jahrhunderts. 1688 bis 1789. 2 Bde. Stuttgart: Metzler, 1978 (Sammlung Metzler, 174-175).
Bd. 1: Grundlegung: Zur Geschichte der Zeitschrift im 17. und 18. Jh. und zu ihrer Rolle im literarischen Leben. Erscheinungsmerkmale. Namen-, Titelregister. Bd. 2: Repertorium: Systematisch gegliedertes Verzeichnis mit Kurzcharakteristiken und Standortnachweisen. Namen-, Titelregister.

E 80 Köhring, Hans: Bibliographie der Almanache, Kalender und Taschenbücher für die Zeit von ca. 1750-1860. Hamburg (Privatdruck) 1929 [nicht vollständig].

E 90 Hocks, Paul; Schmidt, Peter: Index zu deutschen Zeitschriften der Jahre 1773-1830. Abt. I. 3 Bde.: Zeitschriften der Berliner Spätaufklärung. Nendeln: Kraus Thomson Org., 1979.
Inhaltlich erschlossene Zeitschriftenbibliographie; wertet 14 Zeitschriften aus und verzeichnet alle Beiträge mit Verfasser und Titel. Erschließung durch Namen- und Gattungsregister (Bd. 2) sowie Stichwortregister (Bd. 3). Die nächsten Abteilungen erfassen die Zeitschriften der deutschen Klassik und Romantik, die politischen Zeitschriften der Jahre 1788-1799 und Wielands *Teutschen Merkur*.

E 100 Hocks, Paul; Schmidt, Peter: Literarische und politische Zeitschriften 1789-1805. Stuttgart: Metzler, 1975 (Sammlung Metzler, 121).
Verzeichnet mit Kurzcharakteristiken eine überschaubare Anzahl von Zeitschriften aus dem Umkreis der Weimarer Klassik, der revolutionären Demokraten, der politischen Liberalen, der Berliner Spätaufklärung, der Klassik und Frühromantik. Register der Zeitschriften, Herausgeber und Redakteure.

E 110 Pissin, Raimund: Almanache der Romantik. Berlin: Behr, 1910 (Bibliographisches Repertorium, 5 [*Nachdruck*: Hildesheim, New York: Olms, 1970]).
Beschreibendes Verzeichnis mit Inhaltsangaben von 19 Almanachen. Nachträge, Berichtigungen. Autoren-, Sachregister.

E 120 Estermann, Alfred: Die deutschen Literatur-Zeitschriften 1815 bis 1850. Bibliographien, Programme, Autoren. 10 Bde. Nendeln: Kraus Thomson Org., 1977-1981.
Verzeichnet rd. 2200 Zeitschriften des Zeitraums mit Programm-Dokumentation, Autoren-Repertorium und Standorthinweisen. Anordnung der Zeitschriften nach Erscheinungsbeginn (ab 1645ff), innerhalb der kleineren Zeiträume alphabetisch. Erfaßt wurden rd. 60000 Autoren, deren Texte im obigen Zeitraum in den Literaturzeitschriften erschienen sind. Noch keine Feinerschließung des Inhalts. Bd. 9-10: Register.

E 121 Estermann, Alfred: Die deutschen Literatur-Zeitschriften 1850 bis 1880. Bibliographien - Programme. Bd. 1ff. München u.a.: Saur, 1988ff.
Erfaßt werden rd. 2900 Zeitschriften, alphabetisch nach Titeln geordnet. *Bis Herbst 1989*: Bd. 1-4 (A-So; Nr. 1-2434).

E 125 Obenaus, Sybille: Literarische und politische Zeitschriften 1830 bis 1848. Stuttgart: Metzler, 1986 (Sammlung Metzler, 225).

E 126 Obenaus, Sybille: Literarische und politische Zeitschriften 1848 bis 1880. Stuttgart: Metzler, 1987 (Sammlung Metzler, 229).
Kurzcharakteristiken mit Informationen über publizistische Ziele, ökonomische Faktoren, Mitarbeiter, Publikum und Rezeption.

E 130 Laakmann, Dagmar; Tgahrt, Reinhard: Literarische Zeitschriften und Jahrbücher 1880-1970. Verzeichnis der im Deutschen Literaturarchiv erschlossenen Periodika. Marbach: Dt. Literaturarchiv, 1972 (Dt. Literaturarchiv. Verzeichnisse, Berichte, Informationen, 2).
Alphabetisches Titelverzeichnis der in Marbach *inhaltlich erschlossenen* Zeitschriften und Jahrbücher. Chronologische Übersicht, Personenregister. Angaben zu Fundorten teilerfaßter, in Marbach nicht vorhandener Zeitschriften.

E 135 Dietzel, Thomas; Hügel, Hans-Otto: Deutsche literarische Zeitschriften. 1880-1945. Ein Repertorium. Hrsg. vom Deutschen Literaturarchiv Marbach am Neckar. 5 Bde. München u.a.: Saur, 1988.
Erfaßt 3341 Titel, die alle kommentiert werden. Standortangaben. Erschließung über mehrere Register: Herausgeber und Redakteure, Beiträger, Verlage, Orte, Systematische Einordnung.

E 140 Schlawe, Fritz: Literarische Zeitschriften (Teil I) 1885-1910. 2. Aufl. Stuttgart: Metzler, 1965 (Sammlung Metzler, 6).
Verzeichnet mit Kurzcharakteristiken eine Auswahl der literarischen, literarisch-künstlerischen, politisch-literarischen und literarisch-weltanschaulichen Zeitschriften und Theaterblätter. Standortangaben. Zeitschriften-, Herausgeber-, Autorenregister. - Fortführung:

E 150 Schlawe, Fritz: Literarische Zeitschriften (Teil II) 1910-1933. 2. Aufl. Stuttgart: Metzler, 1973 (Sammlung Metzler, 24).

E 160 Raabe, Paul: Die Zeitschriften und Sammlungen des literarischen Expressionismus. Repertorium der Zeitschriften, Jahrbücher, Anthologien, Sammelwerke, Schriftenreihen und Almanache 1910-1921. Stuttgart: Metzler, 1964 (Repertorien zur deutschen Literaturgeschichte, 1).
Kurzcharakteristiken von rd. 180 Publikationsorganen (mit Standortverweisen) unter Angabe der Beiträger. Register der Titel, Herausgeber und Schriftleiter, Mitarbeiter, bildenden Künstler und Musiker, erwähnten Personen, Verlage. - *Inhaltserschließung*: -> D 1180.

E 170 Maas, Liselotte: Handbuch der deutschen Exilpresse 1933 bis 1945. 3 Bde. München: Hanser, 1979 (Sonderveröffentlichungen der Deutschen Bibliothek, 2, 3, 9).
Bd. 1-2: Alphabetisches Verzeichnis von über 400 Zeitschriften mit Angabe von Untertitel, Herausgeber, Redaktion, Erschließungsort, -zeit und -weise sowie der Autoren. Bd. 3: Nachträge, Korrekturen, Register der Namen und Pseudonyme, Korporationen, Länder und Orte.

E 175 -> B 2100, Bd. 4.

E 180 Halfmann, Horst: Zeitschriften und Zeitungen des Exils 1933 bis 1945. Bestandsverzeichnis der Deutschen Bücherei. 2., ergänzte und erweiterte Aufl. Leipzig: Dt. Bücherei, 1975 (Bibliographischer Informationsdienst der Dt. Bücherei, 19).
Alphabetisches Verzeichnis der Periodika; Länder-, Namenregister.

E 185 Huß-Michel, Angela: Literarische und politische Zeitschriften des Exils. 1933-1945. Stuttgart: Metzler, 1987 (Sammlung Metzler, 238).
Kurzcharakteristiken von 60 Zeitschriften.

E 190 Dietzel, Thomas; Hügel, Hans-Otto: Deutsche Literarische Zeitschriften 1945-1970. Ein Repertorium. Hrsg. vom Deutschen Literaturarchiv Marbach am Neckar. Bd. 1ff. München u.a.: Saur, in Vorber.

E 195 King, Janet K.: Literarische Zeitschriften 1945-1970. Stuttgart: Metzler, 1974 (Sammlung Metzler, 129).
Beschreibendes Verzeichnis ausgewählter Zeitschriften der vier Besatzungszonen bzw. der Bundesrepublik, der DDR und weiterer deutschsprachiger Länder. Register der Zeitschriften, Herausgeber und Redakteure.

E 200 Prokop, Hans T.: Österreichs literarische Zeitschriften 1945-1970. In: Literatur und Kritik 5, 1970, S. 621-631.

E 210 Verzeichnis deutschsprachiger Literaturzeitschriften 1989/90. Begr. von G. Emig. Hrsg. vom Literarischen Informationszentrum Josef Wintjes. Bottrop 1989.

Aktuelle Auskünfte erteilt:

E 220 Literarisches Informationszentrum Josef Wintjes, Böckenhoffstr. 7, D-4250 Bottrop. - Tel.: 02041-20568.

1.2 VERZEICHNISSE ALLGEMEINER ZEITSCHRIFTEN UND ZEITUNGEN

E 230 Bibliographie der Zeitschriften des deutschen Sprachgebietes bis 1900. Hrsg. von Joachim Kirchner. 4 Bde. Stuttgart: Hiersemann, 1969ff.
Nach Sachgebieten und innerhalb der Sachgebiete chronologisch geordnete Bibliographie von großer Vollständigkeit (rd. 21000 Titel). Mit Standortnachweisen. Gliederung: Bd. 1 (1969): Von den Anfängen bis 1830; Bd. 2 (1977): Von 1831 bis 1870; Bd. 3 (1977; bearb. von Hans Jessen): Von 1871-1900; Bd. 4: Register zu Bd. 1-3 (in Vorber.).

E 235 Zeitschriftenindex. Autoren-, Schlagwort- und Rezensionenregister zu deutschsprachigen Zeitschriften 1750-1815. Im Auftrag der Akademie der Wissenschaften zu Göttingen erstellt von einer Arbeitsgruppe unter Leitung von Klaus Schmidt. Rd. 100 Microfiches. Hildesheim: Olms, 1989ff. Buchausgabe: 10 Bde. Ebd. (in Vorber.)
Erschließung von rd. 200 Zeitschriften des angesprochenen Zeitraums. Auswertung von rd. 100000 Artikeln und Schlagwortvergabe nach Lektüre (nicht nur nach Überschriften).

E 240 Bogel, Else; Blühm, Elger: Die deutschen Zeitungen des 17. Jahrhunderts. Ein Bestandsverzeichnis mit historischen und bibliographischen Angaben. 3 Bde. Bremen: Schünemann, 1971-1985 (Studien zur Publizistik, Bremer Reihe, 17).
Bd. 1: Bestandsverzeichnis mit Titel-, Namen-, Druckort-, Fundortregister; Bd. 2: Abbildungen; Bd. 3: Nachtrag.

E 245 Henkel, Martin; Taubert, Rolf: Die deutsche Presse 1848-1850. Eine Bibliographie. München u.a.: Saur, 1986 (Deutsche Presseforschung, 25).
Nach Ländern geordnet. Mehrere Register.

E 250 Deutsche Bibliographie. Zeitschriften-Verzeichnis 1945ff. Bearb. und hrsg. von der Deutschen Bibliothek. [Bd. 1ff.] Frankfurt/M.: Buchhändlervereinigung, 1958ff.
Wechselnde Titel. - Systematisch geordnetes Verzeichnis aller im Wöchentlichen Verzeichnis (-> D 4760) angezeigten deutschen und im Ausland erschienenen deutschsprachigen Zeitschriften und zeitschriftenartigen Reihen. Erschließung durch mehrere Register. Gliederung: 1945-1952 (1958); 1953-1957 (1967); 1958-1970 (1980); 1971 bis 1976 (3 Bde. 1977); 1977-1980 (2 Bde. 1982); 1981-1985 (2 Bde. 1989).

E 260 Zeitschriften-Datenbank -> H 133.

E 280 Stamm. Leitfaden durch Presse und Werbung. Presse- und Medienhandbuch. Nachweis und Beschreibung periodischer Druckschriften so-

wie aller Werbemöglichkeiten in Deutschland und der wichtigsten im Ausland. Essen: Stamm (jährlich neu).
Umfassendes, für die Werbung gedachtes Verzeichnis von Zeitungen und Zeitschriften. Jährliche Aktualisierung. Angabe der Preise und der Auflagenhöhe.

E 290 Deutschsprachige Zeitschriften. Deutschland, Österreich, Schweiz und internationale Zeitschriften mit deutschen Beiträgen. Marbach: Verlag der Schillerbuchhandlung (jährlich neu).
Enthält in Teil I ein alphabetisches Titelverzeichnis mit Angaben des jeweiligen Verlages, der Erscheinungsweise und des Preises. Teil II: Register der Fachzeitschriften nach Sachgebieten.

Standortnachweise:

E 300 Hagelweide, Gert: Deutsche Zeitungsbestände in Bibliotheken und Archiven. Hrsg. von der Kommission für Geschichte des Parlamentarismus und der politischen Parteien und dem Verein Deutscher Bibliothekare e.V. Düsseldorf: Droste, 1974 (Bibliographien zur Geschichte des Parlamentarismus und der politischen Parteien, 6).
Erfaßt über 2000 deutsche Zeitungen für die Zeit von 1700-1969, geordnet nach Erscheinungsorten innerhalb der Grenzen von 1939 unter Angabe der jeweiligen Standorte. Titelregister, Besitznachweis nach Standorten.

E 310 Winckler, Martin: Standortverzeichnis ausländischer Zeitungen und Illustrierten in Bibliotheken und Instituten der Bundesrepublik Deutschland und Berlin (West). SAZI. Hrsg. von der Staatsbibliothek Preußischer Kulturbesitz. München: Verlag Dokumentation, 1975.

Hilfsmittel zur Auflösung von Abkürzungen:

E 320 Leistner, Otto: Internationale Titelabkürzungen von Zeitschriften, Zeitungen, wichtigen Handbüchern, Wörterbüchern, Gesetzen usw. 2. Aufl. Osnabrück: Biblio-Verlag, 1977.

2 LITERARISCHE ZEITSCHRIFTEN

E 400 Da der Markt literarischer Zeitschriften stark fluktuiert, werden hier nur wenige überregional bekannte Titel angegeben. Zur weiteren Information -> E 210, C 370.

E 410 Akzente. Zeitschrift für Dichtung. Jg. 1ff. München: Hanser, 1954ff.
EW: 6 Hefte *pro Jahrgang*. - **I:** Literarische Texte (ohne nationale Eingrenzung), Essays. - **Hrsg.:** Michael Krüger.

E 420 Alternative. Zeitschrift für Literatur und Diskussion (ab Jg. 7ff.). Jg. 1ff. Berlin: Alternative-Verlag, 1958ff.
EW: 6 Hefte *pro Jahrgang*. - **I:** Literarische Texte, Aufsätze zu Literatur, Literaturtheorie, Bildung, Dokumentationen. Hefte meist mit Themenbindung. - **Hrsg.:** Hildegard Brenner.

E 440 Die Horen. Zeitschrift für Literatur, Grafik und Kritik. Bremerhaven: Die Horen im Wirtschaftsverlag, 1955ff.
EW: 4 Hefte *pro Jahr*. - **I:** Lyrik, Kurzprosa, Essays, Berichte, *Rezensionen*. - **Hrsg.:** Kurt Morawietz.

E 450 Insel-Almanach. Jg. 1ff. Frankfurt: Insel, 1906ff.
EW: 1 Bd. *pro Jahr*. - **I:** Themengebundene Bände, meist einem Autor gewidmet.

E 470 Jahresring. Beiträge zur deutschen Literatur und Kunst der Gegenwart. Bd. 1ff. Stuttgart: DVA, 1954ff.
EW: 1 Bd. *pro Jahr*. - **I:** Literarische Texte, Aufsätze, Bildbeiträge, Chronik. - **Hrsg.:** Kulturkreis im Bundesverband der Deutschen Industrie.

E 480 Konzepte. Zeitschriften für eine junge Literatur. H. 1 (1985)ff.
EW: *halbjährlich*. - **I:** Literarische Texte junger deutschsprachiger Autorinnen und Autoren. Interviews, Berichte, *Rezensionen*. - **Hrsg.:** Bundesverband junger Autoren und Autorinnen e.V. (BVJA).

E 490 Literatur und Kritik. Österreichische Monatsschrift. Jg. 1ff. Salzburg: Müller, 1966 ff.
EW: 10 Hefte *pro Jahrgang*. - **I:** Literarische Texte, Essays, Aufsätze zur deutschsprachigen Gegenwartsliteratur, Interviews, *Rezensionen*. - **Hrsg.:** Kurt Klinger, Hans Krendlesberger.

E 510 Luchterhand Jahrbuch der Lyrik. 1984ff. Darmstadt: Luchterhand, 1984ff. (Sammlung Luchterhand).
EW: 1 Bd. *im Jahr*. - **I:** Bislang ungedruckte Gedichte. - **Hrsg.:** Christoph Buchwald u.a.

E 520 Manuskripte. Zeitschrift für Literatur. Jg. 1ff. Graz: Forum Stadtpark, 1961ff.
EW: 4 Hefte *im Jahr*. - **I:** Literarische Texte, Bildbeiträge. - **Hrsg.:** Alfred Kolleritsch.

E 530 Neue deutsche Literatur. Monatsschrift für Literatur und Kritik. Bd. 1ff. Berlin, Weimar: Aufbau, 1953 ff.
EW: 12 Hefte *im Jahr*. - **I:** Literarische Texte (aus der DDR). Diskussionsbeiträge, Aufsätze, *Rezensionen*. - **Hrsg.:** Schriftstellerverband der Deutschen Demokratischen Republik.

E 540 [Die] Neue Rundschau. Bd. 1ff. Berlin: S. Fischer, 1890ff.
EW: 4 Hefte *pro Jahrgang*. - **I:** Literarische Texte, Essays, Aufsätze, *Rezensionen*.

E 550 Orte. Eine Schweizer Literaturzeitschrift. Jg. 1ff. Zürich: Bucher, 1974ff.
EW: 5 Hefte *im Jahr*. - **I:** Literarische Texte junger Autoren und Autorinnen, *Besprechungen*, Mitteilungen aus dem literarischen Leben. - **Hrsg.:** Werner Bucher.

E 560 Sinn und Form. Beiträge zur Literatur. Jg. 1ff. Berlin (Ost): Rütten u. Loening, 1949ff.
EW: 6 Hefte *pro Jahrgang*. - **I:** Literarische Texte, Essays, Diskussionsbeiträge, Interviews, *Rezensionen*. - **Hrsg.:** Akademie der Künste der DDR.

3 LITERATURWISSENSCHAFTLICHE ZEITSCHRIFTEN (EINSCHL. KOMPARATISTIK)

E 610 Amsterdamer Beiträge zur älteren Germanistik. Jg. 1ff. Amsterdam: Rodopi, 1972 ff.
EW: 1 Bd. *pro Jahr*. - **I:** Aufsätze zum Bereich der älteren Germanistik, auch der übrigen germanischen Sprachen und Literaturen. *Rezensionen*. - **Hrsg.:** Arend Quak, Paula Vermeyden.

E 620 Amsterdamer Beiträge zur neueren Germanistik. Jg. 1ff. Amsterdam: Rodopi, 1972ff.
EW: Zunächst in zwangloser Folge, ab 1979 zwei (gelegentlich auch mehr) Hefte im Jahr mit jeweils fest umrissenen Themen. - **I:** Aufsätze und kleine Beiträge zur neueren deutschsprachigen Literatur und Literaturwissenschaft. - **Hrsg.:** Gerd Labroisse.

E 625 Arbitrium. Zeitschrift für Rezensionen zur germanistischen Literaturwissenschaft. Jg. 1ff. München: Beck (ab Jg. 7: Tübingen: Niemeyer), 1983ff.
EW: 3 Hefte *pro Jahr*. - **I:** Ausführliche *Rezensionen* und Kurzbesprechungen zum Gesamtbereich der deutschen Literaturwissenschaft und angrenzender Gebiete, auch von Gegenwartsliteratur. Verzeichnis eingesandter Bücher. Mitteilungen und Informationen aus der internationalen Germanistik. - **Hrsg.:** Wolfgang Frühwald, Wolfgang Harms.

E 630 Arcadia. Zeitschrift für Vergleichende Literaturwissenschaft. Jg. 1ff. Berlin, New York: de Gruyter, 1966ff.
EW: 4 Hefte *pro Jahrgang*. - **I:** Aufsätze, Miszellen, Literatur- und Tagungsberichte. *Rezensionen*. - **Hrsg.:** Erwin Koppen.

E 640 Archiv für das Studium der neueren Sprachen und Literaturen. Bd. 1-215. Braunschweig: Westermann, 1846-1978. Bd. 216ff. Berlin: E. Schmidt, 1979ff. (Zitiertitel: Archiv).

EW: 2 Hefte *pro Jahrgang*. - **I:** Aufsätze und kleine Beiträge zum Gesamtbereich der neueren Sprachen und Literaturen (germanisch/deutscher, englisch/amerikanischer, romanischer und slawischer Sprachraum). *Umfangreicher Rezensionenteil*. Beihefte. - Generalregister: Bd. 1-50 (1874), 51-100 (1900). - **Hrsg.:** Rudolf Sühnel, Harri Meier, Herbert Kolb.

E 650 Aufklärung. Interdisziplinäre Halbjahreszeitschrift zur Erforschung des 18. Jahrhunderts und seiner Wirkungsgeschichte. Jg. 1ff. Hamburg: Meiner, 1986ff.
EW: 2 Hefte *pro Jahrgang*. - **I:** Abhandlungen, *Rezensionen*, Mitteilungen, Diskussionen und Berichte; in jedem Heft eine Kurzbiographie. - **Hrsg.:** Günter Birtsch, Karl Eibl u.a.

E 660 Basis. Jahrbuch für deutsche Gegenwartsliteratur. Jg. 1ff. Frankfurt/M.: Athenäum [ab 1975: Suhrkamp], 1970ff.
EW: 1 Bd. *pro Jahr*. - **I:** Aufsätze, Berichte und *Rezensionen* zum Bereich der deutschsprachigen Literatur der Gegenwart. - **Hrsg.:** Reinhold Grimm, Jost Hermand.

E 670 Beiträge zur Geschichte der deutschen Sprache und Literatur. Bd. 1ff. Halle (später Tübingen): Niemeyer, 1874ff. (Zitiertitel: PBB).
EW: 3-4 Hefte *pro Jahrgang*. - **I:** Aufsätze zur deutschen Sprachgeschichte und zur älteren deutschen Literatur. *Umfangreicher Rezensionenteil*. - Reg. zu Bd. 1 bis 100 (1979). - Während der Jahre 1955-1979 erschien eine Parallelausgabe in Halle (Bd. 76-100, mit eigenem Reg.-Bd.). - **Hrsg.:** Hans Fromm, Peter Ganz, Marga Reis.

E 680 Colloquia Germanica. Internationale Zeitschrift für germanische Sprach- und Literaturwissenschaft. Jg. 1ff. Bern: Francke, 1967ff.
EW: 4 Hefte *pro Jahrgang*. - **I:** Aufsätze und *Rezensionen* hauptsächlich zur deutschen Sprache und Literatur. - **Hrsg.:** Bernd Kratz u.a.

E 690 Comparative Literature. Jg. 1ff. Eugene: University of Oregon, 1949ff.
EW: 4 Hefte *pro Jahrgang*. - **I:** Aufsätze zur Vergleichenden Literaturwissenschaft, *Rezensionen*. - **Hrsg.:** Thomas R. Hart.

E 700 Daphnis. Zeitschrift für mittlere deutsche Literatur. Jg. 1ff. Amsterdam: Rodopi, 1972 ff.
EW: 4 Hefte *pro Jahrgang*, ab 1984 Beihefte u.d.T. "Chloe". - **I:** Aufsätze und Miszellen zur deutschen Literatur des 15. und 17. Jahrhunderts. *Umfangreicher Rezensionenteil*. - **Hrsg.:** Barbara Becker-Cantarino, Martin Bircher, Leonard Forster u.a.

E 705 Deutsche Bücher. Referatenorgan deutschsprachiger Neuerscheinungen. H. 1ff. Amsterdam. Rodopi, 1971ff.
EW: 4 Hefte *pro Jahrgang*. - **I:** *Rezensionen*. Autoreninterviews. - **Hrsg.:** Ferdinand von Ingen, Gerd Labroisse, Anthony van der Lee.

E 710 Deutsche Vierteljahrsschrift für Literaturwissenschaft und Geistesgeschichte. Jg. 1-22. Halle: Niemeyer, 1923-1944. Jg. 23ff. Stuttgart: Metzler, 1949ff. (Zitiertitel: DVjS oder DVLG).
EW: 4 Hefte *pro Jahrgang.* - **I:** Aufsätze zum Gesamtbereich der deutschen Literatur und Literaturwissenschaft. Verzeichnis eingesandter Bücher. Sonderbände mit eigener Themenstellung. Referatenhefte (Forschungsberichte). Buchreihe. Reg.: Bd. 1-40 (1968). - **Hrsg.:** Richard Brinkmann, Gerhart von Graevenitz, Walter Haug.

E 720 Deutsches Archiv für Erforschung des Mittelalters. Jg. 1ff. Köln: Böhlau, 1937ff. (Zitiertitel: DAEM).
EW: 2 Hefte *pro Jahrgang.* - **I:** Aufsätze und Miszellen zum Gesamtbereich des Mittelalters (Quellenkunde, Politische Geschichte, Kirchengeschichte, Rechts- und Verfassungsgeschichte, Sozial- und Wirtschaftsgeschichte, Kultur- und Geistesgeschichte). *Rezensionen.* Berichte über die Tätigkeit der Arbeitsstelle "Monumenta Germaniae Historica". - **Hrsg.:** Horst Fuhrmann, Hans Martin Schaller.

E 730 Etudes Germaniques. Jg. 1ff. Paris: Didier, 1946ff. (Zitiertitel: Et. Germ.).
EW: 4 Hefte *pro Jahrgang.* - **I:** Aufsätze und Diskussionsbeiträge zum Gesamtgebiet der Germanistik. *Umfangreicher Rezensionenteil.* Bibliographische Hinweise, Kongreßberichte, Zeitschriftenschau, Verzeichnis eingesandter Bücher; Ehrungen, Nekrolog. - **Hrsg.:** Claude David, Jean Fourquet, Pierre Grappin u.a.

E 740 Euphorion. Zeitschrift für Literaturgeschichte. Bd. 1ff. Bamberg: Buchner [ab 1952: Heidelberg: Winter], 1894ff.
EW: 4 Hefte *pro Jahrgang;* im III. Reich unter dem Titel *Dichtung und Volkstum;* 1945-1949 nicht erschienen. - **I:** Abhandlungen, Beiträge zu Forschungsproblemen, kleinere Beiträge zum Gesamtgebiet der Literaturwissenschaft. Verzeichnis eingegangener Bücher. Mitteilungen. Ehrungen. Bis 1973: Rezensionenteil. Ergänzungshefte, Beihefte, Sonderhefte. - **Hrsg.:** Rainer Gruenter.

E 745 Exil. Forschung, Erkenntnisse, Ergebnisse. Gegr. von Joachim H. Koch. Jg. 1ff. Maintal: Koch, 1982ff.
EW: 2 Hefte *im Jahr.* - **I:** Aufsätze zum deutschsprachigen Exil 1933-1945. Chronik. Hinweise. - **Hrsg.:** Edita Koch.

E 750 Fabula. Zeitschrift für Erzählforschung. Jg. 1ff. Berlin: de Gruyter, 1958ff.
EW: 1 Bd. *pro Jahrgang.* - **I:** Aufsätze, Kleine Beiträge, Forschungs- und Tagungsberichte, Nachrichten, Arbeitsvorhaben und Anfragen, *umfangreicher Rezensionenteil.* Bibliographische Notizen [= Kurzreferate über Neuerscheinungen von Primär- und Sekundärliteratur] von Rudolf Schenda. Verzeichnis eingesandter Bücher. Jeder Band wird beschlossen durch ein Typen-, Motiv- und Sachregister. - **Hrsg.:** Rolf Wilhelm Brednich, Hans-Jörg Uther.

E 755 Fachdienst Germanistik. Jg. 1ff. München: iudicium-Verlag, 1983ff.
EW: *monatlich.* - **I:** Nachrichten, Berichte, Kommentare zum Gesamtbereich der Germanistik. Informationen über Tagungen, Ausstellungen, Gedenktage, Personalia, Termine, Neuerscheinungen u.a. *Auswahlbibliographien.* - **Hrsg.:** Peter Kapitza.

E 760 German Life and Letters. A quarterly Review. Vol. 1-3: 1936/37-1938/39. New series: Vol. 1ff. Oxford: Blackwell, 1947/48ff. (Zitiertitel: GLL).
EW: 4 Hefte *pro Jahrgang.* - **I:** Aufsätze zum Gesamtbereich der Germanistik mit Schwerpunkt Literaturwissenschaft, Berücksichtigung der neuen Medien. *Ausführlicher Rezensionenteil.* Gelegentlich Sonderhefte. General Index 1936-1958 (1962). - **Hrsg.:** G.P.G. Butler, Leonhard W. Forster, G. Gillespie u.a.

E 770 The German Quarterly. Jg. 1ff. Appleton, Wisc.: American Association of Teachers of German, 1928ff. (Zitiertitel: GQuat.).
EW: 4 Hefte *pro Jahrgang.* - **I:** Aufsätze zur deutschen Literatur. *Umfangreicher Rezensionenteil.* - **Hrsg.:** Paul Michael Lützeler, Stephen L. Wailes.

E 780 The Germanic Review. Devoted to studies dealing with the Germanic Languages and Literatures. Vol. 1ff. New York: Columbia University Press, 1926 ff. (Zitiertitel: GR).
EW: 4 Hefte *pro Jahrgang.* - **I:** Aufsätze zum Gesamtbereich der Germanistik. *Umfangreicher Rezensionenteil.* Bis 1960: Bibliographischer Teil unter dem Titel *German literature of the nineteenth century (1830-1880).* - **Hrsg.:** Inge D. Halpert, Shelley Frisch.

E 790 Germanisch-Romanische Monatsschrift. Jg. 1ff. Heidelberg: Winter, 1909ff. (Zitiertitel: GRM).
EW: 4 Hefte *pro Jahrgang.* Ab 1950/51: Neue Folge (seither doppelte Zählung). - **I:** Aufsätze und Kleine Beiträge zur germanischen und romanischen Literatur und Literaturwissenschaft. *Umfangreicher Rezensionenteil.* Verzeichnis eingesandter Literatur. - **Hrsg.:** Conrad Wiedemann.

E 800 Internationales Archiv für Sozialgeschichte der deutschen Literatur. Jg. 1ff. Tübingen: Niemeyer, 1976ff. (Zitiertitel: IASL).
EW: 1 Bd., ab Bd. 14 (1989) 2 Hefte pro Jahr. -
I: Aufsätze, Fortschrittsberichte und Diskussionsbeiträge zur Sozialgeschichte der Literatur und des Theaters und zur Rezeptionsforschung. *Rezensionen. Auswahlbibliographie.* - **Hrsg.:** Wolfgang Frühwald, Georg Jäger, Dieter Langewiesche u.a.

E 810 Jahrbuch für Internationale Germanistik. Bd. 1-4: Frankfurt/ M.: Athenäum, 1969-1972. Bd. 5ff.: Bern, Frankfurt/M., Las Vegas: Lang, 1973 ff. (Zitiertitel: JIG).

EW: 2 Hefte *pro Jahr*. - **I:** Aufsätze und kleine Beiträge zum Gesamtbereich der Germanistik; Einzelhefte meist mit Rahmenthemen. Berichte über Forschungs- und Publikationsvorhaben. *Bibliographie germanistischer Bibliographien* von Carl Paschek [-> D 5280]. Zusätzlich Sonderreihen: Reihe A: Kongreßberichte; Reihe B: Germanistische Dissertationen in Kurzfassungen, Liste entstehender Disertationen (-> D 4510); Reihe C: Forschungsberichte; Reihe D: Dokumentationen. - **Hrsg.:** Hans-Gert Roloff u.a.

E 820 The Journal of English and Germanic Philology. Bd. 1ff. Urbana (Ill.): Univ. of Illinois Press, 1897ff. (Zitiertitel: JEGP).
EW: 4 Hefte *pro Jahrgang*. - **I:** Aufsätze zur deutschen, englischen und skandinavischen Sprache und Literatur. *Rezensionen*. - **Hrsg.:** Achsah Guibbory, Marianne E. Kalinke, Dale V. Kramer u.a.

E 840 LiLi. Zeitschrift für Literaturwissenschaft und Linguistik. Bd. 1ff. Göttingen: Vandenhoeck & Ruprecht, 1971ff.
EW: 4 Hefte *pro Jahrgang*. - **I:** Thematisch gebundene Einzelhefte mit Aufsätzen zum Gesamtbereich der deutschen Literatur. Verzeichnis eingesandter Bücher. - **Hrsg.:** Helmut Kreuzer, Wolfgang Haubrichs u.a.

E 850 Literatur für Leser. Zeitschrift für Interpretationspraxis und geschichtliche Texterkenntnis. Jg. 1ff. München: Oldenbourg, 1978ff.
EW: 3 Hefte *pro Jahrgang*. - **I:** Aufsätze aus dem Gesamtbereich der Literaturwissenschaft und der Literaturdidaktik. - **Hrsg.:** Herbert Kaiser, Dieter Mayer.

E 860 Literatur und Kritik (-> E 490).

E 870 Literaturmagazin. Heft 1ff. Hamburg: Rowohlt, 1973 ff.
EW: unregelmäßig (meist 2 Bde. im Jahr). - **I:** Aufsätze (meist von Schriftstellern) zu Problemen der Literaturwissenschaft und Literaturkritik (meist thematisch gebunden). Literarische Prosa. Bio-bibliographische Angaben. - **Hrsg.:** wechselnd.

E 880 Mitteilungen des Deutschen Germanisten-Verbandes. Jg. 1ff. Frankfurt/M.: Diesterweg, 1954ff.
EW: 4 Hefte *pro Jahrgang*. - **I:** Aufsätze zur Sprach- und Literaturwissenschaft und -didaktik. Tagungsprotokolle. Hinweise und Berichte. *Zeitschriftenschau* (= Auswahlbibliographie wichtiger Zeitschriften-Aufsätze). - **Hrsg.:** Johannes Janota, Jürgen Wolff.

E 900 The Modern Language Review. A quarterly journal. Vol. 1ff. Cambridge: Univ. Press, 1905ff. (Zitiertitel: MLR).
EW: 4 Hefte *pro Jahrgang*. - **I:** Aufsätze zur Sprach- und Literaturwissenschaft. *Umfangreicher Rezensionenteil. Bibliographische Übersicht. Zehnjahresregister.* - **Hrsg.:** R.M. Walker, A.F. Bance u.a.

E 910 Monatshefte für deutschen Unterricht, deutsche Sprache und Literatur. Bd. 1ff. Madison (Wisconsin) 1899 ff. (Zitiertitel: MDU).
EW: 4 Hefte *pro Jahrgang*. - **I:** Aufsätze zum Gesamtbereich der Germanistik. Hinweise, Ehrungen, Notizen, Nekrolog. *Umfangreicher Rezensionenteil.* Enthält einmal im Jahr ein Verzeichnis der Hochschulgermanisten in den USA und in Kanada sowie eine Liste germanistischer Dissertationen. - Index zu 20-40 in Bd. 50 (1958). - **Hrsg.:** Max L. Baeumer u.v.a.

E 920 Neophilologus. An international journal of modern and mediaeval language and literature. Vol. 1ff. Groningen: Wolters Noordhoff, 1915ff.
EW: 4 Hefte *pro Jahrgang*. - **I:** Aufsätze zum Gesamtgebiet der Sprach- und Literaturwissenschaft ohne nationalsprachliche Eingrenzung. - **Hrsg.:** A. L. Vos, W.J.M. Bronzwaer, Q.I.M. Mok u.a.

E 930 Neuphilologische Mitteilungen. Bd. 1ff. Helsinki (jetzt: Clevedon, Avon [England]) 1899ff.
EW: 4 Hefte *pro Jahrgang*. - **I:** Aufsätze zum Gesamtbereich der Sprach- und Literaturwissenschaft (ohne nationale Eingrenzung).

E 960 Poetica. Zeitschrift für Sprache und Literaturwissenschaft. Jg. 1ff. Amsterdam: Grüner, 1967ff.
EW: 4 Hefte *pro Jahrgang*. - **I:** Aufsätze und Diskussionsbeiträge zur alten und neuen Literatur vorwiegend des europäischen Kulturkreises. *Umfangreicher Rezensionenteil.* - **Hrsg.:** Karl Mauser u.a.

E 970 Poetics. International Review for the Theory of Literature. Jg. 1ff. Amsterdam: North-Holland, 1972ff.
EW: 6 Hefte *pro Jahrgang*. - **I:** Aufsätze zum Gesamtgebiet der Literaturwissenschaft (ohne nationale Begrenzung). - **Hrsg.:** Siegfried J. Schmidt u.a.

E 980 Publications of the Modern Language Association of America. Bd. 1ff. Menasha (Wisconsin) 1884ff. (Zitiertitel: PMLA).
EW: 6 Hefte *pro Jahrgang*. - **I:** Aufsätze zum Gesamtgebiet der Literaturwissenschaft. Hinweise, Berichte, Kommentare, Leserbriefe. Rechenschaftsberichte der Modern Language Association. - **Hrsg.:** John W. Kronik.

E 985 Recherches Germaniques. Vol. 1ff. Strasbourg: Université, 1971ff.
EW: 1 Bd. *pro Jahr*. - **I:** Aufsätze zum Gesamtbereich der Germanistik. Edition bislang unpublizierter literarischer Texte. - **Hrsg.:** Gonthier-Louis Fink.

E 990 Revue de Littérature comparée. Jg. 1ff. Paris: Didier, 1957ff. (Zitiertitel: RLC)
EW: 4 Hefte *im Jahr*. - **I:** Aufsätze zur Vergleichenden Literaturwissenschaft. *Rezensionen.* - **Hrsg.:** J. Voisine u.a.

E 1000 Rivista di Letterature moderne e comparate. Vol. 1ff. Firence 1948ff.

EW: 4 Hefte *im Jahr*. - **I:** Aufsätze zum Gesamtgebiet der Literaturwissenschaft (ohne nationale Eingrenzung), *Rezensionen*, Liste der eingesandten Bücher. - **Hrsg.:** Giuliano Pellegrini, Arnaldo Pizzorusso.

E 1010 Seminar. A journal of Germanic Studies. Jg. 1ff. Toronto, Can.: Univ. of Toronto Press, 1965 ff.

EW: 4 Hefte *im Jahr*. - **I:** Aufsätze zum Gesamtbereich der deutschen Sprach- und Literaturwissenschaft. *Rezensionen*. - **Hrsg.:** R.H. Farquharson.

E 1020 Sprache im technischen Zeitalter. Nr. 1-56. Stuttgart: Kohlhammer, 1961-1975. Nr. 57ff. Berlin: Literarisches Colloquium, 1976ff.

EW: 4 Nrr. *pro Jahrgang*. - **I:** Beiträge zum Bereich der neueren deutschen Literatur und Sprache. - **Hrsg.:** Walter Höllerer, Norbert Miller.

E 1030 Sprachkunst. Beiträge zur Literaturwissenschaft. Bd. 1ff. Wien: Verlag der Österr. Akademie der Wissenschaften, 1970ff.

EW: 2 Hefte *pro Jahrgang*. - **I:** Aufsätze zum Gesamtgebiet der Literaturwissenschaft (ohne nationale Begrenzung, aber mit deutlichem Akzent auf deutschsprachiger Literatur), Verzeichnis der literaturwissenschaftlichen *Dissertationen* an österreichischen Universitäten (1 x jährlich), Berichte, *Rezensionen*. - **Hrsg.:** Herbert Foltinek.

E 1050 Text und Kritik. Zeitschrift für Literatur. Heft 1ff. München: edition text + kritik, 1964ff.

EW: 4 Hefte *im Jahr*. - **I:** Thematisch gebundene Einzelhefte jeweils zu einem Autor (teilweise in Neuauflagen!). Aufsätze. *Auswahlbibliographie*. - Sonderbände. - **Hrsg.:** Heinz Ludwig Arnold.

E 1060 Weimarer Beiträge. Zeitschrift für deutsche Literaturgeschichte. Bd. 1ff. Weimar: Arion (seit 1964: Berlin: Aufbau), 1955ff.

EW: 12 Hefte *im Jahr*. - **I:** Aufsätze zum Gesamtbereich der deutschen Literaturwissenschaft. Literaturkritik. Diskussionsbeiträge, Berichte, *Rezensionen*. - **Hrsg.:** Siegfried Rönisch u.a.

E 1070 Zeitschrift für deutsche Philologie. Bd. 1ff. Halle: Waisenhaus (später Stuttgart: Kohlhammer; seit 1954 Berlin: E. Schmidt), 1868ff. (Zitiertitel: ZfdPh oder ZDP).

EW: 4 Hefte *pro Jahrgang*. - **I:** Aufsätze und Forschungsberichte zum Gesamtgebiet der deutschen Sprache und Literatur. Notizen. *Umfangreicher Rezensionenteil*. Sonderhefte (thematisch gebunden). Register zu Bd. 1-100 (1989). - **Hrsg.:** Werner Besch, Hartmut Steinecke, Helmut Tervooren.

E 1080 Zeitschrift für deutsches Altertum (ab Bd. 19: Zeitschrift für deutsches Altertum und deutsche Literatur). Bd. 1ff. Leipzig (später Berlin):

Weidmann (ab Bd. 82 [1948/50] Wiesbaden: Steiner), 1841ff. (Zitiertitel: ZfdA oder ZDA).
EW: 4 Hefte *pro Jahrgang.* - **I:** Aufsätze zur älteren deutschen Sprache und Literatur. Ab Bd. 18 (1876) mit *Anzeiger für deutsches Altertum und deutsche Literatur*, einem *sehr umfangreichen Rezensionenteil.* Verzeichnis eingegangener Bücher. Register. - **Hrsg.:** Franz Josef Worstbrock.

E 1090 Zeitschrift für Germanistik. H. 1ff. Leipzig: VEB Verlag Enzyklopädie, 1980ff.
EW: 4 Hefte *pro Jahrgang.* - **I:** Abhandlungen und Diskussionsbeiträge zum Gebiet der deutschen Sprach- und Literaturwissenschaft (Geschichte, Theorie, Systematik). *Rezensionen.* Zeitschriftenschau. Auswahlbibliographie germanistischer *Dissertationen.* - **Hrsg.:** Claus Träger, Klaus-Dieter Hähnel u.a.

E 1100 Zeitschrift für Volkskunde. Bd. 1ff. Stuttgart: Kohlhammer, (jetzt: Göttingen: Schwartz), 1891ff.
EW: 2 Hefte *pro Jahrgang.* - **I:** Aufsätze, Diskussionsbeiträge, Berichte hauptsächlich zum Gebiet der deutschen Volkskunde (unter Einschluß massenhaft verbreiteter Kunst, Literatur, Musik). *Sehr umfangreicher Rezensionenteil.* - **Hrsg.:** Gottfried Korff u.a.

Abschließend sei auf die wissenschaftlichen Zeitschriften hingewiesen, die von den Universitäten der DDR herausgegeben werden. Germanistische Beiträge finden sich jeweils in der Reihe *Gesellschafts- und Sprachwissenschaften*:

E 1110 Wissenschaftliche Zeitschrift der Humboldt-Universität zu Berlin. Gesellschafts- und sprachwissenschaftliche Reihe. Bd. 1ff. Berlin 1951/52ff.

E 1120 Wissenschaftliche Zeitschrift der Ernst-Moritz-Arndt-Universität Greifswald. Gesellschafts- und sprachwissenschaftliche Reihe. Bd. 1ff. Greifswald 1951/52 ff.

E 1130 Wissenschaftliche Zeitschrift der Martin-Luther-Universität Halle-Wittenberg. Gesellschafts- und sprachwissenschaftliche Reihe. Bd. 1ff. Halle 1951/52ff.

E 1140 Wissenschaftliche Zeitschrift der Friedrich-Schiller-Universität Jena. Gesellschafts- und sprachwissenschaftliche Reihe. Bd. 1ff. Jena 1951/52ff.

E 1150 Wissenschaftliche Zeitschrift der Karl-Marx-Universität Leipzig. Gesellschafts- und sprachwissenschaftliche Reihe. Bd. 1ff. Leipzig 1951/52ff.

E 1160 Wissenschaftliche Zeitschrift der Pädagogischen Hochschule Potsdam. Gesellschafts- und sprachwissenschaftliche Reihe. Jg. 1ff. Potsdam 1954/55 ff.

E 1170 Wissenschaftliche Zeitschrift der Wilhelm-Pieck-Universität Rostock. Gesellschafts- und sprachwissenschaftliche Reihe. Bd. 1ff. Rostock 1951/52ff.

4 JAHRBÜCHER

E 1210 Jahrbücher sind wie die Zeitschriften ein Instrument der wissenschaftlichen Verständigung. Von diesen unterscheiden sie sich durch die Erscheinungsweise (meist ein Band im Jahr [wenn nicht anders angegeben]) und die eingeschränkte Thematik, denn ihr Gegenstand ist häufig lediglich ein Autor, sein Werk, seine Zeit und seine Rezeption. Vorangestellt sind die Jahrbücher mit allgemeiner Thematik, dann folgen die einem Autor gewidmeten Titel. Weitere Jahrbücher der Dichtergesellschaften sind in *Teil L Literarische Gesellschaften und Stiftungen* verzeichnet.

E 1220 Jahrbuch der Deutschen Akademie für Sprache und Dichtung. Jg. 1 (1953/54)ff. Heidelberg: Schneider (jetzt: Darmstadt: Luchterhand), 1954ff.
EW: 2 Lieferungen *pro Jahrgang.* - **I:** Reden und Aufsätze zur deutschen Sprache und Literatur. Ehrungen. Gedenkworte. Auszeichnungen. Mitteilungen. Mitgliederverzeichnis. *Bibliographie* der Publikationen der Mitglieder. - **Red.:** Marieluise Hübscher-Bitter.

E 1230 Jahrbuch des Freien Deutschen Hochstifts. Jg. 1-23. NF 1ff. Tübingen: Niemeyer, 1902-1936/40, 1962ff.
I: Aufsätze zur Literatur, Kunst und Kultur hauptsächlich der Goethezeit. Ein Jahresbericht gibt jeweils Aufschluß über die Aktivitäten und Neuerwerbungen des FDH [-> G 30, L 40]. - Löste die *Berichte des FDH* (1861-1901) ab. - **Hrsg.:** Christoph Perels.

E 1240 Heidelberger Jahrbücher. Jg. 1ff. Berlin u.a.: Springer, 1957ff.
I: Aufsätze zum Gesamtbereich der Wissenschaften. Schriftenverzeichnis der Heidelberger Dozenten. - **Hrsg.:** Universitäts-Gesellschaft Heidelberg.

E 1260 Goethe-Jahrbuch. Bd. 1-34. Frankfurt: Sauerländer, 1880-1913. Jahrbuch der Goethe-Gesellschaft. Bd. 1-21 (nebst) Registerband. Weimar: Verlag der Goethe-Gesellschaft, 1914-1935. - *Fortführung*: Goethe. Vierteljahresschrift der Goethe-Gesellschaft. N.F. des Jahrbuchs (Bd. 10ff. Goethe. N.F. des Jahrbuchs). Bd. 1-33. *Seit 1972 wieder u.d. T.* Goethe Jahrbuch. Bd. 89ff. der Gesamtfolge. Weimar: Verlag der Goethe-Gesellschaft (später: Böhlau), 1936ff.
I: Aufsätze und Beiträge zu Goethe, zur Goethezeit und zur Goethe-Rezeption. Be-

richte über die Goethe-Gesellschaft. *Goethe-Bibliographie* (von H. Henning). - **Hrsg.:** N.N.

E 1270 Jahrbuch des Wiener Goethe-Vereins. Bd. 1ff. Wien: Überreuter, 1887ff. (jetzt: Selbstverlag des WGV).
I: Aufsätze zum Gesamtgebiet der Literaturwissenschaft. *Rezensionen.* - **Hrsg.:** Herbert Zeman.

E 1280 Jahrbuch der Deutschen Schillergesellschaft. Bd. 1ff. Stuttgart: Kröner, 1957ff.
I: Aufsätze zu Schiller und zur deutschen Literatur allgemein. Jahresbericht der DSG (u.a. über die Tätigkeit des Schiller-Nationalmuseums und des Deutschen Literaturarchivs [-> G 20, L 450]). Gesamtregister zu den Bden. 1-25 (1957-1981). - **Hrsg.:** Wilfried Barner, Walter Müller-Seidel, Ulrich Ott.

E 1290 Bloch-Almanach. Bd. 1ff. Ludwigshafen: Bloch-Archiv, 1981ff.
I: Texte von Ernst Bloch und Aufsätze über ihn. Periodische Bibliographie. - **Hrsg.:** Karlheinz Weigand.

E 1295 Brecht-Journal. Frankfurt/M.: Suhrkamp, 1983ff.
EW: unregelmäßig. - **I:** Dokumentationen, Aufsätze, Forschungsberichte. - **Hrsg.:** Jan Knopf.

E 1300 Georg-Büchner-Jahrbuch. Bd. 1ff. Frankfurt/M.: Athenäum (jetzt: Europäische Verlagsanstalt), 1981ff.
I: Aufsätze zu Büchner und seiner Zeit, Quellendokumentationen, *periodische Bibliographie.* - **Hrsg.:** Thomas Michael Mayer u.a.

E 1310 Editio. Internationales Jahrbuch für Editionswissenschaft. Jg. 1ff. Tübingen: Niemeyer, 1987ff.
I: Aufsätze zum Gesamtbereich der Textkritik und Edition. - **Hrsg.:** Winfried Woesler.

E 1320 Aurora. Jahrbuch der Eichendorff-Gesellschaft. Würzburg: Eichendorff-Ges., 1929ff.
I: Aufsätze zu Eichendorff und zur Romantik. *Rezensionen.* Mitteilungen, Hinweise. Register zu Bd. 1-30/31 in Bd. 30/31 (1970/71). - **Hrsg.:** Wolfgang Frühwald, Franz Heiduk, Helmut Koopmann u.a.

E 1330 Exilforschung. Ein internationales Jahrbuch. Bd. 1ff. München: edition text + kritik, 1983ff.
I: Interdisziplinär angelegte, meist themengebundene Hefte. Abhandlungen, Studien, Dokumentationen, *Rezensionen.* - **Hrsg.:** Thomas Koebner, Wulf Köpke, Claus-Dieter Krohn u.a.

E 1340 Fontane-Blätter. Bd. 1ff. Potsdam: Fontane-Archiv, 1965ff.
EW: *2 x jährlich.* - **I:** Aufsätze, Berichte aus dem Archiv. - **Hrsg.:** Theodor-Fontane-Archiv der Deutschen Staatsbibliothek (-> G 290).

E 1350 Grabbe-Jahrbuch. Jg. 1ff. Emsdetten: Lechte, 1982ff.
I: Aufsätze, vornehmlich zu Grabbe, seiner Zeit und seinen Zeitgenossen. Berichte, Mitteilungen, Bibliographischer Anhang (*periodische Bibliographien* zu Grabbe, F. Freiligrath, G. Weerth). - **Hrsg.:** Werner Broer, Detlev Kopp, Michael Vogt.

E 1360 Hebbel-Jahrbuch. Heide, Holst.: Boyens, 1951ff.
I: Aufsätze (vorwiegend zu Hebbel), *Literaturbericht.* Berichte über die Jahresversammlung der Hebbel-Gesellschaft. - **Hrsg.:** Barbara Stern, Volker Schulz, Heinz Stolte.

E 1370 Heine-Jahrbuch. Jg. 1 (1962ff.) Hamburg: Hoffmann und Campe, 1961ff.
I: Aufsätze (vorwiegend zu Heine und seiner Rezeption), Kleinere Beiträge, Berichte, *Rezensionen.* Verzeichnis der *Heine-Literatur*, Mitteilungen der Heine-Gesellschaft, Heine-Chronik. - **Hrsg.:** Joseph A. Kruse

E 1380 Hölderlin-Jahrbuch [Iduna. Jahrbuch der Hölderlin-Gesellschaft.] Jg. 1ff. Tübingen: Mohr, 1944ff.
EW: 1 Bd. alle ein bis zwei Jahre. - **I:** Vorträge und Abhandlungen (vorwiegend zu Hölderlin), Dokumentarisches (zur Hölderlin-Rezeption), gelegentlich Forschungsberichte, *Rezensionen.* Berichte, Ehrungen. - **Hrsg.:** Bernhard Böschenstein, Gerhard Kurz.

E 1390 Hofmannsthal-Blätter. Veröffentlichungen der Hugo-von-Hofmannsthal-Gesellschaft. Frankfurt/M. H. 1ff. Heidelberg: Stiehm (jetzt Selbstverlag), 1968ff.
EW: 2 Hefte *pro Jahr.* - **I:** Aufsätze und Berichte, hauptsächlich zur Hofmannsthal-Forschung. *Bibliographien.* - **Hrsg.:** Hans-Albrecht Koch.

E 1400 Jahrbuch der Jean-Paul-Gesellschaft. Jg. 1ff. München: Beck, 1966ff.
I: Aufsätze zu Jean Paul und seiner Rezeption sowie zur Literatur des 18. und 19. Jhs. Gelegentlich *Buchbesprechungen.* - **Hrsg.:** Kurt Wölfel.

E 1410 Jahrbuch zur Literatur in der DDR, Bd. 1ff. Bonn: Bouvier, 1980ff.
I: Themengebundene Bände, Aufsätze, Berichte, Namenregister. - **Hrsg.:** Paul Gerhard Klussmann, Heinrich Mohr.

E 1420 Lessing-Yearbook. Jg. 1ff. München: Hueber (ab 1981ff.: text + kritik), 1969ff.

I: Aufsätze zu Lessing und zur Literatur des 18. Jhs., *Rezensionen*, Notizen. - **Hrsg.:** Richard E. Schade.

E 1430 Literaturwissenschaftliches Jahrbuch. Neue Folge. Jg. 1ff. Berlin: Duncker & Humblot, 1960ff.

I: Aufsätze zum Bereich der neueren Literaturen (dt., franz., engl., anglo-amerik.). Kleine Beiträge. Berichte, *Rezensionen*. Namen- und Werkregister (bis 1977: Sachregister). - **Hrsg.:** Hermann Kunisch, Theodor Berchem, Franz Link.

E 1440 Heinrich-Mann-Jahrbuch. Bd. 1ff. Lübeck 1983ff.

I: Beiträge, vornehmlich zu H. Mann. *Buchbesprechungen*. - **Hrsg.:** Helmut Koopmann, Peter Paul Schneider.

E 1450 Thomas-Mann-Jahrbuch. Bd. 1ff. Frankfurt/M.: Klostermann, 1988ff.

I: Aufsätze, vornehmlich zu Th. Mann und seiner Rezeption. Quellen und Dokumente. - **Hrsg.:** Eckhard Heftrich, Hans Wysling.

E 1460 Jahrbuch der Karl-May-Gesellschaft. Jg. 1ff. Hamburg: Hansa, 1970ff.

I: Aufsätze zu Karl May und seiner Rezeption. Berichte über die Arbeit der Karl-May-Gesellschaft. - **Hrsg.:** Claus Roxin, Heinz Stolte, Hans Wollschläger.

E 1470 Maler Müller Almanach. Bd. 1ff. Bad Kreuznach: Fiedler, 1980ff.

EW: unregelmäßig. -

I: Beiträge zu Maler Müller und seiner Zeit. Texte Maler Müllers, Dokumente. Reproduktionen aus dem bildkünstlerischen Werk. *Bibliographien*. - **Hrsg.:** Rolf Paulus.

E 1480 Jahrbuch der Raabe-Gesellschaft. Bd. 1ff. Braunschweig: Waisenhaus (jetzt: Tübingen: Niemeyer), 1960ff.

I: Beiträge, hauptsächlich zu Raabe und seiner Rezeption. Berichte der Raabe-Gesellschaft. - **Hrsg.:** Josef Daum, Hans-Jürgen Schrader.

E 1490 Jahrbuch der Oswald von Wolkenstein-Gesellschaft. Bd. 1ff. Stuttgart 1980/81ff.

EW: *Zweijahresrhythmus*. - **I**: Aufsätze und Beiträge zu Oswald von Wolkenstein und der Literatur des Spätmittelalters, Forschungs- und Kongreßberichte. Mitteilungen. - **Hrsg.:** Hans-Dieter Mück, Ulrich Müller.

E 1500 Rhetorik. Ein internationales Jahrbuch. Bd. 1ff. Stuttgart: Frommann-Holzboog (ab Bd. 5: Tübingen: Niemeyer), 1980ff.

I: Interdisziplinäre Beiträge. Diskussionen. *Periodische Bibliographie*. Rezensionen. - **Hrsg.:** Joachim Dyck, Walter Jens, Gert Ueding.

E 1510 Women in German Yearbook 1ff. London: University Press of America, 1985ff.

I: Aufsätze zum Gesamtbereich feministischer Forschung, darunter auch literaturwissenschaftliche. - **Hrsg.:** Marianne Burkhard, Edith Waldstein.

5 LITERATURDIDAKTISCHE ZEITSCHRIFTEN

E 1710 Der Deutschunterricht. Jg. 1ff. Stuttgart: Klett, 1947ff.
EW: 6 Hefte *pro Jahrgang*. - **I:** Aufsätze zur Praxis und wissenschaftlichen Grundlegung des Deutschunterrichts. Unterrichtsmodelle. Register für Bd. 1-25 (1974); 26-30 (1979). - **Hrsg.:** Gerhard Augst u.a.

E 1720 Deutschunterricht. Jg. 1ff. Berlin (Ost): Volk und Wissen, 1948ff.
EW: 12 Hefte *pro Jahrgang*. - **I:** Aufsätze und kleine Beiträge zum Bereich des Deutschunterrichts unter Einschluß von Film, Funk, Fernsehen und Theater. *Buchbesprechungen* und Buchinformationen.

E 1730 Diskussion Deutsch. Zeitschrift für Deutschlehrer aller Schulformen in Ausbildung und Praxis. Bd. 1ff. Frankfurt/M.: Diesterweg, 1970ff.
EW: 4 Hefte *pro Jahrgang*. - **I:** Aufsätze und Diskussionsbeiträge zu Theorie und Praxis des Deutschunterrichts. Unterrichtsmodelle. - **Hrsg.:** Albert Bremerich-Vos, Karlheinz Fingerhut, Hubert Ivo u.a.

E 1740 Mitteilungen des Deutschen Germanistenverbandes -> E 880.

E 1750 Praxis Deutsch. Zeitschrift für den Deutschunterricht. H. 1ff. Velber [später: Seelze]: Friedrich, 1973ff.
EW: 6 Hefte *pro Jahrgang*. - **I:** Aufsätze und Diskussionsbeiträge zu Theorie und Praxis des Deutschunterrichts. Unterrichtsmodelle. *Rezensionen* (in Karteikartenform). - **Hrsg.:** Jürgen Baurmann, Klaus Gerth, Gerhard Haas u.a.

E 1760 Sprache und Literatur in Wissenschaft und Unterricht (vormals *Linguistik und Didaktik*), Jg. 1ff. Paderborn: Schöningh und München: Fink, 1970ff.
EW: 2 Hefte *im Jahr*. - **I:** Aufsätze zum Gesamtbereich der Sprach- und Literaturwissenschaft und -didaktik, Diskussionen, *Rezensionen*, Mitteilungen. - **Hrsg.:** Hans Jürgen Heringer, Gerhard Kurz, Georg Stötzel.

E 1770 Wirkendes Wort. Deutsche Sprache und Literatur in Forschung und Lehre, Jg. 1ff. Düsseldorf: Schwann, 1950/51ff.
EW: 6 Hefte *pro Jahrgang*. - **I:** Aufsätze zum Gesamtbereich der deutschen Sprache und Literatur und ihrer Didaktik. - Forschungsberichte. *Buchbesprechungen*. - **Hrsg.:** Heinz Rölleke.

6 THEATER- UND THEATERWISSENSCHAFTLICHE ZEITSCHRIFTEN

E 1800 Maske und Kothurn. Internationale Beiträge zur Theaterwissenschaft. Jg. 1 ff. Graz, Köln: Böhlau, 1955 ff.
EW: 4 Hefte *pro Jahrgang*. - **I:** Aufsätze zum Theater, Film und Fernsehen, zur Theaterwissenschaft und Bildmedienforschung. *Rezensionen*. Mitteilungen. *Bibliographie* des deutschen theaterwissenschaftlichen Schrifttums. Register zu Bd. 1-25 in Bd. 25 (1979). - **Hrsg.:** Institut für Theaterwissenschaft an der Universität Wien (Redaktion: R.M. Köppl).

E 1810 Theater heute. Jg. 1ff. Velber: Friedrich (später: Zürich: Orell, Füssli + Friedrich), 1960ff.
EW: *monatlich*. - **I:** Aufsätze, Dramentexte, Theaterberichte, Kritiken, Szenenfotos. - Sonderheft: Jahrbuch (früher: Chronik und Bilanz eines Bühnenjahres). - **Hrsg.:** Erhard Friedrich, Henning Rischbieter.

E 1820 Theater der Zeit. Organ des Verbandes der Theaterschaffenden der DDR. Berlin: Henschel, 1946ff.
EW: *monatlich*. - **I:** Aufsätze, Theatertexte, Kongreßberichte, Reporte, Interviews, Kritiken, *Rezensionen*. - **Hrsg.:** Verband der Theaterschaffenden der DDR.

7 MEDIENWISSENSCHAFTLICHE ZEITSCHRIFTEN

E 1850 Medien + Erziehung. Zweimonatsschrift für Audiovisuelle Kommunikation. Jg. 1ff. Opladen, Leverkusen: Leske, 1957ff.
EW: 6 Hefte *im Jahr*. - **I:** Aufsätze, Berichte zur Medienpädagogik und zur Theorie der Massenmedien. Hefte meist themenbezogen. - **Hrsg.:** Martin Keilhacker, Edmund Budrich u.a.

E 1860 Medienwissenschaft. Zeitschrift für Rezensionen über Veröffentlichungen zu sämtlichen Medien. Jg. 1ff. Tübingen: Niemeyer, 1984ff.
EW: *vierteljährlich*. - **I:** Rezensionen zu allen Bereichen der Medien, der Medienwissenschaft und -pädagogik. - **Hrsg.:** Thomas Koebner, Karl Riha.

E 1870 Publizistik. Vierteljahreshefte für Kommunikationsforschung. Zeitschrift für die Wissenschaft von Presse, Rundfunk, Film, Rhetorik, Öffentlichkeitsarbeit, Werbung, Meinungsbildung. Jg. 1ff. Konstanz: Univ.-Verlag, 1956ff.
EW: 4 Hefte *im Jahr*. - **I:** Aufsätze und Berichte. *Rezensionen*. Bibliographien. - **Hrsg.:** Wilmont Haacke u.a.

8 ALLGEMEINE KULTURZEITSCHRIFTEN

E 1900 Ästhetik und Kommunikation. Beiträge zur politischen Erziehung. Jg. 1ff. Kronberg: Scriptor, 1970ff.
EW: 4 Hefte *pro Jahrgang*. - **I:** Aufsätze zu Kommunikation, Ästhetik und den neuen Medien. Hefte meist themengebunden. - **Hrsg.:** Institut für Kultur und Ästhetik.

E 1910 Freibeuter. Vierteljahresschrift für Kultur und Politik. H. 1ff. Berlin: Wagenbach, 1979ff.
EW: 4 Hefte *pro Jahr*. - **I:** Beiträge zum gesellschaftlichen, politischen und literarischen Leben. Interviews. Hefte teils themengebunden. - **Hrsg.:** Barbara Herzbruch, Klaus Wagenbach u.a.

E 1920 Kursbuch. Heft 1ff. Berlin: Kursbuch-Verlag, 1965 ff.
EW: unregelmäßig, mindestens 4 Hefte im Jahr. - **I:** Aufsätze zur geistigen und sozialen Situation, oft politischen Inhalts. Hefte meist themengebunden. - **Hrsg.:** Karl Markus Michel, Tilman Spengler.

E 1940 Merkur. Deutsche Zeitschrift für europäisches Denken. Jg. 1ff. Stuttgart: Klett-Cotta, 1947ff.
EW: *monatlich*. - **I:** Zeitgeschichtliche Beiträge. - **Hrsg.:** Karl Heinz Bohrer.

E 1950 Neue deutsche Hefte. Beiträge zur europäischen Gegenwart. Bd. 1ff. Berlin: N.D.H., 1954ff.
EW: 4 Hefte *pro Jahrgang*. - **I:** Literarische Texte, Essays, Aufsätze zum Kulturellen Leben. *Rezensionen*. - **Hrsg.:** Joachim Günther.

E 1960 Universitas. Zeitschrift für Wissenschaft, Kunst und Literatur. Bd. 1ff. Stuttgart: Wiss. Verlagsges., 1946 ff.
EW: monatlich. - **I:** Aufsätze aus dem gesamten Kulturbereich. Rezensionen. - **Hrsg.:** Christian Rotta, Ingrid Jung.

9 ÜBERREGIONALE TAGES- UND WOCHENZEITUNGEN MIT RELEVANTEM LITERATURTEIL

E 2110 Deutsches Allgemeines Sonntagsblatt, Postfach 132004, D-2000 Hamburg 13. - Tel.: 040-414190. - Telefax: 040-4141911. - Telex: 212973.

E 2120 Frankfurter Allgemeine Zeitung, Hellerhofstr. 2-4, Postfach 100808, D-6000 Frankfurt/M. 1. - Tel.: 069-7591.0. - Telefax: 069-7591.743 (Redaktion). - Fernschreiber: 41223. - BTX: *34034#.
Feuilleton: Dr. Wilfried Wiegand. - Literatur und literarisches Leben: Dr. Frank Schirrmacher.

E 2130 Frankfurter Rundschau, Große Eschenheimer Str. 16-18, Postfach 100660, D-6000 Frankfurt/M. 1. - Tel.: 069-21991. - Telex: 411651.
Feuilleton: Horst Koepke.

E 2140 Neue Zürcher Zeitung, Falkenstr. 11, Postfach, CH-8021 Zürich. - Tel.: [0041] 01-2581111. - Telefax: 01-2581860. - Telex: 817099NZZ.
Feuilleton: Hanno Helbling, Hansres Jacobi, Richard Häsli, Beatrice von Matt-Albrecht, Martin Meyer, Marianne Zelger-Vogt.

E 2150 Rheinischer Merkur. Christ und Welt, Godesberger Allee 93, Postfach 201154, D-5300 Bonn 2. - Tel.: 0228-884.0. - Telefax: 0228-88499. - Telex: 885618.
Kultur: Wolf Schön, Heimo Schwilk (Literatur). - Schauspiel und Musiktheater, Kulturreportage: Günter Engelhard.

E 2160 Süddeutsche Zeitung, Sendlinger Str. 80, Postfach 202220, D-8000 München 2. - Tel.: 089-2183.0. - Telefax: 2183787.
Kultur: Dr. A. Roeseler, E. Bauschmid.

E 2170 Die Welt, Godesberger Allee 99, D-5300 Bonn 2. - Tel.: 0228-3041. - Telefax: 0228-373465 und 376019. - Telex: 885714. - BTX: *4004080#.
Kultur, Bildungspolitik: Dr. Paul F. Reitze, Dr. Peter Dittmar. - Geistige Welt/WELT des Buches: Lothar Schmidt-Nicklisch, Peter Böbbis.

E 2180 Die Zeit, Pressehaus, Postfach 106820, D-2000 Hamburg 1. - Tel.: 040-32800. - Telefax: 040-327111. - Telex: 2162417.
Feuilleton: Ulrich Greiner (verantwortlich), Benedikt Erenz, Dr. Volker Hage, Benjamin Henrichs, Dr. Heinz Josef Herbort, Andreas Kilb, Dr. Petra Kipphoff, Dr. Rolf Michaelis, Dr. Manfred Sack, Willi Winkler.

TEIL F: SAMMELGEBIETE
UND SPEZIALBESTÄNDE DER BIBLIOTHEKEN
UND ARCHIVE IM DEUTSCHSPRACHIGEN RAUM

F 10 Mit dem folgenden Verzeichnis möchte das *Informationshandbuch* der wissenschaftlichen Forschung ein Instrumentarium an die Hand geben, das es ihr ermöglicht, rasch und zuverlässig die Bibliotheken und Archive zu erfassen, die gedrucktes und ungedrucktes Material zu bestimmten Forschungsgegenständen, seien es nun Autoren, Epochen oder sonstige Spezialgebiete, schwerpunktmäßig und im Hinblick auf Vollständigkeit sammeln. Die bibliothekarische Lage im Bereich der deutschen Literatur und Literaturwissenschaft ist relativ gut; jede Landes-, Universitäts- und Stadtbibliothek sammelt diese Gebiete je nach Etat mit kleinerer oder größerer Intensität. Bei der Erstellung des vorliegenden Verzeichnisses ging es nicht darum, dieses Selbstverständliche zu reproduzieren, sondern die Bibliotheken und Archive im deutschsprachigen Raum aufzulisten, die über das Normalmaß hinausgehende Bestände in ihren Magazinen speichern bzw. über die allgemeine Anschaffungspraxis hinaus bestimmte Gebiete gezielt sammeln, um das Material vollständig zur Verfügung zu stellen. Als Bibliotheken mit vollständigen Sammelbeständen sind in erster Linie die Nationalbibliotheken anzusehen (-> H 10-H 40). Besonders wird auf die Stadt- und Universitätsbibliothek Frankfurt/M. (-> H 80) hingewiesen, die mit ihren Sondersammelgebieten *Germanistik, Allgemeine und Vergleichende Literaturwissenschaften, Deutsche Sprache und Literatur* zu den wichtigsten unseres Faches zählt.

F 20 Die Informationen wurden durch eine Fragebogenaktion gewonnen. Angeschrieben wurden alle Landes-, Universitäts- und Institutsbibliotheken, ein Großteil der Stadtbibliotheken und Archive der Bundesrepublik Deutschland, der Deutschen Demokratischen Republik, Österreichs und der Schweiz. Die Angaben wurden durch eine neuerliche Umfrage im Jahr 1989 überprüft und ggf. korrigiert. Eine Reihe neuer Spezialbestände konnte durch diese zweite Aktion erfaßt werden. Dennoch wird es auch diesmal noch Lücken geben. Alle Bibliotheken und Archive, deren wesentliche Spezialbestände nicht verzeichnet sind, werden daher um eine kurze Mitteilung an den Verfasser (*Anschrift*: Fachrichtung 8.1 Germanistik, Universität des Saarlandes, D-6600 Saarbrücken 11) gebeten. - Soweit die Bibliotheken und Archive entsprechende Angaben machten, erfolgen differenzierende Bemerkungen zu den jeweiligen Beständen. Einschränkend muß jedoch darauf hingewiesen werden, daß ein solches Verzeichnis eine gewisse Problematik in sich birgt: Was für kleinere Bibliotheken ein erwähnenswerter Spezialbestand ist, findet sich oft - ohne besondere Hervorhebung zu finden - an größeren Institutionen in der gleichen oder einer größeren Anzahl.

F 30 Die Anordnung der Sammelgebiete und Spezialbestände erfolgt nicht nach Institutionen, sondern alphabetisch nach Schlagwörtern (Autorennamen, Sachbegriffe). Abweichend davon werden Epochenbezeichnungen nicht an ihrem alphabetischen Ort, sondern systematisch gegliedert ihrem chronologischen Ablauf entsprechend unter dem Schlagwort *Literarische Epochen* verzeichnet. Innerhalb der Schlagwörter sind die Institutionen mit den umfassendsten Beständen vorangestellt, die übrigen folgen in alphabetischer Anordnung nach ihrem Ort. Es gilt zu beachten, daß Spezialbestände zu Autoren, deren Namen man hier vermißt, beispielsweise unter den jeweiligen Epochenbeständen oder regional begrenzten Beständen einer Bibliothek vorhanden sein können. Es empfiehlt sich daher, bei der Suche nach dem Standort etwas weiträumiger zu verfahren. In vielen Fällen wurden Hinweise auf den Verbleib des Nachlasses gegeben. Für vollständige und detaillierte Angaben wird aber auf die speziellen Nachlaßverzeichnisse (-> D 3620ff.) verwiesen. Zu den bedeutenderen Institutionen, die hier erfaßt sind, finden sich in den Teilen G, H, I Kurzbeschreibungen ihrer Funktion und ihrer Bestände.

F 40 Abenteuerromane

Walter Henle, Kaiser-Augustus-Str. 23, D-5500 Trier. - Tel.: 0651-39568. - Privatsammlung.

Reiche Bestände, darunter Gerstäcker, Karl May, Robert Kraft (Spezialarchiv), B. Traven u.v.a. Sekundärliteratur.

F 50 Abraham a Sancta Clara (1644-1709)

Badische LB, Erbprinzenstr. 15, Postfach 1451, D-7500 Karlsruhe 1. - Tel.: 0721-175.0. - Ausleihbibliothek.

ÖNB Wien (-> H 30).

Nachlaß.

F 60 Alemannische Literatur

UB, Werthmannplatz 2, D-7800 Freiburg. - Tel.: 0761-203.3900.- Ausleihbibliothek.

F 70 Willibald Alexis (1799 bis 1871)

Amerika-Gedenkbibliothek/Berliner Zentralbibliothek, Blücherplatz 1, D-1000 Berlin 61. - Tel.: 030-6905.162. - Telex 184693. - Ausleihbibliothek.

Willibald-Alexis-Archiv (Nachlaß Max Ewert).

F 80 Almanache

LB, Schloß Ehrenburg, D-8630 Coburg. - Tel.: 09561-7757. - Ausleihbibliothek.

Rd. 2400 Almanache der Klassik, der Romantik und des 19 Jhs. (bis ca. 1850).

FDH (-> G 30).

Rd. 2000 Almanache der Klassik und Romantik.

Germanisches Nationalmuseum, Kartäusergasse 1, Postfach 9580, D-8500 Nürnberg 11. - Präsenzbibliothek.

Almanache der Klassik und Romantik.

Anakreontik -> F 1820.

F 95 Stefan Andres (1906 bis 1970)

Stefan Andres Archiv (-> G 95).

F 100 Arbeiterliteratur

Fritz-Huser-Institut (-> G 90).

F 110 Ernst Moritz Arndt (1769-1860)

Akademie der Wissenschaften der DDR (-> I 180).

Nachlaß.
SBPK (-> H 50).
Teilnachlaß.
UB, Adenauerallee 39-41, Postfach 2640, D-5300 Bonn 1. - Tel.: 0228-737350. - Ausleihbibliothek.
Teilnachlaß.
Stadtarchiv und Wissenschaftliche StB, Berliner Platz 2, Passage, D-5300 Bonn. - Tel.: 0228-773683, 772413, 772412. - Ausleihbibliothek.
Manuskripte, Gedichte, Briefe. Zeitungsausschnittsammlung.
-> G 100.

F 120 Achim von Arnim (1781 bis 1831)
FDH (-> G 30).
Primär-, Sekundärliteratur. Teilnachlaß.
UB, Plöck 107-109, D-6900 Heidelberg. - Tel.: 06221-54.2380. - Ausleihbibliothek.
Teilnachlaß (Sammlung zu *Des Knaben Wunderhorn*).

Aufklärung -> F 1820.

F 150 Ingeborg Bachmann (1926-1973)
ÖNB Wien (-> H 30).
U.a. Nachlaß.
Ingeborg-Bachmann-Museum (-> G 105).

F 160 Jens Immanuel Baggesen (1764-1826)
UB, Olshausenstr. 29, D-2300 Kiel.- Tel.: 0431-880.2700. - Ausleihbibliothek.
Primär-, Sekundärliteratur. Nachlaß.

F 170 Hugo Ball (1886-1927)
Stadtbücherei, Dankelsbachstr. 19, D-6780 Pirmasens. - Tel.: 06331-84460. - Ausleihbibliothek.
Sammlung. - Weitere Sammlungen zu Autoren und Autorinnen der Region, z.B. Emmy Ball-Hennings (1885 bis 1948).

Barockliteratur -> F 1810.

Kurt Bartel (1914-1967) -> F 1670.

F 210 Basler Autoren
Öffentliche Bibliothek der Universität, Schönbeinstr. 18-20, CH-4056 Basel. - Tel.: [0041] 061-293111. - Telex: 964853 ubib ch. - Ausleihbibliothek.
Basler Literaturarchiv mit Primär- und Sekundärliteratur zu Autoren, die aus Basel stammen oder in Basel lebten.

F 220 Johannes R. Becher (1891-1958)
Akademie der Künste der DDR. Literatur-Archive (-> I 190).
Johannes R. Becher-Archiv (-> G 120).

F 230 Gottfried Benn (1886 bis 1956)
Akademie der Künste Berlin (-> I 70).
Primär-, Sekundärliteratur. Manuskripte, Briefe.
DLA (-> G 20).
Manuskripte, Briefe (Sammlung Friedrich Wilhelm Oelze).

F 240 Götz von Berlichingen (1480-1562)
Archiv der Freiherren von Berli-

chingen, Rotes Schloß, D-7109
Jagsthausen. - Tel.: 07943-2335.
- Privatarchiv (nur mit beson-
derer Erlaubnis).

**F 250 Werner Bergengruen
(1892-1964).**
DLA (-> G 20).
Nachlaß.

**F 255 Ernst Bertram (1884 bis
1957)**
StB, Kolpingstr. 8, D-5600 Wuppertal 1. - Tel.: 0202-5636001. -
Telex: 8592509 bibw d. - Ausleihbibliothek.
Primär- und Sekundärliteratur, Zeitungsausschnittsammlung, Teilnachlaß
(Präsenzbestand).

F 260 Peter Bichsel (1935-)
Zentralbibliothek Solothurn,
Bielstr. 39, CH-4500 Solothurn.
- Tel.: [0041] 065-221811. - Aus-
leihbibliothek.

Bildergeschichten -> F 480

**F 270 Sigmund von Birken
(1626-1681)**
Seminar für Deutsche Philologie,
Universität Mannheim (-> I
990). - Präsenzbibliothek.
Germanisches Nationalmuseum
(-> F 80).
Nachlaß.

F 280 Ernst Bloch (1885-1977)
StB, Bismarckstr. 44-48, D-6700
Ludwigshafen. - Tel.: 0621-
5042592. - Ausleihbibliothek.
Ernst Bloch-Archiv (seit 1979): Manuskripte, Briefe, Fotos, Primär- und
Sekundärliteratur, Hörfunk- und Fern-
sehdokumente [Präsenzbestand; Nachlaß Blochs in UB Tübingen].

**F 290 Hans Friedrich Blunck
(1888-1961)**
UB Kiel (-> F 160).
Primär-, Sekundärliteratur. Teilnachlaß.

**F 300 Heinrich Böll (1917 bis
1985)**
Historisches Archiv der Stadt
Köln, Severinstr. 222-228. D-
5000 Köln 1.- Tel.: 0221-
221.4450.
Handschriftliches, Unikate.
LiK-Archiv Köln (-> G 60).
Heinrich-Böll-Archiv.
Heinrich-Heine-Institut (-> G
40).
StB Wuppertal (-> F 255).
Sammlung.

**F 310 Ludwig Börne (1786 bis
1837)**
Heinrich-Heine-Institut (-> G
40).
StUB Frankfurt/M. (-> H 80).
Nachlaß.

**F 320 Wolfgang Borchert
(1921-1947)**
SUB Hamburg Carl von Ossietzky, Von-Melle-Park 3, D-2000
Hamburg 13. - Tel.: 040-
4123.2233.- Ausleihbibliothek.
Borchert-Archiv. Primär-, Sekundärliteratur. Nachlaß (Präsenzbestand).

**F 330 Hermann Bräuning-Ok-
tavio (1889-1977)**
Hessische Landes- und Hochschulbibliothek, Schloß, D-6100
Darmstadt. - Tel.: 06151-
125420.
Nachlaß.

F 340 Bertolt Brecht (1898 bis 1956)
Akademie der Künste der DDR.
Literatur-Archive (-> I 190).
Bertolt-Brecht-Archiv (-> G 140).
StUB, Schaezlerstr. 25, Postfach 111909, D-8900 Augsburg. - Tel.: 0821-3242739. - Ausleihbibliothek.
Arbeitsstelle Bertolt Brecht (-> I 1785).
Spezialbibliothek (Primär-, Sekundärliteratur; Erstausgaben); Dokumente von Brecht, Hanns Eisler, Elisabeth Hauptmann, Margarete Steffin, Ruth Berlau u.a. (zum internen Gebrauch). Datenbanken zur Lyrik Brechts sowie zum Register der *Großen Berliner und Frankfurter Ausgabe*.

F 350 Willi Bredel (1901-1964)
Akademie der Künste der DDR.
Literaturarchive (-> I 190).
Primär-, Sekundärliteratur. Nachlaßmaterialien.

F 360 Clemens Brentano (1778-1842)
FDH (-> G 30).
Primär-, Sekundärliteratur. Teilnachlaß. -> auch F 120.
NFG (-> G 10). Zentralbibliothek der deutschen Klassik.
UB, Saarstr. 21, Postfach 4020, D-6500 Mainz 1. - Tel.: 06131-392633. - Ausleihbibliothek.

F 370 Rolf Dieter Brinkmann (1940-1975)
Fachgebiet Deutsch, Universität Osnabrück, Abteilung Vechta (-> I 1210). - Ausleihbibliothek.

F 380 Georg Britting (1891 bis 1964)
Bayerische SB (-> H 70).
Primär-, Sekundärliteratur. Nachlaß.

F 390 Arnolt Bronnen (1895 bis 1959)
Akademie der Künste Berlin (-> I 70).
Sammlung.

F 400 Buchwesen
-> G 160 - G 200.
Börsenverein des Deutschen Buchhandels, Bibliothek und Historisches Archiv, Postfach 100442, Großer Hirschgraben 17-21, D-6000 Frankfurt/M. 1. - Tel.: 069-1306.212. - Präsenzbibliothek.
Fachbibliothek zum Buchwesen mit Schwerpunkt auf der Geschichte des (deutschsprachigen) Buchhandels (ca. 31000 Bde.). Historisches Archiv mit ca. 3000 Drucken, Bildern (Porträts), Briefen. Sondersammlungen: Verlagssignets, buchhändlerische Werbemittel.
Deutsches Bucharchiv München, Erhardtstr. 8, D-8000 München 5. - Tel.: 089-2021328. - Telex: 529813 debig d. - Telefax: 089-2021473. - Präsenzbibliothek.
Rd. 21700 Monographien zur Buchwissenschaft einschl. Autoren- und Verlagswesen, Papier- und Druckindustrie, AV-Medien, IuD-Wesen; 250000 Literaturnachweise; 262 lfd. Zeitschriften; Zeitungsausschnitte; Graue Literatur.
Niedersächsische SUB (-> H 75).
Sondersammelgebiet der Deutschen Forschungsgemeinschaft.
StUB Frankfurt/M. (-> H 80).

Rd. 12000 Bde. zu Buch- und Bibliothekswesen.

F 410 Georg Büchner (1813 bis 1837)

Hessische LHB Darmstadt (-> F 330).

Georg-Büchner-Archiv (-> G 210). NFG (-> G 10). Goethe und Schiller-Archiv.

Nachlaß.

Institut für Neuere deutsche Literatur, Universität Marburg (-> I 1010). - Präsenzbibliothek.

Forschungsstelle Georg Büchner. Primär- und Sekundärliteratur, Quellen- und Bildmaterial.

F 420 Büchnerpreisträger

Hessische LHB Darmstadt (-> F 330).

F 430 Gottfried August Bürger (1747-1794)

Niedersächsische SUB (-> H 75).

Nachlaß.

F 440 Wilhelm Busch (1832 bis 1908)

Wilhelm-Busch-Museum (-> G 220, G 230).

F 445 Paul Celan (1920-1970)

DLA (-> G 20).

Nachlaß.

F 450 Adelbert von Chamisso (1781-1838)

DLA (-> G 20).

Sammlung.

SBPK (-> H 50).

Sammlung Kossmann (Werkausgaben, Schlemihliana).

F 460 Helmina von Chézy (1783-1856)

Fürstlich Leiningensche Bibliothek, Schloßplatz 1, Postfach 25, B-8767 Amorbach. - Tel.: 09373-3061 und 3062. - Präsenzbibliothek.

Sammlung und Nachlaß.

Akademie der Wissenschaften der DDR. Zentrales Archiv (-> I 180).

Manuskripte, Briefe.

F 470 Matthias Claudius (1740-1815)

SUB Hamburg (-> F 320).

Schleswig-Holsteinische LB, Schloß, D-2300 Kiel 1. - Tel.: 0431-9067.172. - Ausleihbibliothek.

F 480 Comic Strips/Bildergeschichten

(Vgl. hierzu auch: *Zur Archäologie der Popularkultur* [-> D 5110].)

Deutsche Bibliothek Frankfurt/M. (-> H 10).

Pflicht- und Belegexemplare ab 1945.

Dr. Othmar Hermann, Im Sachsenlager 1, D-6000 Frankfurt/M. 1. - Tel.: 069-551781. - Privatsammlung.

Rd. 4300 Exx. (Micky Maus u.a.).

StUB, Frankfurt/M. (-> H 80).

Seminar für Volkskunde, Universität Göttingen (-> I 710).

Rd. 500 Exx. (1950-1965).

Badische LB (-> F 50).

Vollständigkeit für den Bereich Baden.

Schleswig-Holsteinische LB (-> F 470)

Pflicht- und Belegexemplare aus Schleswig-Holstein.

Robert Sachse, Wilhelmstr. 25,

D-7554 Kuppenheim. - Tel.:
07222-42001. - Privatsammlung.
Mehrere Tausend Comics und humor-
volle Bildergeschichten ab 1740; 60
verschiedene deutschsprachige humo-
ristische Zeitschriften (komplette Jgg.
ab 1877).
Bayerische SB (-> H 70).
Pflicht- und Belegexemplare aus
Bayern.
Internationale Jugendbibliothek
(-> F 1570).
Systematische Sammlung.
Ingo Dieter, Hermann-Strebel-
Str. 34, D-8500 Nürnberg 10. -
Tel.: 0911-513090. - Privat-
sammlung.
Rd. 5000 Exx. (vor allem Fix und Fo-
xi, Micky Maus).
Norbert Hethke, Postfach 1170,
D-6917 Schönau. - Tel.: 06228-
1422.- Privatsammlung.
Rd. 55000 Exx. systematische Samm-
lung (und ca. 200000 Dubletten).
Sammlerauflagen alter Comics.
Pfälzische LB, Johannesstr. 22 a,
Postfach 176, D-6720 Speyer. -
Tel.: 06232-75540.
Beleg- und Pflichtexemplare.
Comic-Keller, Löwenstr. 8, D-
5600 Wuppertal 1. - Tel.: 0202-
435587.
Rd. 6000 Hefte.
StB Wuppertal (-> F 255).
Besonderes Sammelgebiet.

F 490 Michael Georg Conrad (1846-1927)
StB München, Schwanthalerstr.
68, D-8000 München 2.- Tel.:
089-233.5095.
Bibliothek Conrads. Nachlaß.

F 500 Hedwig Courths-Mahler (1867-1950)
Amerika-Gedenkbibliothek /
Berliner Zentralbibliothek (-> F
70).
Rd. 550 Bde. Primärliteratur. Briefe,
Zeitungsausschnitte, Schallplatten.

Dadaismus -> F 1840.

F 520 Richard Dehmel (1863 bis 1920)
SUB Hamburg (-> F 320).
Primär-, Sekundärliteratur. Nachlaß
(einschl. Nachlaß Ida Dehmel).

F 525 Deutschsprachige Literatur nichtdeutschsprachiger Länder
Bibliothèque nationale et univer-
sitaire, Section des alsatiques,
34, rue du Mal. Joffre, B.P.
1029/F, F-67070 Strasbourg Ce-
dex. - Tel.: [0033] 88.360068.
Deutschsprachige Literatur Elsaß-Lo-
thringens.
Fachgebiet Germanistik, Universität Wuppertal (-> I 1240). -
Ausleih- und Präsenzbibliothek.
Deutschsprachige Literatur Prags und
Böhmens [reichhaltige Bestände
deutschsprachiger Literatur Osteuro-
pas in der UB Prag].
Arbeitsstelle Steinburger Studien
(-> I 2150).
Sowjetdeutsche Literatur.
Bibliothèque nationale de Luxembourg, Boulevard Roosevelt
37, L-2450 Luxembourg. - Tel.:
[00352] 26255.
Deutschsprachige Literatur Luxem-
burgs. Ebenso im:
Luxemburger Literaturarchiv,
c/o Archives de l'État, Plateau
du Saint-Esprit, Boîte postale 6,

L-2010 Luxembourg. - Tel.:
[00352] 478478.

F 530 Alfred Döblin (1887 bis 1957)
DLA (-> G 20).
Sammlung mit Nachlaß.

F 540 Dramatik
UB, Geschwister-Scholl-Platz 1,
D-8000 München 22. - Tel.: 089-
2180.2428. - Ausleihbibliothek.
Rd. 3000 Dramen aus der 2. Hälfte des
18. Jhs. (Sammlung v. Pfletten); rd.
1000 Schuldramen.
Staats- und Stadtbibliothek,
Schaezlerstr. 25, Postfach
111909, D-8900 Augsburg. -
Tel.: 0821-3242739. - Ausleih-
bibliothek.
Reichhaltige Sammlung populärer und
trivialer Dramen aus dem letzten Drittel des 18. und der 1. Hälfte des 19.
Jhs. (Drucke und Handschriften, z.T.
unveröffentlicht).
LB Coburg (-> F 80).
Reiche Bestände, zurückreichend bis
ins 18 Jh.
StUB Frankfurt/M. (-> H 80).
Rd. 6000 Bühnenmanuskripte nach
1945.
Ruhrfestspiel-Archiv, c/o Stadt-
archiv, Hohenzollernstr. 12, D-
4350 Recklinghausen. - Tel.:
02361-587.346 und 587.381.
Fürst Thurn und Taxis, Hof-
bibliothek und Zentralarchiv,
Emmeransplatz, D-8400 Regensburg 11. - Tel.: 0941-50480 und
5048132.
Textbücher und Theaterschriften (vor
allem vor 1800).
StB, Luisenstr. 5/1, D-6940
Weinheim. - Tel.: 06201-64011.
- Ausleihbibliothek.

Dramen (Theatertexte) ab 1960.
-> F 2830.

F 550 Annette von Droste-Hülshoff (1797-1848)
Droste-Museum (-> G 240, G
250).
SBPK (-> H 50).
Teilnachlaß.
UB Bonn (-> F 110).
Teilnachlaß.

F 560 Günter Eich (1907-1972)
DLA (-> G 20).
Primär-, Sekundärliteratur. Nachlaß.

F 570 Joseph von Eichendorff (1788-1857)
Deutsches Eichendorff-Museum
(-> G 260).

F 580 Einblattdrucke
StUB Augsburg (-> F 340).
SB Bamberg, Neue Residenz,
Domplatz 8, D-8600 Bamberg. -
Tel.: 0951-54014.
SBPK (-> H 50).
HAB Wolfenbüttel (-> H 90).

F 590 Carl Einstein (1885 bis 1940)
Akademie der Künste Berlin (->
I 70).
Carl-Einstein-Archiv.

F 595 Paul Ernst (1866-1933)
DLA (-> G 20).
Handschriftlicher Nachlaß, Briefe u.ä.
UB, Universitätsstr., D-4630 Bo-
chum 1.
Ernsts Bibliothek (rd. 12000 Bde.) in
geschlossener Aufstellung als Präsenz-
bestand.
Paul-Ernst-Archiv, Schumannstr.
39, D-5300 Bonn 1. - Tel.: 0228-

218905.
Erstausgaben, Sammelausgaben, Bildarchiv, Sekundärliteratur.

F 600 Erzählforschung
Forschungsstelle für Volkskunde
in Bremen und Niedersachsen
(-> G 870). - Präsenzbibliothek.
Seminar für Volkskunde, Uni-
versität Göttingen (-> I 710). -
Präsenzbibliothek.

F 610 Exilliteratur
Deutsche Bibliothek (-> H 10).
Umfangreichste Sammlung mit über
88000 Einheiten. Sonderkatalog (-> D
1135).
Hamburger Arbeitsstelle für
deutsche Exilliteratur, c/o Litera-
turwissenschaftliches Seminar,
Universität Hamburg (-> I 720).
Bibliothek (rd. 10000 Bde.), Archiv
mit mehreren Nachlässen (darunter P.
Walter Jacob, mit Materialien zur
Freien deutschen Bühne in Buenos Ai-
res), Zeitungsausschnittsammlung.
Projekt KZ-Literatur.
Bayerische SB (-> H 70).
Akademie der Künste der DDR.
Literatur-Archive (-> I 190).
UB Bonn (-> F 110).
Rd. 700 Bde. (Sonderkatalog).
StB, Marktplatz 10, D-6520
Worms. - Tel.: 06241-853504. -
Ausleihbibliothek.
[Reichhaltige Bestände in der
Wiener Library, London.]

F 620 Exotische Literatur
Günter Schmitt, Am Richtsberg
1, D-3550 Marburg 1. - Tel.:
06421-41445. - Privatsammlung.
Rd. 4500 Bde. (Gerstäcker, Cooper
u.v.a.).
Walter Henle (-> F 40).

Expressionismus -> F 1840.

F 640 Fabeln
Stadtbücherei, Wörthstr. 3, D-
4200 Oberhausen 1. - Tel.: 0208-
8252480. - Ausleihbibliothek.

**F 650 Fachdidaktische Litera-
tur**
Pädagogisches Zentrum, Uhland-
str. 96/97, D-1000 Berlin 31. -
Tel.: 030-8687203. - Ausleihbibliothek mit großen Präsenzbe-
ständen.
Überwiegend schulpraxis-orientierte,
unterrichtsrelevante Literatur: Fachdidaktik aller Lernbereiche, Allg. Didaktik, alle erziehungswissenschaftlichen Disziplinen einschl. Pädagogische Psychologie und Soziologie. -
Gesamtbestand: ca. 285000 Bde., ca.
650 laufend gehaltene Zeitschriften,
ca. 500 laufend gehaltene Jahrbücher.
- Sondersammlungen: Schulbücher,
Rahmenpläne für den Unterricht,
DDR-Pädagogik.
Deutsches Institut für Internationale Pädagogische Forschung,
Schloßstr. 29-31, Postfach
900280, D-6000 Frankfurt/M.
90. Tel.: 069-770245. - Telex:
417 0331. - Präsenzbibliothek.
Rd. 160000 Bde. aus dem Gesamtbereich des Bildungswesens.
Akademie der Pädagogischen
Wissenschaften der DDR (-> I
20).
Institut für Germanistik, Universität Salzburg (-> I 1420). - Aus-
leih- und Präsenzbibliothek.

**F 660 Hans Fallada (1893 bis
1947)**
Hans-Fallada-Haus (-> G 270).

F 670 Faust-Stoff
Faust-Museum Knittlingen (-> G 280).
FDH (-> G 30).
Goethe-Museum Düsseldorf, Anton- und Katharina-Kippenberg-Stiftung (-> G 350).

F 690 Lion Feuchtwanger (1884-1958)
Akademie der Künste Berlin (-> I 70).
Primär-, Sekundärliteratur. Nachlaß.

F 710 Marieluise Fleisser (1901-1974)
Stadtarchiv und Wissenschaftliche StB, Auf der Schanz 45, D-8070 Ingolstadt/Do. - Tel.: 0841-305.121. - Ausleihbibliothek.
Primär-, Sekundärliteratur (Ausleihe möglich), Nachlaß, Zeitungsausschnittsammlung, Programmhefte. Kopiermöglichkeit. - Vgl.: Pfister, Eva: Der Nachlaß von Marieluise Fleisser. In: Maske und Kothurn 26 (1980), S. 294-303.
Akademie der Künste Berlin (-> I 70).
Sammlung.

F 720 Flugschriften
StUB Frankfurt/M. (-> H 80).
Flugschriftensammlung Gustav Freytags (Mikrofiche-Edition: München u.a.: Saur, 1980-1981).
Staats- und StB Augsburg (-> F 540).
Rd. 3500 Flugschriften aus der Zeit von 1501-1850.

F 730 Flugschriften der Reformationszeit
Hofbibliothek, Schloß Johannisburg, Schloßplatz 4, D-8750

Aschaffenburg. - Tel.: 06021-24429. - Ausleihbibliothek.
LB Coburg (-> F 80).
Marktkirchenbibliothek, Gemeindehof 8, D-3380 Goslar. - Tel.: 05321-23150. - Präsenzbibliothek.
Stadtarchiv und StB, Altes Rathaus, Reichsplatz, D-8990 Lindau. - Tel.: 08382-275404.- Telex 54318 STALI. - Präsenzbibliothek.
Bayerische SB (-> H 70).

F 740 Theodor Fontane (1819 bis 1898)
Theodor Fontane-Archiv (-> G 290).
Märkisches Museum (-> G 125).
Teilnachlaß (Manuskript-Konvolute zu neunzehn Werken Fontanes).
DLA (-> G 20).
Sammlung. Teilnachlaß (Cotta-Archiv). Zu weiteren Nachlaßteilen vgl. Denecke-Brandis [-> D 3630] S. 93f.
-> G 300.

F 750 Leonhard Frank (1882 bis 1961)
Akademie der Künste der DDR.
Literatur-Archive (-> I 190).
Leonhard-Frank-Archiv mit Nachlaß.
Akademie der Künste Berlin (-> I 70).
Sammlung.
DLA (-> G 20).

F 760 Frauenliteratur
Deutsches Zentralinstitut für soziale Fragen, Miquelstr. 83, D-1000 Berlin 33. - Tel.: 030-8324041. - Präsenzbibliothek (nur mit besonderer Erlaubnis).
Bibliothek und Archiv der Helene-Lange-Stiftung.

Deutscher Staatsbürgerinnen-
Verband e.V., Otto-Suhr-Allee
27, D-1000 Berlin 10.- Tel.: 030-
3414994. - Ausleihbibliothek.
Frauenbibliothek am Fachbereich Gesellschaftswissenschaf-
ten, Bibliotheksstr. 30, D-2800
Bremen 1. - Tel.: 0421-
218.3619.
Feministisches Archiv und Do-
kumentationszentrum, Arndtstr.
18, D-6000 Frankfurt 1. - Tel.:
069-745044.
UB München (-> F 540).
Internationaal Vrouwen Archief
(IVA), Keizersgracht 10, PB
19504, NL-1015 CN Amster-
dam. - Tel.: [0031] 020-244268.

F 770 Ferdinand Freiligrath (1810-1876)

Lippische LB, Hornsche Str. 41,
D-4930 Detmold 1. - Tel.:
05231-21012 und 21013. - Aus-
leihbibliothek.
Sammlung (auch Autographen).
Heinrich-Heine-Institut (-> G
40).
UB, Krummer Timpen 3-5, Post-
fach 8029, D-4400 Münster. -
Tel.: 0251-83.4021. - Ausleih-
bibliothek.
Sammlung.

F 775 Gustav Frenssen (1863 bis 1945)

Schleswig-Holsteinische LB (->
F 470).
Nachlaß.

F 780 Gustav Freytag (1816 bis 1895)

Gustav-Freytag-Archiv und -
Museum (-> G 320).
Primär-, Sekundärliteratur. Teilnach-

laß (zum weiteren Nachlaß s. Denecke-Brandis [-> D 3630] S. 98).
StUB Frankfurt/M. (-> H 80).
Gustav Freytags Bibliothek und Flugschriftensammlung (-> F 720).

F 790 Salomo Friedländer (1871-1946, Pseud.: Mynona)

DLA (-> G 20).

F 800 Max Frisch (1911-)

Max Frisch-Archiv, ETH Zürich,
Hauptgebäude E 68, Rämistr.
101, CH-8092 Zürich. - Tel.:
[0041] 01-256.4035. - Präsenzbibliothek.
Primär-, Sekundärliteratur, Bild-, Tondokumente, Manuskripte u.a.

F 810 Ludwig Fulda (1862 bis 1939)

FDH (-> G 30).
Primär-, Sekundärliteratur. Nachlaß.

Gallitzin, Adelheid Amalie Fürstin von (1745-1806) -> F 1660.

F 815 Gefangenenliteratur

Fachbereich 21, Universität
Münster (-> I 1080).
Archiv sämtlicher Gefangenenzeitun-
gen der Bundesrepublik, großer Bestand an historischer und neuerer Gefangenenliteratur.

F 820 Emanuel Geibel (1815 bis 1884)

Bibliothek der Hansestadt, Hun-
destr. 5-17, D-2400 Lübeck 1. -
Tel.: 041-12.24110.
Primär-, Sekundärliteratur (Teilnachlaß im Stadtarchiv [Tel.: 12.24150]).

F 830 Johann Geiler von Kaisersberg (1445-1510)
Badische LB (-> F 50).

F 840 Gelegenheitsgedichte
StB, Eisengasse 6, D-8860 Nördlingen. - Tel.: 09081-84.119. - Ausleihbibliothek.
Württembergische LB, Konrad-Adenauer-Str. 8, Postfach 105441, D-7000 Stuttgart 10. - Tel.: 0711-212.5424. - Teletext: 7 111 550 WLB Stgt. - Telefax: 0711-212.5422. - Ausleihbibliothek.

F 850 Christian Fürchtegott Gellert (1715-1769)
Gellert-Museum (-> G 330).
FDH (-> G 30).

F 860 Stefan George (1865 bis 1933)
Württembergische LB (-> F 840).
Stefan George-Archiv. Handschriften, Nachlässe, Briefe, Fotosammlung, Primär- und Sekundärliteratur (Präsenzbestand).
UB Mainz (-> F 360).

F 870 George-Kreis
Hessische LHB Darmstadt (-> F 330).
Württembergische LB (-> F 840).
Stefan George-Archiv. Diverse Nachlässe und Teilnachlässe von Kreismitgliedern.

F 880 Germanistik
StUB Frankfurt/M. (-> H 80).
Sondersammelgebiet Germanistik (Sprach- und Literaturwissenschaft, Theaterwissenschaft [Theater, Rundfunk, Film, Fernsehen], Volkskunde), Allgemeine und Vergleichende Literaturwissenschaft, Deutsche Sprache und Literatur.
SBPK (-> H 50).
Stadtbücherei Bochum, Rathausplatz 2-6, D-4630 Bochum 1. - Tel.: 0234-6212496. - Ausleihbibliothek.
Sprach- und Literaturwissenschaft als Sondersammelgebiet (NRW).
Niedersächsische SUB (-> H 75).
DLA (-> G 20).
Fachrichtung Germanistik, Universität Saarbrücken (-> I 1140). - Präsenzbibliothek.
Reichhaltige Bestände an französischsprachiger Germanistik.
SUB Hamburg (-> F 320).
Bibliothek Heinrich Meyer-Benfey (ca. 25000 Bde.).
UB, Universitätsstr. 25, Postfach 8620, D-4800 Bielefeld 1. - Tel.: 0521-106.4114. - Telex 932362 unibi. - Telefax: 0521-106.5844. - Ausleihbibliothek.
Bibliothek Rudolf Unger (rd. 6300 Bde.).

F 890 Geschichte der Germanistik
DLA (-> G 20).
UB, Wilhelmstr. 32, Postfach 2620, D-7400 Tübingen. - Tel.: 07071-29.2577 und 29.2580 (Auskunft). - Ausleihbibliothek.

F 900 Friedrich Gerstäcker (1816-1872)
Stadtarchiv, Löwenwall 18B, D-3300 Braunschweig. - Tel.: 0531-17675.
Primärliteratur. Nachlaß.
StB, Steintorwall 15, D-3300

Braunschweig. - Tel.: 0531-
4702448. - Ausleihbibliothek.
Primär- und Sekundärliteratur.

F 905 Gesangbücher
Niedersächsische SUB (-> H
75).
Rd. 1000 Bde.

**F 910 Johann Wilhelm Ludwig
Gleim (1719-1803)**
Das Gleim-Haus (-> G 340).
FDH (-> G 30).

F 920 Josef Görres (1776-1848)
StB, Kornpfortstr. 15, D-5400
Koblenz. - Tel.: 0261-37661. -
Ausleihbibliothek.
Görres-Archiv.

**F 930 Johann Wolfgang Goe-
the (1749-1832)**
NFG (-> G 10). Goethe und
Schiller-Archiv. Zentralbiblio-
thek der deutschen Klassik.
Goethes Nachlaß. Umfangreichste
Materialsammlung.
FDH (-> G 30).
Goethe-Museum Düsseldorf (->
G 350).
DLA (-> G 20).
Deutsches Seminar, Universität
Basel (-> I 1460). - Präsenz-
bibliothek.
Archiv der Freiherren von Berli-
chingen (-> F 240).
Sämtliche Ausgaben von Goethes
Götz von Berlichingen; zeitgenössi-
sche Literatur über Goethe und Götz.
Institut für Literaturwissenschaft,
Universität Kiel (-> I 860). - Prä-
senzbibliothek, eingeschränkter
Benutzerkreis.
Institut für Neuere deutsche Lite-
ratur, Universität Marburg (-> I
1010).- Präsenzbibliothek.

F 940 Göttinger Hain
Niedersächsische SUB (-> H
75).
Bundesbücher des "Göttinger Hain" (4
Bde.), Journal und Stammbuch von
J.H. Voß.

**F 950 Johann Nikolaus Götz
(1721-1781)**
StB Worms (-> F 610).

**F 960 Melchior Goldast (1578
bis 1635)**
SUB, Achterstraße, Postfach
330160, D-2800 Bremen 33. -
Tel.: 0421-2183645. - Ausleihbibliothek.
Sammlung und Nachlaß.

**F 970 Jeremias Gotthelf (1797
bis 1854)**
Burgerbibliothek Bern, Münstergasse 63, CH-3000 Bern 7. -
Tel.: [0041] 031-221803. - Präsenzbibliothek.
Kernfachgebiet.

**F 980 Christian Dietrich Grab-
be (1801-1836)**
Lippische LB (-> F 770).
Grabbe-Archiv Alfred Bergmann. Pri-
mär-, Sekundärliteratur; Bühnenbear-
beitungen, Theaterzettel, Szenenfotos,
Werkmanuskripte, Autographen.
Heinrich-Heine-Institut (-> G
40).
Sammlung.

**F 990 Oskar Maria Graf (1894
bis 1967)**
Bayerische SB (-> H 70).
Sammlung [Nachlaß: Univ. of New
Hampshire].

F 1000 Jacob und Wilhelm Grimm (1785-1863, 1786-1859)
Brüder Grimm-Museum (-> G 370).
SBPK (-> H 50).
Nachlaß.
GHS-B Kassel, LB und Murhardsche Bibliothek, Diagonale 10, Postfach 101469, D-3500 Kassel. - Tel.: 0561-804.2117 und 804.2118.
Kreismuseum Haldensleben (-> G 380).

F 1010 Hans Jacob Christoph von Grimmelshausen (1621 bis 1676)
Badische LB (-> F 50).

F 1020 Klaus Groth (1819 bis 1899)
Germanistisches Seminar, Niederdeutsche Abteilung, Universität Kiel (-> I 850). - Präsenzbibliothek.
Primär- und Sekundärliteratur, Nachlaß. Klaus-Groth-Archiv.
Schleswig-Holsteinische LB (-> F 470).
Klaus-Groth-Museum (-> G 390).

F 1030 Anastasius Grün (1808 bis 1876)
Institut für Germanistik, Universität Graz (-> I 138). - Präsenzbibliothek.
Nachlaß.

F 1040 Karoline von Günderode (1780-1806)
FDH (-> G 30).
Primär-, Sekundärliteratur. Teilnachlaß.

F 1050 Karl Gutzkow (1811 bis 1878)
Heinrich-Heine-Institut (-> G 40).
StUB Frankfurt/M. (-> H 80).
Teilnachlaß.
DLA (-> G 20).
Teilnachlaß.

F 1055 Friedrich von Hagedorn (1708-1754)
SUB Hamburg (-> F 320).
Nachlaß. Primär-, Sekundärliteratur.

F 1060 Max Halbe (1865-1944)
StB München(-> F 490).
Teile der Bibliothek Halbes (rd. 1 000 Bde.). Nachlaß.

F 1070 Albrecht von Haller (1708-1777)
Burgerbibliothek Bern (-> F 970).
Kernfachgebiet.

F 1080 Johann Georg Hamann (1730-1788)
UB Münster (-> F 770).
Besonderes Sammelgebiet; Teilnachlaß (Originalnachlaß verloren).

F 1090 Handschriftenkunde
Badische LB (-> F 50).
HAB Wolfenbüttel (-> H 90).

Friedrich Leopold Frhr. von Hardenberg (1772-1801) -> F 2230.

F 1110 Walter Hasenclever (1890-1940)
DLA (-> G 20).

F 1120 Carl Hauptmann (1859-1921)

Akademie der Künste der DDR.
Literatur-Archive (-> I 190).

Carl-Hauptmann-Archiv mit Teilnachlaß.

Akademie der Künste Berlin (-> I 70).

Primär-, Sekundärliteratur. Teilnachlaß.

DLA (-> G 20).

Primär-, Sekundärliteratur. Teilnachlaß.

[Handschriften-Sammlungen in Kattowitz und Breslau.]

F 1130 Gerhart Hauptmann (1862-1946)

Fachbereich Germanistik der Freien Universität (-> I 350). - Präsenzbibliothek.

Hauptmann-Sammlung (darunter rd. 30000 Fotokopien von Manuskripten und Typoskripten Hauptmanns).

SBPK (-> H 50).

Hauptmann-Sammlung Fred Burkhart Wahr (rd. 1000 Bde. Primär- und Sekundärliteratur). Nachlaß (Werkmanuskripte, Tagebücher, umfangreiche Briefsammlung. - Vgl.: Rudolf Ziesche: *Der Manuskriptnachlaß G. Hauptmanns*, Teil 1, Wiesbaden 1977 [SBPK, Kataloge der Handschriftenabteilung, Reihe 2, Bd. 2, T. 1]). Teil der Bibliothek Hauptmanns (rd. 4000 Bde.; davon 1000 mit handschriftlichen Anmerkungen).

Akademie der Künste der DDR.
Literatur-Archive (-> I 190).

Teilnachlaß.

DLA (-> G 20).

Hauptmann-Sammlungen C. F. W. Behl und W. Studt (zusammen rd. 1650 Bde.). Teilnachlaß.

-> G 410, G 420.

F 1140 Kaspar Hauser

Badische LB (-> F 50)

F 1150 Friedrich Hebbel (1813-1863)

Institut für Literaturwissenschaft, Universität Kiel (-> I 860). Präsenzbibliothek.

Hebbel-Sammlung mit Teilnachlaß.

Friedrich-Hebbel-Museum (-> G 430).

NFG (-> G 10). Goethe- und Schiller-Archiv.

Nachlaß.

Schleswig-Holsteinische LB (-> F 470).

F 1160 Johann Peter Hebel (1760-1826)

Badische LB (-> F 50).

Besonderes Sammelgebiet (Primär- und Sekundärliteratur). Nachlaß.

F 1170 Heftliteratur

(vgl. hierzu auch: *Zur Archäologie der Popularkultur* [-> D 5110].)

Deutsche Bibliothek Frankfurt/M. (-> H 10).

Pflicht- und Belegexemplare ab 1945.

Amerika-Gedenkbibliothek/Berliner Zentralbibliothek (-> F 70).

UB Bonn (-> F 110).

Pflicht- und Belegexemplare des Bastei-Verlages.

StUB Frankfurt/M. (-> H 80).

Repräsentative Auswahl.

Seminar für Volkskunde, Universität Göttingen (-> I 710). - Präsenzbibliothek.

Rd. 6000 Titel.

SUB Hamburg (-> F 320).

Badische LB (-> F 50).

Pflicht- und Belegexemplare.

Robert Sachse (-> F 480).

Günter Schmitt (-> F 620).

Rd. 2000 Hefte (zwischen 1950 und 1962), darunter "Schwarzer Pirat", "Roter Kosar" u.a.
Bayerische SB (-> H 70).
Pflicht- und Belegexemplare.
Internationale Jugendbibliothek (-> F 1570).
Systematische Sammlung.
Pfälzische LB (-> F 480).
Pflicht- und Belegexemplare.
Bibliothek für Zeitgeschichte, Urbanstr. 19, Postfach 105441, D-7000 Stuttgart 10. - Tel.: 0711-244117. - Ausleihbibliothek.
Kriegsliteratur (rd. 2000 Exx.).
Walter Henle (-> F 40).
Rd. 6000 Titel Science-fiction (1952-1982).
Phantastische Bibliothek Wetzlar (-> F 2285).

F 1180 Heinrich Heine (1797 bis 1856)
Heinrich-Heine-Institut (-> G 40).
Primär-, Sekundärliteratur. Nachlaß [Nachlaßteile in der Bibliothèque Nationale, Paris; Harvard College Library, Cambridge].
NFG (-> G 10). Goethe und Schiller-Archiv.

F 1190 Wilhelm Heinse (1746 bis 1803)
StUB Frankfurt/M. (-> H 80).
Primär-, Sekundärliteratur. Nachlaß.
Hofbibliothek Aschaffenburg (-> F 730).

F 1200 Heldensage
Institut für Germanistik, Universität Wien (-> I 1440). - Präsenzbibliothek.

F 1210 M. Herbert (= Therese Keiter, geb. Kellner; 1859 bis 1925)
Stadtarchiv, Keplerstr. 1, Postfach 110643, D-8400 Regensburg. - Tel.: 0941-507.3452. - Präsenzbestand.

F 1220 Johann Gottfried Herder (1744-1803)
Johann-Gottfried-Herder-Institut, Gisonenweg 7, D-3550 Marburg. - Tel.: 06421-25044 bis 25046. - Ausleihbibliothek.
Besonderes Sammelgebiet.
FDH (-> G 30).
Primär-, Sekundärliteratur. Teilnachlaß.
SBPK (-> H 50).
Nachlaß (vgl. Irmscher, Hans Dietrich; Adler, Emil: *Der handschriftliche Nachlaß J.G. Herders.* Wiesbaden 1979 [SBPK, Kataloge der Handschriftenabteilung, Reihe 2, Bd. 1]).
NFG (-> G 10). Goethe und Schiller-Archiv.
Teilnachlaß.
Herder-Museum (-> G 440).

F 1230 Georg Herwegh (1817 bis 1875)
Dichtermuseum Liestal (-> G 80).

F 1240 Hermann Hesse (1877 bis 1962)
DLA (-> G 20).
Hesse-Archiv mit großen Teilen seines Nachlasses. Depositum der Hessestiftung. Gesamtausgaben, Einzelausgaben, Übersetzungen, Beiträge zu Sammelbänden und Zeitschriften. Dokumente, Briefe. Sekundärliteratur, Zeitungsausschnitt-Sammlung. Illustrationen, Schallplatten, Tonaufnah-

men. Fotosammlung. Teile der Bibliothek Hesses.
Hesse-Museum (-> G 450).
Schweizerische LB Bern (-> H 40).
Teilnachlaß Hesses (rd. 10000 Bde. seiner Handbibliothek; Briefe an Hesse [rd. 6000 Korrespondenten]).
[Weitere Nachlaßteile in der Bibliothek der ETH Zürich, in der Wayne State University Library Detroit, in der University of California Library Berkeley u.a.]

F 1250 Hessische Dichter
GHS-B Kassel (-> F 1000).
Hessische LB Wiesbaden, Rheinstr. 55/57, D6200 Wiesbaden. - Tel.: 06121-3682670. - Ausleihbibliothek.
Hessische LB Darmstadt (-> F 330).
Archiv "Die Dachstube" (Kreis von Literaten und Künstlern der expressionistischen Stilrichtung aus Darmstadt und Südhessen). Ergänzung: Archiv Darmstädter Künstler (ADK), Adelungstr. 16, D-6100 Darmstadt.

F 1253 Georg Heym (1887 bis 1912)
SUB Hamburg (-> F 320).
Nachlaß. Primär-, Sekundärliteratur.

F 1258 Paul Heyse (1830-1914)
Bayerische SB (-> H 70).
Primär-, Sekundärliteratur. Nachlaß (weitere Nachlaßteile s. Denecke-Brandis [-> D 3630] S. 152).

F 1260 Hildebrandslied
GSH-B Kassel (-> F 1000).

F 1265 Hildesheimer, Wolfgang (1916-)
Hildesheimer-Archiv, c/o Volker Jehle, Kantstr. 58, D-7410 Reutlingen. - Tel.: 07121-239584. - Privatarchiv (nur nach Vereinbarung).
Erst- und spätere Ausgaben, Übersetzungen, Manuskripte, Briefe, Fotos, Tonbandkassetten, Zeitschriften-, Zeitungs- und Rundfunkbeiträge, Sonderdrucke, Theaterprogramme, Aufführungsfotos und Beispiele aus dem bildkünstlerischen Werk. Sekundärliteratur, einschl. der Zeitschriften-, Zeitungs- und Rundfunkrezensionen. Vgl. *Jahrbuch für Internationale Germanistik* 18,1 (1986), S. 141-143.

F 1270 Hochschuldidaktische Literatur
Westdeutsche Rektorenkonferenz, Spezialbibliothek für Hochschulwesen, Hochschulrecht und Wissenschaftspolitik, Ahrstr. 39, D-5300 Bonn 2. - Tel.: 0228-376911. - Telex: 885617. - Telefax: 0228-376220. - Präsenz- und (in beschränktem Umfang) Ausleihbibliothek.
Institut für Erziehungswissenschaften der Universität, Arbeitsbereich Erwachsenenbildung/Weiterbildung, Holzmarkt 7, D-7400 Tübingen. - Tel.: 07071-294951. - Präsenz- und Ausleihbibliothek.

F 1290 Friedrich Hölderlin (1770-1843)
Württembergische LB (-> F 840).
Hölderlin-Archiv mit Nachlaß, Handschriften, Erst- und späteren Ausgaben, Sekundärliteratur, Übersetzun-

gen, Rezensionen, Vertonungen, Zeitungsdokumentation (ca. 200 Leitz-Ordner). Präsenzbestand.
DLA (-> G 20).
Primär-, Sekundärliteratur. Nachlaßteile. Ständige Ausstellung (Marbacher Kataloge, 33 [1980]).
SUB Bremen (-> F 960).
FDH (-> G 30).
Hölderlin-Haus (-> G 470).
StB, Dorotheenstr. 20-22, D-6380 Bad Homburg v.d. Höhe. - Tel.: 06172-100478, 100479, 100480. - Ausleihbibliothek.

F 1295 Hörspiele
Deutsches Rundfunkarchiv, Bertramstr. 8, D-6600 Frankfurt/M. 1. - Tel.: 069-550666.

F 1300 E.T.A. Hoffmann (1776-1822)
SB Bamberg (-> F 580).
Besonderes Sammelgebiet.
UB München (-> F 540).
Bibliothek Carl Georg von Maassen.
E.T.A. Hoffmann-Haus (-> G 480).
Deutsche SB Berlin-Ost (-> H 60).
Nachlaß.
Märkisches Museum Berlin-Ost (-> G 400).
Nachlaß.

F 1310 August Heinrich Hoffmann von Fallersleben (1798 bis 1874)
Hoffmann von Fallersleben-Museum (-> G 490).
SBPK (-> H 50).
Nachlaß.
Niedersächsische SUB (-> F 430).
Teilnachlaß.

UB Münster (-> F 770).
Sammlung.
-> G 500.

F 1320 Hugo von Hofmannsthal (1874-1929)
FDH (-> G 30).
Primär-, Sekundärliteratur; Teilnachlaß.
ÖNB Wien (-> H 30).
Primär-, Sekundärliteratur; Teilnachlaß [vgl. Ritzer, Walter: Hugo v. Hofmannsthal. Verzeichnis des gedruckten Oeuvre und seines literarischen Echos in den Beständen der Österreichischen Nationalbibliothek. Wien: ÖNB, 1972 (Biblos, 66)].
DLA (-> G 20).
Sammlung.
Deutsches Seminar, Universität Basel (-> I 1460). - Präsenzbibliothek.
[Nachlaß in der Harvard Univ. Library Cambridge.]

F 1330 Arno Holz (1863-1929)
Amerika-Gedenkbibliothek/Berliner Zentralbibliothek (-> F 70).
Arno-Holz-Archiv. Nachlaß und A.-Holz-Bibliothek Max Wagners (zu weiteren Nachlaßteilen s. Denecke-Brandis [-> D 3630] S. 162f.).
Akademie der Künste Berlin (-> I 70).
Sammlung.

F 1340 Ödön von Horváth (1901-1938)
ÖNB Wien (-> H 30).
Teilnachlaß (Hauptnachlaß in Privatbesitz).

F 1350 Friedrich Huch (1873 bis 1913)

Stadtarchiv Braunschweig (-> F 900).

Primärliteratur. Manuskripte, Tagebücher, Briefe.

F 1360 Ricarda Huch (1864 bis 1947)

StB Braunschweig (-> F 900).

Primär- und Sekundärliteratur.

DLA (-> G 20).

Nachlaß (Sammlung M. Braun).

F 1370 Rudolf Huch (1862 bis 1943)

Stadtarchiv Braunschweig (-> F 900).

Primärtexte. Manuskripte, Briefe, Zeitungsausschnitte.

Humanismus -> F 1800.

F 1390 Wilhelm von Humboldt (1767-1835)

UB Heidelberg (-> F 120).

SBPK (-> H 50).

Teilnachlaß.

DLA (-> G 20).

Sammlung.

F 1400 Ulrich von Hutten (1488-1523)

Hessische LB, Heinrich-von-Bibra-Platz 12, D-6400 Fulda. - Tel.: 0661-72020. - Ausleihbibliothek.

Die Hutten-Sammlung gilt als die umfangreichste in der Bundesrepublik Deutschland.

Nachlaß.

F 1410 Illustrierte Bücher

Klingspor-Museum Offenbach (-> G 200).

Herzog Anton Ulrich-Museum (-> G 180).

HAB Wolfenbüttel (-> H 90).

Bibliothek Otto Schäfer, Deutschfeldstr. 2, D-8720 Schweinfurt. - Tel.: 09721-31222. - Präsenzbibliothek (nur mit besonderer Erlaubnis).

F 1420 Karl Leberecht Immermann (1796-1840)

Heinrich-Heine-Institut (-> G 40).

Primär-, Sekundärliteratur. Manuskripte, Briefe.

NFG (-> G 10). Goethe und Schiller-Archiv. Zentralbibliothek der deutschen Klassik.

Nachlaß. Sammlung.

StUB, Hansaplatz, D-4600 Dortmund 1. - Tel.: 0231-54223195. - Ausleihbibliothek.

Manuskripte, Entwürfe, Briefe, Dokumente.

F 1430 Inkunabeln

Bayerische StB (-> H 70).

Über 16000 Exemplare.

ÖNB Wien (-> H 30).

Rd. 7900 Bde.

Württembergische LB (-> F 840).

Rd. 6800 Bde.

HAB (-> H 90).

Rd. 5000 Inkunabeln.

Niedersächsische SUB (-> H 75).

Rd. 4500 Bde.

UB München (-> F 540).

Rd. 3550 Bde.

UB Münster (-> F 770).

Rd. 800 Titel.

Staatliche Bibliothek, Karlsplatz A 17, D-8858 Neuburg. - Tel.:

08431-7488. - Ausleihbibliothek.
Rd. 500 Bde.
Hessische LB Fulda (-> F 1400).
Rd. 430 Bde.
Hofbibliothek Aschaffenburg (->
F 730).
Rd. 160 Inkunabeln, zahlreiche Früh-
drucke.
Stadtarchiv und Stadtbibliothek
Lindau (-> F 730).
Rd. 160 Bde.
Marktkirchenbibliothek Goslar
(-> F 730).
Graf von Schönborn, Schloß-
bibliothek, D-8602 Pommersfel-
den.- Tel.: 09548-1868. - Privat-
bibliothek (Ausleihe in die SB
Bamberg möglich).

**F 1440 Friedrich Heinrich Ja-
cobi (1743-1819)**
Fachgebiet Germanistik, Univer-
sität Bamberg (-> I 330). - Prä-
senzbibliothek.
Jacobi-Forschungsstelle.
NFG (-> G 10). Goethe und
Schiller-Archiv.
Nachlaß.
UB Münster (-> F 770).
Briefe, Handexemplare.
Heinrich-Heine-Institut (-> G
40).

**F 1450 Johann Georg Jacobi
(1740-1814)**
UB Freiburg (-> F 60).
Nachlaß.

**F 1455 Norbert Jacques (1880
bis 1954)**
Archiv für Literaturen der
Grenzregionen Saar-Lor-Lux-Elsaß (im Aufbau), c/o Fachrichtung Germanistik, Universität
des Saarlandes (-> I 1140).

Nachlaß.
Luxemburger Literaturarchiv,
c/o Archives de l'État (-> F
525).
Primär- und Sekundärliteratur.

**F 1460 Hans Henny Jahnn
(1894-1959)**
SUB Hamburg (-> F 320).
Primär-, Sekundärliteratur. Nachlaß.

**F 1470 Jean Paul (eig. Jean
Paul Friedrich Richter; 1763
bis 1825)**
DLA (-> G 20).
Jean Paul-Archiv (Ausgaben der Pri-
märtexte nahezu vollständig; Sekun-
därliteratur; Zeitungsausschnittsamm-
lung). Bibliothek Eduard Berend.
Deutsche StB Berlin-Ost (-> H
60).
Nachlaß.
Städtische Bibliotheken Mün-
chen (-> F 490).
Sammlung (rd. 1200 Bde.).
Fichtelgebirgs-Museum, Spital-
hof 1-5, D-8592 Wunsiedel. -
Tel.: 09232-2032. - Ausleih-
bibliothek.

F 1480 Judaica
Bibliothek der Jüdischen Ge-
meinde zu Berlin, Fasanenstr.
79-80, D-1000 Berlin 12. - Tel.:
030-88420335. - Ausleih- und
Präsenzbibliothek.
Geschichte des deutschen und europäischen Judentums, Judaica, Hebraica,
jiddische Literatur (rd. 50000 Bde.).
Germania Judaica, Kölner
Bibliothek zur Geschichte des
deutschen Judentums e. V., Josef-Haubrich-Hof 1, D-5000
Köln. Tel.: 0221-232349. - Ausleihbibliothek.

Primär- und Sekundärliteratur zum Bild des Juden in der deutschen Literatur.
Bayerische SB (-> H 70).
Judaistik; Jiddische Literatur.
StUB Frankfurt/M. (-> H 80).
Fach Germanistik, Universität Trier (-> I 1190). - Ausleih-/Präsenzbibliothek.
Jiddische Literatur.

F 1490 Ernst Jünger (1895-)
DLA (-> G 20).
Primär-, Sekundärliteratur; Dokumente.

F 1500 Friedrich Georg Jünger (1898-1977)
DLA (-> G 20).
Primärtexte, Sekundärliteratur, Dokumente; Schallplatten und Tonbandaufnahmen.

Jugendliteratur -> F 1570.

F 1520 Franz Kafka (1883 bis 1924)
Fachgebiet Germanistik, Universität Wuppertal (-> I 1240). - Ausleih- und Präsenzbibliothek.
Franz-Kafka-Forschungsstelle.
DLA (-> G 20).
[Nachlaß: Bodleiana Oxford.]

F 1530 Georg Kaiser (1878 bis 1945)
Akademie der Künste Berlin (-> I 70).
Georg Kaiser-Archiv (über 2000 Manuskripte, rd. 2000 Briefe von und an Kaiser, Biographisches; Primär-, Sekundärliteratur).

F 1540 Gottfried Keller (1819 bis 1890)
Zentralbibliothek Zürich, Zähringerplatz 6, CH-8025 Zürich.
Tel.: [0041] 01-261.7272. - Ausleihbibliothek.
Primär-, Sekundärliteratur; Nachlaß.

F 1550 Justinus Kerner (1786 bis 1862)
DLA (-> G 20).
Primär-, Sekundärliteratur; Nachlaß.
Ständige Ausstellung. (Marbacher Kataloge, 34 [1980]).
Justinus-Kerner-Haus (-> G 510).

F 1560 Alfred Kerr (1867 bis 1948)
Akademie der Künste Berlin (-> I 70).
Alfred Kerr-Archiv (Primär-, Sekundärliteratur, Manuskripte, rd. 2500 Briefe von und an Kerr, Biographisches u. a.).

F 1565 Hermann Graf Keyserling (1880-1946)
Hessische LB Darmstadt (-> F 330).
Keyserling-Archiv (Bücher, Werkmanuskripte, Dokumente über die baltische Familie der Grafen Keyserling (darunter auch Eduard von Keyserling und Otto Taube).

F 1570 Kinder- und Jugendliteratur
Internationale Jugendbibliothek, Schloß Blutenburg, D-8000 München 60. - Tel.: 089-8112028. - Präsenzbibliothek für Fachliteratur, Ausleihbibliothek für Kinder- und Jugendliteratur.
Rd. 480000 Bde. Primär- und Sekun-

därliteratur (davon 60000 Bde. 16. Jh.
bis 1950); 247 lfd. Zeitschriften. Spezialsammlungen: internationale Abenteuerliteratur; Märchen.
Institut für Jugendbuchforschung
im Fachbereich 10 (Neuere Philologie) der Universität Frank-
furt/M. (-> I 630). - Präsenzbibliothek.
Spezialsammlung alter Kinder- und
Jugendbücher (ab 1590), rd. 17000
Bde.; Sekundärliteratur; Sprechplat-
tensammlung.
Amerika-Gedenkbibliothek/Ber-
liner Zentralbibliothek (-> F 70).
Rd. 30000 Bde. Kinderbücherei; 665
alte Kinderbücher.
StUB Frankfurt/M. (-> H 80).
Kinderbücher vom 17.-20. Jh.,
Schwerpunkt 19. Jh.
Württembergische LB (-> F
840).
Rd. 15000 Bde. (19. und 20. Jh.).
Fachgebiet Deutsch im Seminar
für Didaktik der deutschen und
englischen Sprache. Universität
Aachen (-> I 310). - Präsenz-
bibliothek, eingeschränkter Be-
nutzerkreis.
Seminar für Deutsche Sprache
und Literatur und ihre Didaktik,
Universität Braunschweig (-> I
470). - Präsenzbibliothek.
LB Coburg (-> F 80).
Umfangreiches historisches Material.
Institut für deutsche Sprache und
Literatur, Universität Dortmund
(-> I 500). - Präsenzbibliothek.
Fachbereich 09 Germanistik,
Universität Gießen (-> I 680). -
Präsenzbibliothek.
Günter Schmitt (-> F 620). - Pri-
vatsammlung.
Rd. 1000 Mädchenbücher aus der Zeit
vor 1915.

Fachbereich 21: Institut für
Deutsche Sprache und Literatur
und ihre Didaktik, Universität
Münster (-> I 1080). - Präsenz-
bibliothek.
Klingspor-Museum Offenbach
(-> G 200).
Kinderbilderbücher (Schwerpunkt: 20.
Jh., hauptsächlich ab 1945).
StB Worms (-> F 610).
Historische Kinderbilderbücher.

F 1575 Gottfried Kinkel (1815 bis 1882)
UB Bonn (-> F 110).
Stadtarchiv und Wissenschaftli-
che StB Bonn (-> F 110).

F 1580 Ludwig Klages (1872 bis 1956)
DLA (-> G 20).
Primär-, Sekundärliteratur; Nachlaß.
Privatbibliothek Ludwig Klages'.

Klassik -> F 1820.

F 1590 Heinrich von Kleist (1777-1811)
Amerika-Gedenkbibliothek /
Berliner Zentralbibliothek (-> F
70).
U. a. Nachlaß des Kleist-Forschers
Georg Minde-Pouet (Primär- und Sekundärliteratur, Zeitungsausschnitte,
Schallplatten, Mikrofilme, Szenenfotos, Programmhefte, Theaterplakate
u. ä.).
Kleist-Arbeitsstelle, c/o Institut
für Germanistik, Universität Regensburg (-> I 1120).
Kleist-Gedenk- und Forschungsstätte (-> G 520).

F 1600 Friedrich Gottlieb Klopstock (1724-1803)
SUB Hamburg (-> F 320).
Arbeitsstelle der Hamburger Klopstock-Ausgabe. Teilnachlaß.
Klopstock-Museum (-> G 530).
FDH (-> G 30).

F 1610 Kölner Autoren
LiK-Archiv Köln (-> G 60).
Historisches Archiv Köln (-> F 300).
Manuskripte und Korrespondenzen.

F 1620 Kommunikationswissenschaft
Institut für Kommunikationswissenschaft (-> I 1050).
Mit Zeitungsarchiv.
Institut für Theaterwissenschaft, Universität München (-> I 1030). - Präsenzbibliothek.

F 1630 Konkrete Poesie
Staatsgalerie Stuttgart, Konrad-Adenauer-Str. 30-32 (Postanschrift: Urbanstr. 35), D-7000 Stuttgart 1. - Tel.: 0711-212.5050.
Sammlung Sohm mit über tausend Kompendien zur Dokumentation der internationalen konkreten Poesie (West- und Osteuropa, Nord- und Südamerika). Umfänglichere Sammlungen zu Max Bense, Reinhard Döhl, Heinz Gappmayr, Eugen Gomringer, Helmut Heißenbüttel, Bernard Heidsieck, Franz Mon, Gerhard Rühm. Archiv relevanter Zeitschriften.
StB Wuppertal (-> F 255).
Besonderes Sammelgebiet.

F 1640 August von Kotzebue (1761-1819)
UB Berlin der Freien Universität, Garystr. 39, D-1000 Berlin

33. - Tel.: 030-838.4273. - Ausleihbibliothek.
FDH (-> G 30).
Nachlaß.
UB, Schloß, Ostflügel, Postfach 103462, D-6800 Mannheim 1. - Tel.: 0621-292.5101. - Ausleihbibliothek.

Fichtelgebirgs-Museum (-> F 1470).

F 1650 Karl Kraus (1874-1936)
ÖNB Wien (-> H 30).
Primär-, Sekundärliteratur; Teilnachlaß.

F 1660 Kreis von Münster
UB Münster (-> F 770).
Sammlung mit dem umfangreichen Nachlaß der Fürstin Adelheid Amalie von Gallitzin.

F 1670 KuBa (eig. Kurt Bartel, 1914-1967)
Akademie der Künste der DDR. Literaturarchive (-> I 190).
Primär-, Sekundärliteratur. Nachlaßmaterialien.

F 1680 Sophie von La Roche (1731-1807)
FDH (-> G 30).

F 1690 Else Lasker-Schüler (1869-1945)
StB Wuppertal (-> F 255).
Autographen, Primär- und Sekundärliteratur, Fotos, Zeitungsausschnittsammlung, Videokassetten, Forschungsmaterialien (absolute Vollständigkeit angestrebt).
DLA (-> G 20).
[Nachlaß im Else-Lasker-Schüler-Archiv Jerusalem.]

F 1700 Heinrich Laube (1806 bis 1884)
Heinrich-Heine-Institut (-> G 4).
Sammlung.
ÖNB Wien (-> H 30).
Primär-, Sekundärliteratur; Teilnachlaß.

F 1710 Johann Kaspar Lavater (1741-1801)
FDH (-> G 30).
Goethe-Museum Düsseldorf (-> G 350).

F 1715 Leichenpredigten
Niedersächsische SUB (-> H 75).
Rd. 11400 Leichenpredigten. Vgl.: Tiedemann, Manfred von: Katalog der Leichenpredigtensammlung der Niedersächsischen Staats- und Universitätsbibliotheken in Göttingen. 3 Bde. Göttingen 1954-1955.

F 1720 Nikolaus Lenau (1802 bis 1850)
Internationales Lenau-Archiv, Niembschhof, Eduard-Rösch-Str. 1, A-2000 Stockerau.

F 1730 Jakob Michael Reinhold Lenz (1751-1792)
SBPK (-> H 50).
Nachlaß. Primär-, Sekundärliteratur.
NFG. Zentralbibliothek der deutschen Klassik (-> G 10).
FDH (-> G 30).

F 1740 Lesebücher
Pädagogisches Zentrum Berlin (-> F 650).
Institut für Deutsche Sprache

und Literatur I, Universität Frankfurt/M. (-> I 610). - Präsenzbibliothek.
UB, Otto-Behagel-Str. 8, D-6300 Gießen. - Tel.: 0641-702.2330, 702.2331, 702.5256. - Ausleihbibliothek.
Erziehungswissenschaftliche Zweigbibliothek der UB Erlangen-Nürnberg, Regensburger Str. 160, D-8500 Nürnberg. - Tel.: 0911-5302.571. - Ausleihbibliothek.
Fachgebiet Deutsch, Universität Osnabrück, Abt. Vechta (-> I 1210).
Schulbuchsammlung Deutsch an allgemeinbildenden Schulen; systematisch katalogisiert, einschl. Verlagsverzeichnis.

F 1750 Leseforschung
Seminar für Volkskunde der Universität Göttingen (-> I 710). - Präsenzbibliothek.

F 1760 Gotthold Ephraim Lessing (1729-1781)
HAB (-> H 90).
Besonderes Sammelgebiet. Teilnachlaß.
UB Kiel (-> F 160).
Ältere Spezialbestände.
FDH (-> G 30).
Primär- und Sekundärliteratur.
-> G 540.

F 1770 Georg Christoph Lichtenberg (1742-1799)
Niedersächsische SUB (-> H 75).
Nachlaß.

F 1780 Detlev von Liliencron (1844-1909)
SUB Hamburg (-> F 320).
Primär-, Sekundärliteratur. Nachlaß (weitere Nachlaßteile s. Denecke-Brandis [-> D 3630] S. 222).

Literarische Epochen:

F 1790 Literatur des Mittelalters
Monumenta Germaniae Historica (Deutsches Institut für Erforschung des Mittelalters), Ludwigstr. 16, Postfach 340223, D-8000 München 34. - Tel.: 089-2198382. - Präsenzbibliothek.
Institut für Deutsche Sprache und Literatur, Universität Köln (-> I 890). - Präsenzbibliothek.
Primär- und Sekundärliteratur zum weltlichen und geistlichen Drama des Mittelalters und der frühen Neuzeit.
Institut für Deutsche Philologie des Mittelalters, Universität Marburg (-> I 1000). - Präsenzbibliothek.
Mikrofilm-Archiv zum mittelalterlichen deutschen Schrifttum.
Institut für Germanistik, Universität Wien (-> I 1440). - Präsenzbibliothek.
Artusliteratur.

F 1800 Mittlere deutsche Literatur (1400-1700)
Bayerische SB (-> H 70).
Große Bestände an Handschriften, Inkunabeln (über 16000) und Drucken des 16. Jhs. (rd. 100000).
HAB Wolfenbüttel (-> H 90).
Rd. 5000 Inkunabeln und 75000 Drucke des 16. Jhs.
Niedersächsische SUB (-> H 75).
Rd. 4500 Inkunablen und umfangreicher Bestand an Drucken des 16. Jhs.
Seminar für deutsche Philologie, Universität Göttingen (-> I 690). - Präsenzbibliothek.
Rd. 2000 Bde. Renaissance und Humanismus.
Germanistisches Seminar, Niederdeutsche Abteilung, Universität Kiel (-> I 850).
Druckliteratur Lübecks des 15./16. Jhs. Archivbibliothek, Faksimile-Sammlung, Piktothek mittelniederdeutscher Literatur.
-> Inkunabeln (F 1430).

F 1810 Literatur des 17. Jahrhunderts
HAB Wolfenbüttel (-> H 90)).
Über 150000 Schriften aus dem 17. Jh.
Bayerische SB München (-> H 70).
Sehr reichhaltige Bestände.
Niedersächsische SUB (-> H 75).
Herausragende Bestände an Barockliteratur. Sammlungen Faber du Faur und Jantz auf Mikrofilmen.
SBPK (-> H 50).
Sammlung Faber du Faur (auf Mikrofilmen).
Germanistisches Seminar, Universität Bonn (-> I 440). - Präsenzbibliothek.
Sammlung Faber du Faur (auf Mikrofilmen).
StUB Frankfurt/M. (-> H 80).
Sammlung Faber du Faur (auf Mikrofilmen), einschl. der Ergänzung von Jantz.
Seminar für deutsche Philologie, Universität Göttingen (-> I 690). - Präsenzbibliothek.
Rd. 1000 Bde. Barockforschung.

UB Heidelberg (-> F 120).
Romane des Barock (Sammlung Max
Frhr. von Waldberg).
Germanisches Nationalmuseum
(-> F 80).
Bibliothek des Pegnesischen Blumen-
ordens.
Staatliche Bibliothek, Gesand-
tenstr. 13, D-8400 Regensburg.
Tel.: 0941-54501. - Ausleih-
bibliothek.
Forschungsliteratur zum Barock.
Institut für Germanistik, Univer-
sität Wien (-> I 1440). - Präsenz-
bibliothek.
Besonders Predigtliteratur.
[Reiche Bestände auch in den
Universitätsbibliotheken Straß-
burg und Breslau (vgl. Szyrocki,
Marian: Deutsche Barocklitera-
tur in der UB Wrocław. Die
Sammlungen der Altdrucke und
Handschriften. In: Daphnis 7,
1978, 1/2, S.361-367).]

**F 1820 Literatur des 18. Jahr-
hunderts**
HAB (-> H 90).
Über 150000 Drucke des 18. Jhs.
Bayerische SB (-> H 70).
Niedersächsische SUB (-> H
75).
DLA (-> G 20).
NFG (-> G 10). Zentralbiblio-
thek der deutschen Klassik.
FDH (-> G 30).
SUB Hamburg (-> F 320).
U.a. Spezialsammlung deutscher Lite-
ratur der Jahre 1750-1850 (rd. 20000
Bde).
Goethe-Museum Düsseldorf (->
G 350).
LB Coburg (-> F 80).
Literatur der Aufklärung.
SUB Bremen (-> F 960).

Literatur der Spätaufklärung.
Bibliothek des Herzogs von Ratibor und Fürsten von Corvey,
Schloß Corvey, D-3470 Höxter
1. - Tel.: 05271-681.47. - Privat-
bibliothek (nur mit besonderer
Erlaubnis).
Große Bestände an Büchern des 18.
und 19. Jhs., darunter auch Rarissima.
Microfiche-Katalog über Belser-Ver-
lag, Stuttgart.
Kreisbibliothek Eutin, Schloß-
platz 2, D-2420 Eutin. - Tel.:
04521-83521. - Präsenz-/Aus-
leihbibliothek.
Rd. 35000 Bde., darunter große Be-
stände an Werken vom späten 17. bis
zum beginnenden 19. Jh. Schwer-
punkt: Literatur des ausgehenden 18.
Jhs.
StB Worms (-> F 610).
Anakreontik.
SB Bamberg (-> F 580).
Bibliothek des Herzogs Karl von
Zweibrücken.
Fachrichtung Germanistik, Uni-
versität Saarbrücken (-> I 1140).
- Präsenzbibliothek.
Vor allem Literatur der zweiten Jahr-
hunderthälfte.
Fachgebiet Germanistik, Univer-
sität Wuppertal (-> I 1240). -
Ausleih- und Präsenzbibliothek.
Kulturgeschichte des 18. Jhs.
Literaturarchiv "Sammlung Os-
car Fambach", c/o Germanisti-
sches Seminar, Universität Bonn
(-> I 440).
Materialien zur Literatur der Goethe-
zeit.
UB, Alte Münze 16, Postfach
4469, D-4500 Osnabrück. - Tel.:
0541-608.4320.
Bibliothek Richard Alewyn.
Graf von Schönborn (-> F 1430).

Rd. 800 Bde. Literatur der Vorklassik.
Bibliothek Otto Schäfer (-> F
1410).
Literarische Texte vom Sturm und
Drang bis zur Romantik in Erstausga-
ben.

F 1830 Literatur des 19. Jahrhunderts

DLA (-> G 20).
FDH (-> G 30).
Literatur der Romantik.
Niedersächsische SUB (-> H
75).
UB München (-> F 540).
Schwerpunkt: Romantik (Bibliothek
Carl Georg von Maassen).
NFG (-> G 10). Zentralbibliothek der deutschen Klassik.
Literatur des Vormärz.
Bibliothek des Herzogs von Ratibor und Fürsten von Corvey (->
F 1820).
StB Weinheim (-> F 540).
Literatur des späten 19. Jhs.
Amerika-Gedenkbibliothek/Berliner Zentralbibliothek (-> F 70).
Naturalismus.

F 1840 Literatur des 20. Jahrhunderts

DLA (-> G 20).
Reichhaltige Bestände. Rilke-Archiv,
Hesse-Archiv, Klages-Archiv, Hauptmann-Sammlung, Expressionismus-
Sammlung (u. a. Bibliothek Kurt Pinthus, Sammlung Wilhelm Badenhop)
u.v.a. - Ständige Ausstellung "Das 20.
Jahrhundert. Von Nietzsche bis zur
Gruppe 47" (Marbacher Kataloge, 36
[1980]).
Stadtbüchereien, Bertha-von-
Suttner-Platz 1, D-4000 Düsseldorf. - Tel.: 0211-8994399. -
Ausleihbibliothek.

Autorennamen A-K (Sondersammelgebiet NRW).
Stadtbücherei Oberhausen (-> F
640).
Autorennamen L-R (Sondersammelgebiet NRW).
Stadtbücherei, Hochstr. 35/I, D-
4250 Bottrop. - Tel.: 02041-
2479721. - Ausleihbibliothek.
Autorennamen S-Z (Sondersammelgebiet NRW ab 1979).
Fachbereich 09 Germanistik,
Universität Gießen (-> I 680).
Spezialbibliothek für DDR-Literatur.
StB Weinheim (-> F 540).
Literatur des frühen 20. Jhs.
Stadtbücherei Pirmasens (-> F
170).
Dadaismus.

F 1850 Literarische Plakate
DLA (-> G 20).

F 1860 Literarische Schallplatten
DLA (-> G 20).
Institut für deutsche Sprache und
Literatur, Abteilung Deutsche
Sprechkunde, Universität Köln (-
> I 890). - Präsenzbestand.

F 1870 Literarische Zeitschriften
DLA (-> G 20).
FDH (-> G 30).

F 1875 Literatur im Rundfunk
Deutsches Rundfunkarchiv -> F
1295.
Ca. 7500 Tonträger-Einheiten mit politischen und kulturellen Wortaufnahmen, darunter auch literarisch relevanten. Schwerpunkt: 1900-1955. Ausleihe für wissenschaftliche und schulische Zwecke gegen Gebühr möglich.

F 1880 Literaturästhetik
StUB Frankfurt/M. (-> H 80).
Fachrichtung Allgemeine und
Vergleichende Literaturwissen-
schaft, Universität Saarbrücken
(-> I 1150). - Präsenzbibliothek.
Primär- und Sekundärliteratur zur Li-
teraturästhetik des 18. Jhs. (deutsch,
französisch, englisch).

Literaturdidaktik -> F 650.

F 1900 Literaturkritik
Institut für Deutsche Philologie,
Universität Würzburg (-> I
1230). - Präsenzbibliothek.
Archiv zur Literaturkritik der Zeitun-
gen.

F 1910 Literaturtheorie/Poetik
StUB, Frankfurt/M. (-> H 80).
Germanistisches Seminar, Uni-
versität Bonn (-> I 440). - Prä-
senzbibliothek.
Archivmaterial für ein Wörterbuch zur
Begriffsgeschichte der deutschen Lite-
raturtheorie und -kritik des 17. und 18.
Jhs. (ca. 50000 bis 70000 Nachweise).
Archiv der Stiftungsgastdozentur
Poetik, Sprechwissenschaftlicher
Arbeitsbereich, Frankfurt/M. (->
I 600).
Texte, Ton- und Videoaufzeichnungen
sowie Untersuchungen zur Gastdozen-
tur (einschl. Presseberichterstattung)
ab 1959.

F 1920 Literaturverfilmungen
Stiftung Deutsche Kinemathek,
Pommernallee 1, D-1000 Berlin
19. - Tel.: 030-30307.234 und
30307.243.
Filmarchiv, darunter auch (ausleihba-
re) Literaturverfilmungen. Nachlässe
von Filmschaffenden (darin auch lite-

rarische Texte [Prosa, Lyrik]).
Deutsches Institut für Filmkun-
de, Breitlacher Str. 96, D-6000
Frankfurt/M. 90. - Tel.: 069-
784062.
Sammlung internationaler Filme, darunter auch verfilmte Literatur; Dreh-
buchsammlung, Dialoglisten u.v.a.

Folgende Landesfilmdienste lei-
hen kostenlos Filme in Super 8-
und 16-mm-Fassungen oder auf
Video-Kassette aus (hier werden
nur die Hauptgeschäftsstellen
aufgeführt; sie können in jedem
Fall Bezirksgeschäftsstellen und
-filmotheken nennen):

Landesfilmdienst Baden-Württemberg, Wolframstr. 20, D-
7000 Stuttgart 1. - Tel.: 0711-
251012.
Landesfilmdienst Bayern, Diet-
lindenstr. 18, Postfach 440104,
D-8000 München 40. - Tel.: 089-
347065.
Landesfilmdienst Berlin,
Bismarckstr. 80, D-1000 Berlin
12. - Tel.: 030-313.8055.
Landesfilmdienst Hessen, Kennedyallee 105a, Postfach
111251, D-6000 Frankfurt/M.
70. - Tel.: 069-6300940.
Landesfilmdienst Niedersachsen,
Podbielskistr. 30, D-3000 Hannover 1. - Tel.: 0511-661393.
Landesfilmdienst Nordrhein-
Westfalen, Schirmerstr. 80, D-
4000 Düsseldorf 1. - Tel.: 0211-
360556.
Landesfilmdienst Rheinland-
Pfalz, Deutschhausplatz, LFD-
Haus, D-6500 Mainz 1. - Tel.:
06131-221782.
Landesfilmdienst Saarland,

Mainzer Str. 30, Postfach 463,
D-6600 Saarbrücken 3. - Tel.:
0681-67174.
Landesfilmdienst Schleswig-
Holstein, Thormannplatz 20-22,
D-2370 Rendburg. - Tel.: 04331-
76388.

Weitere Auskünfte:
Konferenz der Landesfilmdien-
ste e.V., Rheinallee 59, D-5300
Bonn 2. - Tel.: 0228-355002. -
BTX: *203753.

F 1930 Literaturwissenschaft
StUB Frankfurt/M. (-> H 80).
Sondersammelgebiet.
SBPK (-> H 50).
Stadtbücherei Bochum (-> F
880).
Fakultätsbibliothek Neuphilolo-
gie der Universität, Wilhelmstr.
50, D-7400 Tübingen. - Tel.:
07071-294325. - Präsenzbibliothek.

**F 1940 Hermann Löns (1866
bis 1914)**
Stadtbibliothek, Hildesheimer
Str. 12, D-3000 Hannover. -
Tel.: 0511-168.2169. - Ausleih-
bibliothek.
Hermann-Löns-Archiv.
UB Münster (-> F 770).
Sammlung.

**F 1950 Otto Ludwig (1813 bis
1865)**
Museum "Otto Ludwig" (-> G
560).
NFG (-> G 10). Goethe- und
Schiller-Archiv.
Nachlaß.

**F 1955 Luther, Martin (1483
bis 1546)**
Niedersächsische SUB (-> H
75).
Mit über 1200 Erst- und Frühdrucken
eine der bedeutendsten Luthersamm-
lungen. Vgl.: Kind, Helmut: Die
Lutherdrucke des 16. Jhs. und die
Lutherhandschriften der Niedersächsi-
schen SUB Göttingen. Göttingen 1967
(Arbeiten aus der Niedersächsischen
SUB Göttingen, 6).

F 1960 Lyrik
Bibliotheken der Stadt Dort-
mund, Markt 12, D-4600 Dort-
mund 1. - Tel.: 0231-542.23225
und 542.23236. - Telex 822287
stado d. - Ausleihbibliothek.
Sondersammelgebiet (NRW).
Lyrik-Archiv Karlsruhe, c/o Kurt
Rüdiger, Friedenstr. 16, D-7500
Karlsruhe.
Enthält rd. 10 Mio. Gedichte von ca.
500000 Lyrikern.

**F 1965 Joachim Mähl (1827 bis
1909)**
Germanistisches Seminar, Nie-
derdeutsche Abteilung, Universi-
tät Kiel (-> I 850).
Mähl-Archiv. Nachlaß, Primär- und
Sekundärliteratur.
Schleswig-Holsteinische LB (->
F 470).
Nachlaßteile, Verlegerbriefe, Primär-
und Sekundärliteratur.

**F 1970 Märchen/Märchenlite-
ratur**
Stadtbücherei Oberhausen (-> F
640).
Sondersammelgebiet (NRW).
Phantastische Bibliothek Wetzlar
(-> F 2285).
GHS-B Kassel (-> F 1000).

F 1980 Maler Müller (1749 bis 1825)

FDH (-> G 30).

Primär-, Sekundärliteratur. Teilnachlaß.

F 1990 Heinrich Mann (1871 bis 1950)

Akademie der Künste der DDR. Literatur-Archive (-> I 190).

Primär-, Sekundärliteratur. Nachlaß.

DLA (-> G 20).

Sammlung.

Bibliothek der Hansestadt Lübeck (-> F 820).

F 2000 Klaus Mann (1906 bis 1949)

Stadtbibliothek München (-> F 490).

Teile seiner Bibliothek (rd. 600 Bde.). Nachlaß (Manuskripte, Aufsätze, Ansprachen, Briefe, Dokumente, Fotos u.ä.).

F 2010 Thomas Mann (1875 bis 1955)

Thomas-Mann-Archiv (-> G 570).

Thomas-Mann-Sammlung Dr. Hans-Otto Mayer (Schenkung Rudolf Groth) der UB, Universitätsstr. 1, D-4000 Düsseldorf 1. - Tel.: 0211-327817. - Präsenzbibliothek.

Gesamtausgaben, Einzelausgaben, Buch- und Zeitschriftenbeiträge, Übersetzungen in 32 Sprachen, Sekundärliteratur, Zeitungsausschnittsammlung (über 20000 Einheiten).

Bibliothek der Hansestadt Lübeck (-> F 820).

DLA Marbach (-> G 20).

F 2020 Massenkommunikation (Printmedien)

SUB Bremen (-> F 960).

Institut für Kommunikationswissenschaft (-> I 1050)

F 2030 Karl May (1842-1912)

Karl May-Archiv im Karl-May-Verlag, Karl-May-Str. 8, D-8600 Bamberg. - Tel.: 0951-54051. - Privat-Sammlung, mit besonderer Erlaubnis, für wissenschaftliche Zwecke.

Karl May-Museum (-> G 580).

F 2050 Franz Mehring (1846 bis 1919)

Berliner StB, Breite Str. 32-34, Berlin 1020 DDR. - Tel.: [0037] 02-2142205. - Ausleihbibliothek.

Franz-Mehring-Bibliothek (16000 Bde.).

F 2060 Meistersang

Institut für deutsche Philologie, Universität Würzburg (-> I 1230). - Präsenzbibliothek.

Arbeitsstelle "Repertorium der Sangsprüche und Meisterlieder des 12. bis 18. Jhs.".

F 2070 Philipp Melanchthon (1497-1560)

Melanchthon-Museum Bretten (-> G 620).

Badische LB (-> F 50).

SUB Hamburg (-> F 320).

Bayerische SB (-> H 70).

-> G 630.

F 2080 Memoiren des 17./18. Jahrhunderts

Graf von Schönborn (-> F 1430).

F 2090 Moses Mendelssohn (1729-1786)
SBPK (-> H 50).
Primär-, Sekundärliteratur. Teilnachlaß.

F 2100 Sophie Mereau (1770 bis 1806)
FDH (-> G 30).

F 2110 Conrad Ferdinand Meyer (1815-1898)
Zentralbibliothek Zürich (-> F 1540).
Primär-, Sekundärliteratur. Nachlaß.

F 2120 Agnes Miegel (1879 bis 1964)
DLA (-> G 20).

F 2130 Eduard Mörike (1804 bis 1875)
DLA (-> G 20).
Mörike-Archiv (Primär-, Sekundärliteratur, Übersetzungen; insgesamt über 6000 Bde.) mit Teilnachlaß. Ständige Ausstellung (Marbacher Kataloge, 34 [1980].
NFG (-> G 10). Goethe- und Schiller-Archiv.
Nachlaß.

F 2140 Alfred Mombert (1872 bis 1942)
Badische LB (-> F 50).
Besonderes Sammelgebiet. Nachlaß.

Friedrich Müller (1749-1825)
-> F 1980.

F 2150 Johann Gottwerth Müller (1743-1828)
Arbeitsstelle Steinburger Studien (-> I 2150).

F 2160 Thomas Murner (um 1475-1537)
Badische LB (-> F 50).
Besonderes Sammelgebiet.

F 2170 Robert Musil (1880 bis 1942)
Arbeitsstelle für Robert-Musil-Forschung, c/o Fachrichtung Germanistik, Universität Saarbrücken (-> I 1140). - Tel.: 0681-302.3334. - Präsenzbibliothek.
Nachlaß Musils in Mikrofilmen und Kopien (rd. 11000 Seiten). Werke in Einzel- und Gesamtausgaben, Briefe, Übersetzungen; Sekundärliteratur (Monographien, Beiträge in Sammelwerken und Zeitschriften, Zeitungsausschnitte), Dokumente, Fotosammlung, Tonbandaufzeichnungen, Filme, insgesamt rd. 5500 Einheiten. - Weitere Sammlungen neuerer österreichischer Literatur.
Robert-Musil-Archiv Klagenfurt (-> G 650).
Primär-, Sekundärliteratur. Nachlaß (Kopien).
ÖNB Wien (-> H 30).
Originalnachlaß.

Naturalismus -> F 1830.

F 2190 Neulateinische Literatur
UB München (-> F 540).
Staatliche Bibliothek Regensburg (-> F 1810).

F 2200 Nibelungenlied
StB Worms (-> F 610).

F 2210 Niederdeutsche Literatur
Seminar für deutsche Philologie,

Universität Göttingen (-> I 690).
- Präsenzbibliothek.
SUB Hamburg (-> F 320).
Germanisches Seminar der Universität Hamburg (-> I 740). -
Präsenzbibliothek.
StB Hannover (-> F 1940).
Germanistisches Seminar, Niederdeutsche Abteilung, Universität Kiel (-> I 850). - Präsenzbibliothek.
Arbeitsstelle Steinburger Studien (-> I 2150).
Hoch- und niederdeutsche Literatur des südlichen Schleswig-Holstein.

F 2220 Friedrich Nietzsche (1844-1900)
NFG (-> G 10). Goethe- und Schiller-Archiv. Zentralbibliothek der deutschen Klassik.
Nachlaß und Sammlung.
Öffentliche Bibliothek der Universität Basel (-> F 210).
Nietzsche-Sammlung.

F 2230 Novalis (1772-1801)
FDH (-> G 30).
Sammlung. Teilnachlaß.
Museum Weißenfels (-> G 670).

F 2240 NS-Literatur
Württembergische LB (-> F 840).
Über 5000 Bde. und Broschüren.
StB Worms (-> F 610).
[Reichhaltige Bestände in der Wiener Library, London.]

F 2250 Oberösterreichische Literatur
Bundesstaatliche Studienbibliothek, Schillerplatz 2, A-4020 Linz. - Tel.: [0043] 0732-6640710. - Ausleihbibliothek.

F 2260 Oberrheinische Dichter
Badische LB (-> F 50).
Oberrheinisches Dichtermuseum (-> G 50).

F 2270 Carl von Ossietzky (1889-1938)
SUB Hamburg (-> F 320).

F 2280 Oswald von Wolkenstein (um 1377-1445)
Oswald-von-Wolkenstein-Archiv Dr. Hans-Dieter Mück, Haffnerstr. 35, D-7142 Marbach.
- Tel.: 07144-12602. - Privatarchiv (Benutzung nach Vereinbarung im benachbarten Deutschen Literaturarchiv).
Ausgaben; Urkunden (in Kopien); Sekundärliteratur (selbständig und unselbständig erschienene Publikationen, Zeitungsbeiträge, Rezensionen, auch ungedruckte Hochschulschriften, sonstige ungedruckte Manuskripte); Plakate, Diapositive, Bildmaterial, Schallplatten, Tonbänder, Video-Filme. Zeugnisse zur Rezeption in Literatur, Malerei, Musik und Werbung. Darstellungen zur Literatur und Geschichte Tirols im Spätmittelalter (Auswahl).
UB, Innrain 50, Postfach, A-6010 Innsbruck. - Tel.: [0043] 05222-507.2070. - Ausleihbibliothek.
Primär- und Sekundärliteratur.

F 2285 Phantastische Literatur
Phantastische Bibliothek Wetzlar, Domplatz 7, D-6330 Wetzlar 1. - Tel.: 06441-405.490.
Rd. 33000 Titel deutschsprachiger phantastischer Literatur (Science Fiction, Fantasy, klassische Phantastik, Staatsroman, utopischer Roman, Mär-

chen, Sagen, Mythen, Horror). Bücher, Anthologien, Reihen, Heftserien, Zeitschriften, Magazine.
Walter Henle (-> F 40).
Rd. 6000 Hefte und Bücher, Science Fiction 1952-1982. Sekundärliteratur.
Günter Schmitt (-> F 620).
Rd. 2500 Bde. Phantastik und Science Fiction.

F 2290 Pietismus-Literatur
Württembergische LB (-> F 840).

F 2300 Willibald Pirckheimer (1470-1530)
Fachgebiet Germanistik, Universität Bamberg (-> I 330). - Präsenzbibliothek.
Arbeitsstelle für Renaissance-Forschung (Nachlaß Dr. Emil Reicke zum Pirckheimer-Briefwechsel).

F 2310 August von Platen (1796-1835)
Stadtarchiv, Cedernstr. 1, D-8520 Erlangen. - Tel.: 09131-862219. - Präsenzbestand.
Platen-Archiv (Literatur von und über Platen; Archiv der ehemaligen Platengesellschaft Erlangen).
Bayerische SB (-> H 70).
Nachlaß.
SBPK (-> H 50).
Manuskripte, Notizen, Briefe u.ä.

F 2315 Paul Pörtner (1925 bis 1984)
StB Wuppertal (-> F 255).
Autographen, Manuskripte, Primär- und Sekundärliteratur, Fotos, Zeitungsausschnittsammlung, Tonkassetten, Hörfunk-Sendebänder (Präsenzbestand).

F 2320 Politische Literatur
Heinrich-Heine-Institut (-> G 40).
Vormärz.
Bayerische SB (-> H 70).
Vor allem 1920-1940.

Prager deutsche Literatur -> F 525.

F 2340 Wilhelm Raabe (1831 bis 1910)
StB Braunschweig (-> F 900).
Primär- und Sekundärliteratur, Bibliothek Raabes.
Stadtarchiv Braunschweig (-> F 900).
Nachlaß. Manuskripte, Notizbücher, Briefe, Tagebücher, Dokumente u.ä. Zeitungsausschnittsammlung.
-> G 680, G 690.

F 2350 Reformationsschriften
Niedersächsische SUB (-> H 75).
Reiche Bestände u.a. aus der "Bibliotheca Germanica" des Göttinger Juristen Georg Christian Gebauer sowie rd. 1000 Drucke aus der "Oskar- und Ilse-Mulert-Stiftung" von 1953.
UB Münster (-> F 770).
Geschlossene Sammlung von rd. 700 Bden. "Collectio Erhard".
LB Coburg (-> F 80).
Rd. 700 zeitgenössische Lutherdrucke; Flugschriften.
StB Worms (-> F 610).
-> F 730.

F 2360 Gustav Regler (1898 bis 1963)
Arbeitsstelle für Gustav-Regler-Forschung, c/o Fachrichtung Germanistik, Universität Saarbrücken (-> I 1140). - Tel.:

0681-302.2394. - Präsenzbibliothek.
Primärliteratur (einschl. publizisti-
scher Beiträge und Funkarbeiten); Sekundärliteratur; Nachlaßteile (Manuskripte veröffentlichter und unveröf-
fentlichter Werke, Notizhefte, Tagebücher, Briefe [insgesamt rd. 10000 Blatt
in Kopie]). *Angeschlossen*: Archiv für
die Literaturen der Grenzregionen
Saar-Lor-Lux-Elsaß (im Aufbau).

F 2370 Reisebeschreibungen
SUB Bremen (-> F 960).
LB Coburg (-> F 80).
Vor allem 18. u. 19. Jh.
Niedersächsische SUB (-> H
75).
Graf von Schönborn (-> 1430).
Kreisbibliothek Eutin (-> F
1820).
Rd. 1500 Titel.
Staatliche Bibliothek Regens-
burg (-> F 1810).

F 2380 Erich Maria Remarque (1898-1970)
Remarque-Archiv, c/o Fachge-
biet Deutsch, Universität Osnabrück (-> I 1100).
Erstausgaben, Übersetzungen, Handzeichnungen, Sekundärliteratur, Zei-
tungs-, Bild- und Fotopublikationen.

Renaissance -> F 1800.

F 2390 Fritz Reuter (1810 bis 1874)
NFG (-> G 10). Goethe- und
Schiller-Archiv.
Nachlaß.
FDH (-> G 30).
Teile aus Reuters Bibliothek.
Fritz Reuter-Literaturmuseum
(-> G 700). -> G 710.

F 2400 Rhetorik
Fakultätsbibliothek Neuphilolo-
gie der Universität (-> F 1930).

Jean Paul Friedrich Richter (1763-1825) -> F 1470.

F 2420 Rainer Maria Rilke (1875-1926)
DLA (-> G 20).
Rilke-Archiv (Gesamtausgaben, Ein-
zelausgaben, Übersetzungen, Beiträge
zu Sammelbänden und Zeitschriften;
Dokumente; Sekundärliteratur).
Schweizerische LB Bern (-> H
40).
Rilke-Sammlung; Teil-Nachlaß (-> G
720).
ÖNB Wien (-> H 30).
Teil-Nachlaß.
UB Mainz (-> F 360).
Rainer Maria Rilke-Literatur-
sammlung Dr. Karl Klutz, Goe-
thestr. 5, D-5427 Bad Ems. -
Tel.: 02603-4118. - Privatbiblio-
thek (nur mit besonderer Erlaub-
nis).
Erst- und Gesamtausgaben, sonstige
und Briefausgaben, illustrierte Ausgaben, Pressendrucke, Bibliographien;
Sekundärliteratur (unselbständige in
Kopien), Sonderdrucke, Zeitungsaus-
schnitte; Vertonungen, Schallplatten;
Bildnisse; Medaillen u.ä.; Erschließung durch Karteien.
[Als umfangreichste gilt die Rilke-Sammlung Richard von Mises' in der Harvard University
Library, Cambridge -> D 3190.]

F 2430 Joachim Ringelnatz (1883-1934)
DLA (-> G 20).

Primär-, Sekundärliteratur. Briefwechsel, Dokumente. Vertonungen.
Akademie der Künste Berlin (-> I 70).
Sammlung.

F 2440 Romanliteratur des 19. und 20. Jahrhunderts
StB Hannover (-> F 1940).

F 2450 Peter Rosegger (1843 bis 1918)
Steiermärkische LB, Kalchberggasse 2, A-8011 Graz. - Tel.: [0043] 0316-877.2386. - Ausleihbibliothek.
Primär-, Sekundärliteratur. Nachlaß.

F 2460 Friedrich Rückert (1788-1866)
UB Münster (-> F 770).
Besonderes Sammelgebiet.
Stadtarchiv und StB, Friedrich-Rückert-Bau, Martin-Luther-Platz, D-8720 Schweinfurt. - Tel.: 09721-51383. Ausleihbibliothek.
Teilnachlaß Rückerts (Manuskripte, Bilder, Teile der Bibliothek Rückerts), Primär- und Sekundärliteratur, Bildmaterial, auch zum Rückert-Kreis (insgesamt ca. 14300 Einheiten).
LB Coburg (-> F 80).
SBPK (-> H 50).
Wissenschaftlicher Nachlaß (vgl. auch Denecke-Brandis [-> D 3630], S.310f).
NFG (-> G 10). Goethe- und Schiller-Archiv.
Literarischer Teilnachlaß.
Friedrich Rückert-Gedächtnisstätte (-> G 730).

F 2490 Nelly Sachs (1891-1970)
Stadt- und LB Dortmund (-> F 1420).
Sammlung und Teilnachlaß (Manuskripte, Briefe). Angeschlossen ist das Literaturarchiv "Nelly-Sachs-Preis".

F 2500 Sagen
Stadtbücherei Oberhausen (-> F 640).
Sondersammelgebiet (NRW).
Phantastische Bibliothek Wetzlar (-> F 2285).

F 2510 Wilhelm Schäfer (1868 bis 1952)
StB Wuppertal (-> F 300).
Heinrich-Heine-Institut (-> G 40).
Nachlaß (über 400 Manuskripte, über 6000 Briefe von und rd. 9000 Briefe an Schäfer u.ä.).

F 2520 Albrecht Schaeffer (1885-1950)
DLA (-> G 20).
A.-Schaeffer-Archiv.

F 2530 Hartmann Schedel (1440-1515)
Bayerische SB (-> H 70).
Umfangreiche Sammlung mit Nachlaßmaterialien.

F 2540 Hans Schiebelhuth (1895-1944)
Hessische LHB Darmstadt (-> F 330).
Nachlaß.

F 2550 Friedrich Schiller (1759-1805)
NFG (-> G 10). Goethe und Schiller-Archiv. Zentralbibliothek der deutschen Klassik.

Schillers Nachlaß. Umfangreiche Dokumentation der Primär- und Sekundärliteratur.
DLA (-> G 20).
Teilnachlaß im Cotta-Archiv. Schiller-Bibliothek mit Primär- (rd. 3000 Bde.) und Sekundärliteratur (rd. 4000 Bde.) Dokumentation der Wirkungsgeschichte. Ständige Ausstellung (Marbacher Kataloge, 32 [1980]).
FDH (-> G 30).
Primär-, Sekundärliteratur. Manuskripte, Briefe, Dokumente.
StB Ludwigshafen (-> F 280).
Schiller-Ausgaben.
-> G 740, G 750.

F 2560 Johannes Schlaf (1862 bis 1941)
Stadt- und LB Dortmund (-> F 1420).
Sammlung.

F 2570 August Wilhelm Schlegel (1767-1845)
FDH (-> G 30).

F 2580 Friedrich Schlegel (1772-1829)
FDH (-> G 30).
[Nachlaß im Besitz der Görres-Gesellschaft; vgl. Ernst Behler: Der literarische Nachlaß Friedrich Schlegels. In: Kritische Friedrich-Schlegel-Ausgabe XI (Paderborn u.a. 1958) S. XIII ff.]

F 2585 Schleswig-Holsteinische Autoren
Schleswig-Holsteinische LB (-> F 470).
Originalausgaben und Sekundärliteratur, Nachlässe bzw. Teilnachlässe z.B. von Hans Friedrich Blunck, Heinrich Christian Boie, Gustav Frenssen, Klaus Groth, Friedrich Hebbel, Wilhelm Jensen, Timm Kröger, Wilhelm Lehmann, Detlev von Liliencron, Joachim Mähl, Helene Voigt-Diederichs.
UB Kiel (-> F 160)
Nachlässe und Teilnachlässe von Autoren der Region.

F 2590 Wilhelm Schmidtbonn (1876-1952)
Stadtarchiv und Wissenschaftliche StB Bonn (-> F 110).
Nachlaß.

F 2600 Reinhold Schneider (1903-1958)
Badische LB (-> F 40).
Besonderes Sammelgebiet. Reinhold-Schneider-Archiv. Nachlaß (rd. 2600 Manuskripte, Dokumente, rd. 3700 Briefe; Handbibliothek).

F 2610 Robert Wolfgang Schnell (1916-1986)
StB Wuppertal (-> F 300)

F 2620 Arthur Schnitzler (1862-1931)
Arthur-Schnitzler-Archiv, c/o Deutsches Seminar II, Universität Freiburg (-> I 650). - Tel.: 0761-203.2060 und 203.2981.
Schnitzler-Archiv mit seinem Nachlaß [in Fotokopien. Originalnachlaß in Univ. Library, Cambridge; Teilnachlaß in Privatbesitz, Wien].
ÖNB Wien (-> H 30).
DLA (-> G 20).

F 2630 Christian Friedrich Daniel Schubart (1739-1791)
DLA (-> G 20).
Sammlung. Ständige Ausstellung (Marbacher Kataloge, 31 [1980]).
Heimat- und Schubartmuseum (-> G 760).

Stadtarchiv, Marktplatz 30, D-7080 Aalen. - Tel.: 07361-500313.
Sammlung zu Leben und Werk.

F 2640 Schulbücher
Pädagogisches Zentrum Berlin (-> F 650).
Erziehungswissenschaftliche Zweigbibliothek der UB Erlangen/Nürnberg (-> F 1740).
Rd. 12000 Schulbücher aller Epochen und Fächer (Schwerpunkt: deutschsprachige Schulbücher für den Deutschunterricht).

F 2650 Schulprogramme
Niedersächsische SUB (-> H 75).
Umfassende Sammlung.
UB Gießen (-> F 1740).
Vgl.: Kössler, Franz: Verzeichnis von Programm-Abhandlungen deutscher, österreichischer und schweizerischer Schulen der Jahre 1825-1918. 4 Bde. München u.a.: Saur, 1987.

F 2660 Schwäbische Dichter
DLA (-> G 20).

F 2670 Kurt Schwitters (1887 bis 1948)
Stadtbibliothek Hannover (-> F 1940).
Kurt-Schwitters-Archiv.

Science Fiction -> Phantastische Literatur.

F 2680 Selbstmordliteratur
Staats- und StB Augsburg (-> F 340).
Besonderes Sammelgebiet.

F 2690 Shakespeare in Deutschland
Shakespeare-Bibliothek beim Institut für Englische Philologie der Universität München, Schellingstr. 3, D-8000 München 40. - Tel.: 089-21803358. - Präsenzbibliothek.
Rd. 14000 Bde. (Übersetzungen, Sekundärliteratur, auch Dissertationen) und rd. 6500 Zeitschriftenartikel (Rezensionen zu Shakespeare-Inszenierungen).
Stadtbücherei Bochum (-> F 880).
Bibliothek der Deutschen Shakespeare-Gesellschaft West (-> L 480).
Hessische LHB Darmstadt (-> F 330).
Darmstädter Totenmaske, die W. Shakespeare zugeschrieben wird.

F 2700 Solothurner Autoren
Zentralbibliothek Solothurn (-> F 260).
Solothurner Literaturarchiv mit Primär- und Sekundärliteratur von und zu Autoren, die aus Solothurn stammen bzw. in Solothurn leb(t)en (z.B. Peter Bichsel, Otto F. Walter, Urs Jäggi).

Sowjetdeutsche Literatur -> F 525.

F 2710 Sozialistische Literatur
StUB Frankfurt/M. (-> H 80).

F 2720 Carl Spitteler (1845 bis 1924)
Schweizerische LB (-> H 40).
Nachlaß Spittelers.

F 2730 Sprichwörter
StUB Bern, Münstergasse 61, CH-3000 Bern 7. - Tel.: [0041]

031-225519. - Ausleihbibliothek.
Sprichwörter des romanisch-germani-
schen Mittelalters.

F 2740 Hermann Stehr (1864-1940)

Verein Haus Schlesien e.V., Dol-
lendorfer Str. 412, D-5330 Königswinter 41 (Heisterbacher-
rott). - Tel.: 02244-80440.
Erstausgaben und sonstige Ausgaben,
Übersetzungen, Vertonungen, Sekundärliteratur. Teile des handschriftlichen Nachlasses (Lyrik, Prosa, Fragmente, Tagebücher). Briefwechsel
(Martin Buber, Walther Rathenau,
Oskar Loerke u.a.). Gemälde, Büsten,
Fotos, Urkunden (früher: Stehr-Archiv
Wangen).

F 2750 Steirische Literatur

Steiermärkische LB (-> F 2450).
Primär- und Sekundärliteratur, Nach-
lässe bzw. Teilnachlässe von und zu
Autoren, die mit der Region verbun-
den sind, z.B. Karl von Holtei, Max
Mell.

F 2760 Carl Sternheim (1878 bis 1942)

DLA (-> G 20).
Primär-, Sekundärliteratur. Nachlaß.

F 2770 Adalbert Stifter (1805 bis 1868)

Adalbert Stifter-Institut des Lan-
des Oberösterreich (-> G 770).
Bayerische SB (-> H 70).
Teilnachlaß.
[Nachlaß im Adalbert Stifter-Ar-
chiv der UB Prag.]

F 2780 Julius Stinde (1841 bis 1905)

UB Berlin der Freien Universität
(-> F 1640).

Teile der Bibliothek Stindes.
SBPK (-> H 50).
Nachlaß.

F 2790 Theodor Storm (1817 bis 1888)

Theodor-Storm-Haus (-> G 790).
Schleswig-Holsteinische LB (->
F 470).
Sammlung und Hauptnachlaß (Werk-
manuskripte, Briefe).

F 2800 August Stramm (1874 bis 1915)

UB Münster (-> F 770).
Nachlaß (Dramen-Manuskripte, Gedichte, Briefe, Porträts).

F 2810 Lulu von Strauß und Torney (1873-1956)

Stadt- und LB Dortmund (-> F
1420).
Sammlung und Teilnachlaß (Manuskripte, Briefe, Tagebücher).

F 2820 Hermann Sudermann (1857-1928)

DLA (-> G 20).
Primär-, Sekundärliteratur. Nachlaß
(rd. 100 Gedicht-, 44 Prosa- und 35
Dramenmanuskripte; Notizen, Entwürfe, Drucksachen; rd. 2500 Briefe
von und rd. 12000 Briefe an Suder-
mann).

F 2830 Theater/Theaterwissen-schaft

Theatermuseum. Institut für
Theater-, Film- und Fernsehwis-
senschaft der Universität zu
Köln (-> G 800).
Deutsches Theatermuseum (-> G
810).
Zentrum für Theaterforschung.

Hamburger Theatersammlung, Universität Hamburg, Von-Melle-Park 3, D-2000 Hamburg 13. - Tel.: 040-4123.6511. - Ausleihbibliothek.

Rd. 50000 Bücher und Zeitschriften, 120000 Theaterzettel, 300000 Zeitungskritiken, 400000 Bilder, 1000 Plakate, 15000 Dias, 1200 Tonträger, 7800 Autographen, Programmhefte.
ÖNB Wien (-> H 30).
Rd. 65000 Autographen, rd. 420000 Bilder, ca. 100000 Werk- und Standfotos zur Geschichte des Films, ca. 690000 Theaterzettel, Zeitungsausschnitte u.ä., 880 Theatermodelle, über 200 Filmrollen, ca. 60000 Bde. Theaterbibliothek.

Eine weitergehende Zusammenstellung der Spezialbestände aus dem Bereich Theater / Theaterwissenschaft erfolgt im *Informationshandbuch Theater, Film, Funk und Fernsehen* (in Vorber.).

F 2840 Frank Thiess (1890 bis 1977)

Hessische LHB Darmstadt (-> F 330).
Frank-Thiess-Archiv. Bücher, Werkmanuskripte, Tagebücher, Briefe.

F 2850 Moritz August von Thümmel (1738-1817)

LB Coburg (-> F 80).
Tagebücher.

F 2860 Ludwig Tieck (1773 bis 1853)

FDH (-> G 30).
Primär-, Sekundärliteratur. Teilnachlaß.
SBPK (-> H 50).
Primär-, Sekundärliteratur. Nachlaß

(Manuskripte, Abschriften, Entwürfe, Tagebücher, Briefe).

F 2870 Ernst Toller (1893 bis 1939)

Akademie der Künste Berlin (-> I 70).
Sammlung [Nachlaß in der Yale-University Library, New Haven].

F 2880 Georg Trakl (1887 bis 1914)

Trakl-Gedenkstätte (-> G 840).

F 2890 Trivialliteratur

Amerika-Gedenkbibliothek/Berliner Zentralbibliothek (-> F 70).
550 Bde. Hedwig Courths-Mahler.
Wissenschaftliche Literatur zur Leserpsychologie und -soziologie der Trivialliteratur.
UB Bonn (-> F 110).
U.a. Pflichtexemplare des Bastei-Verlages.
LB Coburg (-> F 80).
Trivialliteratur des 19. Jhs.
UB Gießen (-> F 1740).
Trivialromane des 19. Jhs. Vgl.: Hain, Ulrich; Schilling, Jörg: Katalog der Sammlung "Trivialliteratur des 19. Jahrhunderts" in der Univ. Bibl. Gießen. Hrsg. v. Hermann Schüling. Gießen: Univ. Bibl., 1970.
Niedersächsische SUB (-> H 75).
Bestände vom Ende des 18. bis Anfang des 19. Jhs. aus der ehem. Goldeschen Leihbibliothek in Braunschweig.
Seminar für Volkskunde, Universität Göttingen (-> I 710). - Präsenzbibliothek.
UB Heidelberg (-> F 120).
Trivialliteratur des 18. und 19. Jhs. (Bibliothek Max von Waldberg).

Universitäts- und StB, Universitätsstr. 33, D-5000 Köln 41. -
Tel.: 0221-470.2214 und
470.2260.- Ausleihbibliothek.
Trivialliteratur der Zeit um 1800.
Graf von Schönborn (-> F 1430).
Literatur der 2. Hälfte des 18. Jhs.
Fachrichtung Germanistik, Universität Saarbrücken (-> I 1140).
- Präsenzbibliothek.
Walter Henle (-> F 40).
Reiche Bestände an Primär- und Sekundärliteratur (rd. 2000 Romane).
Stadtbibliothek Worms (-> F 610).

-> Comic Strips (F 480), -> Heftliteratur (F 1170), -> Phantastische Literatur (F 2285).

F 2900 Kurt Tucholsky (1890 bis 1935)
DLA (-> G 20).
Kurt Tucholsky-Archiv. Vgl.: Goder-Stark, Petra: Das Kurt Tucholsky Archiv. Ein Bericht. Marbach: Dt. Schillergesellschaft, 1978 (Dt. Literaturarchiv. Verzeichnisse, Berichte, Informationen, 5).
Akademie der Künste Berlin (-> I 70).
Sammlung.

F 2910 Ludwig Uhland (1787 bis 1862)
DLA (-> G 20).
Primär-, Sekundärliteratur. Nachlaß.
Ständige Ausstellung (Marbacher Kataloge, 34 [1980]).
UB Tübingen (-> F 890).
Bibliothek Uhlands. Teilnachlaß.

F 2920 Utopische Literatur
Phantastische Bibliothek Wetzlar (-> F 2285).

F 2930 Karl August Varnhagen von Ense (1785-1858)
Heinrich-Heine-Institut (-> G 40).
DLA (-> G 20).

F 2950 Berthold Viertel (1885 bis 1953)
DLA (-> G 20).
Primär-, Sekundärliteratur. Nachlaß.

F 2960 Friedrich Theodor Vischer (1807-1887)
UB Tübingen (-> F 890).
Primär-, Sekundärliteratur. Nachlaß.
DLA (-> G 20).
Teilnachlaß.

F 2970 Volkserzählungen
Volkskundliche Kommission für Westfalen, Landschaftsverband Westfalen-Lippe, Domplatz 23, D-4400 Münster. - Tel.: 0251-834404. - Präsenzbibliothek.
Institut für Volkskunde, Universität Freiburg (-> I 660). - Präsenzbibliothek.

F 2980 Volkskunde
Staatliche Museen Preußischer Kulturbesitz (-> G 860).
Forschungsstelle für Volkskunde in Bremen und Niedersachsen (-> G 870).
Institut für Volkskunde, Universität Freiburg (-> I 660). - Präsenzbibliothek.
U.a. Bibliotheken Otto Basler und Will-Erich Peuckert.
Institut für religiöse Volkskunde der Universität, Werthmannplatz, D-7800 Freiburg. - Tel.: 0761-203.2299.
Religiöse Gebrauchsliteratur, Gebetbücher, -zettel, Andachtsliteratur.

Seminar für Volkskunde, Universität Göttingen (-> I 710). - Präsenzbibliothek.
Bibliothek Kurt Wagner.
Institut für deutsche und vergleichende Volkskunde, Universität München (-> I 1040). - Präsenzbibliothek.
Volkskundliche Kommission für Westfalen (-> F 2970).
Forschungsstelle Karasek für ostdeutsche Volkskunde, Schloßstr. 92, D-7000 Stuttgart 1. - Tel.: 0711-620508. - Präsenzbibliothek (nur mit besonderer Erlaubnis).
Ludwig-Uhland-Institut für empirische Kulturwissenschaft, Universität Tübingen, Schloß, D-7400 Tübingen. - Tel.: 07071-294971. - Präsenzbibliothek.
Rd. 25 000 Bde. allgemeine Volkskunde, Trivialliteratur, Kommunikationstheorie.

F 2990 Volkslied
Deutsches Volksliedarchiv, Arbeitsstelle für Internationale Volksliedforschung (-> G 880).
Volkskundliche Kommission für Westfalen (-> F 2970).
Westfälisches Volksliedarchiv (handschriftliches Material, Tonbandaufzeichnungen, Präsenzbibliothek).
Universitäts- und StB Köln (-> F 2890).
Karnevalslieder, -literatur.

Volksschauspiel -> F 540.

F 3000 Johann Heinrich Voß (1751-1826)
Städtisches Görres-Gymnasium, Königsallee 57, D-4000 Düsseldorf 1. - Tel.: 0211-133969.
Bibliothek und Nachlaß von J. H. Voß.
Bayerische Staatsbibliothek (-> H 70).
Teilnachlaß.
Schleswig-Holsteinische LB Kiel (-> F 470).
Teilnachlaß.

F 3010 Richard Wagner (1813 bis 1883)
Richard-Wagner-Gedenkstätte (-> G 890).

F 3015 Martin Walser (1927-)
Stadtbücherei, Marktplatz 17, D-7950 Biberach/Riß. - Tel.: 07351-51307.
Martin-Walser-Archiv. Primär- (Typoskripte, Publikationen, Tonbandmitschnitte) und Sekundärliteratur (Bücher, Aufsätze, Zeitungsartikel, Rezensionen). - Angeschlossen ist das Literaturarchiv Oberschwaben, das Literatur von Autoren der Region und Material über sie sammelt. Benutzung nach vorheriger Vereinbarung.

F 3020 Frank Wedekind (1864 bis 1918)
Städtische Bibliotheken München (-> F 490).
Primär-, Sekundärliteratur. Nachlaß (auch von Tilly Wedekind).
Aargauische Kantonsbibliothek, Aargauerplatz, CH-5001 Aarau. - Tel.: [0041] 064-212160.
Wedekind-Archiv. Teilnachlaß.

F 3030 Georg Weerth (1822 bis 1856)
Lippische LB (-> F 770).
Georg-Weerth-Archiv (Sammlung).
Besonderes Sammelgebiet.

F 3035 Armin T. Wegner (1886-1978)
StB Wuppertal (-> F 255).
Autographen, Manuskripte, Typoskripte, Primär- und Sekundärliteratur, Zeitungsausschnittsammlung.

F 3040 Günter Weisenborn (1902-1969)
Akademie der Künste der DDR.
Literatur-Archive (-> I 190).
Günther-Weisenborn-Archiv mit Teilnachlaß.

F 3050 Leo Weismantel (1888 bis 1964)
Akademie der Künste der DDR.
Literatur-Archive (-> I 190).
Weismantel-Archiv mit Teilnachlaß.

F 3055 Westfälische Literatur
UB Münster (-> F 770).
Nachlässe, Einzelautographen, Drucke westfälischer Autoren.
Arbeitsstelle für westfälische Literatur (-> I 2188).
Dokumentationssammlung zu vergessenen westfälischen Autoren (Schwerpunkt: bis 1945).

F 3060 Christoph Martin Wieland (1733-1813)
Wieland-Archiv (-> G 900).
DLA (-> G 20).
Sammlung. Ständige Ausstellung (Marbacher Kataloge, 31 [1980]).
FDH (-> G 30).
Sammlung. Teilnachlaß.
NFG (-> G 10). Goethe- und Schiller-Archiv. Zentralbibliothek der deutschen Klassik.
Sammlung. Teilnachlaß.
Zentralbibliothek Zürich (-> F 1540).
Sammlung. Teilnachlaß.

StUB Frankfurt/M. (-> H 80).
Primär- und Sekundärliteratur (Sammlung Gerhard Stumme; rd. 800 Bde.).
Institut für Germanistik, Universität Graz (-> I 1380). - Präsenzbibliothek.
Wieland und seine Zeit (Bibliothek B. Seuffert).
Heinrich-Heine-Institut (-> G 40).
-> G 910, G 920.

F 3070 Ernst von Wildenbruch (1845-1909)
Berliner Stadtbibliothek, Breite Str. 32-34, Berlin 1020 DDR. - Tel.: [0037] 02-2142205.- Ausleihbibliothek.
Wildenbruch-Sammlung (5000 Bde.).

F 3080 Johann Joachim Winckelmann (1717-1768)
Winckelmann-Museum (-> G 930).
SBPK (-> H 50).
Sammlung.
Goethe-Museum Düsseldorf (-> G 350).
Sammlung.
FDH (-> G 30).

F 3090 Friedrich Wolf (1888 bis 1953)
Akademie der Künste der DDR.
Literatur-Archive (-> I 190).
Friedrich-Wolf-Archiv mit Nachlaß.

F 3100 Alfred Wolfenstein (1888-1945)
Akademie der Künste Berlin (-> I 70).
Alfred-Wolfenstein-Archiv.

F 3110 Wolfram von Eschen-bach
Fürstlich Leiningensche Bibliothek (-> F 460).

F 3120 Paul Zech (1881-1946)
DLA (-> G 20).
Sammlung und Teilnachlaß (zu weiteren Nachlaßteilen s. Denecke-Brandis [-> D 3630] S. 419f).
StB Wuppertal (-> F 255).
Autographen, Manuskripte, Typoskripte, Primär- und Sekundärliteratur, Zeitungsausschnittsammlung (Präsenzbestand).
Fritz-Huser-Institut (-> G 90).
Akademie der Künste Berlin (-> I 70).
Sammlung.

F 3130 Zeitschriften
Niedersächsische SUB (-> H 75).
Universale wissenschaftliche Zeitschriften als Sondersammelgebiet der Deutschen Forschungsgemeinschaft. Akademieschriften.
StUB Frankfurt/M. (-> H 80).
DLA (-> G 20).
Fachgebiet Germanistik, Universität Wuppertal (-> I 1240). - Präsenzbibliothek.
Exilzeitschriften 1933-1945.

F 3140 Zeitungen und Zeitungswissenschaften
Institut für Zeitungsforschung (-> G 940).
Bibliotheken der Stadt Dortmund (-> H 110).
Zeitungsausschnitt-Sammlung. Sammlung alternativer Zeitschriften.
Hans-Bredow-Institut an der Universität, Heimhuderstr. 21, D-2000 Hamburg 13. - Tel.: 040-447178, 447179. - Ausleihbibliothek.
Institut für Kommunikationswissenschaft (-> I 1050).
Mit Zeitungsarchiv.
Institut für Auslandsbeziehungen. Bibliothek, Charlottenplatz 17, D-7000 Stuttgart 1. - Tel.: 0711-2225.147. - Telex 723772. - Telefax: 0711-224346. - Ausleihbibliothek.
Deutschsprachige Presse des Auslands (über 4700 lfd. Zeitungen und Zeitschriften). Auskunftstätigkeit.
SUB Bremen (-> F 960).
Zeitungen des 17. Jahrhunderts; Mikrofilmsammlung von deutschsprachigen Zeitungen (18.-20. Jh., rd. 800 Titel).
-> G 950.

F 3150 Arnold Zweig (1887 bis 1968)
Akademie der Künste der DDR. Literatur-Archive (-> I 190).
Arnold-Zweig-Archiv mit Nachlaß (Bestandsverzeichnis: -> D 3400).

F 3160 Stefan Zweig (1881 bis 1942)
Stefan-Zweig-Archiv, Schlesingerplatz 4, A-1080 Wien. - Tel.: [0043] 0222-427541/228.
Erstausgaben, Übersetzungen, Briefe (Originale und Kopien), Fotosammlung. Materialien der aufgelösten Internationalen Stefan-Zweig-Gesellschaft.
DLA (-> G 20).
Sammlung.

TEIL G : LITERATURARCHIVE UND DICHTERMUSEEN

Dieses Kapitel erfaßt Dichtermuseen und Literaturarchive, die auch musealen Charakter haben. Archive mit rein archivalischer Funktion sind über den Teil F zu erfragen. Die Kommentierung wurde von den betreffenden Institutionen überprüft und in den Datenangaben aktualisiert. Vorangestellt sind die Archive und Museen mit den umfangreichsten Beständen; dann folgen die übrigen alphabetisch nach dem Autorennamen bzw. Sachbegriff.

Abkürzungen: BA = Bestand, Archivmaterial, Ausstellungsstücke usw.; E = Ergänzende Einrichtungen; P= Publikationen; L= Literatur.

G 10 Nationale Forschungs- und Gedenkstätten der klassischen deutschen Literatur in Weimar, Am Burgplatz 4, Postfach 12 und 309, Weimar 5300 DDR. - Tel.: [0037] 0621-2945.
Die NFG bestehen aus mehreren Direktionen, zu denen u.a. das Goethe-Nationalmuseum, das Goethe- und Schiller-Archiv, die Zentralbibliothek der Deutschen Klassik und das Institut für klassische deutsche Literatur gehören.
P: *Impulse. Aufsätze, Quellen, Berichte zur deutschen Klassik und Romantik* 1 (1978)ff.; *Bibliothek deutscher Klassiker; historisch-kritische Ausgaben; Kataloge.*

Goethe-Nationalmuseum
a) Goethes Wohnhaus am Frauenplan (Frauenplan 1, Weimar 5300 DDR. - Tel.: [0037] 0621-62041):
BA: Erinnerungsstätte in Goethes letztem Wohnhaus, das er mit kurzer Unterbrechung von 1782-1832 bewohnte. Die Wohnräume Goethes und die seiner Frau Christiane, Arbeitszimmer und Bibliothek (rd. 6500 Bde.), die Empfangsräume und die Räume mit Goethes umfangreichen Sammlungen präsentieren sich in weitgehend originalem Zustand. Die 18000 Stücke umfassende Sammlung Goethes zur Geologie und Mineralogie ist im südlichen Gartenpavillon untergebracht.

b) Goethe-Museum (Anschrift wie a):
BA: Literarhistorisch-biographisches Museum, das Leben, Werk und Wirkung Goethes im gesamtgesellschaftlichen Zusammenhang mit reichhaltigen Exponaten vorstellt.

c) Schillerhaus (Schillerstr. 12, Weimar 5300 DDR. - Tel.: [0037] 0621-62041):
BA: Gedenkstätte in Schillers Wohnhaus, in dem er in den Jahren 1802-1805 lebte. Das Museum repräsentiert sich nach Umbau in dem Zustand, in dem es Schiller mit seiner Familie bewohnt hat.

d) Schillermuseum (Anschrift wie c):
BA: Literarhistorisch-biographisches Museum, das Leben, Werk und Wirkung Schil-

lers im gesamtgesellschaftlichen Zusammenhang mit reichhaltigen Exponaten vorstellt. - Angeschlossen ist das Nachbargebäude, die ehemalige Münze. Hier befindet sich eine Münzsammlung, die speziell Schiller gewidmet ist.

e) Goethes Gartenhaus, das Römische Haus, die Goethe- und Schiller-Gruft, Schloß Tiefurt werden ebenfalls vom Goethe-Nationalmuseum verwaltet. Beschreibung in: Literarische Museen und Gedenkstätten in der Deutschen Demokratischen Republik -> C 2440.

Goethe- und Schiller-Archiv

BA: Literaturarchiv mit rd. 120 persönlichen Archiven deutscher Schriftsteller vom frühen 18. bis zum ausgehenden 19. Jahrhundert und über 1 Mio. archivalischer Einheiten. U.a. Nachlässe Goethes, Schillers, Wielands, Büchners, Nietzsches. Zahlreiche Handschriften deutscher Dichter vom 18. bis 20. Jh. - Vgl.: Karl-Heinz Hahn: *Goethe-und Schiller-Archiv* (-> D 3730).
P: Heine-Säkularausgabe; Briefe an Goethe in Regestform; Gesamtausgabe der Briefe Herders.

Zentralbibliothek der Deutschen Klassik

BA: Ehemalige Fürstliche und spätere Landesbibliothek. Spezialbibliothek zur deutschen Literatur von 1750-1850 (Aufklärung, Sturm und Drang, Klassik, Romantik, Vormärz). Zahlreiche Spezialsammlungen vor allem zu Lessing, Goethe, Schiller, Herder, Wieland, Nietzsche und zum Faust-Stoff. Almanache, Stammbücher, bildende Kunst. Ausleihbibliothek mit über 800000 Bden., ca. 3000 Handschriften, ca. 3200 Karten und 1670 laufend gehaltenen Zeitschriften.
P: *Internationale Bibliographie zur deutschen Klassik* (-> D 930); *Faust-Bibliographie* (-> D 1400); mehrere Personalbibliographien.

Institut für klassische deutsche Literatur

Wissenschaftliches Forschungsinstitut der NFG.

G 20 Deutsches Literaturarchiv. Schiller-Nationalmuseum, Schillerhöhe 8-10, Postfach 1162, D-7142 Marbach. - Tel.: 07144-6061. - Telefax: 07144-15976.

Museum

BA: Das Museum gibt einen Überblick über die Entwicklung der deutschen Literatur vom 18. Jh. bis in die Gegenwart (Handschriften, Erstausgaben, Illustrationen, Bilder). Ständige Ausstellungen sind Schiller, Wieland, Schubart, Hölderlin, Kerner, Uhland, Mörike, dem Verlag Cotta (*Cotta und das 19. Jh.*) sowie dem 20. Jh. gewidmet. Jahresausstellungen, Kabinett-Ausstellungen. Hesse-Arbeitsraum mit Phonothek.

Archiv

BA: Deutsches Literaturarchiv mit Bibliothek (ca. 360000 Bde., z.T. inhaltlich erschlossene Zeitschriftensammlung), Handschriftenabteilung (rd. 800 Nachlässe und Einzelsammlungen), Bildabteilung, Dokumentationsstelle (Zeitungsausschnitte, Theaterprogramme u. ä.), Spezialsammlungen (Buchumschläge, literarische Plakate u. ä.). Die wichtigsten Nachlässe und Einzelsammlungen: Schiller-Bibliothek, Jean-Paul-Archiv, Mörike-Archiv, Rilke-Archiv, Hesse-Archiv, Klages-Archiv, Tucholsky-Archiv, Ernst und Friedrich Georg Jünger-Sammlung, Gerhart-Hauptmann-Sammlung, Nachlaß Paul Celan; Cotta-Archiv, Insel-Bibliothek Anton Kippenberg, Produktionsbibliotheken Kurt Wolff, Lambert Schneider, Deutscher Taschenbuchverlag; Redaktionsarchiv des *Kürbiskern*; Theaterprogramme, literarische Schallplatten. Wesentliche Bestände zur Geschichte der Germanistik. Germanisten-Nachlässe.

E: Präsenzbibliothek, Kopiermöglichkeit, Auskunftstätigkeit. Erschließung durch mehrere Kataloge; über wesentliche Neuerwerbungen informiert das *Jahrbuch der Deutschen Schillergesellschaft.* - Ingrid Kußmaul: *Die Nachlässe und Sammlungen des Deutschen Literaturarchivs Marbach am Neckar* (-> D 3670). - Liselotte Lohrer: *Bestandsverzeichnis des Cotta-Archivs* (-> D 3680).

P: *Jahrbuch der Deutschen Schillergesellschaft* 1 (1957) ff. (-> E 1280); *Veröffentlichungen der Deutschen Schillergesellschaft* 17 (1948)ff.; *Marbacher Schriften* 1 (1969) ff.; *Marbacher Kataloge* 1 (1956) ff; *Verzeichnisse, Berichte, Informationen* 1 (1972) ff; *Marbacher Magazin* 1 (1976) ff; Einzelveröffentlichungen. - Vgl. Margot Pehle: *Die Veröffentlichungen des Schwäbischen Schillervereins und der Deutschen Schillergesellschaft 1895-1980.* Marbach 1980.

L: *Deutsches Literaturarchiv. Schiller-Nationalmuseum. Die Institute der Deutschen Schillergesellschaft in Marbach am Neckar.* Vorgestellt von den Mitarbeitern. Marbach 1982 (Marbacher Schriften 17).

G 30 Freies Deutsches Hochstift. Frankfurter Goethe-Museum, Großer Hirschgraben 23-25, D-6000 Frankfurt/M. 1. - Tel.: 069-282824.

Erinnerungs- und Forschungsstätte in Goethes Elternhaus mit bedeutenden Sammlungen zur deutschen Literatur des 18. und frühen 19. Jhs. Das Goethe-Haus soll ein lebendiges Bild von Goethes Jugend vermitteln; das benachbarte Goethe-Museum ist seinem späteren Leben gewidmet.

Handschriftenarchiv:

BA: Ca. 30000 Manuskripte der deutschen Literatur (Schwerpunkt: Vorklassik, Goethe und sein Kreis, Romantik). Nachlaß Hugo von Hofmannsthals (Leihgabe). Über Neuerwerbungen informiert jährlich das *Jahrbuch des Freien Deutschen Hochstifts* (-> E 1230). - Behrens, Jürgen; Beatrix Habermann; Leo Philippsborn: *Katalog der Handschriften des Freien Deutschen Hochstifts - Frankfurter Goethe-Museum* (-> D 3690).

Bibliothek:

BA: Ca. 130000 Bde. zur deutschen Literatur von 1750-1850 (*Schwerpunkte*: Lessing, Wieland, Herder, Goethe und sein Kreis, Schiller, Kleist, Jean Paul, Novalis, Wackenroder, Tieck, August Wilhelm und Friedrich Schlegel, Schelling, Jacob und Wilhelm Grimm, Achim und Bettina von Arnim, Brentano, Eichendorff, E.T.A. Hoffmann, Heine, Büchner; Literarische Zeitschriften, Almanache, Taschenbücher). *Faust*-Bibliothek (ca. 3500 Titel). Rekonstruktion der Bibliothek Johann Caspar Goethes (im Aufbau).

Museum und grafische Sammlung:

BA: Ca. 400 Gemälde und 16000 grafische Blätter (Porträts, Gemälde, Illustrationen zu Goethes Werken u.a.). Vgl.: Michaelis, Sabine: *Katalog der Gemälde*. Frankfurt 1982. - Vorträge, Veranstaltungen, Sonderausstellungen.

P: *Jahrbuch des Freien Deutschen Hochstifts*, Neue Folge (1962ff.); *Freies Deutsches Hochstift. Reihe der Schriften* (1966ff.); Historisch-kritische Ausgaben von Clemens Brentano und Hugo von Hofmannsthal; Kataloge; Museumsführer.

L: Detlev Lüders: *Das Freie Deutsche Hochstift - Frankfurter Goethe-Museum*. In: Jahrbuch für Internationale Germanistik 8, 1976, H. 1, S. 132-137. - Jürgen Behrens u.a.: *Freies Deutsches Hochstift. Frankfurter Goethe-Museum*. 3. Aufl. Braunschweig: Westermann, 1981 (Museum).

G 40 Heinrich-Heine-Institut, Bilker Str. 12-14, Postfach 1120, D-4000 Düsseldorf. - Tel.: 0211-899.5575.

BA: Das Heinrich-Heine-Institut verfügt über ca. 130 literarische Nachlässe und Sammlungen mit ca. 10000 Autographen. Es existiert eine umfangreiche Sammlung mit Bildern, Stichen und Drucken zu Heine und seiner Zeit. Die Bibliothek umfaßt ca. 30000 Bde. - *Schwerpunkte*:

1. Heine und seine Zeit: Heine-Sammlung (10000 Bde. Primär- und Sekundärliteratur; Werkmanuskripte, Notizzettel, Briefe, Albumblätter; Bildmaterial). Sammlungen zu Ludwig Börne, Ferdinand Freiligrath, Christian Dietrich Grabbe, Karl Gutzkow, Karl Immermann, Heinrich Laube, Wolfgang Müller von Königswinter, Robert Reinick, Leopold Schefer, Karl August Varnhagen von Ense (Autographen, Primär- und Sekundärliteratur, Bildmaterial).

2. Friedrich Heinrich Jacobi (Autographen, Bücher).

3. Christoph Martin Wieland (Autographen, Familienbriefe).

4. Rheinische Autoren des 19. und 20. Jhs.: Emil Barth, Heinrich Böll, Rolf Bongs, Herbert Eulenberg, Hans Müller-Schlösser, Josef Ponten, Wilhelm Stehling, Clara Viebig (Autographen, Bücher).

5. Charon-Kreis: Erich Bockemühl, Hanns Meinke, Rudolf Paulsen (Autographen, Bücher).

Bestandsverzeichnis: Heine-Jahrbuch [-> E 1330] 7 (1968)ff.

E: Präsenzbibliothek mit Kopiermöglichkeit.

P: *Veröffentlichungen des Heinrich-Heine-Instituts, Heine-Jahrbuch, Heine-Studien*, Veröffentlichungen in Zusammenarbeit mit der Heine-Gesellschaft (-> L 290).

G 45 Literaturarchiv Sulzbach-Rosenberg, Rosenbergstr. 9, D-8458 Sulzbach-Rosenberg. - Tel.: 09661-2659.

BA: Hauptbestand ist der Briefwechsel der *Akzente*-Herausgeber Hans Bender und

Walter Höllerer. Teilnachlässe von Autoren der Esslinger Künstlergilde. Briefe und Werkmanuskripte von Hans Bender, Manfred Bieler, Christine Brückner, Ingeborg Drewitz (*Das Hochhaus*), Marieluise Fleißer, Oskar Maria Graf, Günter Grass (*Urtrommel, Vatertagsmappe*), Walter Höllerer, Walter Kempowski, Barbara König, Günter Kunert, Fitzgerald Kusz, Eugen Oker, Herbert Rosendorfer, Hellmuth von Ullmann, Anna Wimschneider u.a. - Tonaufnahmen zeitgenössischer Autoren, Plakate, Theaterprogramme, Fotosammlung. - Ausleih- und Kopiermöglichkeit.
P: Ausstellungskataloge, Broschüren.

G 50 Oberrheinisches Dichtermuseum, Röntgenstr. 6, D-7500 Karlsruhe. - Tel.: 0721-843818.
BA: Handschriften, Werke (z.T. Erstausgaben), Porträts, Dokumente von Dichtern und Schriftstellern des Oberrheins (Baden, Pfalz, Elsaß, Schweiz). Gesammelt werden Materialien zu etwa 150 Schriftstellern (u.a. Hans Jacob Christoph von Grimmelshausen, Johann Peter Hebel, Joseph Viktor von Scheffel, Elisabeth Langgässer, Alfred Mombert).

G 60 LiK-Archiv der Stadt Köln, Josef-Haubrich-Hof 1, D-5000 Köln 1. - Tel.: 0221-221.3903.
BA: Sammlung von Dokumenten und Informationen, insbesondere von Primär- und Sekundärliteratur von und zu Kölner Autoren und zum gesamten literarischen Leben der Stadt Köln in enger Zusammenarbeit mit dem Historischen Archiv der Stadt Köln (-> F 300). Sicherung von Nachlässen und Teilnachlässen (z.B. Hans Bender, Heinrich Böll, Joseph von Lauff, Hans Mayer, Wolfgang Müller von Königswinter, Paul Schallück, Marierose Steinbüchel-Fuchs, Dieter Wellershoff).
E: Ausschnittsammlung (Auswertung von Tages- und Wochenzeitungen, Zeitschriften, von Radio- und Fernsehprogrammen, Verlagsprospekten u. ä.).
P: *LiK* (bisher 18 Hefte).

G 70 Lippisches Literaturarchiv, c/o Lippische LB, Hornsche Str. 41, D-4930 Detmold. - Tel.: 05231-21012 und 21013. - Ausleihbibliothek.
BA: Grabbe-Archiv Alfred Bergmann, Freiligrath-Sammlung, Georg-Weerth-Archiv.

G 80 Dichtermuseum Liestal, c/o Dr. Hans R. Schneider, Brüelmatten 21, CH-4410 Liestal. - Tel.: [0041] 061-9013978.
BA: Herwegh-Archiv mit etwa 4000 Einheiten (Manuskripte, Briefe, Erstausgaben, Dokumente). Josef Viktor Widmann (Werke, Manuskripte, Briefe, Mobilar, Bilder). Carl Spitteler (Werke, Briefe, Fotos, Dokumente, Mobiliar, Bilder). Hugo Marti (Werke, Manuskripte, Fotos). Theodor Opitz (Autographen). Keine Ausleihe, begrenzte Kopiermöglichkeit.

Arbeiterliteratur

G 90 Fritz-Huser-Institut für deutsche und ausländische Arbeiterliteratur, Ostenhellweg 56-58, D-4600 Dortmund 1.- Tel.: 0231-542.23227.

BA: Das Fritz-Huser-Institut sammelt den gesamten Bereich der Arbeiterkultur, nicht aber den im engeren Sinne politischen und gewerkschaftlichen Bereich der Arbeiterbewegung. Die wichtigsten Abteilungen: Arbeiter-Autobiographien und -biographien, Dichtung der Arbeiterbewegung mit Spezialsammlungen zum Arbeiterlied und zur Arbeiter-Dramatik (besonders Sprechchorbewegung, Agit-Prop-Theater usw.), Arbeiterbildung, Arbeiterkunst, Arbeiterphotographie, -funk, -film, -presse, Freidenkerbewegung, Arbeitersportbewegung. Der Schwerpunkt (ca. 50% der Bestände) liegt im Bereich der Arbeiterliteratur von 1848 über frühe sozialdemokratische Schriftsteller, BPRS, Arbeiterkorrespondenten, "Arbeiterdichtung", "Dortmunder Gruppe 61", "Werkkreis Literatur der Arbeitswelt"; wichtige Beiträge zur Literatur der Arbeiterbewegung finden sich auch in den Abteilungen Arbeitertheater, Kinder- und Jugendtheater, Arbeiterfest, Arbeiterjugend, Arbeiterkriegs- und -antikriegsdichtung und Arbeiterpresse. Vorhanden sind jeweils Bücher und Broschüren in Erstausgaben und späteren Auflagen, Zeitschriften, Rezensionen, Bilder der Autoren, weitere Dokumente. Nachlässe und Teilnachlässe von "Arbeiterdichtern" z.B. von Max Barthel, Gerrit Engelke, Heinrich Lersch, Ernst Preczang, Bruno Schönlank, Paul Zech (Original-Handschriften und Manuskripte von Werken, Briefen, Dokumenten; Fotos und anderes Bildmaterial; Rezensionen u.a.); Teilnachlaß von Hans Tombrock (Fotos, Erzählungen in Zeitungsausschnitten, Graphiken, Dokumente); Gesamtarchiv des "Werkkreises Literatur der Arbeitswelt" 1970-1988ff. (Manuskripte, Lektoratsgutachten, Briefwechsel, Organisationsdokumente usw.).

E: Präsenzbibliothek (ca. 28000 Bde.), Bildarchiv, Tonarchiv, Videofilme.

P: *Informationen.* Schriften des Fritz-Huser-Instituts für deutsche und ausländische Arbeiterliteratur. Reihe 1: Ausstellungskataloge zur Arbeiterkultur (bis 1988: 7 Bde.); Reihe 2: Forschungen zur Arbeiterliteratur (bis 1988: 5 Bde.).

Stefan Andres (1906-1970)

G 95 Stefan-Andres-Archiv, Kulturzentrum Niederprümer Hof, Hofgartenstr. 26, D-5502 Schweich/Mosel. - Tel.: 06502-6524.
BA: Nachlaß (in Kopien, Original im DLA); Primär- und Sekundärliteratur; Bild- und Tonmaterial, Verfilmungen. Ausleihmöglichkeit.
E: Ausstellungsräume, Seminarraum.

Ernst Moritz Arndt (1769-1860)

G 100 Ernst-Moritz-Arndt-Haus, Adenauerallee 79, D-5300 Bonn 1. Tel.: 0228-773686 und 773687.
BA: Schausammlung im Wohn- und Sterbehaus E. M. Arndts.

Ingeborg Bachmann (1926-1973)

G 105 Ingeborg-Bachmann-Museum, Bahnhofstr. 50, A-9020 Klagenfurt. - Tel.: [0043] 0463-54664.

BA: Nachlaßteile (in Kopien), Primär- (auch Übersetzungen) und Sekundärliteratur. Fotos und Porträts der Dichterin, Original-Bronze-Büste (Chrysille Schmitthenner-Janssen); Original-Zeichnungen zu *Malina* (Hertha Hofer). - Ausleih- und Kopiermöglichkeit.
E: Erhebliche Erweiterung des Museums für die nächsten Jahre geplant.
L: Robert-Musil- und Ingeborg-Bachmann-Museum. Katalog. Klagenfurt 1989.

Ernst Barlach (1870-1938)

G 110 Ernst-Barlach-Haus, Baron-Vogt-Str. 50a, Jenischpark, D-2000 Hamburg 52. - Tel.: 040-826085.
BA: Autographen, Briefe, Erstausgaben, Spezialliteratur von und zu Ernst Barlach. Keine Ausleihe, Kopiermöglichkeit, eingeschränkter Benutzerkreis.

Johannes R. Becher (1891-1958)

G 120 Johannes-R.-Becher-Haus, Majakowskiring 34, Berlin 1110 DDR. - Tel.: [0037] 02-4826162 und 4826163.
BA: Ständige Ausstellung, die Bechers Entwicklung und die Entstehung und Wirkung seiner Werke dokumentiert, in der Wohnung des Dichters.
E: Bibliothek der Primär- und Sekundärliteratur (ca. 6000 Bde.).
P: *Gesammelte Werke.*

Berliner Autoren

G 125 Märkisches Museum am Köllnischen Park 5, Berlin 1020 DDR. - Tel.: [0037] 02-2793728.
BA: Abteilung Berliner Literatur- und Theatergeschichte (Manuskript-Konvolute zu 19 Werken Theodor Fontanes, Nachlaß von Julius Eduard Hitzig (Werkmanuskripte, Briefe, Autographen von E.T.A. Hoffmann, Zacharias Werner, Adelbert von Chamisso und anderen Romantikern), Manuskripte von Julius Stinde, Bruno Wille, Sammlung von Briefen und Postkarten Ernst Tollers.

Bibel

G 130 Deutsches Bibel-Archiv, Germanisches Seminar, Universität Hamburg, Von-Melle-Park 6, D-2000 Hamburg 13. - Tel.: 040-4123.2564.- Präsenzbibliothek.
BA: Spezialbibliothek mit rd. 6000 Bden. zur Wirkungsgeschichte der Bibel in Deutschland (insbesondere deutsche Bibelübersetzungen vor Luther und Druckgeschichte der Bibel in Deutschland). Mikrofilme, Karteikartensammlung.
P: *Vestigia Bibliae. Jahrbuch des Deutschen Bibel-Archivs Hamburg* 1 (1979)ff. *Naturalis historia bibliae. Schriften zur biblischen Naturkunde des 16. bis 18. Jahrhunderts* 1 (1978)ff.

Bertolt Brecht (1898-1956)

G 140 Bertolt-Brecht-Archiv der Akademie der Künste der DDR, Chaussee-Str. 125, DDR-1040 Berlin. - Tel.: [0037] 02-2823103.

BA: Insgesamt ca. 346000 Dokumente (ca. 199000 Bl. Werkhandschriften, Briefe, Urkunden u. a.; ca. 20000 Bücher u. a. Druckschriften; ca. 110000 Presseveröffentlichungen; ca. 13000 Programmhefte, Theaterplakate und Inszenierungsfotos; ca. 1000 Schallplatten, Tonbänder und Tonkassetten; Filme, Fotos, Grafik u.a.) zu Leben, Werk, Weltbild und Kunstauffassung Brechts sowie zur internationalen Rezeptionsgeschichte. Kern der Bestände ist der Nachlaß Brechts, der von laufend fortgeführten archivischen Sammlungen ergänzt wird. Vorhanden sind auch der auf Brecht bezogene Teil der Nachlaßbibliothek Elisabeth Hauptmanns, nachgelassene Dokumente (meist in Form von Kopien) von Mitarbeitern und Kontaktpersonen Brechts (Elisabeth Hauptmann, Margarete Steffin, Ruth Berlau, Walter Benjamnin u. a.). - Herta Ramthun: *Bertolt-Brecht-Archiv. Bestandsverzeichnis des literarischen Nachlasses*. 4 Bde. Berlin, Weimar: Aufbau-Verlag, 1968-1973.
Keine Ausleihmöglichkeit, begrenzte Kopiermöglichkeit, eingeschränkter Benutzerkreis.

E: Helene-Weigel-Archiv (Nachlaß Helene Weigels einschließlich ihrer Nachlaß-Bibliothek sowie auf sie bezogene archivische Sammlungen). - Isot-Kilian-Archiv (Nachlaß der Brecht-Mitarbeiterin Isot Kilian sowie auf sie bezogene archivische Sammlung). - Brecht-Weigel-Gedenkstätte in Brechts letzter Wohnung.

P: *Bibliographie Bertolt Brecht*, Titelverzeichnis (Bd.1, Folgebände geplant). Zahlreiche Veröffentlichungen in Sammelbänden, Zeitschriften und Zeitungen (Editionen, Bibliographien, Aufsätze, Rezensionen, Miszellen u.a).

Der Brenner

G 150 Brenner-Archiv, Forschungsinstitut, Innrain 52, A-6020 Innsbruck. - Tel.: [0043] 05222-507.3470.

BA: Bibliothek (rd. 5000 Bde., 100000 Autographen). *Der Brenner* (hrsg. v. Ludwig von Ficker). Umfangreiche Bestände zu Georg Trakl, Karl Kraus, Fritz von Herzmanovsky-Orlando; Tiroler Literatur des 19. und 20. Jhs.; über 50 Nachlässe bzw. Nachlaßteile von Schriftstellern und Philosophen (u.a. Theodor Däubler, Karl Schönherr, Ferdinand Ebner, Ludwig Wittgenstein).

E: Arbeitsstelle "Fritz von Herzmanovsky-Orlando-Edition".

Hermann Broch (1886-1951)

G 155 Hermann-Broch-Museum, Schulstr. 1, Gemeindeamt, A-2524 Teesdorf. - Voranmeldung: Anna Seitz, Tel.: [0043] 02253-81444.

BA: Manuskripte, Bilder, persönliche Gegenstände u.a.

Buchwesen

G 160 Gutenberg-Museum-Weltmuseum der Druckkunst, Liebfrauenplatz 5, D-6500 Mainz. - Tel.: 06131-122640 und 122644.

BA: Exponate zur Schrift- und Druckgeschichte (Frühdrucke, Wiegendrucke, Pressendrucke) in ausgewählten Beispielen des 16.-19. Jhs. Exponate zur Papiergeschichte und zur Geschichte des Bucheinbands. Gutenberg-Werkstatt. Druckwerkstatt. Gutenberg-Bibel.
E: Buchbindermuseum. Präsenzbibliothek mit Kopiermöglichkeit.
P: Ausstellungskataloge.

G 170 Deutsches Buch- und Schriftmuseum, c/o Deutsche Bücherei, Deutscher Platz 1, Leipzig 7010 DDR. - Tel.: [0037] 041-88120.

BA: Wissenschaftliches Fachmuseum zur Erforschung und Vermittlung der Geschichte des Buches hinsichtlich seiner technischen Herstellung, künstlerischen Ausstattung, seines Gebrauchs sowie seiner gesellschaftlichen Wirksamkeit (unter Einschluß der Teilbereiche Schrift, Beschreibstoffe und Einband).
E: Fachbibliothek: Klemm-Sammlung (ältere Bestände des Museums); Sammlung Künstlerische Drucke; papierhistorische Sammlung; Bibliothek des Börsenvereins der Deutschen Buchhändler zu Leipzig (Restbestände der im 2. Weltkrieg schwer beschädigten ehemaligen Bibliothek).

G 180 Herzog Anton Ulrich-Museum, Museumstr. 1, D-3300 Braunschweig. - Tel.: 0531-484.2400.

BA: 750 illustrierte Flugblätter (16.-18. Jh.), ca. 1000 illustrierte Prachtwerke (15.-19. Jh.), ca. 100000 Bll. europäische Druckgrafik (15.-20. Jh.).
E: Fotoarchiv (über 5000 Aufnahmen). Kopiermöglichkeit. Präsenzbibliothek mit rd. 55000 Bden. und 120 lfdn. Zeitschriften.

G 190 Schausammlung der Hessischen LB Fulda, Heinrich-von-Bibra-Platz 12, D-6400 Fulda.- Tel.: 0661-72020.

BA: Ca. 60 Exponate zur Entwicklung der abendländischen Schrift und Buchmalerei bis zum Ende des Mittelalters, zum Anfang des Buchdrucks (Inkunabeln), Beispiele der Einbandkunst.
E: Bibliothek mit Ausleih- und Kopiermöglichkeit.

G 200 Klingspor-Museum, Herrnstr. 80, D-6050 Offenbach. - Tel.: 069-80652954 und 80652164.

BA: Illustrierte und typografisch besonders gestaltete Buchausgaben, Mappenwerke und Pressendrucke des 20. Jhs.; Bilder- und Jugendbücher (überwiegend aus dem 20. Jh.). Präsenzbibliothek.
P: Ausstellungskataloge.

Georg Büchner (1813-1837)

G 210 Georg-Büchner-Archiv, c/o Hessische Landes- und Hochschulbibliothek, Schloß, D-6100 Darmstadt. - Tel.: 06151-125421 und 125420.
BA: Einzelne Autographen und sonstige Dokumente zu Büchner und seiner Umgebung. Werkausgaben (Erstausgaben, seltene und bemerkenswerte Teilausgaben, illustrierte Ausgaben). Bibliographien und Dokumente zu Büchner, seiner Rezeptions- und Wirkungsgeschichte (Zeitungsaufsätze und -notizen, Berichte und Programme von Theateraufführungen, Bildmaterial, Schallplatten, Tonbänder, Filmaufzeichnungen). Sekundärliteratur (ca. 300 Bände selbständig erschienene Spezialliteratur), Literatur zu Büchners Umwelt. Büchner-Bibliographien in Karteiform. - Ausleih- und Kopiermöglichkeit.

Wilhelm Busch (1832-1908)

G 220 Wilhelm-Busch-Museum, Georgengarten, D-3000 Hannover. - Tel.: 0511-714076.
BA: Proben aus den Sammlungen der Handschriften, Autographen, Dokumente, Bücher, Erinnerungsstücke Wilhelm Buschs. Sammlung kritischer Grafik.
E: Archiv mit rd. 900 Original-Briefen, Originalen zu rd. 200 Gedicht- und Prosahandschriften, (insgesamt über 500 Blätter), Originalen zu 49 Bildergeschichten, Bilderfolgen und Bildbeiträgen (insgesamt über 1500 Blätter mit mehr als 2000 Zeichnungen), darunter acht vollständige Bildergeschichten-Handschriften, 1400 Handzeichnungen nach der Natur, 330 Ölgemälde und Skizzen, ca. 4000 Fotos, 807 Original-Holzstöcke, jeweils rund 2000 Klischees und Diapositive, ca. 135 Leitz-Ordner mit Zeitungsausschnitten, rund 70 Vertonungen.
Bibliothek mit 5200 Bänden (rd. 2400 Bde. zum Thema Busch [Erstausgaben, spätere und Sammelausgaben, Gesamtausgaben, Faksimile-Ausgaben, Bücher aus Buschs Nachlaß, Bücher mit Aufsätzen und Erwähnungen, Einzelabdrucken, Werke über Busch, fremdsprachige Ausgaben]; ferner ca. 2800 Bde. zu den Themen Karikatur, Kritische Grafik und Kunstgeschichte). Präsenzbibliothek, Kopiermöglichkeit, eingeschränkter Benutzerkreis.
Arbeitsstellen: Wilhelm-Busch-Geburtshaus, Wiedensahl; Wilhelm-Busch-Gedenkstätte, Mechtshausen.
P: Ausstellungskataloge. Faksimile-Ausgaben von Bildergeschichten-Handschriften (in zwangloser Folge). In Zusammenarbeit mit der Wilhelm-Busch-Gesellschaft (->L 170): *Wilhelm-Busch-Jahrbuch* (in zwangloser Folge).
L: Herwig Guratzsch u.a.: *Wilhelm-Busch-Museum, Hannover*. Braunschweig 1980; Wilhelm Busch: *Lebenszeugnisse. Aus der Sammlung des Wilhelm-Busch-Museums*. Hrsg. von Herwig Guratzsch. Stuttgart 1987.

G 230 Wilhelm-Busch-Geburtshaus, D-3061 Wiedensahl. - Tel.: 05726-388.
BA: Erinnerungsstücke an Wilhelm Busch. Teile des Nachlasses.

Annette von Droste-Hülshoff (1797-1848)

G 240 Droste-Museum Haus Rüschhaus, D-4400 Münster-Nienberge. - Tel.: 02533-1317.
BA: Mobiliar und Erinnerungsstücke an A.v. Droste-Hülshoff.
E: Bibliothek der Droste-Gesellschaft (Primär- und Sekundärliteratur), Manuskripte und Briefe (Einsicht nach vorheriger Vereinbarung). Präsenzbibliothek, Kopiermöglichkeit.

G 250 Annette von Droste-Hülshoff-Museum, Fürstenhäuschen, Stettenerstr. 13, D-7758 Meersburg. - Tel.: 07532-6088.
BA: Handschriften und Erstausgaben der Werke der Droste. Scherenschnitte, Gemälde, Mobiliar, persönliche Erinnerungsstücke. Erstausgaben von Goethes Werken.

Joseph von Eichendorff (1788-1857)

G 260 Deutsches Eichendorff-Museum, Lange Gasse 1, D-7988 Wangen im Allgäu. - Tel.: 07522-3840.
BA: Erstausgaben und Werkausgaben, Handschriften, Briefe, persönliche Gegenstände Eichendorffs. Vertonungen, Übersetzungen, Bildnisse. Landkarten Schlesiens, Landschaftsdarstellungen.
E: Präsenzbibliothek mit Werken zeitgenössischer Dichter Schlesiens. Kopiermöglichkeit, eingeschränkter Benutzerkreis.

Hans Fallada (1893-1947)

G 270 Hans-Fallada-Haus, Carwitz 2082 DDR. - Tel.: [0037] Feldberg 487.
BA: Buch- und Schallplattenbestände des Dichters, Manuskript- und Fotomaterial, Tonbänder, Filme, Illustrationen zu seinen Werken, Erinnerungsstücke aus dem Familienbesitz.

Faust

G 280 Faust-Museum und Faust-Archiv, Kirchplatz 2, D-7134 Knittlingen. - Tel.: 07043-31212.
BA: Dokumente zur Faust-Tradition und zur Stoffgeschichte in Literatur, bildender Kunst und Musik. 2000 Exponate (Bücher, Bilder, Karten, Wandtafeln, Puppen).
E: Archiv: Bibliothek, Diathek, Phonothek. Präsenzbibliothek, Kopiermöglichkeit, eingeschränkter Benutzerkreis (Voranmeldung erforderlich).
P: Museumskatalog. Sonderausstellungskataloge.

Theodor Fontane (1819-1898)

G 290 Theodor-Fontane-Archiv der Deutschen Staatsbibliothek, Dortustr. 30-34, Postfach 59, Potsdam 1561 DDR. - Tel.: [0037] 033-4751 und 22983.
BA: Bibliothek mit rd. 3600 Bden., ca. 3000 Autographen, 4650 Abschriften/Kopien. Bildnisse, Stiche, Karten. Vgl.: Joachim Schobess: *Theodor Fontane. Handschriften, Briefe, Gedichte, ...* Potsdam: Fontane-Archiv, 1962 (Brandenburgische Landes- und Hochschulbibliothek Potsdam. Theodor-Fontane-Archiv, Bestandsverzeichnis, 1,1). Ders.: *Literatur von und über Theodor Fontane.* 2. Aufl. ebd. 1965 (Bestandsverzeichnis, 2).
P: *Fontane-Blätter* (-> E 1310).

G 300 Heimatmuseum Neuruppin, August-Bebel-Str. 14/15, Neuruppin 1950 DDR. - Tel.: [0037] 0362-3308.
BA: Exponate zu Leben und Werk Theodor Fontanes (z.T. aus Familienbesitz).
E: Bibliothek mit ca. 250 Bänden Fontane-Ausgaben und Fontane-Literatur.

Freimaurer

G 310 Deutsches Freimaurer-Museum, Im Hofgarten 1, D-8580 Bayreuth.- Tel.: 0921-69824.
BA: Ca. 15000 Bücher zur Freimaurerei, 20000 Mitgliederverzeichnisse, Briefe und Fotos.
E: Bibliothek mit Ausleih- und Kopiermöglichkeit.
Das Freimaurer-Museum (Emser Str. 12/3, D-1000 Berlin 31) zeigt als Dépendance des obengenannten Hauptmuseums eine Sammlung freimaurerischer Brauchtums- und Kultgegenstände. Freimaurer-Bibliothek mit ca. 5000 Bden.

Gustav Freytag (1816-1895)

G 320 Gustav-Freytag-Archiv und -Museum, Lange Gasse 1, D-7988 Wangen. - Tel.: 07522-4369.
BA: Handschriften, Erstausgaben, Dokumente.
E: Bibliothek, eingeschränkter Benutzerkreis.

Christian Fürchtegott Gellert (1715-1769)

G 330 Gellert-Museum Hainichen, Oederaner Str. 10, Hainichen 9260 DDR. - Tel.: [0037] 07287-2498.
BA: Literaturmuseum zum Leben und Werk Gellerts: zeitgenössische Buchausgaben, Porträts, persönliche Erinnerungsstücke. - Kunstausstellung "DDR-Kunst zur Fabel: Grafiken, Plastiken und Literatur zur Fabel aller Zeiten und Völker".
E: Gellert-Bibliothek (ca. 650 Bde.). Präsenzbibliothek. - Grafiksammlung zur Fabel (ca. 350 Arbeiten).

Johann Wilhelm Ludwig Gleim (1719-1803)

G 340 Das Gleim-Haus, Domplatz 31, Halberstadt 3600 DDR. - Tel.: [0037] 0926-24304.

BA: Ca. 200 Exponate aus Gleims reichhaltigen Sammlungen. Porträt-Sammlung (ca. 130), Grafik-Sammlung (ca. 12000 Blatt, davon 10000 Bildnisse), 10000 Originalbriefe von 400 zeitgenössischen Persönlichkeiten.

E: Gleims Bibliothek (ca. 10000 Bände), Handbibliothek mit 6500 Bänden zur politischen, Kultur-, Kunst- und Literaturgeschichte des 18. Jhs. Umfangreiche wissenschaftliche Auskunftstätigkeit.

P: Scholke, Hans; Wappler, Gerlinde: *Die Sammlungen des Gleim-Hauses. Teil 1: Briefe und Porträts.* 2. Aufl. Halberstadt 1986. - Scholke, Horst; Schulz, Karl-Otto: *Die Sammlungen des Gleimhauses. Teil 2: Bücher und Grafiken.* Halberstadt 1980. - Schulz, Karl-Otto: *Bestandsverzeichnis der Gleimbibliothek (Verfasser-Katalog).* Halberstadt 1985 ff. (bis 1989: Lieferung 1-5 [A-M]).

Johann Wolfgang Goethe (1749-1832)

G 350 Goethe-Museum Düsseldorf. Anton-und-Katharina-Kippenberg-Stiftung, Schloß Jägerhof, Jacobistr. 2, D-4000 Düsseldorf 30. - Tel.: 0211-899.6262.

BA: Autographen Goethes und seines Kreises (über 50000 Seiten). Erst- und Frühdrucke der Werke Goethes und seines Kreises (ca. 15000 Bde.). Porträts Goethes und seiner Zeitgenossen, Originalarbeiten von Künstlern der Goethe-Zeit, Veduten- und Landschaftsbilder, über 2000 graphische Blätter. Goethes *Werther* und *Faust* in Ausgaben und Illustrationen (unter Berücksichtigung der europäischen Rezeptionsgeschichte). Goethe und der Weimarer Kreis in zeitgenössischen Gemälden und Büsten. Weimariana (Stadtansichten, Münzen und Medaillen, sachsen-weimarische Mandate und Patente, Weimarer Theaterzettel und Akten des Hoftheaters. Teilnachlässe von Goethes Sekretären J. P. Eckermann, F. W. Riemer, von C. F Zelter, J. D. Falk, Stephan Schütze, Friedrich Hildebrand von Einsiedel (insgesamt 21 Kästen).

E: Präsenzbibliothek, Kopiermöglichkeit.

P: *Jahrbuch der Sammlung Kippenberg, Neue Folge* (unregelmäßig). Faltblattreihe *Anmerkungen* 1 ff. Düsseldorf 1977 ff. Ausstellungskataloge.

G 360 Das Lotte-Haus, Lotte-Str. 8-10, D-6330 Wetzlar. - Tel.: 06441-405269.

BA: *Werther*-Ausgaben und *Werther*-Literatur.

-> G 10, G 20, G 30.

Jacob und Wilhelm Grimm (1785-1863; 1786-1859)

G 370 Brüder Grimm-Museum, Ausstellung: Schöne Aussicht 2 (Palais Bellevue), Verwaltung und Archiv: Brüder Grimm-Platz 4 a, D-3500 Kassel. - Tel.: 0561-774866 (Ausst.) und 103235 (Verwaltung und Archiv).

BA: Handschriftliche, gedruckte und sonstige Originalzeugnisse zu Leben und Werk Jacob und Wilhelm Grimms. Handexemplare, Erstausgaben und Neudrucke ihrer Werke. Übersetzungen der Kinder- und Hausmärchen. Künstlerisches Werk des Malers Ludwig Emil Grimm. Dokumentation von Wirkung und Wertung.

E: Archiv mit dem Ziel, das wissenschaftliche und literarische Gesamtwerk der Brüder Jacob und Wilhelm Grimm zu erfassen, auszuwerten und darzustellen. Bestand: ca. 900 Autographen, 4000 Bücher und Sonderdrucke, 2300 Ölgemälde, Handzeichnungen und Druckgraphiken. Skulpturen, Schallplatten und Kassetten, Dias, Typoskripte, Trivialzeugnisse usw. Hausrat, Schmuck, persönliche Gebrauchsgegenstände. - Teilnachlässe von Jacob, Wilhelm, Ludwig Emil und Charlotte Amalie Grimm. Bibliothek mit Ausleih- und Kopiermöglichkeit.

G 380 Kreismuseum Haldensleben, Breiter Gang, Haldensleben 3240 DDR. - Tel.: [0037] 0933-2710.

BA: Ständige Ausstellung von Büchern, Fotos, Reproduktionen, handschriftlichen Notizen, von Kleinmöbeln und Gebrauchsgegenständen aus dem Besitz der Brüder Grimm. Teilnachlaß.

E: Teil der Bibliothek aus dem Nachlaß von Jacob, Wilhelm und Hermann Grimm (rd. 1880 Bde.).

Klaus Groth (1819-1899)

G 390 Klaus-Groth-Museum, Lüttenheid 48, D-2240 Heide.- Tel.: 0481-63742.

BA: Veröffentlichungen von und über Klaus Groth, Handbücherei Klaus Groths, plattdeutsche Literatur (insgesamt ca. 5000 Bände). Handschriften, Erinnerungsstücke.

E: Präsenzbibliothek, keine Kopiermöglichkeit, eingeschränkter Benutzerkreis.

Gerhart Hauptmann (1862-1946)

G 410 Gerhart-Hauptmann-Museum Erkner, Gerhart-Hauptmann-Str. 1-2, Postfach 3, Erkner 1250 DDR. - Tel.: [0037] 0357-3663.

BA: Literaturmuseum im Haus, das Hauptmann mit seiner Familie von September 1885 bis September 1889 bewohnte. Die Wohnräume sind originalem Mobiliar und Einrichtungsgegenständen aus Hauptmanns Erkneraner und Agnetendorfer Zeit ausgestattet. Die ständige Ausstellung dokumentiert umfassend Leben, Werk und Wirkung des Dichters. Zur Forschungssammlung gehören u.a. 7000 Bände der Bibliothek Hauptmanns mit zahlreichen eigenhändigen Marginalien.

G 420 Gerhart-Hauptmann-Gedenkstätte, Kloster 2346 DDR (Hiddensee). - Tel.: [0037] Vitte 397.

BA: Gedenkstätte im Sommerhaus Hauptmanns auf der Insel Hiddensee. Ausstattung mit den ursprünglichen Einrichtungsgegenständen. Im Arbeitszimmer Teile der

Bibliothek des Dichters und die Museumsbibliothek. Dokumente aus dem Leben Hauptmanns und zur Bedeutung Hiddensees für Hauptmanns Leben und Schaffen. Hauptmann-Porträts, Grafik zu Hauptmanns Werken, Theaterprogramme und -plakate, Fotothek.

Friedrich Hebbel (1813-1863)

G 430 Friedrich-Hebbel-Museum, Österstr. 6, D-2244 Wesselburen. - Tel.: 04833-2077.
BA: Museum mit fünf historischen und fünf Dokumentenräumen.
E: Hebbel-Fachbibliothek (ca. 4000 Bde.), Ausleih- und Kopiermöglichkeit. Arbeitsraum für Hebbel-Forscher.

Johann Gottfried Herder (1744-1803)

G 440 Kirms-Krackow-Haus mit Herder-Museum, Jakobstr. 10, Weimar 5300 DDR. - Tel.: [0037] 0621-2472.
BA: Die Exponate vermitteln einen Überblick über Leben und Werk Herders. Als biographische Stationen werden besonders Mohrungen, Königsberg, Riga, Straßburg, Bückeburg und Weimar dokumentiert. Weitere Exponate stellen die wichtigsten Themen aus Herders umfangreichem Werk vor.

Hermann Hesse (1877-1962)

G 450 Hermann-Hesse-Museum, Marktplatz 30, D-7260 Calw. - Tel.: 07051-167.260 (ab Sommer 1990).
BA: Bücher, Manuskripte, Zeichnungen und Aquarelle von Hermann Hesse. Briefe (Originale und Fotokopien), Fotografien, Zeitungsausschnitte; Originalzeichnungen Gunter Böhmers zu Hesses Werk.

G 460 Höri-Museum, D-7766 Gaienhofen.
BA: Hesse-Raum mit Originalen und Dokumenten. Ludwig-Finckh-Raum.

Friedrich Hölderlin (1770-1843)

G 470 Hölderlin-Haus, Bursagasse 6, D-7400 Tübingen. - Tel.: 07071-22040.
BA: Dokumente zu Leben und Werk. Handschriften, Erstausgaben, Porträts.

E.T.A. Hoffmann (1776-1822)

G 480 E.T.A. Hoffmann-Haus mit Sammlung, Schillerplatz 26, D-8600 Bamberg.- Tel.: 0951-21040 (Verkehrsamt).
BA: Dokumente zu Leben und Werk des Dichters, Malers und Komponisten.

Heinrich Hoffmann (1809-1894)

G 485 Struwwelpeter-Museum, Hochstr. 45-47, D-6000 Frankfurt/M. 1. -
Tel.: 069-281333.
BA: Sammlung der Originale H. Hoffmanns; Struwwelpeter-Ausgaben und -Parodien
aus dem 19. und 20. Jh.; Briefe, Zeichnungen, Skizzenbücher und Manuskripte. Weitere Exponate zu Hoffmanns Wirken als Arzt, Reformer der Psychiatrie und Demokrat
von 1848. Nachlaß als Leihgabe der Urenkel H. Hoffmanns.
P: Katalog.

August Heinrich Hoffmann von Fallersleben (1798-1874)

G 490 Hoffmann von Fallersleben-Museum, Schloßplatz 6, D-3180
Wolfsburg-Fallersleben.- Tel.: 05362-52623.
BA: Dokumente zu Leben, Werk und Wirken des Sprach- und Literaturforschers, Kin-
der- und Volkslieddichters und Schöpfers der deutschen Nationalhymne Hoffmann
von Fallersleben. Persönliche Erinnerungsstücke, Bilder, Urkunden, Diplome, Origi-
nalhandschriften, Gedichte, Briefe und Drucke.
E: Archiv mit dem gesamten Nachlaß des Hoffmann-Biographen Prof. Gerstenberg.
Präsenzbibliothek mit Primär- und Sekundärliteratur. Kopiermöglichkeit.
P: Mehrere Publikationen in unregelmäßiger Folge.

G 500 Museum Höxter-Corvey, Schloß Corvey, D-3470 Höxter 1. Tel.:
05271-681.39.
BA: Autographen, Briefe, Erstausgaben, Stiche und Fotografien Hoffmanns von Fallersleben (Bibliothekar in Corvey von 1860-1874).
E: Bibliothek Corvey (-> F 1820, F 1830).

Justinus Kerner (1786-1862)

G 510 Justinus-Kerner-Haus, Öhringer Str. 3, D-7102 Weinsberg. - Tel.:
07134-2553.
BA: Erinnerungsstätte im Wohnhaus Justinus Kerners mit eigenen Einrichtungsgegenständen, Erinnerungsstücken, Erstausgaben.
E: Kleine Bibliothek mit Schriften von und über Justinus und Theobald Kerner. Medizinische Schriften des 18. und 19. Jhs. aus dem Besitz der Familie. Schriften zur Para-
psychologie.
P: Mitteilungen des Justinus-Kerner-Vereins. *Beiträge zur Schwäbischen Literatur-
und Geistesgeschichte.*

Heinrich von Kleist (1777-1811)

G 520 Kleist-Gedenk- und Forschungsstätte, Faberstr. 7, Frankfurt/Oder
1200 DDR. - Tel.: [0037] 0930-23185.

BA: Rd. 600 Dokumente und Objekte zu Leben und Werk Kleists. Exponate zur Wirkungsgeschichte.

E: Präsenzbibliothek mit ca. 5000 Bden. (Kleist-Ausgaben und Sekundärliteratur), Illustrationen zu Kleists Werken, Archiv von Zeitungs- und Zeitschriftenartikeln (mit Beiträgen seit 1830), Fotothek.

P: *Beiträge zur Kleist-Forschung.*

Friedrich Gottlieb Klopstock (1724-1803)

G 530 Klopstock-Museum, Schloßberg 12, Quedlinburg 4300 DDR. - Tel.: [0037] 0455-2610.

BA: Gedenkstätte im Geburtshaus Klopstocks (Fachwerkbau aus der 2. Hälfte des 16. Jahrhunderts). Exponate zum Leben, zu Werk und Wirkung Klopstocks (Elternhaus, Kindheit und Familie, Schüler- und Studentenjahre in Schulpforta und Leipzig, Aufenthalt in Dänemark, Verhältnis zur Französischen Revolution, und vor allem zur Wirkung seines Werkes auf die Zeitgenossen).

E: Handschriftenarchiv, Bildnisse des Dichters und seiner Familie, der Freunde und Zeitgenossen. Präsenzbibliothek mit Gesamt- und Einzelausgaben der Werke Klopstocks sowie Sekundärliteratur (ca. 650 Titel).

Gotthold Ephraim Lessing (1729-1781)

G 540 Lessing-Haus, Lessing-Platz 1, D-3340 Wolfenbüttel.- Tel.: 05331-8080, App. 155.

BA: Über 400 Ausstellungsstücke zu Lessings Wirken in Wolfenbüttel (1770-1781).

E: Herzog-August-Bibliothek, Wolfenbüttel (-> H 90).

P: Ausstellungskatalog.

G 550 Lessing Museum Kamenz, Lessingplatz 3, Kamenz 8290 DDR. - Tel.: [0037] 0525-5551.

BA: Dokumente zum Leben und Schaffen Lessings sowie seiner Wirkung. Theatraliasammlung. Handschriften zur Familiengeschichte.

E: Präsenzbibliothek (ca. 2500 Bände). Erstausgaben und frühe Editionen Lessingscher Werke, Sekundärliteratur. Theaterliteratur.

P: Schriftenreihe *Erbpflege in Kamenz.*

Otto Ludwig (1813-1865)

G 560 Museum "Otto Ludwig" mit Otto-Ludwig-Gedenkstätte im Gartenhaus, Schloß, Eisfeld 6120 DDR.- Tel.: [0037] Eisfeld 2705.

BA: Ca. 700 Dokumente und Objekte (Ludwig-Handschriften, persönliche Erinnerungsstücke, Mobiliar aus dem Besitz der Familie). Werkausgaben, Sekundärliteratur.

Thomas Mann (1875-1955)

G 570 Thomas-Mann-Archiv, c/o Eidg. Technische Hochschule, Schönberggasse 15, CH-8001 Zürich. - Tel.: [0041] 01-2564045.
BA: Nachlaß Thomas Manns. Bücher von und über Mann (20000 Bde.). Handschriften (ca. 600), Briefe (ca. 12000), Tonträger (150). Keine Ausleihe, keine Kopiermöglichkeit.
P: *Thomas-Mann-Studien.*
L: K. W. Jonas: *The Thomas-Mann-Archiv in Zürich.* In: German Quarterly 36 (1962), S. 10-16.

Karl May (1842-1912)

G 580 Karl May-Museum, Hainstr. 11, D-8600 Bamberg. - Tel.: 0951-22262.
BA: Einrichtung von Karl Mays Arbeitszimmer und Bibliothek. Dokumente und Gegenstände zu Leben und Werk.
E: Indianistik-Sammlung (ca. 500 Exponate). - Bibliothek mit bedingter Ausleih- und Kopiermöglichkeit, eingeschränkter Benutzerkreis.

Philipp Melanchthon (1497-1560)

G 620 Melanchthon-Museum, Melanchthon-Str. 1, D-7518 Bretten. - Tel.: 07252-2447 und 52407.
BA: Handschriften, Urkunden, Gemälde, Zeichnungen, Stiche und Medaillen zur Geschichte der Reformation.
E: Bibliothek mit ca. 8000 Bden. zur Geschichte der Reformation und des Humanismus, darunter 800 Schriften des in Bretten geborenen Philipp Melanchthon.

G 630 Melanchthon-Haus, Collegienstr. 60, Wittenberg 4600 DDR. - Tel.: [0037] 0451-3279.
BA: Gedenkstätte im Wohn- und Sterbehaus Melanchthons. Sein Studier- und Sterbezimmer sowie das Scholarenzimmer sind in ihrem ursprünglichen Charakter wiederhergestellt worden. Exponate zum Wirken Melanchthons als Gelehrter.

Münchhausen (1720-1797)

G 640 Baron Münchhausen Museum, Münchhausenplatz 1, D-3452 Bodenwerder. - Tel.: 05533-2560.
BA: Ausstellung internationaler Ausgaben der Münchhausiaden.

Robert Musil (1880-1942)

G 650 Robert-Musil-Museum, Bahnhofstr. 50, A-9020 Klagenfurt. - Tel.: [0043] 0463-54664.

BA: Robert-Musil-Museum (im Geburtshaus) mit Gegenständen aus dem persönlichen Nachlaß Musils und seiner Frau Martha.

E: Robert-Musil-Archiv: Sämtliche Primär- und Sekundärliteratur von und zu Robert Musil; Artikel und Publikationen in Zeitungen und Zeitschriften. Dokumente (Plakate, Programme usw.). Kopien des in der ÖNB Wien aufbewahrten Nachlasses. - Ausleih- und Kopiermöglichkeit.

Institut für neuere österreichische Literatur (Dokumentation der österreichischen Literatur seit der Jahrhundertwende).

Vorträge, Dichterlesungen, Ausstellungen; Internationales Musil-Sommerseminar (seit 1982 jährlich im August).

P: *Musil-Studien*, Ausstellungskatalog (Neuausg. 1989), Sammelbände.

Friederike Caroline Neuber (1697-1760)

G 660 Neuberin-Gedenkstätte, Johannisplatz 3, Reichenbach 9800 DDR. - Tel.: [0037] Reichenbach 521306.

BA: Gedenkstätte im Geburtshaus der Neuberin mit Bild- und Schriftdokumenten sowie Theatermodellen zum Leben und Wirken der Neuberin und zum Theaterleben des 18. Jhs.

E: Theatergeschichtliche Fachbibliothek.

Novalis (Friedrich Leopold Freiherr von Hardenberg; 1772-1801)

G 670 Museum Weißenfels, Zeitzer Str. 4 (Schloß), Weißenfels 4850 DDR. - Tel.: [0037] 0453-2552.

BA: Exponate zu Leben und Werk Friedrich von Hardenbergs (Handschriften, Erstausgaben, Bilder und Möbel). Dem Museum angeschlossen ist die Gedenkstätte für Novalis im Gartenpavillon des Wohn- und Sterbehauses des Dichters (Dokumente zur Biographie Hardenbergs, zu seinem Werk und zu seiner Bedeutung für die deutsche Romantik).

E: Sammlung von Dokumenten zu weiteren Weißenfelser Dichtern und Schriftstellern (Johann Beer, Erdmann Neumeister, Johann Christian Edelmann, Johann Gottfried Seume, Adolf Müllner, Luise Brachmann, Louise von François, Hedwig Courths-Mahler).

Wilhelm Raabe (1831-1910)

G 680 Wilhelm-Raabe-Gedächtnisstätte, Leonhardstr. 29a, D-3300 Braunschweig. - Tel.: 0531-75225.

BA: Erinnerungsstätte mit einem Teil des Mobiliars und der Bibliothek Raabes in seiner letzten Wohnung.

G 690 Raabe-Gedenkstätte, Raabe-Str. 5, D-3456 Eschershausen. - Tel.: 05534-531.

BA: Erstausgaben und Gesamtausgaben von Raabes Werken. Erstdrucke in Zeitschriften. Literatur über Raabe und seine Werke.
E: Präsenzbibliothek, keine Kopiermöglichkeit, eingeschränkter Benutzerkreis.

Fritz Reuter (1810-1874)

G 700 Fritz-Reuter-Literaturmuseum Stavenhagen. Gedenk- und Forschungsstätte, Markt 1, Stavenhagen 2044 DDR. - Tel.: [0037] 09965-21072.
BA: Gedenkstätte im Geburtshaus Fritz Reuters mit dem Ziel, Leben und Werk des Dichters darzustellen. Exponate: Autographen und Erstausgaben seiner Werke, Bilder von seiner Hand, Werkillustrationen, Möbel und persönliche Erinnerungsstücke aus seinem Besitz.
Das Handschriftenarchiv verwaltet Autographen von Fritz Reuter, Klaus Groth und anderen niederdeutschen Dichtern. Fotothek (ca. 3500 Stück), Archiv von Zeitungsartikeln (ca. 13200) über Fritz Reuter und niederdeutsche Literatur.
E: Präsenzbibliothek mit Reuter-Ausgaben, niederdeutscher Literatur, wissenschaftlichen Werken zur niederdeutschen Sprache und Literatur (ca. 7500 Bde.).
Außenstelle: Fritz-Reuter-Gedenkstätte Neubrandenburg, Ernst-Thälmann-Str. 35, Neubrandenburg 2000 DDR.

G 710 Fritz-Reuter- und Richard-Wagner-Museum, Reuterweg 2, Eisenach 5900 DDR. - Tel.: [0037] 0623-3971.
BA: Gedenkstätte in der ehemaligen Villa Reuters. Ausstattung mit zeitgenössischem Mobiliar. Arbeitszimmer des Dichters in originalem Zustand. Bilder und Dokumente zu Reuters Leben und Werk. Skizzen, Zeichnungen und Bilder von seiner Hand.
E: Reuter-Bibliothek (ca. 1000 Bde.).

Rainer Maria Rilke (1875-1926)

G 720 Rilke-Archiv, c/o Schweizerische LB, Hallwylstr. 15, CH-3003 Bern. - Tel.: [0041] 031-618930.
BA: Werkausgaben, Bildmaterial, Korrespondenzen mit Schweizer Freunden, Briefe an Rilke (etwa 400 Korrespondenten), Sekundärliteratur. Keine Ausleihe, Kopiermöglichkeit.
P: Unregelmäßige Publikationen (Texte und Sekundärliteratur).
-> G 20.

Friedrich Rückert (1788-1866)

G 730 Friedrich-Rückert-Gedächtnisstätte, D-8630 Coburg-Neuses. - Tel.: 09651-66308.
BA: Erinnerungsstätte im letzten Wohnsitz Rückerts mit dem seit seinem Tod (1866) unveränderten Arbeitszimmer.

Friedrich Schiller (1759-1805)

G 740 Schillers Geburtshaus, Niklastorstr. 31, D-7142 Marbach. - Tel.: 07144-19204.
BA: Erinnerungsstätte im Geburtshaus Schillers mit Gegenständen aus dem Besitz von Friedrich Schiller und seiner Familie. Dokumente, Briefe und Gebrauchsgegenstände seiner Eltern. Dokumente zur Geschichte der Marbacher Schiller-Verehrung. Zusammenstellung der Lebensstationen nach alten Vorlagen.
L: Bergold, Albrecht; Pfäfflin, Friedrich: *Schillers-Geburtshaus*. Marbach 1988 (Marbacher Magazin, 46).

G 750 Schiller-Haus, Schillerstr. 6, D-6700 Ludwigshafen-Oggersheim. - Tel.: 0621-675943.
BA: Sämtliche Erstausgaben Schillers, 6 Briefe, Stiche und Bilder aus dem Umkreis Schillers bei dessen Aufenthalten in Oggersheim und Mannheim. Hölderlin, erste Gesamtausgabe, 1 Brief.
-> G 10, G 20, G 30.

Christian Friedrich Daniel Schubart (1739-1791)

G 760 Heimat- und Schubartmuseum, Marktplatz 2, D-7080 Aalen. Tel.: 07361-500313.
BA: Dokumente zu Leben und Werk (Familienbriefe, Briefwechsel mit Zeitgenossen, Mitteilungen, Familiennachrichten, Drucke).

Adalbert Stifter (1805-1868)

G 770 Adalbert-Stifter-Institut des Landes Oberösterreich, Untere Donaulände 6, A-4020 Linz. - Tel.: [0043] 0732-2720.1295 bis 2720.1298.- Präsenzbibliothek.
BA: Bibliothek mit rd. 8000 Bden. von und über Adalbert Stifter und andere Autoren Oberösterreichs. Zahlreiche Autographen. Nachlässe und Teilnachlässe von oberösterreichischen Autoren.
E: Oberösterreichisches Literatur-Archiv, Oberösterreichisches Biographisches Archiv.

G 780 Adalbert-Stifter-Museum, Mölkerbastei 8, A-1010 Wien.
BA: Manuskripte, Erinnerungsgegenstände, größte Sammlung an Ölgemälden und Graphiken des Maler-Schriftstellers.
E: Bibliothek (nur nach Voranmeldung benützbar).

Theodor Storm (1817-1888)

G 790 Theodor-Storm-Haus, Wasserreihe 31, D-2250 Husum. - Tel.: 04841-666270.

BA: Storm-Handschriften (ca. 4000 Seiten). Storms Werk in Erstausgaben, späteren Ausgaben und Gesamtausgaben, Werke seiner Dichterfreunde, wissenschaftliche Literatur zu Storm (insgesamt ca. 6000 Bde.). Teile von Storms persönlicher Bibliothek (ca. 500 Bde.). Teilnachlaß.
E: Präsenzbibliothek mit Kopiermöglichkeit.
P: In Zusammenarbeit mit der Theodor-Storm-Gesellschaft (-> L 490).

Theater

G 800 Theatermuseum. Institut für Theater-, Film- und Fernsehwissenschaft der Universität zu Köln, Schloß Wahn, D-5000 Köln 90.- Tel.: 02203-64185.
BA: Figurentheater-Sammlungen, Bühnenmodelle, Masken, Porzellane, Medaillen, Autographen. Kritiken-Sammlungen (ca. 2 Mio. Zeitungsausschnitte). Programmheft-Archiv (von frühen Theaterzetteln bis zu den Heften der laufenden Spielzeit; seit den zwanziger Jahren fast lückenlos von allen deutschsprachigen Theatern). Bildsammlungen: Originalentwürfe (Szenenbilder, Figurinen, technische Zeichnungen) fast aller berühmten Bühnenbildner vom 16. Jh. bis zur Gegenwart; Druckgraphik; Gemälde mit Theatermotiven und Porträts; Fotos, Diapositive.
E: Bibliothek (bedeutendste Fachbibliothek Deutschlands; Theatertexte, Libretti, Literatur über Theater und Drama mit Unikaten, alten Drucken und Schriften außerhalb des Buchhandels).
P: Flatz, Roswitha: *Schauspieltexte im Theatermuseum der Universität zu Köln. Ein Bestandskatalog mit theaterhistorischen Anmerkungen und Registern.* Bd. 1ff. München: Saur, 1988ff. (Geplant sind 8 Bde. u. 1 Reg.-Bd.). - Kataloge (unregelmäßig).
L: *Wahn-Press 10.*

G 810 Deutsches Theatermuseum, Galeriestr. 4 a und 6, D-8000 München 22.- Tel.: 089-222449.
BA: Dokumente aller Art zur Weltgeschichte des Theaters (Schwerpunkt: deutschsprachiges Theater). Ca. 50000 Rollen- und Porträtbilder (Grafik), ca. 30000 Bühnenbildentwürfe, ca. 10000 Kostümentwürfe, ca. 500000 Aufführungsfotos, ca. 1,3 Mio. Kritiken, ca. 300000 Programmhefte, ca. 10000 Theaterbaupläne und -fotos, ca. 70000 Autographen, ca. 3000 Tonträger. Wechselausstellungen.
E: Bibliothek mit 60000 Bden. zum Theater. Kopiermöglichkeit. - Datenbank TANDEM (-> H 160).
P: Kataloge zu den Wechselausstellungen.

G 820 Dumont-Lindemann-Archiv, Theatermuseum der Landeshauptstadt Düsseldorf, Jägerhofstr. 1, D-4000 Düsseldorf 30. - Tel.: 0211-899.4660.
BA: Dokumente zur Theatergeschichte der Stadt Düsseldorf von den Anfängen bis zur Gegenwart. Dokumente zur Geschichte des Schauspielhauses Düsseldorf (1905-1932) und seiner Nachfolger (Spielpläne, Bühnenbildentwürfe, Fotos, Textbücher, Plakate, Presse). Dokumente zur Gründgens-Forschung.
E: Bibliothek (ca. 20000 Bde.: Belletristik, Textbücher, Theaterliteratur, Musik, Male-

rei, Bühnenbild). Bildarchiv (ca. 100000 Szenenfotos Düsseldorfer Inszenierungen, Bühnenbildentwürfe). Kritikensammlung. Programmhefte. Präsenzbibliothek mit Kopiermöglichkeit.

G 830 Niederrheinisches Museum für Volkskunde und Kulturgeschichte, Hauptstr. 18, D-4178 Kevelaer. - Tel.: 02832-6066 bis 6067.
BA: Bilderbogen des 19. Jhs. (ca. 1200 Objekte).
E: Präsenzbibliothek (ca. 8000 Bde.) mit Kopiermöglichkeit, eingeschränkter Benutzerkreis.
P: Museumsführer, Ausstellungskataloge, *Kleine Schriften*.

Georg Trakl (1887-1914)

G 840 Georg Trakl-Forschungs- und Gedenkstätte der Salzburger Kulturvereinigung, Trakl-Haus, Waagplatz 1a, A-5020 Salzburg. - Tel.: [0043] 06222-845289.
BA: Handschriften, Werkausgaben, Übersetzungen, Illustrationen, Literatur über Trakl (ca. 600 Bde.). Ausleihmöglichkeit.

Tübinger Dichter

G 850 Städtische Sammlungen Theodor-Haering-Haus, Neckarhalde 31, D-7400 Tübingen 1. - Tel.: 07071-204242.
BA: Bildnisse, Autographen und Erstausgaben von Hauff, Hegel, Hesse, Hölderlin, E. Kauffmann, Kerner, Hermann und Isolde Kurz, Schelling, Silcher, Schwab, Uhland, Waiblinger, Ottilie Wildermuth.
P: Ausstellungskataloge. *Kleine Tübinger Schriften*.

Volkskunde

G 860 Staatliche Museen Preußischer Kulturbesitz: Museum für Deutsche Volkskunde, Im Winkel 6-8, D-1000 Berlin 33. - Tel.: 030-832031.
BA: Religiöse Schriften (ca. 240 Gesang- und Gebetbücher), Groschendrucke (ca. 50), Kinder- und Jugendbücher (bis 1914: ca. 1000 Bde.), Profanbücher und Zeitschriften als kulturgeschichtliche Dokumente (bis 1914: ca. 500 Titel), Flugblätter, Kochbücher (bis 1940: ca. 400 Titel), Volks- und Heimatkalender (ca. 300 Titel), grafische Einzelblätter (ca. 6000 Bilderbogen, ca. 2000 Wandbilddrucke, Patenbriefe, Andachtsbildchen usw.).
E: Präsenzbibliothek mit Kopiermöglichkeit.
P: *Schriften des Museums für deutsche Volkskunde* (bisher 14 Bde. erschienen), *Kleine Schriften der Freunde des Museums für deutsche Volkskunde* (12 Hefte).

G 870 Forschungsstelle für Volkskunde in Bremen und Niedersachsen, Heinrich-Heine-Str. 20, D-2800 Bremen 1. - Tel.: 0421-235720.
BA: Dokumente zur Volkskunde, Erzählforschung, zu Volkslied und Volksmusik,

Mundarten, Kinderspiel und zu den ostdeutschen und auslandsdeutschen Siedlungsgebieten. 300 Tonbänder und Kassetten.
E: Fotosammlung (ca. 8000), Aktenarchiv, Handschriften mit Volkserzählungen und Volksliedern, Autobiographien.
Fachbücherei (Bücher, Zeitschriften, Volkskalender u.a. [ca. 2000 Bde.]. Präsenzbibliothek, eingeschränkter Benutzerkreis.
P: Bücher und Bibliographien.

Volkslied

G 880 Deutsches Volksliedarchiv, Silberbachstr. 13, D-7800 Freiburg. - Tel.: 0761-74465 und 72076.
BA: Umfangreiche Sammlungen zum deutschsprachigen Volkslied, Liedflugschriften, zum populären Lied im weiten Sinne; Einzellied-Dokumentationen.
E: Fachbibliothek (ca. 40000 Bde.), Tonträger, Grafiken, Handschriften.

Richard Wagner (1813-1883)

G 890 Richard-Wagner-Museum mit Nationalarchiv der Richard-Wagner-Stiftung Bayreuth. Richard-Wagner-Gedenkstätte der Stadt Bayreuth. Verwaltung: Wahnfriedstr. 1, D-8580 Bayreuth. - Tel.: 0921-25399 und 25351.
BA: Dokumente zu Richard Wagner, Siegfried Wagner, Houston Stewart Chamberlain und zu den Bayreuther Festspielen (ca. 20 lfd. m Noten und Textdokumente, ca. 60 Bühnenbildmodelle, ca. 1200 Schallplatten und Tonbänder mit Wagner-Aufnahmen).
E: Richard-Wagner-Spezial-Bibliothek der Gedenkstätte. Richard Wagner-Bücherei im Haus Wahnfried. Dresdner Bibliothek Richard Wagners. Chamberlain-Bücherei (zusammen ca. 28000 Bde.). Präsenzbibliothek, Kopiermöglichkeit, eingeschränkter Benutzerkreis.
Studierzimmer (Beratung und Betreuung von Studierenden und Wissenschaftlern).

Christoph Martin Wieland (1733-1813)

G 900 Wieland-Archiv, Marktplatz 17, D-7950 Biberach. - Tel.: 07351-51.458 und 51.307.
BA: Wielands Werke in Gesamt- und Einzelausgaben (ca. 2660 Bde.). Sekundärliteratur zu Wieland und zum 18. Jahrhundert (ca. 3500 Bde.). Zeitgenössische Literatur (4850 Bde., davon über 2000 Bde. rekonstruierte Bibliothek Wielands). Sophie LaRoche-Sammlung (104 Bde.). Über 400 eigenhändige Briefe und Handschriften Wielands, über 500 Briefe von Zeitgenossen, Vorfahren und Nachkommen. Bilder und Büsten von Wieland, seinen Zeitgenossen, Vorfahren und Nachkommen. - J. H. Knecht-Sammlung (Biberacher Tonkünstler, 1752-1817, 159 Bde). Biberacher Stadtgeschichte und Theatergeschichte (ca. 130 Bde.). Dokumente zur Wieland-Forschung (Nachlaß von Bernhard Seuffert, Bibliothek von Julius Steinberger, Nachlaß von Carl Peucer).

E: Ausleihbibliothek, Kopiermöglichkeit, eingeschränkter Benutzerkreis. - Schauraum (Dauerausstellung). - Wieland-Gartenhaus (Saudengasse 10/1) mit Dauerausstellung ("Gärten in Wielands Welt").
L: Hans Radspieler: *Das Wieland-Museum Biberach an der Riß*. 1905-1985. Biberach 1985. - *Gärten in Wielands Welt*. Marbacher Magazin, 40 (1987).

G 910 Wittumspalais mit Wieland-Museum, Am Palais, Weimar 5300 DDR. - Tel.: [0037] 0621-2945.
BA: Exponate zum Leben und Werk Wielands, der von 1772 bis 1813 in Weimar und in der Umgebung wohnte. Rekonstruktion des Arbeitszimmers.

G 920 Wieland-Gedenkstätte Ossmannstedt, Ossmannstedt 5321 DDR. - Tel.: [0037] 04282-280.
BA: Gedenkstätte im zeitweiligen Wohnhaus Wielands. Arbeits- und Wohnzimmer mit Möbeln des Dichters ausgestattet. Exponate zu den in Ossmannstedt entstandenen Werken. Dokumente zum Leben Wielands. Exponate zu seinen engeren Freunden und Besuchern (Goethe, Herder, Sophie LaRoche, Heinrich von Kleist).
-> G 10, G 20, G 30, G 40.

Johann Joachim Winckelmann (1717-1768)

G 930 Winckelmann-Museum, Winckelmannstr. 36-37, Stendal 1 3500 DDR. - Tel.: [0037] 0921-212026.
BA: Dokumente zu Leben und Werk Winckelmanns und zu seiner Wirkung auf Literatur, Kunst und Ästhetik der deutschen Klassik und des europäischen Klassizismus. Handschriftlicher Nachlaß Winckelmanns in Fotokopien (ca. 10000 Blatt, Bildnisse Winckelmanns und seiner Zeitgenossen, Schrifttum und Sachzeugnisse zur Geschichte der Archäologie und Kunstgeschichte sowie der Antike-Rezeption des 18. Jhs.). Grafiksammlung zur Rezeption der Antike in der Gegenwartskunst.
E: Bibliothek (ca. 10000 Bde.).

Zeitungen

G 940 Institut für Zeitungsforschung, Haus der Bibliotheken, Hansa-Platz, D-4600 Dortmund 1. - Tel.: 0231-54223217.
BA: Zeitungen (25500 Bde.), Zeitschriften (28800 Bde.), Pressefrühdrucke (1100 Bde.), über 52000 Rollen Mikrofilme von Zeitungen, Plakate (5200), Karikaturen, Flugblätter, Originalzeichnungen von Pressezeichnern.
Sondersammelgebiete: Pressefrühdrucke des 16. und 17. Jhs., der Revolution 1848/49, Presse der Arbeiterbewegung ab 1842, politische Plakate, politische Flugblätter, Exilpresse 1933-1945.
E: Fachbibliothek (über 44000 Bde.). Präsenzbibliothek mit Kopiermöglichkeit.
P: *Dortmunder Beiträge zur Zeitungsforschung* (bisher 43 Bde.). *Medienforschung* (Bibliographie von Beiträgen aus Zeitungen und Zeitschriften) bis 1981.

G 950 Internationales Zeitungsmuseum der Stadt Aachen, Ponstr. 13, D-5100 Aachen. - Tel.: 0241-432.4508.

BA: Ca. 145000 Einzelausgaben von Zeitungen aus der ganzen Welt als Übersicht über die Pressegeschichte. Besondere Sammelgebiete: Erst- und Letztausgaben, Jubiläums- und Sondernummern.

E: Präsenzbibliothek, keine Kopiermöglichkeit.

P: Ausstellungskataloge.

TEIL H: BIBLIOTHEKEN, INFORMATIONSVERMITTLUNGSSTELLEN, DATENBANKEN

Erfaßt sind die Nationalbibliotheken, die als nationalbibliographische Zentren alle Neuerscheinungen sammeln und in ihren Bibliographien verzeichnen. Zusätzlich wurden die Bibliotheken mit herausragenden Beständen deutschsprachiger Literatur aufgenommen, so etwa die Stadt- und Universitätsbibliothek Frankfurt/M. (-> H 80) mit ihren Sondersammelgebieten *Allgemeine Germanistik, Theaterwissenschaft* und *Medienkunde* und die Herzog August Bibliothek Wolfenbüttel (-> H 90), die über annähernd 400000 Drucke des 15. bis 18. Jahrhunderts verfügt. - Vorgestellt werden auch neuere Versuche, bibliographische und sonstige Daten schneller verfügbar zu machen. In den letzten Jahren wurden auch auf geisteswissenschaftlichem Sektor mit Hilfe der elektronischen Datenverarbeitung Datenbanken aufgebaut, die es erlauben, in Minuten das bibliographische Material zu bestimmten Themenbereichen über Bildschirm-Terminal mit anschließendem Ausdruck zu erfassen. Zu den für den Bereich Literatur und deutschsprachiges Theater wichtigsten Datenbanken finden sich Angaben über Datenbestand und Zugriffsmöglichkeiten (-> H 130 ff.).

Abkürzungen: BA = Bestand, Archivmaterial usw.; E = Ergänzende Einrichtungen; P = Publikationen; L = Literatur.

H 10 Deutsche Bibliothek, Zeppelinallee 4-8, D-6000 Frankfurt/M. - Tel.: 069-75661.
Als nationale Archivbibliothek und nationalbibliographisches Zentrum ist die Deutsche Bibliothek die Nationalbibliothek der Bundesrepublik Deutschland für alle Veröffentlichungen ab 1945. - Präsenzbibliothek (Benutzung im Lesesaal). - Ausstellungtätigkeit.
BA: Rd. 2,5 Mio. Bücher und Karten; rd. 64700 Autographen (Sammlung Exilliteratur); ca. 24700 audiovisuelle Medien (ohne das angeschlossene Deutsche Musikarchiv Berlin); rd. 66600 laufend gehaltene Zeitschriften.
Durch die Ablieferung von Pflichtexemplaren sind alle Publikationen seit 1945 (einschließlich der Massenliteratur) hier greifbar. Bühnenmanuskripte, Programmhefte, Sprechschallplatten. - Bibliographische Auskünfte.
Die in dem institutseigenen Computersystem BIBLIODATA gespeicherten Daten können über Datex-P bei STN in Karlsruhe abgerufen werden (-> H 130).
E: Literaturarchiv mit ungedruckten Beständen. Abteilung "Exilliteratur (1933-1945)" mit über 88000 bibliographischen Einheiten; Erschließung ausgewählter Exilzeitschriften. Archiv ungedruckter wissenschaftlicher Schriften.
P: *Deutsche Bibliographie* [-> D 4740 ff.]; *Sonderveröffentlichungen der Deutschen Bibliothek*.

H 20 Deutsche Bücherei, Deutscher Platz 1, Leipzig 7010 DDR. - Tel.: [0037] 041-88120.
Nationalbibliothek, bibliographisches Zentrum für deutschsprachiges Schrifttum (ab 1913). - Präsenzbibliothek. Bibliographischer Informationsdienst.
BA: Rd. 5 Mio. Bde., ca. 86000 Handschriften und Autographen, 757 Inkunabeln, ca. 110000 Karten und Kartenwerke, ca. 16000 Tonträger, ca. 95000 Filme und andere Mikroformen, rd. 20000 laufend gehaltene Zeitschriften, rd. 740000 Hochschulschriften. Gesammelt werden das auf dem heutigen Gebiet der DDR, der Bundesrepublik Deutschland und West-Berlins veröffentlichte Schrifttum, das im Ausland erscheinende deutschsprachige Schrifttum, im Ausland erscheinende Übersetzungen deutschsprachiger Werke und fremdsprachige Germanica, außerdem Musikalien, Kunstblätter, literarische Schallplatten, Musikschallplatten, Patentschriften, AV-Materialien, Standards und Mikroformen sowie in Auswahl die internationale Literatur auf dem Gebiet des Buch- und Bibliothekswesens und originale Druckgrafik.
E: Deutsches Buch- und Schriftmuseum (-> G 170). Reichsbibliothek von 1848. Sammlung der Hochschulschriften (über 740000 deutschsprachige Dissertationen und Habilitationsschriften). Musikaliensammlung. Kartensammlung. Sammlung der Exilliteratur (so vollständig wie möglich). Sammlung Sozialistica. Sammlung literarischer Schallplatten.
P: *Deutsche Nationalbibliographie* (-> D 4700), Bibliographie fremdsprachiger Germanica, mehrere Jahresverzeichnisse, Sonderbibliographien.

H 30 Österreichische Nationalbibliothek, Josefsplatz 1, A-1015 Wien. - Tel.: [0043] 0222-53410.
Nationalbibliothek Österreichs mit Pflichtablieferung. Nationalbibliographisches Zentrum. - Präsenzbibliothek.
BA: Druckschriftensammlung (rd. 2,6 Mio. Bde., rd. 180000 Flugblätter und Plakate, rd. 24000 Exlibris, rd. 11000 laufende Zeitschriften und Zeitungen, Handbibliothek mit rd. 14000 Bden.; Handschriften- und Inkunabelsammlung (rd. 44300 Handschriften, rd. 245000 Autographen, rd. 7900 Inkunabeln, Handbibliothek mit rd. 31500 Bden.). Musikaliensammlung; Kartensammlung und Globenmuseum; Papyrussammlung; Bildarchiv-Porträtsammlung (rd. 811000 fotografische Negative, rd. 833500 Grafiken und Fotos; Handbibliothek mit rd. 120000 Bden.); Theatersammlung (rd. 65700 Autographen, rd. 329000 Bilder, über 103000 Werk- und Standfotos zur Geschichte des Films, rd. 700000 Theaterzettel, Zeitungsausschnitte u.ä., rd. 880 Theatermodelle, über 200 Filmrollen, Handbibliothek mit rd. 64500 Bden.).
Sammelschwerpunkt sind Austriaca, Schriften aus Österreich, über Österreich und von Österreichern. Wichtige Bestände an deutschsprachiger Literatur; zahlreiche Schriftstellernachlässe bzw. -teilnachlässe (u.a. Heimito von Doderer, Karl Kraus, Hugo von Hofmannsthal, Heinrich Laube, Robert Musil, Ingeborg Bachmann, Rainer Maria Rilke).
E: Internationales Esperanto-Museum - Sammlung für Plansprachen mit rd. 39000 Flugschriften, 10500 Fotos, 10000 Zeitungsausschnitten und einer Handbibliothek mit rd. 18000 Bden.
P: *Österreichische Bibliographie* [-> D 4780].

H 40 Schweizerische Landesbibliothek, Hallwylstr. 15, CH-3003 Bern. - Tel.: [0041] 031-618911. - Telex 32526 slbbe ch.

Nationalbibliothek und bibliographisches Zentrum der Schweiz. - Ausleihbibliothek.
BA: Rd. 1,4 Mio. Bücher, ca. 100000 Autographen, rd. 20000 Karten und Kartenwerke, rd. 190000 Bild- und Tonträger, rd. 10000 laufende Zeitschriften (darunter 6250 schweizerische Zeitschriften sowie 395 Zeitungen).

Neben dem Bestand an Schriften von Schweizern, über Schweizer und die Schweiz reicher Bestand an deutscher Literatur.

Zahlreiche Nachlässe sowie Teilnachlässe (u.a. Carl Spitteler, Rainer Maria Rilke, Hermann Hesse, Hermann Hiltbrunner, Jakob Bührer). Vgl. Anne-Marie Schmutz-Pfister: *Repertorium der handschriftlichen Nachlässe...* (-> D 3740).

E: Schweizerisches Literaturarchiv (ab 1990 im Aufbau). - Schweizerischer Gesamtkatalog: Der von der Schweizerischen Landesbibliothek verwaltete Gesamtkatalog weist ausländische und vor 1900 erschienene schweizerische Publikationen nach, die ihm von den angeschlossenen Bibliotheken gemeldet werden. Die nach 1900 erschienenen schweizerischen Publikationen, die von der Landesbibliothek systematisch erfaßt werden, sind im Gesamtkatalog nicht verzeichnet, können jedoch direkt oder mittels interbibliothekarischen Leihverkehrs entliehen werden.

P: *Schweizerische Nationalbibliographie* (-> D 4790).

H 45 Bibliothèque nationale de Luxembourg, Boulevard Roosevelt 37, L-2450 Luxemburg. - Tel.: [00352] 26255.

Nationalbibliothek und bibliographisches Zentrum des Großherzogtums Luxemburg. - Ausleih- und Präsenzbibliothek, Kopiermöglichkeit; Konsultation über CD-ROM (British Library, Bibliothèque nationale de Paris), Anschluß an REBUS-Netz.
BA: Rd. 600000 Bücher, rd. 3500 laufende Zeitungen und Zeitschriften (darunter rd. 1000 luxemburgische Zeitschriften sowie Zeitungen).

Neben den Beständen an Schriften von Luxemburgern, über Luxemburger und Luxemburg, reicher Bestand an deutscher Literatur. Zahlreiche Nachlässe sowie Teilnachlässe.

P: *Bibliographie luxembourgeoise* (-> D 4810).

L: *La Bibliothèque nationale de Luxembourg: son histoire, ses collections, ses services.* Luxembourg 1986.

H 50 Staatsbibliothek Preußischer Kulturbesitz, Potsdamer Str. 33, Postfach 1407, D-1000 Berlin 30. - Tel.: 030-266.1.

Wissenschaftliche Bibliothek mit zahlreichen Aufgaben. - Ausleihbibliothek, Kopiermöglichkeit. Bibliographische Auskünfte.
BA: Rd. 4 Mio. Bde., ca. 306000 Autographen, ca. 442000 Karten, ca. 9 Mio. Bilder (Fotos, Grafiken usw.) aus allen Epochen der Geschichte, ca. 30000 laufende Zeitschriften und Zeitungen.

Besondere Bestände zu den Sprach- und Literaturwissenschaften (vor allem zu den Autoren, deren Nachlässe hier liegen). Rd. 950 Bde. Theaterzettel (im wesentlichen aus den Jahren 1899-1922, aber auch ältere Bestände).

E: Handschriftenabteilung: Zahlreiche Nachlässe bzw. Teilnachlässe von Dichtern,

Schriftstellern und Germanisten (u.a. Joh. Christoph Adelung, Ernst Moritz Arndt, Otto Julius Bierbaum, Carl Bleibtreu, Annette von Droste-Hülshoff, Theodor Fontane, Günter Bruno Fuchs, Emanuel Geibel, Jacob und Wilhelm Grimm, Gerhart Hauptmann, Johann Gottfried Herder, August Heinrich Hoffmann von Fallersleben, Arno Holz, Wilhelm von Humboldt, Heinrich von Kleist, Jakob Michael Reinhold Lenz, Moses Mendelssohn, Friedrich Nicolai, Friedrich Rückert, Wilhelm Scherer, Julius Stinde, Ludwig Tieck, Clara Viebig, Herwarth Walden, Johann Joachim Winckelmann).

Zentralkartei der Autographen (mit über einer Million Einzelnachweisen zur Tiefenerschließung des gesamten öffentlich zugänglichen Nachlaßbesitzes in der Bundesrepublik Deutschland). Auskunftstätigkeit.

Mendelsohn-Archiv (mit Dokumenten zur Geschichte der Berliner Familie). Ausstellungsraum.

Gerhart-Hauptmann-Raum (Arbeitsraum mit Besichtigungsstücken und Teilen der Bibliothek).

P: *Bibliographische Berichte* (-> D 5270). *Geisteswissenschaftliche Fortschrittsberichte.* (Beide 1987 eingestellt.) *Staatsbibliothek Preußischer Kulturbesitz. Mitteilungen*; *Staatsbibliothek Preußischer Kulturbesitz. Kataloge der Handschriftenabteilung - Reihe 1: Handschriften; Reihe 2: Nachlässe.*

H 60 Deutsche Staatsbibliothek, Unter den Linden 8, Postfach 1312, Berlin 1086 DDR. - Tel.: [0037] 02-20780.

Wissenschaftliche Bibliothek mit langer Tradition (gegr. 1661). Funktionen einer Nationalbibliothek und weitere zentrale Funktionen und Einrichtungen. - Ausleihbibliothek. Kopiermöglichkeit. Bibliographischer Informationsdienst.

BA: Rd. 3,8 Mio. Bde., darunter über 1000 Wiegendrucke; über 245000 Handschriften und Autographen; rd. 637000 Karten; rd. 370000 grafische Blätter, Bildnisse und Stiche; rd. 32000 Tonträger; 10250 lfd. Zeitschriften; 41000 Serien. - Die Literatur der DDR wird vollständig gesammelt, wissenschaftliche Literatur des Auslandes in Auswahl.

Zentralkatalog der DDR. Zentrale Leiteinrichtung für Handschriften und Inkunabeln. Zentralinventar mittelalterlicher Handschriften in der DDR.

E: Theodor-Fontane-Archiv (-> G 290).

P: *Zentralkatalog der DDR, Gesamtverzeichnis ausländischer Zeitschriften (GAZ), Zentralkatalog der DDR, Zeitschriften und Serien des Auslandes (ZKZ), Gesamtkatalog der Wiegendrucke* (-> D 4600) u.v.a.

H 70 Bayerische Staatsbibliothek, Ludwigstr. 16, D-8000 München 22. - Tel.: 089-2198.300. - Teletex: 897 248 BSB. - Telefax 089-2809284. - Postanschrift: Postfach 340150, D-8000 München 34.

Wissenschaftliche Bibliothek zu allen Fachgebieten mit umfassender Sammlung von deutschen literarischen Texten und wissenschaftlicher Literatur seit dem Mittelalter bis heute. - Ausleihbibliothek.

BA: Rd. 5 Mio. Bücher, rd. 760 Nachlässe mit mehreren 100000 Autographen, ca. 230000 Karten und Kartenwerke, ca. 50000 Bild- und Tonträger, ca. 27500 laufende

Zeitschriften, Zeitungssammlung. Besonderer Sammelschwerpunkt: Werke aus und über Bayern. - Herausragende Bestände an Handschriften, Inkunabeln und Drucken des 16. bis 18. Jhs.

Zahlreiche Nachlässe bzw. Teilnachlässe von Dichtern, Schriftstellern und Germanisten (u. a. Willibald Alexis, Joseph Bernhart, Georg Britting, Oskar Maria Graf, Otto Erich Hartleben, Paul Heyse, L.H.C. Hölty, August von Platen, Adalbert Stifter, Joh. Heinrich Voß). Vgl. Karl Dachs: *Die schriftlichen Nachlässe in der Bayerischen Staatsbibliothek.* Wiesbaden 1970.

E: Arbeitsstelle "Bibliographie des 16. Jahrhunderts".

P: *Catalogus codicum manuscriptorum Bibliothecae Regiae Monacensis.*

H 75 Niedersächsische Staats- und Universitätsbibliothek, Postfach 2932, Prinzenstr. 1, D-3400 Göttingen. - Tel.: 0551-39.5231 (Auskunft und Vermittlung), 39.5212 (Sekretariat). - Telex 96703 unigoe. - Telefax 399612.

Wissenschaftliche Bibliothek mit Forschungsliteratur zu allen Fachgebieten. Gegr. 1734. Zentralbibliothek der Georg-August-Universität. Bibliothek der Akademie der Wissenschaften zu Göttingen (-> I 10). - Ausleihbibliothek.

BA: Rd. 3,4 Mio. Bände einschl. 755000 Dissertationen, außerdem 11945 Handschriften, 282 Nachlässe, rd. 4500 Inkunabeln, Porträtsammlung (Voit'sche Sammlung) der Universität, rd. 15000 laufende in- und ausländische Zeitschriften, rd. 169000 Karten, Kartenwerke und Erläuterungen. - Bedeutende Bestände an Inkunabeln und Drucken des 16. bis 19. Jahrhunderts.

Umfassende germanistische Forschungsliteratur. Nachlässe und Teilnachlässe u.a. von G. A. Bürger, H. Chr. Boie, Joh. G. Forster, K. Goedeke, M. Heyne, A. H. Hoffmann von Fallersleben, Th. Huber, G. Chr. Lichtenberg, W. Dilthey, U. Pretzel, G. Roethe, E. Schröder, R. Unger.

E: Niedersächsischer Zentralkatalog (NZK). Gegr. 1956. Er weist mit rd. 13 Mio. Bänden die Bestände von ca. 100 niedersächsischen Bibliotheken nach und wird ab Erscheinungsjahr 1977 als Datenbank fortgeführt. -> NMN und NZN im Bibliotheksrechenzentrum für Niedersachsen (BRZN, -> H 135).

P: Arbeiten aus der Niedersächsischen Staats- und Universitätsbibliothek; Bestandskataloge; Ausstellungskataloge.

L: Kind-Doerne, Christiane: *Die Niedersächsische Staats- und Universitätsbibliothek Göttingen. Ihre Bestände und Einrichtungen in Geschichte und Gegenwart.* Wiesbaden 1986 (Beiträge zum Buch- und Bibliothekswesen, 22).

H 80 Stadt- und Universitätsbibliothek Frankfurt am Main, Bockenheimer Landstr. 134-138, D-6000 Frankfurt/M. 1. - Tel.: 069-7907.1.

Schwerpunktbibliothek deutsche Literatur und Literaturwissenschaft. - Ausleihbibliothek.

BA: Rd. 2,9 Mio. Bde., rd. 35300 Autographen, rd. 5600 Karten und Kartenwerke, rd. 33700 Porträt- und Grafikblätter, rd. 10000 Bühnenmanuskripte, rd. 2700 Tonträger, ca. 12000 laufend gehaltene Zeitschriften.

Die Stadt- und Universitätsbibliothek pflegt u.a. die Sondersammelgebiete Allgemeine Germanistik, Allgemeine und Vergleichende Literaturwissenschaft, Deutsche Literatur und Literaturwissenschaft, Theaterwissenschaft, Film, Hörfunk und Fernsehen mit allen Sparten und Erscheinungsformen. Die deutschsprachige Literatur vom Mittelalter bis zur Gegenwart ist in kritischen Editionen, in Erst- oder Leseausgaben vorhanden, dazu deutsche und ausländische Sekundärliteratur. Theaterwissenschaft und Medienkunde werden ebenfalls vollständig gesammelt. Die Literaturdidaktik wird in breiter Auswahl der deutschen und ausländischen Publikationen berücksichtigt.

Sondersammlungen auf dem Gebiet der Barockliteratur (Sammlung Hirzel, Mikroformen-Sammlung Faber du Faur, Jantz und Yale University Library-Collection). Flugschriftensammlung Gustav Freytag. Sammlung Wieland (mit mehr als 1000 Erstdrucken und späteren Ausgaben der Werke Christoph Martin Wielands), reiche Bestände zur Literatur des 19. Jhs. (Primär- und Sekundärliteratur, Zeitschriften; Rothschild'sche Bibliothek mit ca. 130000 Bden); rd. 20000 Primärtexte des Vormärz und der politisch-sozialen Bewegung vor 1848. Literaturzeitschriften des 19. Jhs.; Veröffentlichungen zu den sozialgeschichtlichen und republikanischen Bewegungen im 19. und frühen 20. Jh.; Expressionismus-Sammlung; umfangreiche Bestände an Literatur der Weimarer Zeit (1919-1933) sowie an Exil-Literatur; Erstausgaben der deutschsprachigen Literatur der Gegenwart. Kinderbuch-, Lesebuch-, Kochbuchsammlung.

Rd. 210 Nachlässe, darunter zahlreiche Schriftstellernachlässe (u.a. Wilhelm Heinse, Karoline von Günderode, Friedrich Creuzer, Ludwig Börne, Karl Gutzkow, Wilhelm Jordan, Georg Friedrich Daumer, Friedrich Stoltze, Alfons Paquet, Rudolf Presber) und Autographen (z.B. Goethe, Schiller, Tieck, Jean Paul, Clemens Brentano, Friedrich und August Wilhelm Schlegel, Wilhelm von Humboldt).

E: Schopenhauer-Archiv; Horkheimer-Archiv; Adorno-Archiv; Herbert-Marcuse-Archiv (im Aufbau); Alexander-Mitscherlich-Archiv (im Aufbau).

P: *Bibliographie der deutschen Sprach- und Literaturwissenschaft* (-> D 360).

H 90 Herzog August Bibliothek, Lessingplatz 1, Postfach 1364, D-3340 Wolfenbüttel. - Tel.: 05331-8080.

Internationale Forschungs- und Studienstätte für die Geschichte der frühen Neuzeit.

BA: Rd. 600000 Bde. (Schwerpunkt: Sammlung alter Drucke mit ca. 5000 Inkunabeln, ca. 75000 Drucken des 16. Jhs., über 150000 Schriften aus dem 17. Jh., über 150000 Drucken des 18. Jhs.). Forschungsliteratur zur europäischen Kulturgeschichte. Handschriftensammlung mit rd. 12000 Handschriften (davon ca. 3000 mittelalterliche). Musikaliensammlungen (Handschriften sowie Notendrucke und Libretti des 15. bis 18. Jhs.). Sondersammlungen (20000 Landkarten, 40000 Porträtstiche, 1000 illustrierte Flugblätter des 17. Jhs., Einblattdrucke, grafische Blätter, Theaterzettel usw.). Illustrierte Bücher (aus allen Jahrhunderten).

Wahrnehmung von Forschungsaufgaben (Forschungen zum Mittelalter und zur frühen Neuzeit, zum 17. und 18. Jh., zur Geschichte des Buchwesens).

Wissenschaftliche Veranstaltungen (Tagungen, Symposien, Arbeitsgespräche, Gastseminare, Fortbildungsseminare, Sommerkurse, Stipendiatenkolloquien).

P: Schriftenreihen (*Wolfenbütteler Beiträge; Wolfenbütteler Forschungen; Wolfenbütteler Abhandlungen zur Renaissance-Forschung; Wolfenbütteler Arbeiten zur Barockforschung; Wolfenbütteler Schriften zur Geschichte des Buchwesens*); Mitteilungsblätter (*Wolfenbütteler Bibliotheks-Informationen; Wolfenbütteler Renaissance-Mitteilun-*

gen; Wolfenbütteler Barock-Nachrichten; Wolfenbütteler Notizen zur Buchgeschichte); Kataloge; kleine Schriften.

H 100 Zentralbibliothek der Deutschen Klassik (-> G 10 [NFG]).

H 105 Bibliotheca Bodmeriana, 19-21, Route du Guignard, CH-1223 Cologny-Genève. - Tel.: [0041] 022-7362370.
Bedeutende Bibliothek der Weltliteratur.
BA: Rd. 150000 bibliographische Einheiten, darunter zahlreiche Erstausgaben deutscher Dichtung. Rd. 2000 Autographen (darunter von Goethe, Hölderlin, Stifter, C. F. Meyer, H. Mann, Hofmannsthal). Bedeutende Papyrussammlung, zahlreiche Inkunabeln.
E: Kunstsammlung.
P: Kataloge, Serien, Studien.
L: Bodmer, Martin: *Eine Bibliothek der Weltliteratur.* Zürich 1947.

H 110 Bibliotheken der Stadt Dortmund, Zeitungsausschnitt-Sammlung, Markt 12, D-4600 Dortmund 1. - Tel.: 0231-542.23236.
Ausleihbibliothek. Zeitungsausschnitt-Sammlung.
BA: Aufsätze, Berichte, Kommentare, Rezensionen und Kritiken zu den Gebieten: Deutsche und ausländische Literatur aus verschiedenen Epochen (Schwerpunkt: 20. Jh.), Theater u.a. Ausgewertet werden über 20 (Kultur-)Zeitschriften und über 30 Tages- und Wochenzeitungen. Alle Ausschnittmappen können über Bibliotheken oder im Direktversand entliehen werden.

H 115 Innsbrucker Zeitungsarchiv zur deutsch- und fremdsprachigen Literatur (IZA), Abteilung für Literaturkritik und Rezeptionsforschung, c/o Institut für Germanistik (-> I 1390).
Zeitungsausschnittsammlung.
BA: Aufsätze, Berichte, Meldungen, Rezensionen, Kritiken, Interviews u.ä. zu den Literaturen aller Zeiten, Kulturen und Sprachen, zum Theater, zur Sprachentwicklung und Sprachwissenschaft. Ausgewertet werden 18 Tages- und 8 Wochenzeitungen, 2 Magazine und 18 Zeitschriften Österreichs, der Bundesrepublik, der DDR und der Schweiz. Das IZA enthält Material zu mehr als 7000 Autoren, das nach rd. 350 Schlagwörtern abrufbar ist.

H 120 Dokumentationsstelle für neuere österreichische Literatur, Gumpendorfer Str. 15/13, A-1060 Wien. - Tel.: [0043] 0222-5861249.
Die Dokumentationsstelle sammelt Material zur österreichischen Literatur des 20. Jhs. (besonderer Schwerpunkt: die Zeit nach 1945) und versteht sich als Forschungseinrichtung und öffentliche Servicestelle, die allen Interessierten, insbesondere Studenten und Wissenschaftlern, zur Verfügung steht.
BA: Rd. 14000 Bde. Primär- und Sekundärliteratur, einschl. Nachschlagewerke. Sammlung österreichischer Literatur-, Theater- und Kulturzeitschriften. Auswahl wichtiger ausländischer Zeitschriften (insgesamt rd. 200 laufende Titel).

E: Zeitungsausschnittsammlung (rd. 350000 Ausschnitte aus Tageszeitungen, Wochen- und Monatsschriften des deutschen Sprachraums); Autographensammlung, Nachlässe und Teilnachlässe (u.a. Hermann Broch, Rudolf Brunngraber, Rudolf Henz, Rudolf Kalmar jun., Theodor Kramer, Robert Neumann, Joseph Roth, Otto Stoessl, Ernst Waldinger, Martina Wied, Stefan Zweig; Akten des Stiasny-Verlages und der Grazer Autorenversammlung); Tonband- und Schallplattensammlung; Bildarchiv (rd. 3000 Fotos). Sammlung von Theaterprogrammen, Plakaten u.ä. Ausstellungen.

P: *Zirkular* (halbjährlich erscheinende Zeitschrift). *Pressespiegel* (seit 1984; jährlich erscheinende Zusammenstellung der wichtigsten Rezensionen zu Neuerscheinungen österreichischer Literatur). *Zirkular*-Sondernummern mit Themenschwerpunkten.

Datenbanken:

H 130 BIBLIODATA. Nationalbibliographische Datenbank der Deutschen Bibliothek (-> H 10)

Neben den konventionellen Zettelkatalogen und gedruckten Bibliographien stellt die Deutsche Bibliothek seit 1976 für bibliographische Recherchen auch die computergestützte Datenbank BIBLIODATA im Direktzugriff (online) zur Verfügung.

BIBLIODATA erfaßt alle deutschsprachigen Neuerscheinungen aus allen Wissensgebieten. Die Grobeinteilung der Literatur erfolgt nach Sachgruppen, wobei von 1972 bis 1981 ein Gliederungsschema mit 26, ab 1982 eines mit 65 Sachgruppen verwendet wird. Für Literaturwissenschaftler besonders interessant sind folgende Sachgruppen: 5 Kalender; 7 Kinder- und Jugendliteratur; 22 Erziehung, Bildung, Unterricht; 23 Schulbücher; 48 Musik; 49 Theater, Tanz, Film; 51-58 Sprach- und Literaturwissenschaft verschiedener Sprachen, 59 Belletristik, 63 Geschichte und Historische Hilfswissenschaften; 64 Sozialgeschichte, 65 Wirtschaftsgeschichte. Eingearbeitet wurden die Reihen A, B, C, H (ab 1972 ff.) und N (ab 1975 ff.).

Datenbestand: ca. 1,6 Mio. Dokumente (Februar 1990); jährlicher Zuwachs: ca. 120000 Dokumente.

Verfügbarkeit: Die Informationsdatenbank ist mit dem Retrievalsystem MESSENGER online recherchierbar. Informationsanbieter ist das Fachinformationszentrum Karlsruhe, Postfach 2465, D-7500 Karlsruhe 1. - Tel.: 07247-82.4566. - Zugriff über eine Institution mit BIBLIODATA-Anschluß (z.B. IAI [-> H 180]).

H 133 Zeitschriften-Datenbank (ZDB) der Staatsbibliothek Preußischer Kulturbesitz

Nachweis der Zeitschriften und zeitschriftenartigen Reihen, die in den Bibliotheken der Bundesrepublik Deutschland und Berlins (West) vorhanden sind (mit Bestands- und Standortangaben).

Microfiche-Ausgabe: Wiesbaden: Harrassowitz (regelmäßige Aktualisierung).

H 135 Bibliotheksrechenzentrum für Niedersachsen (BRZN)

Das BRZN ist die Zentrale des Niedersächsischen Bibliotheksverbundes mit der Aufgabe, eine bessere Nutzung der reichen Buch- und Zeitschriftenbestände des Landes zu ermöglichen. Zugriff haben auch Einrichtungen außerhalb des niedersächsischen

Bibliotheksverbundes. Das Datenfernverarbeitungsnetz des BRZN umfaßt alle größeren wissenschaftlichen Bibliotheken des Landes Niedersachsen. Die Rechenanlage ist darüber hinaus im Datex-P-Netz und über Telefonwähleingänge erreichbar.
Das Retrievalsystem GRIPS/DIRS 3 bietet zur Zeit folgende Datenbanken an (*Stand*: April 1989):
1) Niedersächsischer Monographiennachweis (NMN): rd. 1,3 Mio. Titel der Erscheinungsjahre 1977 ff., mit Besitznachweisen und Signaturangaben der niedersächsischen Bibliotheken. Aktualisierung: wöchentlich; 2) Niedersächsischer Zeitschriftennachweis (NZN): rd. 250000 Zeitschriftentitel mit Besitz-, Bestands- und zum erheblichen Teil auch Einzelnachweisen von 30 niedersächsischen und norddeutschen Bibliotheken; 3) Realkatalog Monographien (RKM): bislang wurden rd. 425000 Titel des Altbestandes der SUB Göttingen (Erscheinungsjahr vor 1946) erfaßt. Das BRZN hat aus einem großen Teil eine Arbeitsdatenbank aufgebaut. Künftig soll die Datenbank regelmäßig aktualisiert und zur Benutzung freigegeben werden; 4) LOC-Datenbank (LOC): Erwerbungen der Library of Congress, Washington, ab Erscheinungsjahr 1986. Die Daten werden vom BRZN im USMARC-Format direkt von der Library of Congress bezogen. Z.Zt. ca. 260000 Titel. Aktualisierung: wöchentlich; 5) Internationale Bibliographie der Zeitschriftenliteratur aus allen Gebieten des Wissens (IBZ): Ab 2. Halbjahr 1983 = 19,2. 1983 der gedruckten Bibliographie. Aktualisierung: halbjährlich mit den Lieferungen des Verlages Felix Dietrich. Die IBZ-Datenbank enthält außerdem die Internationale Jahresbibliographie der Kongreßberichte (IJBK), ab 1, 1984, 1987; 6) Internationale Bibliographie der Rezensionen wissenschaftlicher Literatur (IBR): Ab 2. Halbjahr 1983 = 13,2. 1983 der gedruckten Bibliographie. Aktualisierung: halbjährlich; 7) Zeitschriftengesamtkatalog Göttingen (ZGG): Zeitschriftenbestände Göttinger Institute, solange sie noch nicht in den NZN eingefügt sind. Aktualisierung: wöchentlich; 8) Nachweis wissenschaftlicher audiovisueller Medien (IWF): rd. 8000 Filme, überwiegend aus dem Bestand des Instituts für den Wissenschaftlichen Film (IWF), Göttingen. Aktualisierung: unregelmäßig.
Im BRZN entwickelte Softwareergänzungen zum Datenbanksystem GRIPS erlauben seit Anfang 1984 für die angeschlossenen Bibliotheken die Aufgabe von Online-Fernleihbestellungen über die Zentralkatalogs-Datenbanken NMN und NZN. Die zugehörigen Bestellscheine werden unverzüglich in den besitzenden Bibliotheken ausgedruckt.

H 140 Dissertation Abstracts on-line (früher: Comprehensive Dissertation Index; COMP DISS ABS)

DISS ABS on-line bzw. COMP DISS ABS wird von der University Microfilm International (UMI) hergestellt und vertrieben. Sie ist die umfassendste Datenbank über US-amerikanische Dissertationen. Annähernd 99% aller in den Vereinigten Staaten von Amerika entstandenen bzw. entstehenden Dissertationen wurden bzw. werden für DISS ABS on-line ausgewertet. Sie deckt den Zeitraum von 1861 bis zur Gegenwart ab.
Datenbestand: Über 1 Mio. Literaturhinweise; jährlicher Zuwachs: ca. 40000 DE.
Verfügbarkeit: sämtliche über DISS ABS on-line nachgewiesenen Dissertationen können über UMI als Mikrofilme oder als Xerographie bezogen werden. - Zugriff über eine Institution mit entsprechendem Anschluß (z.B. IAI [-> H 180]).

H 145 Arts & Humanities Citation Index

Neben der gedruckten Version (-> D 4990) existiert seit 1982 eine Datenbank, die nach den gleichen Prinzipien wie die Printversion aufgebaut ist.
Datenbestand: Über 1 Mio. DE (Herbst 1989) mit monatlicher Aktualisierung. - Zugriff über eine Institution mit entsprechendem Anschluß (z.B. IAI [-> H 180]).

H 150 MLA Bibliography

Neben der gedruckten MLA Bibliography (-> D 390) wird von Modern Language Association of America auch eine Datenbank zur Verfügung gestellt. Sie ist die größte und umfassendste bibliographische Datenbank auf dem Gebiet der Sprach- und Literaturwissenschaften, verzeichnet einschlägige Zeitschriftenaufsätze, Beiträge, Neuerscheinungen sowie Dissertationen und deckt den Zeitraum von 1976 bis zur Gegenwart ab.
Datenbestand: Ca. 1,1 Mio. Literaturhinweise (Herbst 1989) mit monatlicher Aktualisierung. - Zugriff über eine Institution mit MLA-Anschluß (z.B. IAI [-> H 180]).

H 155 Bibliographie deutscher Schriftstellerinnen 1945-1985

Die Datenbank der "Stiftung Frauenliteratur-Forschung" (-> L 75) befindet sich seit 1985 im Aufbau. Sie besteht aus einem biographischen Teil (Lebensdaten, Ausbildung, Beruf, Preise, Stipendien, Adresse) mit z.Zt. 13500 Namen und einem bibliographischen Teil (Monographien, Beiträge in Anthologien, Zeitschriften, Zeitungen, Funk, Film, Fernsehen, Theater) mit z.Zt. 30000 Titeln (Juni 1989). Zugriff nur über die Stiftung. Für positive Recherchen werden Gebühren erhoben.

H 160 TANDEM Datenbank beim Deutschen Theatermuseum München (-> G 810)

Die Datenbank (im Aufbau) besteht aus den Untergruppierungen Suchtiteldatei (Einstiegsrecherchen nach Autoren und Titeln), Inszenierungsdatei, Objektdatei (als Subtandem I) und Werktiteldatei, Werkkatalog (als Subtandem II).
Die Inszenierungsdatei enthält theaterproduktionsbezogene Angaben, die gegenwärtig die deutschsprachigen Theater noch nicht flächendeckend erfassen. - Die Objektdatei verfügt über Informationen zu (1989) 480000 theatralen Objekten, überwiegend Fotos. - Werktiteldatei und Werkkatalog enthalten Angaben zu Bühnenstücken und deren Editionen, seit 1985 flächendeckend für den deutschen Sprachraum. Aus diesen Daten wird das *Dramen-Lexikon* in Jahrbänden hergestellt. - Mit der Rückwärtsdokumentation der Dramentexte 1960-1984 wurde begonnen.

H 165 Theater-Informations-Büro, Dr. Jürgen Kirschner, Am Rotlauf 11, D-6242 Kronberg 2. - Tel.: 06173-61942.

Die private Informationsvermittlungsstelle vermittelt und erarbeitet gegen Gebühren Fachinformationen. Das Büro erteilt Auskunft über Literatur, Fakten, Institutionen, Experten, Forschungsprojekte, erarbeitet Stellungnahmen zu aktuellen wie historischen Fragen und löst Probleme bei der Dokumentation in Facheinrichtungen. Gegenwärtige Arbeitsschwerpunkte bilden die Datenbank "Neue Stücke" (für das *Dramenlexikon* in Zusammenarbeit mit TANDEM) und der Aufbau der Datenbank "Medien".

H 170 MARBURGER INDEX

Bilddokumentation zur Kunst in Deutschland. Hrsg. vom Bildarchiv Foto Marburg im Forschungsinstitut für Kunstgeschichte der Philipps-Universität Marburg und dem Rheinischen Bildarchiv Köln. - Anschrift: Bildarchiv Foto Marburg, Ernst-von-Hülsen-Haus, Postfach 1460, D-3550 Marburg. - Tel.: 06421-283600. - Telex 482372. - Telefax 283910.

Das Bildarchiv Foto Marburg ist das größte Archiv zur europäischen Kunst in der Welt mit gegenwärtig über 1 Mio. Fotodokumenten und einem jährlichen Zuwachs von rd. 40000 Negativen. Seit 1977 publiziert es in Zusammenarbeit mit dem Rheinischen Bildarchiv Köln den MARBURGER INDEX, der bis 1990 rd. 1 Mio. Aufnahmen zur bildenden Kunst in Deutschland einschl. der in Deutschland gesammelten Kunst ausländischer Provenienz enthalten wird. Durch die Mikrofiche-Publikation (München: Saur, 1977ff.) ist es möglich, das Porträt einer Persönlichkeit, die Darstellung eines historischen Ereignisses oder alter handwerklicher Produktionsweisen, die Wiedergabe eines bestimmten Bildthemas und - für den Literaturwissenschaftler besonders interessant - die Bildvorlagen von Gedichten und Gemäldebeschreibungen an jeder größeren Bibliothek zur Verfügung zu haben. - Die Anordnung der Objekte erfolgt alphabetisch nach Orten. Erschließung durch ikonographische, Sach-, Personen- und Bautypen-, Bauteil- und Baugattungsregister.

H 175 INFODATA

Die Datenbank "Informationswissenschaft und -praxis" der Gesellschaft Mathematik und Datenverarbeitung GMD (Herriotstr. 5, D-6000 Frankfurt/M. 71) informiert über IuD-Methodik, Informationssysteme, -netze, -vermittlung, Neue Medien, Benutzerforschung, Kommunikationsforschung, Bibliothekswesen, Ergonomie.
Datenbestand: rd. 47000 DE für 1977ff.

H 180 Informationsstelle zum Fachinformationszentrum Geisteswissenschaften, c/o Institut der Gesellschaft zur Förderung der Angewandten Informationsforschung e.V. an der Universität des Saarlandes (IAI), Martin-Luther-Str. 14, D-6600 Saarbrücken. - Tel.: 0681-39313. - Telefax: 0681-397482. - BTX: *(39)921607#. - DATEX-P: 45681090171.

Die Informationsstelle ist Anlaufstelle für die *Informationshandbücher* und für die *Dokumentation Geisteswissenschaften (DOGE)* (-> C 2320). Sie hat sich spezialisiert auf Online-Recherchen in in- und ausländischen Datenbanken zum Bereich der Geistes- und Sozialwissenschaften. Die IFG ist Mitglied der "Arbeitsgemeinschaft für Fachinformation (AFI)".

TEIL I: AKADEMIEN, WISSENSCHAFTLICHE GESELLSCHAFTEN, LEHR- UND FORSCHUNGSINSTITUTE, SONSTIGE FORSCHUNGS- UND ARBEITSSTELLEN

1 AKADEMIEN UND WISSENSCHAFTLICHE GESELLSCHAFTEN

Akademien und Wissenschaftliche Gesellschaften sind Vereinigungen von Gelehrten mit dem Ziel, die Wissenschaften und den internationalen Gedankenaustausch über ihre Forschungsergebnisse zu fördern. Die Akademien teilen sich in der Regel in eine mathematisch-naturwissenschaftliche und eine philosophisch-historische Klasse. Die Zahl der Mitglieder ist durch Satzung festgelegt. Man unterscheidet ordentliche Mitglieder, die am Ort wohnen müssen (Residenzpflicht), und korrespondierende Mitglieder, die schriftlich mitarbeiten. Die Berufung zum Mitglied erfolgt durch Zuwahl und gilt auf Lebenszeit. Zur Bewältigung größerer Aufgaben werden Kommissionen gebildet. Die Ergebnisse der Akademietätigkeit werden publiziert in Sitzungsberichten, Abhandlungen und Jahrbüchern.

Abkürzungen: BA = Bestand/Archivmaterial; E = ergänzende Einrichtungen; P = Publikationen.

Bundesrepublik Deutschland

I 10 Akademie der Wissenschaften in Göttingen, Theaterstr. 7, D-3400 Göttingen. - Tel.: 0551-395362.
Mitglieder-Akademie. Vereinigung von Gelehrten zur Förderung der Forschung und zur Pflege des internationalen wissenschaftlichen Austausches (70 ordentliche, 125 korrespondierende Mitglieder). Gründungsjahr: 1751.
Präsidium: Prof. Dr. Günther Patzig (Präsident), Prof. Dr. Gunther von Minnigerode (Vizepräs.), Prof. Dr. Heinz Georg Wagner (Sekretär).
Vergabe verschiedener Preise und Auszeichnungen (u. a. Dannie-Heinemann-Preis). - Förderung von Forschungsvorhaben.
P: *Jahrbuch der Akademie der Wissenschaften*; *Göttingische Gelehrte Anzeigen; Abhandlungen; Nachrichten; Studien zum Althochdeutschen*, u.a.
E: Archiv und Bibliothek (Depot bei der Niedersächsischen SUB Göttingen [-> H 75]).
BA: Zahlreiche Nachlässe und Teilnachlässe, Akademieschriften, Publikationen von und über Akademie-Mitglieder und zur Wissenschaftstheorie.

I 20 Heidelberger Akademie der Wissenschaften, Karlstr. 4, Postfach 102769, D-6900 Heidelberg 1. - Tel.: 06221-54.3265 und 54.3266.

Mitglieder-Akademie zur Förderung der Wissenschaft (80 ordentliche, 100 korrespondierende Mitglieder). Gründungsjahr: 1909.

Präsidium: Prof. Dr. Dr. h.c. mult. Gotthard Schettler (Präsident), Prof. Dr. Wolfgang Wieland (Sekretär der Phil.-hist. Klasse), Dr. Martin Raether (Geschäftsführung).

Förderung und Durchführung zahlreicher Forschungsvorhaben, darunter das *Goethe-Wörterbuch* (in Zusammenarbeit mit der Akademie der Wissenschaften in Göttingen [mit Arbeitsstelle in Hamburg] und der Akademie der Wissenschaften der DDR [mit Arbeitsstelle in Berlin (Ost)]), das *Deutsche Rechtswörterbuch*, die Sammlung mittelalterlicher Inschriften, eine Melanchthon-Forschungsstelle und die Kommentierung des Hamann-Briefwechsels.

P: *Jahrbuch; Sitzungsberichte, Abhandlungen* und Supplementbände, *Goethe-Wörterbuch*, Veröffentlichungen der Forschungsstellen, u.a.

I 30 Bayerische Akademie der Wissenschaften, Marstallplatz 8, D-8000 München 22. - Tel.: 089-230310.

Mitglieder-Akademie. Vereinigung von Gelehrten mit der Aufgabe, wissenschaftliche Tätigkeit und Forschung zu fördern (130 ordentliche, 160 korrespondierende Mitglieder). Gründungsjahr: 1759.

Präsidium: Prof. Dr. Arnulf Schlüter (Präsident), Prof. Dr. Dieter Nörr, Prof. Dr. Klaus Strunk (Sekretäre der Phil.-hist. Klasse).

Eigene Forschungseinrichtungen. Zahlreiche Kommissionen (u.a.: *Neue deutsche Biographie* [-> C 2120]; Kommission für Deutsche Literatur des Mittelalters).

P: *Sitzungsberichte; Abhandlungen; Jahrbücher;* Veröffentlichungen der Kommissionen.

E: Bibliothek; Archiv.

I 40 Rheinisch-Westfälische Akademie der Wissenschaften, Karl Arnold-Haus, Palmenstr. 16, D-4000 Düsseldorf. - Tel.: 0211-342051 und 342052; Telefax: 0211-341475.

Mitglieder-Akademie mit dem Ziel der Forschungsförderung und der Beratung der Landesregierung in Fragen der Forschung (139 ordentliche, 39 korrespondierende Mitglieder). Gründungsjahr: 1969 (hervorgegangen aus der 1950 gegründeten "Arbeitsgemeinschaft für Forschung des Landes Nordrhein-Westfalen").

Präsidium: Prof. Dr. Ing. Friedrich Eichhorn (Präsident), Prof. Dr. Walter Mettmann (Vizepräs. und Sekretär der Klasse für Geisteswissenschaften), Prof. Dr. Clemens Menze (Geschäftsführendes Präsidialmitglied).

Mehrere Kommissionen und Ausschüsse.

P: *Abhandlungen; Vorträge; Jahrbuch; Jahresprogramm,* u.a.

I 50 Akademie der Wissenschaften und der Literatur in Mainz, Geschwister-Scholl-Str. 2, D-6500 Mainz. - Tel.: 06131-577.0.

Mitglieder-Akademie zur Pflege der Wissenschaften und der Literatur und zur Bewahrung und Förderung der Kultur. Neben der mathematisch-naturwissenschaftlichen und

der geistes- und sozialwissenschaftlichen Klasse besteht eine Klasse der Literatur (je Klasse 25 ordentliche und 50 korrespondierende Mitglieder). Gründungsjahr: 1949.
Präsidium: Prof. Dr. Dr. Gerhard Thews (Präsident), Prof. Dr. Clemens Zintzen, Prof. Dr. Wilhelm Lauer, Prof. Dr. Dr. h.c. Litt. D. Bernhard Zeller (Vizepräsidenten), Dr. Günter Brenner (Generalsekretär).
Durchführung geistes- und naturwissenschaftlicher Langfristprojekte. Edition von literarischen und literaturkritischen Arbeiten (z. B. in der *Mainzer Reihe*, Reihe *Verschollene und Vergessene*); Arbeitsstelle für Exilliteratur; Dokumentarveröffentlichungen.
Veranstaltung interdisziplinärer und internationaler Symposien, von öffentlichen Lesungen und Ausstellungen.
Verleihung der Leibniz-Medaille, der Wilhelm-Heinse-Medaille für essayistische Literatur.
P: *Jahrbuch; Abhandlungen*; Reihen; Einzelveröffentlichungen (vgl.: Akademie der Wissenschaften und der Literatur: *Publikationsverzeichnis*. Stand: 30. September 1988. Mainz 1988).
E: Präsenz- und Ausleihbibliothek (Tauschbibliothek).

I 60 Deutsche Akademie für Sprache und Dichtung, Alexandraweg 23, D-6100 Darmstadt. - Tel.: 06151-44823.
Mitglieder-Akademie mit dem Ziel, das deutsche Schrifttum vor dem In- und Ausland zu vertreten und auf die pflegliche Behandlung der deutschen Sprache in Kunst und Wissenschaft, im öffentlichen und privaten Gebrauch hinzuwirken (74 ordentliche, 53 korrespondierende Mitglieder). Gründungsjahr: 1949.
Präsidium: Herbert Heckmann (Präsident), Hans-Martin Gauger, Hartmut von Hentig, Walter Helmut Fritz (Vizepräsidenten).
Ausrichtung von Tagungen (jährlich eine Frühjahrs- und Herbsttagung mit Schwerpunktthemen zu Sprache und Literatur). Durchführung von Forschungsprojekten.
Vergabe von mehreren Preisen: "Georg-Büchner-Preis", "Johann Heinrich-Merck-Preis", "Sigmund-Freud-Preis", "Johann-Heinrich-Voß-Preis für Übersetzung", "Friedrich-Gundolf-Preis für Germanistik im Ausland" (-> Teil M). Seit 1964 Preisfragen zu Sprache und Literatur, für die eine Prämie (z.Zt. DM 5000,-) ausgesetzt ist. Die preisgekrönten Einsendungen werden von der Akademie veröffentlicht.
P: *Jahrbuch der Deutschen Akademie für Sprache und Dichtung* (mit Mitgliederverzeichnis und Bibliographie); *Veröffentlichungen der Deutschen Akademie für Sprache und Dichtung;* Schriftenreihe *Dichtung und Sprache*; Preisschriften.

I 70 Akademie der Künste, Hanseatenweg 10, D-1000 Berlin 21. - Tel.: 030-390007.0.
Mitglieder-Akademie mit der Aufgabe, die Kunst zu fördern, das kulturelle Erbe zu pflegen und öffentliche Wirksamkeit zu entfalten (248 Mitglieder). Fortsetzung der Tradition der 1696 gegründeten Preußischen Akademie der Künste. Sektionen: Bildende Kunst, Baukunst, Musik, Literatur, Darstellende Kunst. Gründungsjahr: 1954.
Präsidium: Prof. Dr. Walter Jens (Präsident), Prof. Hardt-Waltherr Hämer (Vizepräsident), Peter Härtling (Direktor der Sektion Literatur).
Vergabe des Arbeitsstipendiums "Villa Serpentara", des "Kunstpreises Berlin" ("Fon-

tane-Preis"), bestehend aus einem Hauptpreis und sechs Förderpreisen. Rege Ausstellungstätigkeit.

Präsenzbibliothek (mit Kopiermöglichkeit):

BA: rd. 55000 Bde.; bestehend aus: Präsidial-Bibliothek der Preußischen Akademie der Künste, Handbibliothek der Akademie der Künste, Archiv-Bibliothek, Arbeitsbibliothek Erwin Piscator u.a.

Sammlungen und Archive:

BA: Archiv der Preußischen Akademie der Künste (rd. 400000 Einheiten, darunter umfangreiche Korrespondenzen u.a. von Gerhart Hauptmann, Thomas und Heinrich Mann, Rilke, Schnitzler, Döblin, Ricarda Huch); Bildarchiv; Handschriften-Archiv; Kinemathek; Phonothek; Fotothek; Plakat-Archiv; Presse-Archiv. Rd. 110 Einzelarchive und Sammlungen, darunter zu: Gottfried Benn, Arnolt Bronnen, Theodor Däubler, Carl Einstein, Lion Feuchtwanger, Marieluise Fleisser, Leonhard Frank, Carl Hauptmann, Arno Holz, Georg Kaiser, Paul Kornfeld, Salomo Friedlaender, Joachim Ringelnatz, Ernst Toller, Kurt Tucholsky, Alfred Wolfenstein, Paul Zech.

I 80 Freie Akademie der Künste in Hamburg, Ferdinandstorplatz 1a, D-2000 Hamburg 1. - Tel.: 040-324632. -

Mitglieder-Akademie mit dem Ziel, der interdisziplinären Kontakte zu fördern, ein Selbstbesinnungs- und Selbstbestimmungsorgan der Künstler zu werden, ein Gegengewicht gegen behördliche Übergriffe, parteiliche Einflußnahme und Interpretenwillkür zu sein. Sektionen: Baukunst, Bildende Kunst, Darstellende Kunst, Literatur, Musik (insgesamt 124 Mitglieder). Gründungsjahr: 1948.

Präsidium: Armin Sandig (Präsident), Günter Jena (Vizepräsident), Eckart Kleßmann (Vors. der Sektion Literatur).

Veranstaltung von Konzerten, Lesungen, Werkstattgesprächen, Ausstellungen. Verleihung einer Plakette, um hervorragende Verdienste auf allen künstlerischen Gebieten zu ehren.

P: *Jahrbuch, Hamburger Bibliographien* (in Zusammenarbeit mit der SUB). Einzelveröffentlichungen.

I 90 Bayerische Akademie der Schönen Künste, Max-Joseph-Platz 3, Residenz, D-8000 München 22. - Tel.: 089-294622.

Mitglieder-Akademie zur Pflege und Förderung der Künste in Bayern (97 ordentliche, 88 korrespondierende Mitglieder). Gründungsjahr: 1948.

Präsidium: Dr. h.c. Heinz Friedrich (Präsident), Prof. Dr. Ing. Dr. h.c. Gerd Albers, Horst Bienek, Prof. Dr. Karl Schumann, Dieter Dorn (Direktorium), Dr. Oswald Georg Bauer (Generalsekretär).

Veranstaltung von Vortragsabenden, Vortragsreihen, Konzerten, Ausstellungen; Vergabe von Preisen und Ehrengaben.

P: *Jahrbuch.*

E: Präsenzbibliothek (eingeschränkter Benutzerkreis, Kopiermöglichkeit):

BA: Publikationen der Mitglieder.

Zeitungsarchiv:

BA: Besprechungen der Mitglieder bzw. ihrer Aktivitäten und Rezensionen der Veranstaltungen der Akademie.

I 100 Lessing-Akademie e.V., Geschäftsstelle: Rosenwall 16, D-3340 Wolfenbüttel. - Tel.: 05331-2367.
Mitglieder-Akademie zur Förderung der wissenschaftlichen Erforschung des Werkes und der Zeit Lessings, der Aufklärung und ihrer Weiterwirkung bis zur Gegenwart. Gründungsjahr: 1971.
Präsidium: Prof. Dr. Rudolf Vierhaus (Präsident), Prof. Dr. Karlfried Gründer (Vizepräsident), Prof. Dr. Ernst Hinrichs (Generalsekretär), Konrad von Krosigk, Sighild Salzmann, Dr. Hans-Jürgen Seeberger, Prof. Dr. Richard Toellner.
Förderung und Durchführung von Forschungsprojekten; Veranstaltung von wissenschaftlichen Symposien, Arbeitsgesprächen und Vorträgen. Publikationen; Editionen.

I 110 Deutsche Gesellschaft für die Erforschung des 18. Jahrhunderts, Geschäftsstelle: c/o Prof. Dr. Gotthardt Frühsorge, Herzog August Bibliothek, Postfach 1364, Lessingplatz 1, D-3340 Wolfenbüttel. - Tel.: 05331-808.202 und 808.203.
Vereinigung von Wissenschaftlern, die im Bereich des 18. Jhs. arbeiten, zur Förderung der wissenschaftlichen Beschäftigung mit dieser Epoche auf allen Gebieten und mit dem Ziel interdisziplinärer Zusammenarbeit.
Vorstand: Prof. Dr. Werner Schneiders (Vorsitzender), Prof. Dr. Jürgen Voss (stellvertr. Vors.), Prof. Dr. Hans-Wolf Jäger (Schatzmeister), Priv.-Doz. Dr. Rainer Schröder (Schriftführer).
P: *Rundbrief; Das achtzehnte Jahrhundert;* Mitteilungen; *Studien zum achtzehnten Jahrhundert.*

I 115 Internationaler Arbeitskreis Literatur und Germanistik in der DDR, c/o Prof. Dr. Paul Klusmann, Germanistisches Institut, Universität Bochum (-> I 420).
Freier Zusammenschluß von Gelehrten zur Erforschung der DDR-Literatur.
P: *Jahrbuch zur Literatur in der DDR.*

I 116 Arbeitsgemeinschaft für germanistische Edition. Geschäftsstelle: Editionswissenschaftliche Forschungsstelle, Universität Osnabrück, Postfach 4469, D-5400 Osnabrück. - Tel.: 0541-608.4366.
Zusammenschluß deutschsprachiger Editoren mit dem Ziel, Prinzipien der Textkritik und Edition zu diskutieren, Kooperationsmöglichkeiten zu erkunden und Fachtagungen durchzuführen.
P: *editio - Internationales Jahrbuch für Editionswissenschaft.*

I 118 Gesellschaft für Interkulturelle Germanistik (GIG) e.V., Sekretariat: Universität Karlsruhe (TH), Institut für Literaturwissenschaft/Interkulturelle Germanistik, Postfach 6980, D-7500 Karlsruhe. - Tel.: 0721-608.2900.
Vereinigung von Wissenschaftlern aus aller Welt zur Förderung interkulturell orientierter Kulturwissenschaft deutschsprachiger Länder.

Vorstand: Prof. Dr. Alois Wierlacher (Vorsitzender), Prof. Dr. Klaus Bohnen, Prof. Dr. Kenichi Mishima, Prof. Dr. Walter Hinderer, Prof. Dr. Bernd Thum. Kurt-Friedrich Bohrer (Schatzmeister).

I 120 Stiftung Lesen, Raimundistr. 2, D-6500 Mainz 1. - Tel.: 06131-672085. - Telefax: 06131-675242.
Vereinigung zur Förderung von Buch und Lesen. Sie will durch Initiativen, Projekte und mit der Thematisierung des Lesens in der öffentlichen und politischen Diskussion die Eigenständigkeit des Lesens zur Bildung, Information und Unterhaltung deutlich machen und fördern. Gründungsjahr: 1977/1988 (Fortführung der Arbeit der Deutschen Lesegesellschaft e.V.).
Vorstand: Dr. Ulrich Wechsler (Vorsitzender), Prof. Dr. jur. Litt. D. h.c. Peter Schneider (stellvertr. Vors.).
Veranstaltungen, Fachtagungen, Projekte, Dokumentationen, Einrichtung von Leseclubs, Medienverbundprogramme, Durchführung der "Woche des Buches/Jugendbuchwoche".

I 130 Gesellschaft zur Förderung Pädagogischer Forschung e.V., Schloßstr. 29, Postfach 900280, D-6000 Frankfurt/M. 90. - Tel.: 069-771047 bis 771049.
Vereinigung mit dem Ziel, die pädagogische Forschung zu fördern und ihre Ergebnisse auf allen Gebieten des Bildungs- und Erziehungswesens nutzbar zu machen (rd. 500 Mitglieder). Gründungsjahr: 1950.
Präsidium: Prof. Dr. Erwin Stein, Staatsminister a.D. (Präsident), Prof. Dr. Helmut Belser (Vizepräsident), Prof. Dr. Hansgeorg Bartenwerfer (Geschäftsführer).
Veranstaltung wissenschaftlicher Tagungen; Publikation von Forschungsergebnissen, insbesondere des Deutschen Instituts für Internationale Pädagogische Forschung; Erteilung von Forschungsaufträgen. Beratung von Institutionen und Personen des Bildungswesens. Vergabe des "Erich-Hylla-Preises" (für überragende Leistung auf dem Gebiet pädagogischer Forschung).
Enge Zusammenarbeit mit dem Deutschen Institut für Internationale Pädagogische Forschung (gleiche Anschrift).
P: *Mitteilungen und Nachrichten* (Zeitschrift mit wissenschaftlichen Beiträgen, Informationen, Rezensionen); Jahresberichte; Materialien; Einzelpublikationen; *Zeitungsdokumentation Bildungswesen* (Auswertung überregionaler Zeitungen und Zeitschriften, 14täglich).
E: Präsenzbibliothek [mit Kopiermöglichkeit] des Deutschen Instituts für Internationale Pädagogische Forschung.
BA: rd. 120000 Bde. aus allen Bereichen des Bildungswesens.

I 140 Deutsche Gesellschaft für Publizistik- und Kommunikationswissenschaft, c/o Johannes-Gutenberg-Universität Mainz, Institut für Publizistik, Jakob-Welder-Weg 20, D-6500 Mainz. - Tel.: 06131-392670.
Vereinigung zur Wahrnehmung und Förderung gemeinsamer Interessen von Forschung und Lehre im Bereich der Publizistik- und Kommunikationswissenschaft (rd. 340 Mitglieder). Gründungsjahr: 1963.

Vorstand: Prof. Dr. Jürgen Wilke (Vorsitzender), Prof. Dr. Klaus Schönbach, Prof. Dr. Winfried Schulz (stellvertr. Vors.).

Veranstaltung von Fachtagungen; Zusammenarbeit mit der Medienpraxis; Anstreben interdisziplinärer Kooperation.

P: *Schriftenreihe der Deutschen Gesellschaft für Publizistik- und Kommunikationswissenschaft; Publizistik - Vierteljahreshefte für Kommunikationsforschung.*

I 150 Gesellschaft für deutsche Presseforschung zu Bremen e. V., c/o Deutsche Presseforschung, Universität Bremen, Postfach 330 160, D-2800 Bremen 33. - Tel.: 0421-218.3650.

Vereinigung zur Förderung der wissenschaftlichen Bestrebungen und Arbeiten auf dem Gebiet der Presseforschung (33 ordentliche, 34 korrespondierende Mitglieder). Gründungsjahr: 1957.

Vorstand: Wolfgang Schumacher, Prof. Dr. Elger Blühm, Priv.-Doz. Dr. Hartwig Gebhardt, Dr. Manfred Schröder.

I 160 Akademie für Publizistik in Hamburg e. V., Magdalenenstr. 64 a, D-2000 Hamburg 13. - Tel.: 040-447644.

Institution zur Aus- und Weiterbildung für Journalisten und Volontäre aus allen Medienbereichen. Gründungsjahr: 1970.

Präsidium: Paul Otto Vogel (Präsident des Kuratoriums), Eberhard Maseberg (1. Vors. des Vorstandes), Dr. Will Teichers (Direktor der Akademie).

I 170 Deutsche Forschungsgemeinschaft (DFG), Kennedyallee 40, Postfach 205004, D-5300 Bonn 2. - Tel.: 0228-885.1.

Selbstverwaltungskörperschaft, die der Wissenschaft in allen Disziplinen durch finanzielle Unterstützung der Forschungsvorhaben dient. In zahlreichen Wissensgebieten hat sie zunehmend die Aufgaben der Stärkung der Zusammenarbeit unter den Forschern, der Koordinierung der Grundlagenforschung und ihrer Abstimmung mit der staatlichen Forschungsförderung übernommen. Sie berät Parlamente und Regierungen in wissenschaftlichen Fragen, pflegt die Verbindung zwischen Wissenschaft und Wirtschaft und fördert die Beziehungen der deutschen Forscher zur ausländischen Wissenschaft. Ihre besondere Aufmerksamkeit gilt der Förderung des wissenschaftlichen Nachwuchses.

Präsidium: Prof. Dr. Hubert Markl (Präsident), Burkhardt Müller (Generalsekretär), Dedo Graf Schwerin von Krosigk (Zentralverwaltung), Dr. Peter H. Petersen (Allgemeine Forschungsförderung), Dr. Christoph Schneider (Fachliche Angelegenheiten der Forschungsförderung), Dr. Axel Streiter (Sonderforschungsbereiche).

Vergabe von Ausbildungs-, Forschungs-, Habilitandenstipendien, von Sach-, Reiseund Druckbeihilfen. Finanzierung von zahlreichen Forschungsvorhaben; Einrichtung von Sonderforschungsbereichen. - Broschüre mit Anleitung zur Antragstellung bei der Geschäftsstelle.

P: *Jahresberichte* (Bd. 1: *Tätigkeitsbericht*, Bd. 2: *Programme und Projekte); DFG - Aufbau und Aufgaben.* Bonn 1987; u.a.

Deutsche Demokratische Republik

I 180 Akademie der Wissenschaften der DDR, Otto-Nuschke-Str. 22-23, Postfach 1298, Berlin 1080 DDR. - Tel.: [0037] 02-20700.
Mitglieder-Akademie. Vereinigung von Gelehrten zur Förderung der Wissenschaften. Gründungsjahr: 1700.
Wissenschaftliches Informationszentrum der AdW (Schiffbauerdamm 19, Berlin 1080 DDR. - Tel.: [0037] 02-2809153).
E: Hauptbibliothek (Unter den Linden 8, Postfach 1313, Berlin 1086 DDR. - Tel.: 2070487):
BA: über 300000 Bde., rd. 4500 lfd. Zeitschriften. Sammelgebiete: Akademieschriften; Veröffentlichungen von und über Akademiemitglieder; Wissenschaftstheorie.
Zentralinstitut für Literaturgeschichte der AdW (Prenzlauer Promenade 149-152, Berlin 1100 DDR. - Tel.: 4797128).
E: Bibliothek.
BA: rd. 88000 Bde., ca. 410 lfd. Zeitschriften. Eingeschränkter Benutzerkreis.
Zentrales Archiv der AdW (Tel.: 2070221).
BA: Rd. 190 Nachlässe und Teilnachlässe, darunter von zahlreichen Schriftstellern (das Literaturarchiv des Instituts für deutsche Sprache und Literatur ist seit 1968 Bestandteil des Zentralen Archivs). Beispiele: Willibald Alexis, Ernst Moritz Arndt, Konrad Burdach, Wilhelm Dilthey, Karl Goedeke, Heinrich Hart, Christian Gottlob Heyne, August Koberstein, Paul Lindau, Wolfgang Menzel, Ernst Raupach, Schelling, Wilhelm Scherer, Schleiermacher, Ernst von Wildenbruch. Vgl. Kirsten, Christa: *Übersicht über die Bestände des Akademie-Archivs*. Berlin (Ost) 1960. - *Jahresberichte des Akademie-Archivs*. In: Jahrbuch der Akademie der Wissenschaften der DDR. Berlin (Ost) 1956ff.

I 190 Akademie der Künste der DDR, Robert-Koch-Platz 7 (Hauptgebäude), Berlin 1040 DDR. - Tel.: [0037] 02-2362020. - Hermann-Matern-Str. 58-59. - Tel.: 2878210. - Robert-Koch-Platz 10 (Zentraler Archivkomplex). - Tel.: 2363480.
Mitglieder-Akademie mit den Sektionen: Bildende Kunst, Darstellende Kunst, Literatur und Sprachpflege, Musik.
E: Zentrale Bibliothek (eingeschränkter Benutzerkreis; Kopiermöglichkeit):
BA: Rd. 35 000 Bde. (Spezialbibliothek mit Primär- und Sekundärliteratur zur Literatur des 20. Jhs.) und 120 lfd. Zeitschriften. - Ausstellungstätigkeit.
Literaturarchive:
BA: Rd. 70 Nachlässe deutscher Autoren des 20. Jhs.: Sammlung von Einzelhandschriften (ca. 920000 Blätter); Bild- und Tonträger. Beispiele: Willi Bredel, Kurt Batt, Eduard Claudius, Leonhard Frank, Uwe Greßmann, Carl und Gerhart Hauptmann, Bernhard Kellermann, Heinrich und Thomas Mann, Erich Mühsam, Redaktion "Sinn und Form", Erich Weinert, Günter Weisenborn, Leo Weismantel.
Einzelarchive:
Johannes R. Becher-Archiv (-> G 120), Bertolt-Brecht-Archiv (-> G 140), Ku-Ba-Archiv (Gartenstr. 6, Warnemünde 2530 DDR), Alfred-Kurella-Archiv (Karl-Lieb-

knecht-Str. 9/D, Berlin 1020 DDR), Louis-Fürnberg-Archiv (R.M. Rilke-Str. 17, Weimar 5300 DDR), Anna-Seghers-Archiv (Anna-Seghers-Str. 81, Berlin 1199 DDR), Friedrich-Wolf-Archiv (Kiefernweg 5, Lehnitz 1407 DDR), Arnold-Zweig-Archiv (Homeyerstr. 13, Berlin 1110 DDR).
Benutzung nach Vereinbarung. Kopiermöglichkeit.
Dokumentationsstelle der Sektion Darstellende Kunst:
BA: Dokumente zu Theater, Film und Fernsehen und sozialistischen deutschen Theatertraditionen.
Personen-Archiv und Nachlässe der Akademie-Mitglieder (z.B. Herbert Ihering, Erwin Piscator); Autographensammlung zum Theater in Deutschland; Sammlung zum deutschen Exil; Dokumente zum DDR-Theater; Dokumentation der Theaterliteratur; Verzeichnis der Hochschulschriften, Diplom- und Staatsexamensarbeiten der DDR zu Drama und Theater; Zeitungsausschnitt- und Programmheftsammlung zum Theater im deutschsprachigen Raum nach 1945; Verzeichnis von Inszenierungen an DDR-Bühnen 1945ff.: Bilddokumente; Fotosammlung.
P: Schriftenreihe der Literaturarchive (Findbücher); Werkausgaben; Briefausgaben; Personalbibliographien; Analytische Zeitschriften-Bibliographien; Ausstellungskataloge; Monographien.

I 200 Akademie der Pädagogischen Wissenschaften der DDR, Pädagogische Zentralbibliothek, Alexanderplatz, Haus des Lehrers, Berlin 1020 DDR. - Tel.: [0037] 02-2141357.
E: Ausleihbibliothek (mit Kopiermöglichkeit):
BA: Rd. 960000 Bde., 1100 lfd. Zeitschriften. Spezialbibliothek mit reichen (auch historischen) Beständen an Schul- und Lesebüchern.

Österreich

I 210 Österreichische Akademie der Wissenschaften, Dr. Ignaz-Seipel-Platz 2, A-1010 Wien. - Tel.: [0043] 0222-5158.1
Mitglieder-Akademie. Vereinigung von Gelehrten zur Förderung der Forschung und zur Pflege des internationalen wissenschaftlichen Austausches (113 wirkliche, 111 inländische korrespondierende, 253 ausländische korrespondierende Mitglieder, 20 Ehrenmitglieder). Gründungsjahr: 1847.
Präsidium: Prof. Dr. Otto Hittmair (Präsident), Prof. Hermann Vetters (Vizepräs.), Prof. Dr. Werner Welzig (Generalsekretär), Prof. Dr. Karl Schlögl (Sekretär).
Förderung und Durchführung zahlreicher Forschungsprojekte. Kommission für Literaturwissenschaft (Leitung: Prof. Dr. Günther Wytrzenes) mit Forschungen zum literarischen Leben im Donauraum, zur Literaturtheorie und Poetik und mit Editionen österreichischer Schriftsteller; Kommission für literarische Gebrauchsformen (Leitung: Prof. Dr. Werner Welzig) und Forschungen zur Predigtliteratur und zu Schnitzlers Tagebüchern; Kommission für Theatergeschichte Österreichs (Leitung: Prof. Dr. Margret Dietrich) mit Zentralarchiv wichtiger Quellen und Dokumente in Form von Mikrofilmen, Xerokopien usw.; Phonogrammarchiv; Ethnologische Kommission; Kommission für Linguistik und Kommunikationsforschung u.v.a.

P: *Abhandlungen; Sitzungsberichte; Almanach; Österreichisches Biographisches Lexikon* (-> C 2180); mehrere Reihen, darunter *Theatergeschichte Österreichs; Sprachkunst - Beiträge zur Literaturwissenschaft* (-> E 1030); Veröffentlichungen der Kommissionen; zahlreiche Einzelpublikationen.
E: Präsenzbibliothek (mit Kopiermöglichkeit):
BA: Akademieschriften (Tauschbibliothek), auch ausländischer Akademien.
Archiv (eingeschränkter Benutzerkreis):
BA: Akten der Akademie und ihrer Einrichtungen; Nachlässe von Wissenschaftlern.

2 LEHR- UND FORSCHUNGSINSTITUTE

Die Anordnung der Institute erfolgt nach Ländern und innerhalb der Länder alphabetisch nach Orten. Die mit einem * versehenen Institute haben trotz mehrfachen Anschreibens nicht geantwortet. Ihre Anschrift kann nur unter Vorbehalt weitergegeben werden.

Bundesrepublik Deutschland

I 300 Germanistisches Institut, Rheinisch-Westfälische Technische Hochschule, Eilfschornstr. 15, D-5100 Aachen. - Tel.: 0241-80.6079 (Inst.-Bibliothek: 80.6068).

I 310 Fachgebiet Deutsch, Seminar für Didaktik der deutschen und englischen Sprache, Rheinisch-Westfälische Technische Hochschule, Ahornstr. 55, D-5100 Aachen. - Tel.: 0241-80.3608.

I 320 Fachgebiet Germanistik, Philosophischer Fachbereich II, Universität Augsburg, Alter Postweg 120, D-8900 Augsburg. - Tel.: 0821-598.773.

I 330 Fachgebiet Germanistik, Fakultät Sprach- und Literaturwissenschaft, Universität Bamberg, An der Universität 5, D-8600 Bamberg. - Tel.: 0951-402.6313.

I 340 Fachgebiet Germanistik, Sprach- und Literaturwissenschaftliche Fakultät, Universität Bayreuth, Wittelsbacher Ring 6, Postfach 101251, D-8580 Bayreuth. - Tel.: 0921-55.1.

I 350 Germanisches Seminar, Fachbereich Germanistik, Freie Universität Berlin, Habelschwerdter Allee 45, D-1000 Berlin 33. - Tel.: 030-838.2220.

I 360 Institut für Allgemeine und Vergleichende Literaturwissenschaft, Fachbereich Germanistik, Freie Universität Berlin, Hüttenweg 9, D-1000 Berlin 33. - Tel.: 030-838.5003.

I 370 Institut für Deutsche Philologie, Allgemeine und Vergleichende Literaturwissenschaft, Technische Universität Berlin, Straße des 17. Juni 135, D-1000 Berlin 12.- Tel.: 030-314.22231.

I 380 Fachdidaktik Deutsch im Fachbereich Erziehungs- und Unterrichtswissenschaften der Technischen Universität Berlin, Standort Lankwitz, Straße des 17. Juni 135, D-1000 Berlin 12.

I 390 Institut für Theaterwissenschaft, Freie Universität Berlin, Riemeisterstr. 21, D-1000 Berlin 37.- Tel.: 030-838.3735.

I 400 Institut für Publizistik und Dokumentationswissenschaft, Freie Universität Berlin, Hagenstr. 56, D-1000 Berlin 33. - Tel.: 030-826.3006.

I 410 Fachgebiet Germanistik, Fakultät für Linguistik und Literaturwissenschaft, Universität Bielefeld, Universitätsstraße 25, Postfach 8640, D-4800 Bielefeld 1.- Tel.: 0521-106.1. - Telex: 932362 unibi.

I 420 Institut für Theater-, Film- und Fernsehwissenschaft, Ruhr-Universität Bochum, Universitätsstraße 150, Postfach 102148, D-4630 Bochum 1. - Tel.: 0234-700.5056.

I 430 Germanistisches Institut, Ruhr-Universität Bochum, Universitätsstr. 150, Postfach 102148, D-4630 Bochum 1. - Tel.: 0234-700.2563.

I 440 Germanistisches Seminar, Rheinische Friedrich-Wilhelms-Universität Bonn, Am Hof 1 d, D-5300 Bonn 1. - Tel.: 0228-737319 und 737320.

I 450 Seminar für deutsche Sprache und Literatur sowie ihre Didaktik, Pädagogische Fakultät der Universität Bonn, Römerstr. 164, D-5300 Bonn 1. - Tel.: 0228-550225.

I 455 Institut für Sprachpädagogik und Literaturpädagogik, Pädagogische Fakultät der Universität Bonn (-> I 450).

I 460 Seminar für deutsche Sprache und Literatur, Technische Universität Carolo-Wilhelmina, Mühlenpfordtstr. 22-23, D-3300 Braunschweig. - Tel.: 0531-3913521.

I 470 Seminar für Deutsche Sprache und Literatur und deren Didaktik, Fachbereich 9, Technische Universität Carolo-Wilhelmina, Konstantin-Uhde-Straße 16, D-3300 Braunschweig. - Tel.: 0531-3913469.

I 480 Studiengänge Deutsch, Fachbereich 10 der Universität Bremen, Postfach 330440, D-2800 Bremen 33. - Tel.: 0421-218.0.

I 490 Fachgebiet Germanistik, Institut für Sprach- und Literaturwissenschaft, Fachbereich 2, Technische Hochschule Darmstadt, Hochschulstr. 1, D-6100 Darmstadt. - Tel.: 06151-163190.

I 500 Institut für Deutsche Sprache und Literatur, Universität Dortmund, Emil-Figge-Str. 50, Postfach 500500, D-4600 Dortmund 50. - Tel.: 0231-7552900.

I 510 Germanistisches Seminar, Heinrich-Heine-Universität Düsseldorf, Universitätsstr. 1, D-4000 Düsseldorf 1. - Tel.: 0211-3111.

I 530 Fachgebiet Germanistik, Fachbereich Sprach- und Literaturwissenschaft, Universität-Gesamthochschule Duisburg, Lotharstr. 65, D-4100 Duisburg 1. - Tel.: 0203-379.

I 540 Fachgebiet Germanistik, Sprach- und Literaturwissenschaftliche Fakultät, Katholische Universität Eichstätt, Universitätsallee 1, D-8078 Eichstätt. - Tel.: 08421-20.356.

I 550 Institut für Deutsche Sprach- und Literaturwissenschaften, Friedrich-Alexander-Universität, Bismarckstr. 1, D-8520 Erlangen. - Tel.: 09131-852422.

I 560 Lehrstuhl für Didaktik der Deutschen Sprache und Literatur, Fachbereich Erziehungs- und Kulturwissenschaften, Universität Erlangen-Nürnberg, Regensburger Str. 160, D-8500 Nürnberg.

I 570 Fachgebiet Germanistik, Fachbereich Literatur- und Sprachwissenschaften, Universität-Gesamthochschule Essen, Universitätsstr. 2, D-4300 Essen 1. - Tel.: 0201-1831.

I 580 Fachgebiet Deutsch, Berufspädagogische Hochschule Esslingen, Flandernstr. 103, D-7300 Esslingen 1. - Tel.: 0711-394396.

I 590 Deutsches Seminar, Pädagogische Hochschule Flensburg, Mürwiker Str. 77, D-2390 Flensburg 5. - Tel.: 0461-35053.

I 600 Sprechwissenschaftlicher Arbeitsbereich, Fachbereich Neuere Philologien, Senckenberganlage 27, D-6000 Frankfurt/M. - Tel.: 069-798.2275.

I 610 Institut für Deutsche Sprache und Literatur I, Johann-Wolfgang-Goethe-Universität, Georg-Voigt-Str. 12, D-6000 Frankfurt/ Main. - Tel.: 069-798.2598 und 798.2944.

I 620 Institut für Deutsche Sprache und Literatur II, Johann Wolfgang Goethe-Universität, Gräfstr. 76, D-6000 Frankfurt/Main 90. - Tel.: 069-7982132.

I 630 Institut für Jugendbuchforschung, Johann-Wolfgang-Goethe-Universität, Myliusstr. 30, D-6000 Frankfurt/M. - Tel.: 069-798.3564.

I 640 Deutsches Seminar I, Institut für Deutsche Sprache und Ältere Literatur, Albert-Ludwigs-Universität, Werthmannplatz, D-7800 Freiburg. - Tel.: 0761-203.3037.

I 650 Deutsches Seminar II, Institut für Neuere Deutsche Literatur, Albert-Ludwigs-Universität, Werthmannplatz, D-7800 Freiburg. - Tel.: 0761-203.2983.

I 660 Institut für Volkskunde, Albert-Ludwigs-Universität, Maximilianstr. 15, D-7800 Freiburg. - Tel.: 0761-203.2607.

I 670 Fachgebiet Deutsch, Pädagogische Hochschule Freiburg, Kunzenweg 21, D-7800 Freiburg.- Tel.: 0761-6821.

I 680 Fachbereich Germanistik, Justus-Liebig-Universität Gießen, Otto-Behaghel-Str. 10, D-6300 Gießen. -Tel.: 0641-702.5529.

I 690 Seminar für Deutsche Philologie, Georg-August-Universität, Humboldtallee 13, D-3400 Göttingen. - Tel.: 0551-397510 und 397512.

I 700 Deutsche Sprache und Literatur und ihre Didaktik im Seminar für Didaktik der Sprache, Literatur und Landeskunde, Fachbereich Erziehungswissenschaften, Georg-August-Universität, Waldweg 26, D-3400 Göttingen. - Tel.: 0551-45081.5.

I 710 Seminar für Volkskunde, Georg-August-Universität, Friedländer Weg 2, D-3400 Göttingen. - Tel.: 0551-39.5352.

I 715 Arbeitsbereich Neuere deutsche Literaturwissenschaft, Fachbereich Erziehungs-, Sozial- und Geisteswissenschaften, Fernuniversität Hagen, Feithstr. 188, Postfach 940, D-5800 Hagen 1.

I 720 Literaturwissenschaftliches Seminar, Universität Hamburg, Von-Melle-Park 6, D-2000 Hamburg 13. - Tel.: 040-4123.4822.

I 730 Zentrum für Theaterforschung, Hamburger Theatersammlung, Universität Hamburg, Von-Melle-Park 3, D-2000 Hamburg 13. - Tel.: 040-4123.6511.

I 740 Germanisches Seminar, Universität Hamburg, Von-Melle-Park 6, D-2000 Hamburg 13. - Tel.: 040-4123.4779.

I 750 Didaktik der deutschen Sprache und Literatur, Institut für Didaktik der Sprachen, Fachbereich Erziehungswissenschaft, Universität Hamburg, Von-Melle-Park 8, D-2000 Hamburg 13. - Tel.: 040-4123.2115.

I 760 Seminar für Deutsche Literatur und Sprache, Universität Hannover, Welfengarten 1, D-3000 Hannover 1. - Tel.: 0511-762.4509.

I 770 Deutsche Sprache und Literatur und ihre Didaktik, Fachbereich Erziehungswissenschaften I, Universität Hannover, Bismarckstr. 2, D-3000 Hannover 1. - Tel.: 0511-808061.

I 780 Germanistisches Seminar, Neuphilologische Fakultät, Universität Heidelberg, Hauptstr. 207-209, Postfach 105760, D-6900 Heidelberg. - Tel.: 06221-54.3201 und 54.3212 (Bibliothek).

I 790 Fachgebiet Deutsch, Fachbereich II der Pädagogischen Hochschule Heidelberg, Im Neuenheimer Feld 561, D-6900 Heidelberg. - Tel.: 06221-477317.

I 800 Fach Deutsche Sprache und Literatur und ihre Didaktik, Fachbereich II, Hochschule für Erziehungs-, Sprach- und Kulturwissenschaften, Marienburger Platz 22, D-3200 Hildesheim. - Tel.: 0561-81061 bis 81063.

I 810 Institut für Literaturwissenschaft (Mediävistik), Universität Karlsruhe, Kaiserstr. 12, Postfach 6980, D-7500 Karlsruhe 1. - Tel.: 0721-608.2900.

I 820 Institut für Literaturwissenschaft, Universität Karlsruhe, Kollegium am Schloß, Bau II, D-7500 Karlsruhe 1. - Tel.: 0721-608.2150 und 608.2151.

I 825 Interfakultatives Institut für Angewandte Kulturwissenschaft, Universität Karlsruhe, D-7500 Karlsruhe 1. - Tel.:0721-608.3223.

I 830 Fachgebiet Deutsch, Fachbereich II der Pädagogischen Hochschule Karlsruhe, Bismarckstr. 10, D-7500 Karlsruhe 1. - Tel.: 0721-23991.

I 840 Fachbereich 09 Germanistik, Gesamthochschule Kassel, Georg-Forster-Str. 3, Postfach 101318, D-3500 Kassel. - Tel.: 0561-804.3322.

I 850 Germanistisches Seminar mit Niederdeutscher Abteilung, Universität Kiel, Olshausenstr. 40, D-2300 Kiel 1. - Tel.: 0431-880.2318.

I 860 Institut für Literaturwissenschaft, Universität Kiel, Leibnizstr. 8, D-2300 Kiel 1. - Tel.: 0431-880.2328.

I 870 Seminar für Deutsche Sprache und Literatur und ihre Didaktik, Pädagogische Hochschule Kiel, Olshausenstr. 75, D-2300 Kiel. - Tel.: 0431-880.01.

I 880 Seminar für Deutsch, Fachbereich II der Abteilung Koblenz der Erziehungswissenschaftlichen Hochschule Rheinland-Pfalz, Rheinaue 3-4, D-5400 Koblenz-Oberwerth. - Tel.: 0261-12156.

I 890 Institut für deutsche Sprache und Literatur, Universität zu Köln, Albertus-Magnus-Platz, D-5000 Köln 41. - Tel.: 0221-470.2675 und 470.5214.

I 900 Seminar für Deutsche und Englische Sprache und ihre Didaktik, Deutsche Abteilung, Universität zu Köln, Gronewaldstr. 2, D-5000 Köln 41. - Tel.: 0221-470.4765.

I 910 Institut für Theater-, Film- und Fernsehwissenschaft, Universität zu Köln, Schloß Wahn, D-5000 Köln 90. - Tel.: 02203-64185.

I 920 Germanistik, Fachgruppe Literaturwissenschaft, Universität Konstanz, Universitätsstr. 10, Postfach 5560, D-7750 Konstanz. - Tel.: 07531-88.2421 und 88.2420.

I 930 Seminar für Deutsch, Abteilung Landau der Erziehungswissenschaftlichen Hochschule Rheinland-Pfalz, Im Fort 7, D-6740 Landau. - Tel.: 06341-2800.

I 950 *Fach Deutsch, Fachbereich II der Pädagogischen Hochschule Ludwigsburg, Reuteallee 46, D-7140 Ludwigsburg. - Tel.: 07141-140.1.

I 960 Fach Deutsch, Hochschule Lüneburg, Rotenbleicher Weg 42, D-2120 Lüneburg. - Tel.: 04131-7140.

I 970 *Deutsches Institut, Fachbereich Philologie I, Johannes-Gutenberg-Universität, Welderweg 18, D-6500 Mainz. - Tel.: 06131-391.

I 980 Institut für Allgemeine und Vergleichende Literaturwissenschaft, Fachbereich Philologie I, Johannes-Gutenberg-Universität, Postfach 3980, D-6500 Mainz. - Tel.: 06131-392543.

I 985 Germanistisches Institut, Fachbereich Angewandte Sprachwissenschaft, Johannes-Gutenberg-Universität, An der Hochschule 2, D-6728 Germersheim.

I 990 Seminar für Deutsche Philologie, Universität Mannheim, Schloß, D-6800 Mannheim 1. - Tel.: 0621-2925364.

I 1000 Institut für Deutsche Philologie des Mittelalters, Fachbereich 8: Allgemeine und Germanistische Linguistik und Philologie, Philipps-Universität, Wilhelm-Röpke-Str. 6/A, D-3550 Marburg. - Tel.: 06421-28.4681 und 28.4661 (Bibliothek).

I 1010 Institut für Neuere deutsche Literatur, Fachbereich 9: Neuere deutsche Literatur und Kunstwissenschaften, Philipps-Universität, Wilhelm-Röpke-Str. 6/A, D-3550 Marburg. - Tel.: 06421-28.4651 und 28.4661 (Bibliothek).

I 1020 Institut für Deutsche Philologie, Ludwig-Maximilian-Universität, Schellingstr. 3, D-8000 München 40. - Tel.: 089-2180.2370 und 2180.3412.

I 1025 Institut für Allgemeine und Vergleichende Literaturwissenschaft, Ludwig-Maximilian-Universität, Schellingstr. 3, D-8000 München 40.

I 1030 Institut für Theaterwissenschaft, Ludwig-Maximilian-Universität, Ludwigstr. 25, D-8000 München 22. - Tel.: 089-2180.2490 und 2180.3503 (Bibliothek).

I 1035 Institut für Bayerische Literaturgeschichte, Ludwig-Maximilian-Universität, Karolinenplatz 3, D-8000 München 20.

I 1040 Institut für deutsche und vergleichende Volkskunde, Ludwig-Maximilian-Universität, Ludwigstr. 25, D-8000 München 22. - Tel.: 089-2180.2348.

I 1050 Institut für Kommunikationswissenschaft (Zeitungswissenschaft), Schellingstr. 33/Rgb., D-8000 München 40. - Tel.: 089-2180.2384.

I 1060 Germanistisches Institut, Westfälische Wilhelms-Universität, Abt. Deutsche Literatur des Mittelalters und Deutsche Sprache, Johannisstr. 1-4, D-4400 Münster. - Tel.: 0251-83.4410.

I 1070 Germanistisches Institut, Westfälische Wilhelms-Universität, Abt. Neuere deutsche Literatur und Vergleichende Literaturwissenschaft, Domplatz 20-22, D-4400 Münster. - Tel.: 0251-83.4448.

I 1080 Fachbereich 21: Institut für Deutsche Sprache und Literatur und ihre Didaktik, Westfälische Wilhelms-Universität, Fliednerstr. 21, Pavillon 1, D-4400 Münster. - Tel.: 0251-83.9313, 83.9314 und 83.9142.

I 1090 Fachbereich 11, Literatur- und Sprachwissenschaften, Universität Oldenburg, Ammerländer Heerstr. 67-99, D-2900 Oldenburg. - Tel.: 0441-798.2903.

I 1100 Fachgebiet Deutsch, Fachbereich 7, Universität Osnabrück, Neuer Graben, D-4500 Osnabrück. - Tel.: 0541-608.4197.

I 1110 Fachgebiet Germanistik, Fachbereich 3: Sprach- und Literaturwissenschaften, Universität-Gesamthochschule Paderborn, Warburger Str. 100, D-4790 Paderborn. - Tel.: 05251-60.2877.

I 1115 Fachgebiet Germanistik, Universität Passau, Innstr. 40, D-8390 Passau.

I 1120 Institut für Germanistik, Fachbereich Sprach- und Literaturwissenschaften, Universität Regensburg, Universitätsstr. 31, Postfach 397, D-8400 Regensburg 1. - Tel.: 0941-943.1.

I 1140 Fachrichtung Germanistik, Fachbereich 8: Neuere Sprach- und Literaturwissenschaften, Universität des Saarlandes, Im Stadtwald, D-6600 Saarbrücken 11. - Tel.: 0681-302.2306.

I 1150 Fachrichtung Allgemeine und Vergleichende Literaturwissenschaft, Fachbereich 8: Neuere Sprach- und Literaturwissenschaften, Universität des Saarlandes, Im Stadtwald, D-6600 Saarbrücken 11. - Tel.: 0681-302.2310.

I 1160 Fachgebiet Deutsch, Fachbereich II, Pädagogische Hochschule Schwäbisch-Gmünd, Oberbettringer Str. 200, D-7070 Schwäbisch Gmünd. - Tel.: 07171-6061.

I 1170 Fach Germanistik, Fachbereich Sprach- und Literaturwissenschaften, Universität-Gesamthochschule Siegen, Adolf-Reichwein-Str. 2, D-5900 Siegen 21.- Tel.: 0271-740.1.

I 1180 Institut für Literaturwissenschaft, Germanistik, Universität Stuttgart, Keplerstr. 17, D-7000 Stuttgart. - Tel.: 0711-121.3059 und 121.3070.

I 1190 Fach Germanistik, Fachbereich II: Sprach- und Literaturwissenschaften, Universität Trier, Postfach 3825, D-5500 Trier-Tarforst. - Tel.: 0651-201.2324.

I 1200 Deutsches Seminar, Eberhard-Karls-Universität, Wilhelmstr. 50, D-7400 Tübingen 1. - Tel.: 07071-29.4325 und 29.2372.

I 1210 Fachgebiet Deutsch, Fachbereich 12, Universität Osnabrück, Abteilung Vechta, Driverstr. 22, Postfach 1553, D-2848 Vechta. - Tel.: 04441-15.1.

I 1220 *Fach Deutsche Sprache und Literatur, Fachbereich II, Pädagogische Hochschule Weingarten, Kirchplatz 2, D-7987 Weingarten. - Tel.: 0751-44081.

I 1230 Institut für Deutsche Philologie, Bayerische Julius-Maximilians-Universität, Am Hubland, D-8700 Würzburg. - Tel.: 0931-888.633.

I 1240 Fach Germanistik, Fachbereich Sprach- und Literaturwissenschaften, Bergische Universität-Gesamthochschule Wuppertal, Gaußstr. 20, D-5600 Wuppertal 1. - Tel.: 0202-439.2141 und 439.2142.

Deutsche Demokratische Republik

I 1250 Sektion Germanistik, Humboldt-Universität, Clara-Zetkin-Str. 1, Berlin 1080 DDR. - Tel.: [0037] 02-2032922.

I 1260 Wissenschaftsbereich Theaterwissenschaft/Wissenschaft der darstellenden Kunst, Humboldt-Universität, Universitätsstr. 3 b, Berlin 1080 DDR. - Tel.: [0037] 02-20315480.

I 1270 *Sektion Germanistik, Pädagogische Hochschule "Karl Friedrich Wilhelm Wander", Postfach 365, Wigardstr. 17, Dresden 8060 DDR. - Tel.: [0037] 051-5990270.

I 1280 Sektion Germanistik, Kunst- und Musikwissenschaft, Ernst-Moritz-Arndt-Universität, Domstr. 9 a, Greifswald 2200 DDR. - Tel.: [0037] 0822-2546 und 2547.

I 1290 Sektion Germanistik und Kunstwissenschaften, Wissenschaftsbereich Deutsche Literatur, Martin-Luther-Universität, Universitätsring 4, Halle 4010 DDR. Tel.: [0037] 046-832349.

I 1295 Wissenschaftsbereich Theorie und Soziologie der Künste, Dr. Richard-Sorge-Str. 2, Halle 4010 DDR. - Tel.: [0037] 046-25713.

I 1300 Sektion Literatur- und Kunstwissenschaft, Friedrich-Schiller-Universität, Universitätshochhaus, Jena 6900 DDR. - Tel.: [0037] 078-8224124.

I 1310 Sektion Germanistik und Literaturwissenschaft, Karl-Marx-Universität, Leipzig 7010 DDR. - Tel.: [0037] 041-7190.

I 1320 Sektion Germanistik/Slawistik, Pädagogische Hochschule "Clara Zetkin", Karl-Heine-Str. 22b, Leipzig 7031 DDR. - Tel.: [0037] 041-49770.

I 1330 Institut für Literatur "Johannes R. Becher", Karl-Tauchnitz-Str. 8, Postfach 547, Leipzig 7010 DDR. - Tel.: [0037] 041-310281.

I 1340 Sektion Germanistik, Pädagogische Hochschule "Erich Weinert", Brandenburger Str. 9, Postfach 258, Magdeburg 3040 DDR. - Tel.: [0037] 091-33621.

I 1350 Sektion Germanistik, Pädagogische Hochschule "Karl Liebknecht", Am Neuen Palais, Potsdam 1571 DDR. - Tel.: [0037] 033-9100.

I 1360 Sektion Sprach- und Literaturwissenschaften/Germanistik, Wilhelm-Pieck-Universität, Kröpeliner Str. 26, Rostock 2500 DDR. - Tel.: [0037] 081-369230.

I 1370 *Sektion Literaturwissenschaft, Pädagogische Hochschule "Ernst Schneller", Scheffelstr. 39, Postfach 92, Zwickau 9500 DDR. - Tel.: [0037] 074-7480.

Österreich

I 1380 Institut für Germanistik, Karl-Franzens-Universität, Universitätsplatz 3, A-8010 Graz. - Tel.: [0043] 0316-31581.

I 1390 Institut für Germanistik, Leopold-Franzens-Universität, Innrain 52, A-6020 Innsbruck. - Tel.: [0043] 05222-507.3453.

I 1400 Institut für Vergleichende Literaturwissenschaft, Leopold-Franzens-Universität, Innrain 52, A-6020 Innsbruck. - Tel.: [0043] 05222-507.3650 bis 507.3653.

I 1410 Germanistisches Institut, Universität für Bildungswissenschaften, Universitätsstraße 65-67, A-9022 Klagenfurt. - Tel.: [0043] 0463-5317, App. 449.

I 1420 Institut für Germanistik, Universität Salzburg, Akademiestr. 20, A-5020 Salzburg. - Tel.: [0043] 0662-8044.4350.

I 1440 Institut für Germanistik, Universität Wien, Hanuschgasse 3, A-1010 Wien. - Tel.: [0043] 0222-512.85460.

I 1450 Institut für Theaterwissenschaft, Universität Wien, Hofburg, Batthyanystiege, A-1010 Wien. - Tel.: [0043] 0222-5335086.

I 1460 Internationales Institut für Jugendliteratur und Leseforschung, Mayerhofgasse 6, A-1040 Wien. - Tel.: [0043] 0222-650359 und 5052831.

S c h w e i z

I 1470 Deutsches Seminar, Universität Basel, Clarastr. 13, CH-4058 Basel. - Tel.: [0041] 061-6811803.

I 1480 Deutsches Seminar, Universität Bern, Schützenmattstr. 14, CH-3012 Bern. - Tel.: [0041] 031-658311.

I 1490 Seminar für Deutsche Literatur, Universität Freiburg, Cité Miséricorde, CH-1700 Freiburg. - Tel.: [0041] 037-219544 und 219533.

I 1500 Département de Langue et Littérature allemandes, Université de Genève, 3, Place de l'Université, CH-1211 Genève 4. - Tel.: [0041] 022-209333.

I 1510 Séminaire d'Allemand, Université de Lausanne, Bâtiment des Sciences Humaines II, CH-1015 Lausanne. - Tel.: [0041] 021-692.4603.

I 1520 Fachbereich für deutsche Sprache und Literatur, Hochschule für Wirtschafts-, Rechts- und Sozialwissenschaften, Dufourstr. 50, CH-9000 St. Gallen. - Tel.: [0041] 071-302211.

I 1530 Deutsches Seminar, Universität Zürich, Rämisstr. 74-76, CH-8001 Zürich. - Tel.: [0041] 01-257.2571.

I 1540 Seminar für Vergleichende Literaturwissenschaft, Universität Zürich, Plattenstr. 43, CH-8032 Zürich. - Tel.: [0041] 01-257.3531.

I 1550 Lehrstühle für deutsche Sprache und Literatur, Eidgenössische Technische Hochschule, E.T.H. Hauptgebäude E 68, Rämisstr. 101, CH-8092 Zürich. - Tel.: [0041] 01-256.4035.

3 SONSTIGE FORSCHUNGS- UND ARBEITSSTELLEN

Die Anordnung der Forschungs- und Arbeitsstellen erfolgt alphabetisch nach Schlagwörtern (kursiv gedruckt).

I 1710 Arbeitsstelle *"Achtzehntes Jahrhundert"*, Fach Germanistik, Gesamthochschule Wuppertal (-> I 1240).

I 1720 DFG-Projekt *"Altjiddische Texte"*, c/o Fachbereich Germanistik, Universität Trier (-> I 1190).

I 1730 Internationaler Arbeitskreis für *Barockliteratur*, c/o Herzog August Bibliothek (-> H 90).

I 1740 *Bernoulli*-Edition, Forschungsstelle Basel, c/o Öffentliche Bibliothek der Universität, Schönbeinstr. 18-20, CH-4056 Basel.

I 1750 Deutsches *Bibelarchiv*, c/o Germanisches Seminar, Universität Hamburg (-> I 740, G 130).

I 1760 Arbeitsstelle *"Bibliographie* des 16. Jahrhunderts"*, c/o Bayerische Staatsbibliothek (-> H 70).

I 1770 Wolfenbütteler Arbeitskreis für *Bibliotheksgeschichte*, c/o Herzog August Bibliothek (-> H 90).

I 1780 Ernst-*Bloch*-Archiv, c/o Stadtbibliothek, Ludwigshafen (-> F 280).

I 1785 Arbeitsstelle Bertolt *Brecht* am Institut für Literaturwissenschaft der Universität Karlsruhe, Kapellenweg 22, D-7500 Karlsruhe 1. - Tel.: 0721-387449.

I 1790 Forschungsstelle *"Brenner-Archiv"* (-> G 150).

I 1795 Forschungsstelle "Martin *Bucers* Deutsche Schriften" der Heidelberger Akademie der Wissenschaften (-> I 20), Bäckergasse 22, D-4400 Münster.

I 1800 Wolfenbüttler Arbeitskreis für Geschichte des *Buchwesens*, c/o Herzog August Bibliothek (-> H 90).

I 1810 Forschungsstelle "Georg *Büchner*/Literatur und Geschichte des Vormärz", c/o Institut für Neuere Deutsche Literatur, Universität Marburg (-> I 1010).

I 1820 Arbeitsstelle Paul-*Celan*-Ausgabe, c/o Germanistisches Seminar, Universität Bonn (-> I 440).

I 1825 Projekt zur wissenschaftlichen Erschließung der Fürstlichen Bibliothek *Corvey* für die Öffentlichkeit, c/o Fürstliche Bibliothek Corvey (-> F 1820). - Tel.: 05251-60.3093.

I 1830 Forschungsstelle *"Deutsche Literatur von 1933 bis 1945"*, c/o Fachgebiet Germanistik, Gesamthochschule Wuppertal (-> I 1240).

I 1835 Arbeitsstelle für Fortbildung von *Deutschlehrern* im Ausland, c/o Fachbereich 21, Universität Münster (-> I 1080).

I 1840 *Droste*-Forschungsstelle, Salzstr. 22-23, D-4400 Münster. - Tel.: 0251-5914681.

I 1843 *Editionswissenschaftliche* Forschungsstelle, Fachbereich 7, Universität Osnabrück (-> I 1100). - Tel.: 0541-608.4366.

I 1848 *Eichendorff*-Institut an der Universität Düsseldorf, Literaturwissenschaftliches Institut der Stiftung Haus Oberschlesien, Bahnhofstr. 71, D-4030 Ratingen 6. - Tel.: 02102-67341.

I 1850 Arbeitsstelle für *Exilliteratur* c/o Literaturwissenschaftliches Seminar, Universität Hamburg (-> I 730).

I 1860 Arbeitsstelle für *Exilliteratur*, c/o Akademie der Wissenschaften und der Literatur zu Mainz (-> I 50).

I 1861 Arbeitsstelle für *Fachsprachen* und institutionelle Kommunikation, c/o Germanisches Seminar, Universität Hamburg (-> I 740).

I 1863 Arbeitsstelle Hubert *Fichte*, c/o Literaturwissenschaftliches Seminar, Universität Hamburg (-> I 720).

I 1865 Stiftung *Frauen*-Literatur-Forschung (-> L 75, H 155).

I 1868 Arbeitsstelle *Frauenlob*-Wörterbuch, c/o Seminar für Deutsche Philologie, Universität Göttingen (-> I 690).

I 1870 Dokumentationsstelle für *Gefangenenliteratur*, c/o Fachbereich 21, Universität Münster (-> 1080).

I 1875 Arbeitsstelle "Das *geistliche* Spiel", c/o Germanistisches Seminar, Universität Bonn (-> I 440).

I 1880 Arbeitsstelle Münchner *Goethe*-Ausgabe, c/o Fachrichtung Germanistik, Universität Saarbrücken (-> I 1140).

I 1890 Forschungsstelle Goethe-Wörterbuch der Heidelberger-Akademie der Wissenschaften (-> I 20). Arbeitsstelle Tübingen, (Frischlinstr. 7, 7400 Tübingen. - Tel.: 07071-292146). Weitere Arbeitsstellen in Hamburg (Göttinger Akademie der Wissenschaften [-> I 10] und Berlin Ost (Akademie der Wissenschaften der DDR [-> I 180]).

I 1900 Klaus *Groth*-Forschungsstelle, c/o Germanistisches Seminar, Universität Kiel (-> I 850).

I 1903 Forschungsstelle "Kommentierung des *Hamann*-Briefwechsels" der Heidelberger Akademie der Wissenschaften (-> I 20), Hauptstr. 207-209, D-6900 Heidelberg. - Tel.: 06221-543223.

I 1905 *Hamburgisches* Wörterbuch, c/o Germanisches Seminar, Universität Hamburg (-> I 740).

I 1910 Arbeitsstelle "Fritz von *Herzmanovsky*-Orlando-Edition", c/o Brenner-Archiv (-> G 150).

I 1915 Forschungsstelle Deutsche *Inschriften* des Mittelalters der Heidelberger Akademie der Wissenschaften (-> I 20), Karlstr. 4, D-6900 Heidelberg. - Tel.: 06221-543269.

I 1920 Friedrich-Heinrich-*Jacobi*-Forschungsstelle, c/o Fachgebiet Germanistik, Universität Bamberg (-> I 33).

I 1930 Arbeitsstelle für die Franz-*Kafka*-Edition, c/o Fachgebiet Germanistik, Universität/Gesamthochschule Wuppertal (-> I 1240).

I 1940 Arbeitsstelle für *Kinder-* und Jugendliteratur, Universität zu Köln, Richard-Wagner-Str. 39, D-5000 Köln 1. - Tel.: 0221-470.4068 und 470.4069.

I 1950 Institut für *klassische* deutsche Literatur -> NFG (G 10).

I 1960 *Kleist*-Arbeitsstelle, c/o Institut für Germanistik, Universität Regensburg (-> I 1120).
I 1970 Arbeitsstelle "Hamburger *Klopstock*-Ausgabe", c/o SUB Hamburg (-> F 320). - Tel.: 040-4123.2213.

I 1990 Arbeitsstelle "Edition des Briefwechsels G.C. *Lichtenbergs*", c/o Akademie der Wissenschaften Göttingen (-> I 10). - Tel.: 0551-395393.

I 1993 Arbeitsstelle für *literarische* Museen, Archive und Gedenkstätten, c/o Deutsches Literaturarchiv (-> G 20).

I 1995 Arbeitsstelle *Literaturkritik*, c/o Seminar für Deutsche Philologie, Universität Göttingen (-> I 690).

I 2000 Arbeitsstelle "Wörterbuch zur Begriffsgeschichte der deutschen *Literaturtheorie* und -kritik des 17. und 18. Jahrhunderts", c/o Germanistisches Seminar Universität Bonn (-> I 440).

I 2005 Arbeitsstelle *Luther-*/Müntzer-Rezeption, c/o Seminar für Deutsche Philologie, Universität Göttingen (-> G 90).

I 2010 Arbeitsstelle "*Lyrik* des Mittelalters und Heldenepik (Verfasserlexikon)", c/o Deutsches Seminar, Universität Tübingen (-> I 1200).

I 2020 Arbeitsstelle "*Maler-Müller-Ausgabe*", Benzinoring 6, D-6750 Kaiserslautern. Oder: Fachrichtung Germanistik, Universität Saarbrücken (-> I 1140).

I 2030 Arbeitskreis Heinrich *Mann*, c/o Arbeitskreis-Heinrich-Mann-Mitteilungsblatt (Redaktion), Lehrstuhl für Neuere Deutsche Literaturwissenschaft, Universität Bamberg (-> I 330). Oder: Senat der Hansestadt Lübeck, Amt für Kultur, Rathaushof, D-2400 Lübeck 1.

I 2040 "Catalogue des *manuscripts* datés en Suisse", c/o Stiftsbibliothek, Klosterhof, CH-9000 St. Gallen.

I 2050 *Melanchthon*-Forschungsstelle der Heidelberger Akademie der Wissenschaften (-> I 20), Heiliggeiststr. 15, D-6900 Heidelberg. - Tel.: 06221-26328.

I 2051 SFB 231: Träger, Felder, Formen pragmatischer Schriftlichkeit im *Mittelalter*, Salzstr. 41, D-4400 Münster. - Tel.: 0251-83.2071.

I 2053 Hamburger Arbeitsstelle des *Mittelhochdeutschen* Wörterbuchs, c/o Germanisches Seminar, Universität Hamburg (-> I 740).

I 2055 *Mittelniederdeutsches* Wörterbuch, c/o Germanisches Seminar, Universität Hamburg (-> I 740).

I 2056 Forschungsstelle für *Mittlere* Deutsche Literatur (-> C 70). Fabeckstr. 17, D-1000 Berlin 33. - Tel.: 030-838.4104.

I 2058 *Möser*-Dokumentationsstelle, c/o UB Osnabrück, Alte Münze 10, D-4500 Osnabrück. - Tel.: 0541-608.4450.

I 2060 Arbeitsstelle für Robert-*Musil*-Forschung, c/o Fachrichtung Germanistik, Universität Saarbrücken (-> I 1140).

I 2063 Carl-von-*Ossietzky*-Forschungsstelle, Universität Oldenburg (-> I 1090).

I 2065 Arbeitsstelle *Pommersches* Wörterbuch, c/o Seminar für Deutsche Philologie, Universität Göttingen (-> I 690).

I 2068 Forschungsstelle für *Prager* Deutsche Literatur, c/o Fachgebiet Germanistik, Universität/Gesamthochschule Wuppertal (-> I 1240).

I 2070 Arbeitsstelle "*Prosa* des deutschen Mittelalters (Verfasserlexikon)", c/o Institut für deutsche Philologie, Universität Würzburg (-> I 1230).

I 2072 Arbeitsstelle für *Randgruppenliteratur*/-kultur, c/o Fachbereich 21, Universität Münster (-> I 1080).

I 2075 Forschungsstelle "Deutsches *Rechtswörterbuch*" der Heidelberger Akademie der Wissenschaften (-> I 20), Karlstr. 4, D-6900 Heidelberg. - Tel.: 06221-543270, 543271 und 543263.

I 2080 Arbeitsstelle für Gustav-*Regler*-Forschung, c/o Fachrichtung Germanistik, Universität Saarbrücken (-> I 1140). - Tel.: 0681-302.2394.

I 2085 Dokumentationsstelle E.M. *Remarque*, c/o Fachgebiet Deutsch, Universität Osnabrück (-> I 1100).

I 2090 Arbeitsstelle für *Renaissance*-Forschung, c/o Fachgebiet Germanistik, Universität Bamberg (-> I 330).

I 2110 Wolfenbütteler Arbeitskreis für *Renaissanceforschung*, c/o Herzog August Bibliothek (-> H 90).

I 2115 Arbeitsstelle *Rhetorik*, Fachbereich 11, Universität Oldenburg (-> I 1090).

I 2120 Forschungsstelle "*Sage*", c/o Deutsches Seminar, Abt. Volkskunde, Universität Freiburg (-> I 660).

I 2130 Arbeitsstelle "Repertorium der *Sangsprüche* und Meisterlieder des 12. bis 18. Jahrhunderts", c/o Institut für deutsche Philologie, Universität Würzburg (-> I 1230).

I 2140 Arbeitsstelle "Repertorium der *Sangsprüche* und Meisterlieder", c/o Deutsches Seminar, Universität Tübingen (-> I 1200).

I 2145 Arbeitsstelle *Spätmittelalter* und Humanismus, c/o Seminar für Deutsche Philologie, Universität Göttingen (-> I 690).

I 2150 Arbeitsstelle "*Steinburger Studien*", Dr. Alexander Ritter, Ferdinand-Sauerbruch-Str. 2, D-2210 Itzehoe. - Tel.: 04821-78240.

I 2160 Arbeitsstelle zur Redaktion der Kritischen Theodor-*Storm*-Brief-Ausgabe, c/o Theodor-Storm-Haus (-> G 790).

I 2170 *Tatian*-Forschungsstelle, c/o Institut für deutsche Sprache und Literatur, Universität Köln (-> I 890).

I 2172 Arbeitsstelle für *Theaterpädagogik*, c/o Fachbereich 21, Universität Münster (-> I 1080).

I 2174 Arbeitsstelle für Ludwig-*Thoma*-Edition, c/o Institut für Germanistik, Universität Regensburg (-> I 1120).

I 2175 SFB 309: Die literarische *Übersetzung*, Nikolausberger Weg 7b, D-3400 Göttingen. - Tel.: 0551-395495.

I 2176 Forschungsstelle Theorie und Praxis der literarischen *Übersetzung*, Centre de Traduction de Lausanne, Bâtiment des Sciences Humaines II, CH-1015 Lausanne. - Tel.: [0041] 021-692.4603.

I 2180 Forschungsstelle für *Volkskunde* in Bremen und Niedersachsen (-> G 870).

I 2185 Editions- und Forschungsstelle Frank *Wedekind*, Eugen-Bracht-Weg 6, D-6100 Darmstadt. - Tel.: 06151-424231.

I 2188 Arbeitsstelle für *westfälische* Literatur, Haus Rüschhaus, Am Rüschhaus 81, D-4400 Münster. - Tel.: 02533-1317.

I 2200 Arbeitsstelle "Alfred-*Wolfenstein*-Ausgabe", c/o Akademie der Wissenschaften und der Literatur zu Mainz (-> I 50).

I 2210 Arbeitsstelle "Index deutscher Rezensions-*Zeitschriften* des 18. Jahrhunderts", c/o Akademie der Wissenschaften Göttingen (-> I 10). - Tel.: 0551-395393.

TEIL K: AUTORENVERBÄNDE, GEWERKSCHAFTLICHE UND SONSTIGE BERUFSORGANISATIONEN

Die Aufnahme der Verbände und Organisationen erfolgt nach überregionalen Gesichtspunkten. Vollständigkeit wird nicht angestrebt. Die Wiedergabe der Anschrift und die Kommentierung erfolgen auf Grund der Auskünfte der Betroffenen. Bei den mit einem * versehenen Verbänden ist mit einem Wechsel im Vorstand eine Änderung der Adresse verbunden.

Abkürzungen: A = allgemeine Zielsetzungen; B = besondere Aktivitäten; G = Gründungsjahr; MA = Bedingungen der Mitgliederaufnahme; MZ = Zahl der Mitglieder; O = Organe, Organisationsstruktur; V = Vorstand, Präsidium.

1 BUNDESREPUBLIK DEUTSCHLAND

K 10 Verband deutscher Schriftsteller in der Industriegewerkschaft Medien (VS). Bundesgeschäftsstelle, Friedrichstr. 15, D-7000 Stuttgart 1. - Tel.: 0711-2018.236.

A: Berufsgruppe der deutschsprachigen Schriftsteller in der IG Druck und Papier mit dem Zweck, die kulturellen, rechtlichen, beruflichen und sozialen Interessen ihrer Mitglieder zu fördern und zu vertreten sowie die internationalen Beziehungen der Schriftsteller zu pflegen.

B: Ausrichtung eines Schriftstellerkongresses (alle 3 Jahre). Mitgliederzeitschrift *Die Feder* (monatlich). Publikationsreihe *VS-vertraulich*.

G: 1969.

MA: Nachweis einer Buchveröffentlichung, der Sendung eines Hör-/Fernsehspiels, Übersetzung oder ähnlichen schriftstellerischen Tätigkeit.

MZ: 2450.

O: Landesbezirksmitgliederversammlung, Landesbezirksvorstand, Bundesdelegiertenkonferenz, Bundesmitgliederversammlung (Schriftstellerkongreß), Bundesvorstand. Der VS gliedert sich in 10 Landesbezirke.

V: Uwe Friesel (Vorsitzender), Arnfrid Astel, Felix Huby (Stellvertr.)

K 20 Freier deutscher Autorenverband. Schutzverband deutscher Schriftsteller e.V. (FDA), Pacellistr. 8, D-8000 München 2. - Tel.: 089-224452.

A: Berufsorganisation für deutschsprachige Autoren (Schriftsteller, Texter, Kritiker, Librettisten sowie sonstige publizierende Kunst- und Kulturschaffende) und Autorenerben gleich welcher Staatsangehörigkeit. Der FDA fördert und schützt das deutsche Kunst- und Kulturschaffen, und zwar insbesondere die geistige Freiheit, soziale Gerechtigkeit und wirtschaftliche Unabhängigkeit. Der FDA sichert und erhält den autonomen Freiheitsraum der Kulturschaffenden ohne Unterschied von Geschlecht, Rasse, Hautfarbe, Sprache, Religion, Herkunft, Geburt, politischer oder sonstiger Anschauung.

B: Ausrichtung von Kongressen. Publikationen der *FDA-Briefe*.
G: 1973.
MA: Antrag beim Vorstand und Nachweis einer Publikation.
MZ: 1200.
O: Bundestagung (Delegierte der Landesverbände), Präsidialrat, Präsidium, Deutscher Autorenrat (DAR). Landesbezirke.
V: Prof. Dr. Nikolaus Lobkowicz (Präsident), Reinhard Hauschild (geschäftsführender Vizepräs.).

K 30 Deutscher Autorenverband e. V., Sophienstr. 2, D-3000 Hannover 1. - Tel.: 0511-322068.
A: Rechtsschutzberatung und berufliche Beratung der Mitglieder.
B: Ausrichtung öffentlicher Veranstaltungen, bei denen die Mitglieder die Möglichkeit haben, mit ihren Werken hervorzutreten. Edition von Anthologien.
G: 1946.
MA: Bewerbung mit Arbeitsproben.
MZ: 110.
O: Vorstand, Mitgliederversammlung.
V: Peter Gassmann.

K 35 Bundesverband junger Autoren und Autorinnen e.V. (BVJA), Luisenstr. 80, D-5300 Bonn 1. Geschäftsführung: Postfach 200303, D-5300 Bonn 2. - Tel.: 0228-214949.
A: Förderung junger Autorinnen und Autoren, der kulturellen Jugendbildung und der Kommunikation zwischen Literaturproduzenten und -rezipienten.
B: Mitarbeit am Bundeswettbewerb "Schüler schreiben", Organisation von Lesungen und Diskussionsveranstaltungen, Edition der Literaturzeitschrift *Konzepte* und des *Literaturdienstes* (in Zusammenarbeit mit dem Bundesverband Jugendpresse e.V. Postfach, D-5300 Bonn). Auf- und Ausbau eines Literaturarchivs. - Ortsverbände.
G: 1987.
MZ: Rd. 250.
V: Stefan Sprang (Sprecher), Thomas Stichenroth (Geschäftsführer).

K 38 Initiative Junger Autoren e.V. (IJA), c/o Anton G. Leitner, Buchenweg 3, D-8031 Weßling. - Tel.: 08153-1698.
A: Förderung des Gedankenaustausches junger Literaten untereinander, Vertretung der Interessen der Mitglieder gegenüber öffentlichen und privaten Kulturträgern, Zusammenarbeit mit anderen Selbsthilfevereinigungen von Schriftstellern.
B: Organisation von Veranstaltungen ("Literaturtreff", Lese-Reihen), Edition des Flugblattes *Der Zettel* und von Anthologien. - Zentren in mehreren Bundesländern.
G: 1985 (seit 1987 e.V.).
MZ: Rd. 100.
V: Anton G. Leitner.

K 40 Die Künstlergilde e.V., Hafenmarkt 2, D-7300 Esslingen. - Tel.: 0711-359129.

A: Künstlergemeinschaft mit der Aufgabe der Pflege ostdeutschen Kulturgutes. Ihr gehören Maler, Bildhauer, Schriftsteller, Komponisten, Musiker, Publizisten und darstellende Künstler an, die durch Leben und Werk den deutschen Kulturlandschaften des Ostens, Südostens und Mitteldeutschlands verbunden sind.

B: Ausrichtung von Tagungen der einzelnen Fachgruppen, der "Esslinger Begegnung" (jährlich im Mai), von Wochenendseminaren literarisch-künstlerischer Art. Edition der *Esslinger Reihe*, von Einzelveröffentlichungen, Almanachen, Anthologien u.ä. Vergabe mehrerer Preise (u.a. "Andreas-Gryphius-Preis" (-> M 350).

G: 1948.

MA: Bewerbung und Berufung auf Grund der Entscheidung durch die Aufnahmejury der einzelnen Fachgruppen.

MZ: 1100.

O: Bundesgeschäftsstelle, Landesgeschäftsstellen. Vorstand, Mitgliederversammlung.

V: Albrecht Baehr (1. Vorsitzender), Dr. Ernst Schremmer (stellvertr. Vorsitzender), Franz Peter Künzel (Fachgruppenleiter Schrifttum).

K 50 *GEDOK. Verband der Gemeinschaften der Künstlerinnen und Kunstfreunde e.V., Einern 29, D-5600 Wuppertal 2.

A: Förderung der literarischen Leistungen von Frauen.

B: Ausrichtung einer jährlichen bundesweiten Tagung (alle Kunstsparten). Vergabe von Preisen ("Ida-Dehmel-Preis", "Förderpreis für eine Junge Autorin").

G: 1926.

MA: Bewerbung mit anschließender Jurierung.

MZ: 4000 (davon etwa 220 Schriftstellerinnen).

O: Vorstand, Mitgliederversammlung.

V: Dr. Renate Massmann (Präsidentin), Esther Bloch (1. Vizepräs.), Dr. Eva Kühne (2. Vizepräs.).

K 60 Dramatiker-Union e.V., Bismarckstr. 107, D-1000 Berlin 12. - Tel.: 030-317676.

A: Berufsverband zur Vertretung der ideellen und materiellen Interessen deutschsprachiger Schriftsteller und Komponisten gegenüber den Vertretern ihrer Werke im Bereich Bühne, Film, Funk und Fernsehen. Rechtsberatung und Vertragshilfe.

B: Vergabe von Anerkennungspreisen ("Silbernes Blatt" und "Goldene Nadel"), von Förderpreisen (Reisestipendien), von Förderpreisen für Nachwuchskomponisten. Ausrichtung von Kongressen (Internationale Dramatikertreffen). Publikation: *Der Autor*.

G: 1871.

MA: Bewerbung.

MZ: 400.

O: Präsidium, Vorstand, Beirat, Mitgliederversammlung.

V: Curth Flatow, Prof. Giselher Klebe.

K 70 Neue Zentralstelle der Bühnenautoren und Bühnenverleger GmbH, Bismarckstr. 107, D-1000 Berlin 12. - Tel.: 030-317676.

A: Überprüfung der Abrechnung der Urheberanteile bei den Bühnen. Gerichtliche und außergerichtliche Vertretung von Autoren und Verlagen im Rahmen besonderer Aufträge.

B: Kooperation mit Organisationen des In- und Auslandes mit gleicher oder ähnlicher Zielsetzung. Auskünfte in allen Fachfragen auf Grund der vorliegenden Fachliteratur und einer Kartei, die vollständig alle seit 1945 in deutscher Sprache erschienenen Stücke (einschließlich der nur als Manuskript vervielfältigten) erfaßt.

G: 1926. Neugründung 1960.

O: Verwaltungsrat, Geschäftsführung, Gesellschafter (Dramatikerunion e.V., Verband deutscher Bühnenverleger e.V.).

V: Dr. Maria Müller-Sommer.

K 80 Rundfunk-Fernseh-Film-Union in der IG Medien im DGB (RFFU), Klarastr. 19, D-8000 München 19. - Tel.: 089-182061 und 182062. - Telex: 5/215858 rffu d. - Telefax: 089-182062.

A: Vertretung und Förderung der beruflichen, sozialen, wirtschaftlichen, kulturellen und rechtlichen Interessen der Mitglieder. Gewerkschaftlicher Zusammenschluß aller im Organisationsbereich der RFFU Tätigen. Zusammenarbeit auf allen Ebenen mit den DGB- und internationalen Gewerkschaftsorganisationen.

B: Publikation: *Hörfunk-Fernsehen-Film (HFF)*. Zeitschrift für die Mitglieder der RFFU.

G: 1950.

MZ: 19900.

O: Gewerkschaftstag (Delegiertenversammlung), Geschäftsführender Hauptvorstand, Hauptvorstand, Verbände (16 Verbände). Zusammenschluß mit der IG Medien (1989).

V: Axel Becker (Vorsitzender), Dieter Klein, Ulrike Mast-Kirschning, Jürgen Schröder-Jahn, Ernst Steinke, Joachim Neufeldt (Hauptgeschäftsführer).

K 90 Verwertungsgesellschaft Wort, Goethestr. 49, D-8000 München 2. - Tel.: 089-512120. - Telefax: 089-5141258.

A: Wahrnehmung der urheberrechtlichen Befugnisse ihrer Mitglieder und Wahrnehmungsberechtigten (es bestehen 6 Berufsgruppen: 1. Autoren und Übersetzer schöngeistiger und dramatischer Literatur; 2. Journalisten, Autoren und Übersetzer von Sachliteratur; 3. Autoren und Übersetzer von wissenschaftlicher und Fachliteratur; 4. Verleger von schöngeistigen Werken und von Sachliteratur; 5. Bühnenverleger; 6. Verleger von wissenschaftlichen Werken und von Fachliteratur).

G: 1958. 1978 Zusammenschluß mit der Verwertungsgesellschaft Wissenschaft.

MA: Antrag beim Vorstand und Nachweis von Publikationen.

O: Mitgliederversammlung, Verwaltungsrat, Vorstand.

K 100 *Deutscher Germanistenverband, Fachgruppe der Hochschulgermanisten, c/o Prof. Dr. Johannes Janota. Deutsche Sprache und Literatur des Mittelalters, Universität Augsburg, Universitätsstr. 10, D-8900 Augsburg. - Tel.: 0821-598.780.

A: Vertretung der Fachinteressen in der Öffentlichkeit.

B: Stellungnahme zu bildungs-, fach- und hochschulpolitischen Fragen. Schaffung eines Forums zur Standortbestimmung und zur Entwicklung von Zukunftsperspektiven der Germanistik in Forschung und Lehre. Ausrichten der Germanistentage und anderer Fachtagungen. Publikation: *Mitteilungen des Deutschen Germanisten-Verbandes* (-> E 880).

G: 1954.

MA: Tätigkeit an Hochschulen, Fortbildungsstätten und Forschungseinrichtungen.

MZ: 700.

O: Vorstand, Mitgliederversammlung.

V: Prof. Dr. Johannes Janota, Prof. Dr. Bernd Switalla.

K 110 *Deutscher Germanistenverband, Fachgruppe der Deutschlehrer, c/o Prof. Jürgen Wolff, Isolde-Kurz-Str. 53, D-7000 Stuttgart 75. - Tel.: 0711-478623.

A: Die Fachgruppe der Deutschlehrer im Deutschen Germanistenverband verfolgt den Zweck, den Deutschunterricht, das Fachgespräch, die Ausbildung des Nachwuchses, die Fortbildung der Deutschlehrer und die Verbindungen mit den Fachgruppen, den Kulturverwaltungen, den Bildungs- und Fortbildungseinrichtungen zu fördern. Der Germanistenverband tritt in Bund und Ländern dafür ein, daß das Fach Deutsch einen gewichtigen Platz im Fächerkanon behaupten und seine Ziele erreichen kann.

B: Ausrichtung von Fachtagungen.

MA: Beitrittserklärung.

MZ: 2500.

O: Mitgliederversammlung, Landesverbände, Bezirksverbände, erweiterter Vorstand, geschäftsführender Vorstand.

V: Prof. Jürgen Wolff (1. Vorsitzender), StDir. Franz Kowsky (2. Vorsitzender).

K 115 Verband deutscher Lehrer im Ausland, c/o Hans-Georg Becker, Hans-Wilhelm-Hansen-Weg 11, D-4600 Dortmund. - Tel.: 0231-737177.

A: Förderung der Völkerverständigung durch Bildung und Erziehung; Wahrnehmung der beruflichen, rechtlichen, wirtschaftlichen und sozialen Interessen der deutschen Auslandslehrer.

B: Edition der Zeitschrift *Der deutsche Lehrer im Ausland*. Organisation und Durchführung von Tagungen.

V: Hans-Georg Becker (Vors.), Ingrid Bosert (Stellv. und Geschäftsführerin).

K 120 *Deutsche Gesellschaft für Allgemeine und Vergleichende Literaturwissenschaft (DGAVL), c/o Dr. Gertrud Lehnert-Rodiek, Abteilung für Vergleichende Literaturwissenschaft, Germanistisches Seminar der Universität, Am Hof 1d, D-5300 Bonn 1. - Tel.: 0228-737767.

A: Förderung der Forschung, der Lehre und des Studiums der Allgemeinen und Vergleichenden Literaturwissenschaft; Information über Probleme und wissenschaftliche Vorhaben und Institutionen; Bildung eines Diskussionsforums.

B: Ausrichtung von Kongressen (alle 3 Jahre); Herausgabe der *Mitteilungen der DGAVL*; Zusammenarbeit mit der Zeitschrift *Arcadia* (-> E 630).

G: 1969.

MA: Antrag an das Sekretariat.

MZ: 200 (alle Mitglieder der DGAVL sind gleichzeitig Mitglieder der ICLA/AILC [-> K 450]).

O: Mitgliederversammlung, Vorstand.

V: Prof. Dr. Gerhard R. Kaiser (Vorsitzender), Prof. Dr. Karl Maurer (Stellv. Vors.), Dr. Gertrud Lehnert-Rodiek (Sekretärin), Prof. Dr. Maria Moog-Grünewald, Prof. Dr. Armand Nivelle (Beisitzer).

K 130 *Deutscher Philologen-Verband, Graf-Adolf-Str. 88, D-4000 Düsseldorf 1. - Tel.: 0211-350654 und 350655.

A: Mitarbeit an der Entwicklung des Bildungswesens auf der Grundlage einer sachgerechten Bildungspolitik. Förderung und Weiterentwicklung des Gymnasiums und anderer Bildungseinrichtungen. Förderung der Ausbildung, Fort- und Weiterbildung von Lehrerinnen und Lehrern im Sekundar- und Tertiärbereich. Vertretung und Förderung der beruflichen, rechtlichen und sozialen Interessen der Mitglieder auf Bundesebene unter Anwendung aller verfassungsmäßig zulässigen gewerkschaftlichen Mittel. Unterstützung und Koordinierung der schul- und bildungspolitischen sowie der beruflichen Bestrebungen der Landesverbände. Zusammenarbeit mit Lehrerverbänden des In- und Auslandes.

B: Ausrichtung bildungspolitischer Tagungen auf Bundes- und Landesebene und des Deutschen Philologen-Tages. *Die Höhere Schule* (Monatszeitschrift).

G: 1903.

MA: Bewerbung.

MZ: 66000.

O: Bundes- und Landesverbände. Vorstand, Mitgliederversammlung.

V: OStDir. Bernhard Fluck (1. Vorsitzender), StDir. Heinz Durner, StDir. Klaus Meyer (Stellvertr.).

K 140 Verband Bildung und Erziehung (VBE) e.V., Dreizehnmorgenweg 36, D-5300 Bonn 2. - Tel.: 0228-376611 und 376612.

A: Förderung des gesamten Schul- und Bildungswesens, der pädagogischen Wissenschaft und Praxis aller Einrichtungen, die diesem Bereich dienen. Förderung der rechtlichen, wirtschaftlichen, beruflichen und sozialen Belange aller Mitglieder. Vertretung der Mitglieder bei der Gestaltung ihrer dienstrechtlichen Beziehungen. Weiterentwicklung und Modernisierung des gesamten Dienstrechts.

B: Ausrichtung von Lehrerfortbildungstagungen. Edition einer Bundeszeitschrift (*Forum E*) und von Landeszeitschriften.

G: 1974.

MA: Tätigkeit im Erziehungs- und Lehrberuf (zusätzlich auch Förder- und Schutzmitgliedschaft).

MZ: 105000.

O: Bundesleitung, Bundesvorstand, Bundeshauptvorstand, Bundesvertreterversammlung.

V: Dr. Wilhelm Ebert (Bundesvorsitzender), Hans Bähr, Albin Dammhäuser, Egbert Jancke, Karl Kexel, (stellvertr. Bundesvors.).

K 150 Deutscher Volkshochschul-Verband e.V. (DVV), Rheinallee 1, D-5300 Bonn 2. - Tel.: 0228-820950.

A: Zusammenschluß der örtlichen und regionalen Volkshochschulen und Internatseinrichtungen. Der DVV fördert die Arbeit seiner Mitglieder durch die Vertretung gemeinsamer Interessen auf Bundesebene, die Entwicklung von Grundsätzen für die Arbeit der Erwachsenenbildung, die Beratung und Unterstützung der Landesverbände und der in ihnen zusammengeschlossenen Volkshochschulen, die Fortbildung der in den Volkshochschulen tätigen Mitarbeiter.

G: 1953.

V: Prof. Dr. Rita Süßmuth (Präsidentin), Verbandsdirektor Claus Kerner (Geschäftsführung).

L: Helmuth Dolff: *Die deutschen Volkshochschulen. Ihre Rechtsstellung, Aufgaben und Organisationen.* 3. Aufl. Düsseldorf 1979 (Ämter und Organisationen der Bundesrepublik Deutschland, 24).

K 160 *Verein Deutscher Bibliothekare e.V., c/o Universitätsbibliothek Kiel, Olshausenstr. 29, D-2300 Kiel 1. - Tel.: 0431-880.2700.

A: Pflege des Zusammenhangs unter den deutschen Bibliothekaren und Wahrung ihrer Berufsinteressen. Austausch und Erweiterung der Fachkenntnisse, Förderung des wissenschaftlichen Bibliothekswesens.

B: Organisation des "Deutschen Bibliothekartages" (jährlich). Publikationen: *Rundschreiben* (vierteljährlich); *Jahrbuch der deutschen Bibliotheken* (alle 2 Jahre); *Zeitschrift für Bibliothekswesen und Bibliographie* (6 x jährlich).

G: 1900. Neugründung 1948.

MA: Wissenschaftliche Ausbildung zum Bibliothekar.

MZ: 1350.

O: Vorstand, Vereinsausschuß, Mitgliederversammlung. Neben dem Bundesverband 6 Regionalverbände (Baden-Württemberg, Bayern, Bremen, Hamburg, Hessen, Niedersachsen).

V: Leitender Bibl. Dir. Dr. Günther Wiegand (Vors.), Leitender Bibl. Dir. Dr. Yorck A. Haase, Prof. Dr. E. Plassmann (Stellvertr.).

K 170 Deutsche Journalisten-Union in der Industriegewerkschaft Medien im DGB, Friedrichstr. 15, D-7000 Stuttgart 1. - Tel.: 0711-2018.235 und 2018.238.

A: Förderung und Vertretung der beruflichen, sozialen, wirtschaftlichen und rechtlichen Interessen ihrer Mitglieder. Förderung der Aus- und Weiterbildung von Journalisten. Förderung der internationalen Zusammenarbeit. Mithilfe bei der Sicherung der im Grundgesetz verankern Informations- und Meinungsfreiheit.

B: Publikationen: *Druck und Papier* (Zeitschrift); *Die Feder* (Zeitschrift).

G: 1951.

MA: Nachweis der hauptberuflichen journalistischen Tätigkeit.

MZ: 6000.

O: Orts- und Bezirksvorstände, Landesbezirkskonferenzen, Landesbezirksvorstände, Bundeskonferenz, Bundesvorstand.

K 180 Deutscher Journalisten-Verband e. V. (DJV) - Gewerkschaft der Journalisten -, Bennauerstr. 60, D-5300 Bonn. - Tel.: 0228-222971 bis 222978. - Telex: 0228-886567. - Telefax: 0228-214917.

K 190 Verband Junger Publizisten Deutschlands (VJPD). Generalsekretariat, Postfach 4245, D-7500 Karlsruhe 1.

K 200 Verband der deutschen Kritiker e. V., c/o Geschäftsführer Dr. Christoph Kaiser, Steinrückweg 8, D-1000 Berlin 33. - Tel.: 030-8211108.
A: Förderung der Künste und des Kritikerberufs.
B: Jährliche Vergabe des Deutschen Kritikerpreises auf den Gebieten Literatur (-> M 170), Bildende Kunst, Theater, Tanz, Musik, Film und Fernsehen.
G: 1951.
MA: Nachweis der Ausübung des Kritikerberufes.
MZ: 200.
O: Vorstand, Mitgliederversammlung.
V: Hans-Jörg von Jena (1. Vorsitzender), Michael Stone (2. Vors.), Dr. Christoph Kaiser (Geschäftsführer), Jürgen Stier (Schatzmeister).

K 210 Arbeitsgemeinschaft alternativer Verlage und Autoren e.V. (AGAV), Postfach 656, D-7000 Stuttgart 1. - Tel.: 0711-624984.
A: Interessenverband alternativer/linker Verlage, Autoren, Druckereien, Vertriebe und Buchhandlungen mit dem Ziel des Informationsaustausches, der Kontaktvermittlung und Beratung.
B: Organisation der Frankfurter Gegenbuchmesse. Betreuung von Autoren in Haft (Übernahme von Patenschaften, finanzielle Hilfen). Edition eines *Rundbriefes* (unregelmäßig).
G: 1975.
MZ: 130.
O: Vorstand, Mitgliederversammlung.
V: Cornelius Retting (1. Vorsitzender), Norbert Ney (2. Vors.), Rainer Breuer (Beisitzer).

2 DEUTSCHE DEMOKRATISCHE REPUBLIK

K 220 Schriftstellerverband der DDR (SV-DDR), Friedrichstr. 169, Berlin 1080 DDR. - Tel.: [0037] 02-2335030.
G: 1952.
MZ: 860.
V: Rainer Kirsch (Vorsitzender), Joachim Walter, Manfred Jendryschik (Stellv.).

3 ÖSTERREICH

K 240 Österreichischer Schriftstellerverband, Kettenbrückengasse 11/14, A-1050 Wien. - Tel.: [0043] 0222-564151.

A: Schutz und Wahrung der Standesehre von Schriftstellern und Journalisten. Förderung künstlerischer, wirtschaftlicher und gesellschaftlicher Interessen dieser Berufsgruppe. Unterstützung notleidender Mitglieder.

B: Ausrichtung von Schriftstellerlesungen. Ausschreibung des "Otto-Stoessl-Preises". Edition des Mitteilungsblattes *Literarisches Österreich* (viermal jährlich). Ausrichtung eines "Literarischen Stammtisches" (monatliches Treffen der Mitglieder).

G: 1945 als "Verband demokratischer Schriftsteller und Journalisten Österreichs"; seit 1954 unter heutigem Titel.

MA: Nachweis einer Publikation als Schriftsteller bzw. Journalist. Nachweis der österreichischen Staatsbürgerschaft.

MZ: 350.

O: Generalversammlung, Vorstand, Sonderausschüsse, Rechnungsprüfer, Schiedsgericht, Landesstellen.

V: Prof. Dr. Hans Krendlesberger (Präs.), Dr. Hans Heinz Hahnl (1. Vizepräs.), Prof. Dipl.-Kfm. Oskar Jan Tauschinski (2. Vizepräs.), Prof. Wilhelm Meissel (Generalsekretär).

K 250 Österreichischer Autorenverband, Kärntner Str. 51, A-1010 Wien. - Tel.: [0043] 0222-525865.

A: Schutz der geistigen und materiellen Interessen österreichischer Autoren. Unterstützung von bedürftigen Schriftstellern, Gewährung von Rechtsschutz und Rechtsberatung, Förderung und Herausgabe literarischer Erzeugnisse durch Verlage, Förderung und Bildung von Studienzentren, Dokumentationszentren, Fachbibliotheken.

B: Durchführung von Veranstaltungen im Interesse der Förderung und Verbreitung sowie der Darstellung von Literatur.

G: 1975.

MA: Bewerbung.

MZ: 300.

O: Präsidium, Vorstand, Rechnungsprüfer, Schieds- und Ehrengericht.

V: Prof. Lucy Ludikar-Steidl (Präsidentin), Prof. Johanna Jonas-Lichtenwallner, OStR. Prof. Mag. Rudolf V. Karl, Dr. Peter G. Krafft, Reg.Rat DDr. Karl Lengheimer (Vizepräs.).

K 260 Interessengemeinschaft österreichischer Autoren (IG Autoren), Gumpendorferstr. 15/13, A-1060 Wien. - Tel.: [0043] 0222-5878659.

A: Vertretung der beruflichen, rechtlichen und sozialen Interessen österreichischer Autoren und Übersetzer.

B: Veranstaltungen (wie jährliche Enqueten zu für schriftstellerisches Arbeiten relevanten Themen, z.B. "Neue Medien", "Kunst und Zensur"). Aus- und Fortbildungsworkshops für Theater-, Drehbuch- und Hörspielautoren. Edition der Zeitschrift *Autorensolidarität* und kultur-/medienpolitischer Bücher.

G: 1971.
MZ: 1800 Einzelmitglieder, über 50 Verbandsmitglieder.
O: Präsidium und Geschäftsführung, Vorstand, General-/Delegiertenversammlung, Regionalversammlungen.
V: Milo Dor (Präsident), Peter Turrini (Vizepräs.), Gerhard Ruiss und Johannes Vyoral (Geschäftsführer).

K 270 Verein der Schriftstellerinnen und Künstlerinnen, Seisgasse 18/12, A-1040 Wien. - Tel.: [0043] 0222-658461.
A: Förderung des Frauenschrifttums, Vertretung der Interessen der Mitglieder.
G: 1885.
MZ: 60.
V: Prof. Johanna Jonas-Lichtenwallner (Präsidentin).

K 280 Vereinigung sozialistischer Journalisten und Schriftsteller Österreichs, Boltzmanngasse 21, A-1090 Wien. - Tel.: [0043] 0222-341273.

K 290 Gewerkschaft Kunst, Medien, freie Berufe (kmfb) im Österreichischen Gewerkschaftsbund, Maria-Theresien-Str. 11, A-1090 Wien. - Tel.:[0043] 0222-343600.
A: Organisation für alle künstlerisch, journalistisch oder als Privatlehrer unselbständig Tätigen sowie für Angestellte, Arbeiter und Lehrlinge, die in künstlerischen Betrieben (z. B. Kino, Theater, Film, Rundfunk, Fernsehen) tätig sind oder kaufmännischen oder administrativen Berufen nachgehen. Wahrnehmung der künstlerischen, wirtschaftlichen und sozialen Interessen ihrer Mitglieder. Gewährung unentgeltlichen Rechtsschutzes. Soziales Engagement.
MA: Antrag beim Vorstand.
MZ: 17000.
O: Gewerkschaftstag, Hauptausschuß, Gewerkschaftsvorstand, Präsidium, zentraler Überwachungsausschuß.
V: Ing. Stefan Müller, Dr. Adolf Aigner, Siegfried Eder-Arndt, Prof. Friedrich Fehringer, Heinz Fiedler, Prof. Paul Fürst, Franz M. Grabner, Eva Prager-Zitterbart, Richard Roehlich, Prof. Rudolf Strobl.

K 300 Österreichischer Übersetzer- und Dolmetscherverband UNIVERSITAS, Gymnasiumstr. 50, A-1090 Wien. - Tel.: [0043] 0222-317273.
A: Vertretung der Standes- und Berufsinteressen der Mitglieder. Aufklärung der Öffentlichkeit über die Qualifikation universitär ausgebildeter Übersetzer und Dolmetscher. Förderung und Pflege der wissenschaftlichen Arbeiten auf allen das Übersetzen und Dolmetschen sowie die Sprachausbildung betreffenden Gebieten im Zusammenwirken mit den Instituten für Übersetzer- und Dolmetscherausbildung an den österreichischen Universitäten.
B: Ausrichtung von Vorträgen zu Berufsproblemen. Publikation: *Mitteilungsblatt* (vierteljährlich).
G: 1954.

MA: Berufsausbildung.
MZ: 290.
O: Vollversammlung, Vorstand, Sekretariat, Dolmetscherausschuß, Übersetzerausschuß.
V: Dipl. Dolm. Annie Weich (Präsidentin), Dipl. Dolm. Liese Katschinka (Generalsekretärin).

4 SCHWEIZ

K 310 Schweizerischer Schriftstellerinnen- und Schriftsteller-Verband (SSV), Kirchgasse 25, CH-8001 Zürich. - Tel.: [0041] 01-473020.
A: Verteidigung der Freiheit der Meinungsäußerung. Unterstützung der Bestrebungen zur Erweiterung der wirtschaftlichen, politischen und rechtlichen Freiheiten der Bewohner der Schweiz. Vertretung der wirtschaftlichen und gesellschaftlichen Interessen der Mitglieder. Gewerkschaftliches und soziales Engagement.
B: Ausrichtung von Fachtagungen, Symposien, Lesungen. Förderung von Auslandskontakten. Ausrichtung von literarischen Wettbewerben. Publikation der Literaturzeitschrift "Forum der Schriftsteller".
G: 1912.
MA: Nachweis der Publikation eines Buches.
MZ: 600.
O: Mitgliederversammlung, Vorstand, Sekretär, Delegiertenkonferenz, Rechnungsprüfer.
V: Ernst Nef, Janine Massard.

K 330 Schweizerischer Übersetzer- und Dolmetscherverband, Postfach 4123, CH-4002 Basel. - Tel.: [0041] 061-850530.

5 INTERNATIONALE VERBÄNDE

K 340 *P.E.N. International. A World Association of Writers, 38 King Street, GB-London WC2E 8JT.. - Tel.: [0044] 3797939.
A: Der P.E.N.-Club vertritt die folgenden Grundsätze:
1. Literatur, obgleich national in ihrem Ursprung, kennt keine scheidenden Landesgrenzen und soll auch in Zeiten innerpolitischer oder internationaler Erschütterungen ihre Eigenschaft als eine allen Nationen gemeinsame Währung behalten.
2. Unter allen Umständen, und insbesondere auch im Kriege, sollen Werke der Kunst, der Erbbesitz der gesamten Menschheit, von nationalen und politischen Leidenschaften unangetastet bleiben.
3. Mitglieder des P.E.N. sollen jederzeit ihren ganzen Einfluß auf das gute Einvernehmen und die gegenseitige Achtung der Nationen einsetzen. Sie verpflichten sich, für

die Bekämpfung von Rassen-, Klassen- und Völkerhaß und für die Hochhaltung des
Ideals einer in einer einigen Welt in Frieden lebenden Menschheit mit äußerster Kraft
zu wirken.
4. Der P.E.N. steht zu dem Grundsatz des ungehinderten Gedankenaustausches innerhalb einer jeden Nation und zwischen allen Nationen, und seine Mitglieder verpflichten sich, jeder Art der Unterdrückung der Äußerungsfreiheit in ihrem Lande oder in
der Gemeinschaft, in der sie leben, entgegenzutreten. Der P.E.N. erklärt sich für die
Freiheit der Presse und verwirft die Zensurwillkür überhaupt, und erst recht in Frie-
denszeiten. Er ist des Glaubens, daß der notwendige Fortschritt der Welt zu einer hö-
her organisierten politischen und wirtschaftlichen Ordnung hin eine freie Kritik gegenüber den Regierungen, Verwaltungen und Einrichtungen gebieterisch verlangt. Und da
Freiheit auch freiwillig geübte Zurückhaltung einschließt, verpflichten sich die Mitglieder, solchen Auswüchsen einer freien Presse, die wahrheitswidrige Veröffentli-
chungen, vorsätzlicher Lügenhaftigkeit und Entstellung von Tatsachen, unternommen
zu politischen und persönlichen Zwecken, entgegenzuarbeiten. Allen qualifizierten
Schriftstellern, Herausgebern und Übersetzern, ohne Unterschied der Nationalität,
Rasse, Farbe und Religion, die sich zu diesen Zielen unterschriftlich bekennen, steht
die Mitgliedschaft zum P.E.N. offen.
G: 1921.
MA: Wahl nach Vorschlag zweier Mitglieder.
MZ: 8000.
O: Mitgliederversammlung, Präsidium, Vorstand.
V: Francis King (Präsident), Alexandre Blokh (Generalsekretär).

K 350 P.E.N.-Zentrum der Bundesrepublik Deutschland, Sandstr. 10, D-
6100 Darmstadt. - Tel.: 06151-23120.
B: Ausrichtung von Jahrestagungen und literarischen Kongressen.
G: ab 1923. Wiedergründung des P.E.N.-Zentrums Bundesrepublik Deutschland
1951.
MZ: 480.
V: Prof. Dr. Walter Jens (Ehrenpräsident), Carl Amery (Präsident), Carola Stern, An-
gelika Mechtel (Vizepräs.), Hanns Werner Schwarze (Generalsekretär).

K 360 P.E.N.-Zentrum der Deutschen Demokratischen Republik, Fried-
richstr. 194-199, Berlin 1080 DDR. - Tel.: [0037] 02-2292688.
G: 1967.
MZ: 75.
V: Prof. Dr. Heinz Kamnitzer (Präsident), Walter Kaufmann (Generalsekretär).

K 370 Österreichischer P.E.N.-Club, Bankgasse 8, A-1010 Wien. - Tel.:
[0043] 0222-5334459.
B: Als österreichisches Zentrum des Internationalen P.E.N.-Clubs steht die Pflege von
Verbindungen zwischen den österreichischen Autoren einerseits und den Schriftstellern anderer Nationen andererseits im Mittelpunkt der Tätigkeit. Besonderes Gewicht
kommt den Kontakten zu den Literaturen der Nachbarländer zu.
G: 1922. Wiedergründung 1947.

MZ: 310.

V: György Sebestyèn (Präsident), Hans Heinz Hahnl, Albert Janetschek (Vizepräsidenten).

(Der Österreichische P.E.N.-Club ist förderalistisch organisiert. Einzelne Subzentren arbeiten im Burgenland, Kärnten, Niederösterreich, Oberösterreich, Salzburg, Steiermark und Tirol.)

K 380 *Deutschschweizerisches P.E.N.-Zentrum, Postfach 1383, CH-3001 Bern. - Tel.: [0041] 031-446677 und [0041] 037-711385.

G: 1979.

MZ: 180.

V: Ernst Reinhardt (Präsident), Serge Ehrensperger (Vizepräs.), Hans Erpf (Generalsekretär).

K 390 *P.E.N.-Zentrum deutschsprachiger Autoren im Ausland, 10 Pattison Road, London, NW2 2 HH. - Tel.: [0044] 01-4351460.

B: Publikation eines *Bulletins* (3-4 x jährlich).

G: 1934.

MZ: 77.

V: Prof. Dr. Dr. h.c. H.G. Adler (Präsident).

K 400 *Internationaler Schutzverband deutschsprachiger Schriftsteller (ISDS), CH-8024 Zürich.

A: Eintreten für freiheitliche und demokratische Ideen und gegen Rassenunterschiede. Eintreten für die Menschenrechte, wie sie in der Charta der Vereinten Nationen definiert sind. Zusammenarbeit mit anderen Gruppen und Organisationen, die die gleichen Ziele verfolgen. Verteidigung der Mitglieder gegen restriktive Maßnahmen. Beratung der Mitglieder in Fragen des Rechts, sofern sie sich auf deren literarische oder publizistische Aktivitäten beziehen.

B: Publikation: *ISDS-Bulletin* (Mitteilungsblatt, zweimal jährlich).

G: 1945.

MA: Wahl

MZ: 200.

O: Hauptversammlung, Präsidium (Vorstand), Schiedsgericht.

V: Eric Burger.

K 405 Luxemburger Schriftstellerverband / Lëtzeburger Schrëftstellerverband, B.P. 250, L-4003 Esch/Alzette.

A: Berufsverband zur Vertretung der Interessen Luxemburger Schriftsteller (z.T. deutschsprachig).

G: 1986.

MZ: 90.

V: Roger Manderscheid (Präs.), Georges Hausemer (Sekr.).

K 410 Confédération internationale des sociétés d'auteurs et compositeurs (CISAC), 11, Rue Keppler, F-75116 Paris. - Tel.: [0033] 01-7205937 und 7202252.

A: Vertretung der ideellen, wirtschaftlichen und juristischen Interessen ihrer Mitglieder auf internationaler Ebene. Der CISAC gehören als membres ordinaires und als membres associés zahlreiche nationale Verbände mit gleicher Zielsetzung an.
G: 1926.
MA: Antrag und Wahl.
MZ: 105 Verbände.

K 430 International Council of Women (ICW), Committee *Arts and Letters*, 13, rue Caumartin, F-75009 Paris. - Tel.: [0033] 01-7421940.
A: Zusammenschluß von Frauenverbänden aller Kontinente. Nichtstaatliche Organisation mit Beraterstatus beim Wirtschafts- und Sozialrat der UNO und bei der UNESCO mit dem Ziel, daß sich Frauen nicht nur ihrer Rechte bewußt werden, sondern auch ihrer bürgerlichen, sozialen und politischen Verantwortung. - Das Komitee *Literatur und Kunst* (einer von 12 ständigen Fachausschüssen) widmet sich besonders der Situation der Frau als Schriftstellerin und Künstlerin und deren Verbesserung.
B: *Newsletter* (mehrmals jährlich): *Anthologie de la Poésie Féminine Mondiale* (1973); *Women Writers...* (1980): *Short stories* (1981); *Children's stories from many Lands* (1986); *Women Composers of the 20th century* (1987); Ausrichtung von Tagungen, Fachtagungen der Ausschüsse, Konferenzen.
G: 1888 (in Washington; 1951 wurde der "Deutsche Frauenring" (DFA) [Hildegardstr. 10, D-6350 Bad Nauheim] als "National Council of Women" in den ICW aufgenommen).
MA: Mitgliedschaft über den DFR oder als "international Subscriber" Einzelmitgliedschaft.
V: Lily Boeykens (ICW); Rosslyn Tetley (Committee *Arts, Letters, Music*); Beraterin: Ellen Conradi-Bleibtreu (DFR, ICW Com. Arts, L.M.).

K 440 *Internationale Vereinigung für germanische Sprach- und Literaturwissenschaft. Sekretariat: Keio University, Mita 2-15-45, Minato-Ku, Tokyo 108 (Japan).
A: Förderung der Germanistik durch internationale Zusammenarbeit. Unterstützung wissenschaftlicher Unternehmungen, Förderung der persönlichen Beziehungen im Rahmen der vertretenen Fachgebiete, Unterhaltung des Kontaktes mit den Fach- und Landesverbänden. (Germanistik wird hier verstanden als afrikaanse, altgermanische, deutsche, friesische, jiddische, niederländische und nordische Sprach- und Literaturwissenschaft.)
B: Ausrichtung des Internationalen Germanistenkongresses (alle 5 Jahre).
G: 1951.
MA: Ausweis als akademischer Lehrer.
MZ: 1500 (aus 55 Nationen).
O: Vollversammlung, Ausschuß, Finanzkommission, Senat, Präsidium.
V: Prof. Dr. Eijiro Iwasaki (Präs.), Prof. Dr. Ruth K. Angress, Prof. Dr. Paul Valentin (Vizepräs.).

K 450 *International Comparative Literature Association/Association Internationale de Littérature Comparée (ICLA/AILC), c/o Prof. José Lambert, Departement Literatuurwetenschap, Katholieke Universiteit Leuven, Blijde Inkomstraat 21, B-3000 Leuven (Belgien). - Tel.: [0032] 016-284847.

Mitglieder der DGAVL [-> K 120] sind automatisch Mitglieder der ICLA/AILC.

K 460 Vereinigung der europäischen Journalisten (VdEJ), c/o Dr. Günther Wagenlehner, Kastanienweg 26, D-5300 Bonn 2. - Tel.: 0228-321712.

TEIL L: LITERARISCHE
GESELLSCHAFTEN UND STIFTUNGEN

Die Literarischen Gesellschaften und Vereinigungen wurden aufgenommen unter dem Gesichtspunkt überregionaler Aktivitäten. Vollständigkeit wurde nicht angestrebt. Die Angabe der Anschrift und die Kommentierung erfolgten auf Grund der Auskünfte, die von den Gesellschaften dem Verfasser übermittelt wurden (Satzungen). Fehlt der Kommentar, so haben die entsprechenden Gesellschaften trotz mehrfachen Anschreibens nicht auf unsere Aufforderung reagiert. Bei den mit einem * versehenen Literarischen Gesellschaften wechselt die Adresse mit der Neuwahl des Vorstands.
Die Literarischen Gesellschaften sind meist eingetragene Vereine, die dem deutschen bzw. österreichischen oder schweizerischen Vereinsrecht unterliegen. Sie stehen in der Regel satzungsgemäß jedem offen; ihre Organe sind: Präsidium/Vorstand, Sekretariat, Mitgliederversammlung. Auf diese Angaben wurde deshalb im Einzelfall verzichtet, sofern nicht abweichende Angaben Vorlagen.

Abkürzungen: A = allgemeine Zielsetzungen; B = besondere Aktivitäten (Veranstaltungen; Publikationen u. ä.); G = Gründungsjahr; MA = Bedingungen der Mitgliederaufnahme; MZ = Zahl der Mitglieder; O = Organe, Organisationsstruktur; V = Vorstand, Präsidium.

1 BUNDESREPUBLIK DEUTSCHLAND

L 10 Humboldt-Gesellschaft für Wissenschaft, Kunst und Bildung e. V., Riedlach 12, D-6800 Mannheim 31. - Tel.: 0621-771235.
A: Förderung des Kontaktes und des Brückenschlages zwischen den einzelnen Wissenschaften sowie zwischen Wissenschaft, Literatur, den Künsten und der Bildung.
B: Jährlich eine Akademiesitzung in wechselnden Städten. Jährlich eine Synthema-Tagung in Schlangenbad/Taunus. Gelegentlich Sommertagungen und Auslands-Missionen. Verleihung von Auszeichnungen, Veröffentlichungen (*Abhandlungen, Beiträge, Mitteilungen, Ensemble, Kleine Schriften* unregelmäßig).
G: 1962.
MA: Bewerbung, in den Akademischen Rat Berufung.
MZ: 580.
O: Präsidium, Vorstand, Hauptversammlung.
V: Staatsminister a.D. Bundesverfassungsrichter a.D. Prof. Dr. Erwin Stein (Ehrenpräsident), Prof. Dr. Herbert Kessler (Präsident).

L 20 Deutsches Kulturwerk europäischen Geistes e.V., Richard-Strauss-Str. 48, D-8000 München 81. - Tel.: 089-4705579.
A: Förderung und Erhaltung deutschen Geistes und Kulturlebens im Zusammenleben der europäischen Völker.

B: Dichterlesungen, Liederabende, Kammerkonzerte, Vorträge wissenschaftlicher und künstlerischer Art, Rundgespräche über alle Fragen des öffentlichen und privaten Lebens, Besichtigungen, Ausflüge, Feierstunden, Feste, Ausstellungen.
G: 1950.
MA: Aufnahme auf Antrag und Empfehlung, in den Kreis der Schriftsteller und bildenden Künstler nur durch Berufung.
MZ: 1000.
O: Mitgliederversammlung, Kuratorium, Präsidium.
V: Karl Günther Stempel (Präsident), Herbert Hertlein (Stellvertr.).

L 30 *The World Cultural Council. World Parliament for World Culture, Hindenburgstr. 1, D-3420 Herzberg. - Tel.: 05521-2279.
A: Die Arbeit des WCC und seiner Mitglieder umfaßt internationale kulturelle und wissenschaftliche Fundamenterrichtung zum Zweck einer besseren und friedvollen Völkerverständigung. Austausch von Erfahrungswerten, Forschungsergebnissen und neuesten Erkenntnissen auf allen Gebieten des Wissens. Traditionelle und moderne Pflege kultureller Belange.
B: Ausrichtung von Kongressen.
G: 1921.
MA: Bewerbung und Berufung.
MZ: 140.
V: Dozent Bernhard Kunze (Präsident).

L 35 Arbeitsgemeinschaft literarischer Gesellschaften e.V., Geschäftsstelle, z.H. Sven Arnold, c/o Literarisches Colloquium Berlin, Am Sandwerder 5, D-1000 Berlin 39. - Tel.: 030-816996.18.
A: Förderung und Unterstützung literarischer Gesellschaften und ihrer Zusammenarbeit, Vertretung ihrer Interessen bei Bund, Ländern und Kommunen.
B: Edition eines Informationsblattes (halbjährlich), Publikation über die deutschen Literaturgesellschaften, Veranstaltungen über gemeinsame Fragen und Probleme der Mitgliedergesellschaften.
G: 1986.
MA: Mitglieder können literarische Gesellschaften und Arbeitskreise der Bundesrepublik und Berlins (West) auf Antrag und Empfehlung werden.
MZ: 54 literarische Gesellschaften.
V: Prof. Dr. Wilhelm Solms (Sprecher des Vorstands), Dr. Ulrich Janetzki (Schatzmeister), Prof. Dr. Joseph Kruse, Dr. Ekkehard Nümann, Inge Obermayer.

L 40 Freies Deutsches Hochstift, Frankfurter Goethe-Museum, Großer Hirschgraben 23-25, D-6000 Frankfurt/M 1. - Tel.: 069-282824.
A: Erhaltung von Goethes Geburtshaus; Pflege, Vermehrung und Präsentation der Sammlungen des Goethe-Museums (-> G 30). Förderung und Durchführung von Forschungsvorhaben und Publikationen.

B: Veranstaltung von Ausstellungen und Vorträgen. *Jahrbuch des Freien Deutschen Hochstifts* (-> E 1230). *Freies Deutsches Hochstift. Reihe der Schriften.* Ausstellungskataloge.
G: 1859.
MZ: 2800.
V: Dr. h.c. mult. Hermann J. Abs (Vorsitzender), Prof. Dr. Christoph Perels (Direktor).

L 50 Literarische Gesellschaft (Scheffel-Bund), Röntgenstr. 6, D-7500 Karlsruhe 1. - Tel.: 0721-843818.

L 60 Tukan-Kreis, Wilhelmstr. 9, D-8000 München 40.

L 70 Kulturkreis im Bundesverband der Deutschen Industrie e.V., Gustav-Heinemann-Ufer 84-88, D-5000 Köln 51. - Tel.: 0221-3708406, 3708506.
A: Zusammenschluß kulturell interessierter Unternehmer zur Förderung von Literatur, Bildender Kunst, Musik und Architektur.
B: Vergabe von Ehrengaben und Stipendien. *Jahresring* (-> E 470).
MZ: 500.
O: Vorstand, Verwaltungsrat, Mitgliederversammlung.
V: Prof. Dr. Herbert Grünewald (Vors.), Dr. Peter H. Wehrhahn (stellv. Vors.), Dr. Bernhard Frhr. Loeffelholz von Colberg (Geschäftsführender Vors.), Dr. Hubert Burda, Dr. Wilfried Guth, Dr. Alfred Lukac, Dr. Siegfried Mann, Dr. Heribald Närger, Dieter Wendelstadt, Prof. Dr. Hans Georg Willers; Dr. Brigitte Conzen (Geschäftsführerin).

L 75 Stiftung Frauen-Literatur-Forschung e.V., Prangenstr. 88, D-2800 Bremen 1. - Tel.: 0421-78613.
A: Förderung und Unterstützung von Forschungsvorhaben (auch Dissertationen und Diplom-Arbeiten) zur Frauen-Literatur; Durchführung eigener Forschungsarbeiten.
B: Aufbau und Pflege der Datenbank *Bibliographie deutscher Schriftstellerinnen 1945-1985* (-> H 155).
G: 1986.
MA: Antrag.
MZ: 40.
O: Mitgliederversammlung, Vorstand.
V: Marion Schulz (Vorsitzende), Ursula Bauer, Guntram Schwotzer.

L 80 Gesellschaft für Exilforschung e.V., c/o Prof. Dr. Thomas Koebner, Institut für Neuere deutsche Literatur, Universität Marburg, Wilhelm-Röpke-Str. 6 A, D-3550 Marburg. - Tel.: 06421-284634 bis 284636.
A: Erforschung des deutschsprachigen Exils seit 1933 und seiner Nachwirkungen in interdisziplinärer Zusammenarbeit (und in Kooperation mit der Society for Exile Studies, Inc. [USA]).

B: Vortrags- und Dikussionsveranstaltungen zum Exil, Edition des Jahrbuchs *Exilforschung* (-> E 1305) und eines *Nachrichtenbriefes*.

G: 1984.

MZ: über 400.

V: Ernst Loewy (Vorsitzender), Dr. Brita Eckert (Stellvertr.), Dr. Barbara Lube (Schatzmeisterin).

L 90 Dramaturgische Gesellschaft e.V., Tempelhofer Ufer 22, D-1000 Berlin 61. - Tel.: 030-2163043.

A: Zusammenfassung der auf dem Gebiete der Dramaturgie tätigen Persönlichkeiten sowie ihre fachliche Förderung und die Stützung ihres Ansehens in der Öffentlichkeit. Ausdehnung des Interessenbereichs auch auf Funk, Film und Fernsehen. (Kein Berufsverband).

B: Veranstaltung von Jahrestagungen (Vorträge, Diskussionen, Gespräche). Publikationen: *Dramaturg* (vierteljährlich), *Schriften* (bisher 23 Bde.), zahlreiche Einzelveröffentlichungen.

G: 1953.

MZ: 600.

V: Dr. Klaus Pierwoß.

L 100 Gesellschaft für Theatergeschichte e. V., Berlin, Mecklenburgische Str. 56, D-1000 Berlin 33. - Tel.: 030-823.9762 und 823.9244.

A: Förderung der Forschung zur Theatergeschichte durch Publikationen, Sammlung von Quellenmaterial.

B: Ausrichtung von Vorträgen.

MZ: 300.

V: Prof. Dr. Peter Sprengel (Vorsitzender).

L 110 Neue Gesellschaft für Literatur e.V. (NGL), Bismarckstr. 107, D-1000 Berlin 12. - Tel.: 030-3126662 (11-16 Uhr).

A: Förderung von Literatur und Literaturverständnis.

B: Ausrichtung literarischer Veranstaltungen, Förderung von Publikationen zur modernen Literatur und Literaturgeschichte, Förderung von Schriftstellern u.a. durch Vergabe von Stipendien und Einladungen.

G: 1973.

MZ: 320.

O: Mitgliederversammlung, Vorstand, Arbeits- und Projektgruppen, erweiterter Vorstand.

V: Dr. Olav Münzberg (1. Vors.), Ursula Lehmer, Rajvinder Singh (Stellvertr.).

L 120 Werkkreis Literatur der Arbeitswelt, Postfach 180227, D-5000 Köln. Geschäftsführung: Helmut Barnick, Jungfernheideweg 35, D-1000 Berlin 13. - Tel.: 030-3812158.

A: Darstellung der Situation abhängig Arbeitender vornehmlich mit sprachlichen Mitteln, Veränderung gesellschaftlicher Verhältnisse im Interesse der Arbeitenden. Pro-

duktion, Diskussion und Publikation gesellschaftskritischer, sozial verbindlicher Literatur.
B: Edition von Büchern; Ausrichtung von Bildungsseminaren für Mitglieder und Interessierte. *Werkkreis Literatur der Arbeitswelt* (Reihe im Fischer Taschenbuch Verlag). - Vgl.: *Zehn Jahre Werkkreis Literatur der Arbeitswelt. Dokumente, Analysen, Hintergründe.* Frankfurt 1979 (Fischer Taschenbuch, 2195).
G: 1969.
MA: Mitarbeit in einer Werkstatt und Anerkennung des Werkkreisprogramms.
MZ: 200.
O: Örtliche Werkstatt; Einzelmitglieder.
V: Jochen Grünwaldt (1. Sprecher), Helmut Barnick (2. Sprecher), Ulrich Land (Lektoratsbeauftragter).

L 130 Arbeitskreis für Jugendliteratur e. V., Schlörstr. 10, D-8000 München 19. - Tel.: 089-1684052.
A: Förderung und Koordinierung aller Bemühungen zur Entstehung, Produktion, Vermittlung und Verbreitung empfehlenswerter Literatur für Kinder und Jugendliche. Anregung und Hilfeleistung für Forschungsarbeiten. Förderung der Leseerziehung und der literarischen Bildung als Teil sozial-kultureller Jugendarbeit. Als Repräsentant der Bundesrepublik Deutschland in allen Fragen der Kinder- und Jugendliteratur ist der Arbeitskreis für Jugendliteratur e.V. gleichzeitig die Sektion der Bundesrepublik Deutschland und Berlin (West) des Internationalen Kuratoriums für das Jugendbuch (IBBY).
B: Ausrichtung von Seminaren, Tagungen, Kongressen und Workshops. Edition empfehlenswerter Jugendliteratur als Orientierungshilfen für Eltern und Vermittler von Kinder- und Jugendliteratur. Herausgabe der Zeitschrift *Informationen des Arbeitskreises für Jugendliteratur.* Im Auftrag des Bundesministers für Jugend, Familie, Frauen und Gesundheit, Organisation und Durchführung des Deutschen Jugendliteraturpreises. Zusammenarbeit mit Verbänden, Institutionen, Gremien gleicher oder ähnlicher Zielsetzung.
G: 1955.
MZ: ca. 200 Einzelmitglieder, ca. 50 Verbandsmitglieder.
O: Mitgliederversammlung, Vorsitzender, Vorstand, Geschäftsstelle.
V: Dr. Barbara Scharioth (Vorsitzende), Renate Raecke-Hauswedell (Stellvertr.), Franz Meyer (Geschäftsführer).

L 140 Förderzentrum JUGEND SCHREIBT e.V. (Zentralbibliothek), Josef-Haubrich-Hof 1, D-5000 Köln 1. Oder: c/o Harry Böseke, Geschäftsführer, Gervershagener Str. 4, D-5277 Marienheide-Müllenbach. - Tel.: 02264-1567.
A: Förderung der literarischen Selbsttätigkeit von Jugendlichen; Aufbau und Begleitung von Literaturgruppen in Jugendeinrichtungen, Jugendverbänden, Jugendgruppen, Schulklassen usw. Koordinierung und Anleitung der Schreibtätigkeit in Zusammenarbeit mit Fachpersonen. Gefördert werden insbesondere gestaltete, erzählende und be-

schreibende Arbeiten, die sich kritisch, schöpferisch und realistisch mit den Lebensbedingungen von Jugendlichen in der Bundesrepublik Deutschland auseinandersetzen.
B: Buchpublikationen.
G: 1979.
MA: Schreibende Jugendliche und Literaturinteressierte.
MZ: 14 feste Mitglieder, weitere kooperative Mitglieder.
V: Harry Böseke.

L 145 Gesellschaft der Bibliophilen e.V., c/o Resi-Annusch Dust, Theresienstr. 60, D-8000 München 2. - Tel.: 089-283682.
A: Förderung von Kunst und Kultur des Buches und einer lebendigen, schöpferischen Bibliophilie. Anregung zum Sammeln, Bewahren und Erhalten von Büchern.
B: Durchführungen von Jahrestagungen; Veröffentlichungen aus den Arbeitsgebieten der Gesellschaft und von vorbildlichen Drucken; Ausstellungen; Zusammenarbeit mit in- und ausländischen Organisationen gleicher oder ähnlicher Zielsetzungen; *Wandelhalle der Bücherfreunde* (vierteljährlich), *Imprimatur* (Jahrbuch).
G: 1899.
MZ: 700.
V: Prof. Dr. Jörn Göres (Präsident), Karl-Heinz Köhler (1. Vors.), Prof. Dr. Werner Grebe (2. Vors.), Resi-Annusch Dust (Schriftführerin und Schatzmeisterin).

L 150 Stefan-Andres-Gesellschaft e.V., Hofgartenstr. 26, Niederprümer Hof, D-5502 Schweich. - Tel.: 06502-6524 oder 5965.
A: Erforschung von Leben, Werk und Wirkung des katholischen Dichters Stefan Andres; Bewahrung seines geistigen Erbes. Verwaltung und Ausbau des Stefan-Andres-Archivs (-> G 95).
B: Jahresversammlung. *Mitteilungen für unsere Mitglieder* (jährlich); Einzelpublikationen.
G: 1979.
MZ: 380.
V: Dr. Jürgen Wichmann (Präsident), Dr. Harald Bartos (Vizepräs.), Jean-Roger Pater (Kustos und Archivleiter).

L 152 Bettina-von-Arnim-Gesellschaft e.V., c/o Bettina-von-Arnim-Oberschule, Senftenberger Ring 49, D-1000 Berlin 26. - Tel.: 030-4021021.
A: Förderung der Kenntnis von Leben und Werk B. v. Arnims; Aufbau eines Bettina-von-Arnim-Archivs; Unterstützung der Arbeit der Bettina-von-Arnim-Oberschule.
B: Literarischer Salon (regelmäßige Veranstaltung); Bettina-von-Arnim-Schülerpreis (jährlich); Bettina-von-Arnim-Forschungspreis (zweijährlich); *Internationales Jahrbuch der Bettina-von-Arnim-Gesellschaft* (Bd. 1 [1987] ff.).
G: 1985.
MZ: 80.
V: Walter Beyer (1. Vors.), Lothar Gotter (2. Vors.), Dr. Uwe Lemm (Schriftführer).

L 155 Ernst-Bloch-Gesellschaft e.V., Heinigstr. 17-19, D-6700 Ludwigshafen. - Tel.: 0621-622668.

A: Förderung der Kenntnis des Werkes und des Wirkens von Ernst Bloch; Verstärkung der philosophischen Forschung auf der Grundlage seines Werkes und seiner Wirkung auch für die interdisziplinäre Diskussion und die Öffentlichkeit. Schaffung eines Forums für kritische Philosophie.
B: Tagungen (alle zwei Jahre).
G: 1986.
MZ: 110.
V: Prof. Dr. Burghart Schmidt (Präsident), Prof. Dr. Gert Ueding (Vizepräs.), Klaus Rohrbacher (Geschäftsführer).

L 160 Georg Büchner Gesellschaft e.V., Postfach 1530, D-3550 Marburg.
A: Erforschung von Leben und Werk Georg Büchners und der demokratischen Bewegung im Vormärz.
B: Einrichtung einer Dokumentationsstelle der Quellen und der Literatur; Veranstaltung wissenschaftlicher Tagungen und Vorträge; *Georg Büchner Jahrbuch* (1981 ff.); *Büchner-Studien* (1985 ff.).
G: 1979.
MZ: 480.
V: Dr. Thomas Michael Mayer.

L 170 Wilhelm-Busch-Gesellschaft e.V., Georgengarten 1, D-3000 Hannover. - Tel.: 0511-714076.
A: Förderung von Wissenschaft und Forschung, Bildung und Erziehung, Kunst und Kultur. Erforschung der Persönlichkeit und des Nachlasses von Wilhelm Busch.
B: Veröffentlichungen originalgetreuer Wiedergaben von Werken Buschs, Edition von Jahrbüchern, Publikationen wissenschaftlicher Ausstellungskataloge. Ausrichten von Vorträgen und Veranstaltungen, Sammeln und Ausstellen kritischer Grafik und Karikatur.
G: 1930.
MZ: 3400.
O: Vorstand, Beirat, Geschäftsführung, Mitgliederversammlung.
V: Heinz Lauenroth (Vors.), Dr. Axel Smend, Prof. Dr. Axel Frhr. von Campenhausen (Stellvertr.).

L 180 *Dauthendey-Gesellschaft, Stefan-Krämer-Str. 16, D-8708 Gerbrunn. - Tel.: 0931-706924.
A: Förderung der Pflege des fränkischen Schrifttums der Gegenwart und des Andenkens an den Dichter Max Dauthendey. Sammlung des Schriftgutes und Bildmaterials für das Dauthendey-Archiv.
B: Ausrichtung von Autorenabenden.
G: 1934.
MZ: 110.
V: Dr. Karl Hochmuth (1. Vorsitzender), Walter Rossdeutscher (2. Vors.), Veit Hochmuth (Schriftführer).

L 185 Internationale Alfred-Döblin-Gesellschaft, c/o Prof. Dr. Erich Kleinschmidt, Britzinger Str. 58, D-7800 Freiburg i.Br. - Tel.: 0761-482582. Oder: c/o Dr. Jochen Meyer, Deutsches Literaturarchiv, Postfach 1162, D-7142 Marbach. - Tel.: 07144-6061.

A: Förderung und Koordination der Erforschung von Döblins Werk in internationalem Rahmen, Anregung interdisziplinärer und komparatistischer Arbeiten, Förderung der Döblin-Rezeption.

B: Internationale wissenschaftliche Colloquien (nahezu jährlich), regelmäßige Publikation der dort gehaltenen Referate und Vorträge.

G: 1984.

MZ: 70.

V: Prof. Dr. Erich Kleinschmidt (Präsident), Prof. Dr. Antony W. Riley (1. Vizepräs.), Prof. Dr. Werner Stauffacher (2. Vizepräs., Gründungspräs.), Dr. Jochen Meyer (Schatzmeister), Prof. Dr. Wulf Koepke.

L 190 Droste-Gesellschaft, Salzstr. 22/23, D-4400 Münster. - Tel.: 0251-591.4681.

A: Förderung der Kenntnis vom Leben und Werk der Droste. Unterstützung der Droste-Forschung. Aufbau eines umfassenden Archivs mit einer Handschriftensammlung.

B: Ausrichtung von Vorträgen und Tagungen (Lyriker-Treffen, Rüschhauslesungen), auch zu anderen Autoren, vornehmlich der Gegenwart.

G: 1928.

MZ: 400.

V: Rudolf Beisenkötter (1. Vors.), Prof. Dr. Winfried Woesler (Geschäftsführer).

L 200 *Eichendorff-Gesellschaft, Bahnhofstr. 71, D-4030 Ratingen 6 - Hösel. - Tel.: 02102-67341.

A: Erforschung von Leben, Werk und Wirkung Joseph von Eichendorffs und der Romantik. Klärung und Würdigung romantischer Kunst, Förderung ihrer übernationalen Geltung.

B: Ausrichtung internationaler Kongresse, von Fachtagungen und Ausstellungen. Vergabe eines Förderungspreises und einer Eichendorff-Medaille. Edition eines Nachrichtenblattes und von *Aurora. Jahrbuch der Eichendorff-Gesellschaft* (-> E 1300).

G: 1931. Neugründung 1952 als Eichendorff-Stiftung. Seit 1969 Eichendorff-Gesellschaft.

MZ: 530.

V: Prof. Dr. Peter Horst Neumann.

L 210 *Paul-Ernst-Gesellschaft e.V , Geschäftsstelle: Oberthürgasse 11, D-8700 Würzburg. - Tel.: 0931-13807.

A: Förderung der Edition und der Verbreitung der Schriften von Paul Ernst und der Aufführungen seiner Dramen. Sicherung und Herausgabe seines literarischen Nachlasses. "Die Paul-Ernst-Gesellschaft will Menschen verschiedenster geistiger Herkunft, die etwas von dem Auftrag Paul Ernsts an unsere Zeit spüren und einen tieferen Zugang zu seinem Werk suchen, sammeln und ihnen die Möglichkeit geben, sich mit

den dort gestellten Zielen in innerer Freiheit und Weite - fern jedem Persönlichkeits-
kult - auseinanderzusetzen." (Satzung)
B: Förderung von Schriften und Vorträgen über Paul Ernst. Edition der Zeitschrift *Der
Wille zur Form*. *Mitteilungen der Paul-Ernst-Gesellschaft*.
G: 1933. Neugründung 1956.
MZ: 320.
V: Dr. Dr. Wolfgang Stroedel (Präsident), Doz. Heinrich Steinmeyer (Stellvertr.; Ge-
schäftsführer).

L 220 Faust-Gesellschaft e.V., Wetterkreuzstr. 5, D-7134 Knittlingen. -
Tel.: 0721-688282 App. 10.
A: Förderung des Faust-Museums und des Faust-Archivs.
G: 1967.
MZ: 350.
V: Rita Desai (1. Vors.), Ernst Pilick (2. Vors.), Rudolf Weisert (Geschäftsführer).

L 230 Grabbe-Gesellschaft e. V., D-4930 Detmold. - Tel.: 05231-24376.
A: Förderung des Verständnisses für Grabbe und sein Werk auf dem Theater, in Wis-
senschaft und Unterricht. Erforschung und Pflege von Grabbes literarisch-histori-
schem Umfeld, insbesondere des Werkes der weiteren Detmolder Dichter aus dem
Vormärz Ferdinand Freiligrath und Georg Weerth.
B: Edition eines Jahrbuches seit 1982. Förderung von Publikationen, Veranstaltung
von wissenschaftlichen Vorträgen und Symposien, gesellige Zusammenkunft beim
jährlichen "Grabbe-Punsch".
G: 1937.
MZ: 280.
V: Dr. Werner Broer (Präsident), Dr. Michael Vogt (Stellvertr.), Erika Brokmann (Ge-
schäftsführerin), Dr. Detlev Kopp (Schriftführer), Gerhard Nikulla (Schatzmeister).

L 240 Brüder Grimm-Gesellschaft e.V., c/o Brüder Grimm-Museum,
Brüder Grimm-Platz 4 a, D-3500 Kassel. - Tel.: 0561-103235 und
787.4064.
A: Pflege und Förderung deutscher Kultur im Geiste der Brüder Grimm durch Veran-
staltungen und Unternehmungen geeigneter Art. Förderung einer kritischen Gesamt-
ausgabe des Werkes der Brüder Grimm. Förderung des Ausbaues des Brüder Grimm-
Museums in Kassel sowie der Grimm-Gedenkstätten in Hanau, Schlüchtern und Stei-
nau.
B: Ausrichtung von Jahresversammlungen und Kongressen. Mitwirkung bei der Ver-
leihung des "Brüder Grimm-Preises" der Universität Marburg.
G: 1897 (bis 1920). Neugründung: 1942.
MZ: 250.
O: Vorstand, Wissenschaftlicher Rat, Mitgliederversammlung.
V: Prof. Dr. Hans Bernd Harder (Präsident), Bibl.-Dir. Dr. Dieter Hennig (Geschäfts-
führer).

L 250 *Klaus-Groth-Gesellschaft e. V., Heide, c/o Erich Scheller, Uhlenhorst 14, D-2240 Lohe-Rickelshof. - Tel.: 0481-73513.

A: Erhaltung des Werkes von Klaus Groth; Unterstützung der Klaus-Groth-Forschung; Ausbau des Klaus-Groth-Museums. Förderung der niederdeutschen Sprache und Literatur.
B: Ausrichtung einer Jahrestagung; seit 1957 Jahresgaben.
G: 1949.
MZ: 425.
V: Prof. Dr. Reimer Bull (1. Vors.), Rolf Gosau (2. Vors.), Erich Scheller (Sekr.).

L 260 Gutenberg-Gesellschaft, Internationale Vereinigung für Geschichte und Gegenwart der Druckkunst e.V., Liebfrauenplatz 5, D-6500 Mainz. - Tel.: 06131-226420.

A: Förderung der Erforschung des Druck- und Buchwesens.
B: Herausgabe des *Gutenberg-Jahrbuchs* und der *Kleinen Drucke*. Unterstützung des Gutenberg-Museums. Verleihung des "Gutenberg-Preises". Edition von Festschriften und Monographien.
MZ: 1500 in 28 Ländern (davon ca. 200 Bibliotheken).
O: Vorstand, Präsidium, Mitgliederversammlung, Senatorenrat.
V: Hermann-Hartmut Weyel (Präsident), Gertraude Benöhr (Geschäftsführerin).

L 270 *Gerhart-Hauptmann-Gesellschaft e.V., Bismarckallee 14, D-1000 Berlin 33. - Tel.: 030-8928302.

A: Förderung des Andenkens an G. Hauptmann und Pflege seines geistigen Erbes.
B: Edition einer Schriftenreihe.
G: 1952.
MZ: 100.
O: Vorsitzender, Vorstand, Mitgliederversammlung.
V: Wolfgang Paul (Vors.), Dr. Klaus Hildebrandt (Stellvertr.).

L 280 Hebbel-Gesellschaft e.V., Postfach 68, Oesterstr. 6, D-2224 Wesselburen. - Tel.: 04833-2077.

A: Verbreitung der Dichtung und Gedankenwelt Friedrich Hebbels. Belebung und Förderung der Hebbel-Forschung. Förderung des Hebbel-Museums in Wesselburen.
B: Ausrichtung einer Jahresversammlung. Edition des *Hebbel-Jahrbuchs*.
G: 1926.
MZ: 510.
V: Barbara Wellhausen.

L 290 Heinrich-Heine-Gesellschaft e. V., Bilker Str. 14, D-4000 Düsseldorf. - Tel.: 0211-899.2901.

A: Die Heinrich-Heine-Gesellschaft möchte das dichterische und kritische Werk Heines lebendig erhalten, und zwar durch Zusammenarbeit mit Universitäten, Bibliotheken, Volkshochschulen, anderen literarischen Gesellschaften und insbesondere mit dem Düsseldorfer Heinrich-Heine-Institut.

B: Ausrichtung von Vorträgen und anderen Veranstaltungen. Verleihung der Ehrengabe der Heinrich-Heine-Gesellschaft. Edition des *Heine-Jahrbuchs*.
G: 1956.
MZ: 600.
V: Gerd Högener (1. Vors.), Prof. Dr. Joseph A. Kruse (Geschäftsführer).

L 300 Hölderlin-Gesellschaft e. V., Bursagasse 4, D-7400 Tübingen. - Tel.: 07071-22040.
A: Förderung des Verständnisses für das Werk Hölderlins. Erforschung und Darstellung seiner Werke, seines Lebens und seiner Umwelt.
B: Ausrichtung von Vorträgen, Lesungen (mit Schwerpunkt zeitgenössischer Lyrik) und sonstigen Veranstaltungen. Ausrichtung von Jahresversammlungen (alle 2 Jahre). Edition eines Jahrbuchs und der *Schriften der Hölderlin-Gesellschaft*. Pflege der Hölderlin-Gedenkstätten.
G: 1943/1947.
MZ: 1400.
O: Mitgliederversammlung, Vorstand, Geschäftsführung, Präsidium.
V: Prof. Dr. Udo Hölscher (Präsident), Prof. Dr. Erhard Kurz (Vizepräs.).

L 310 E.T.A. Hoffmann-Gesellschaft e. V., Wetzelstr. 19, D-8600 Bamberg. - Oder: E.T.A. Hoffmann-Haus, Schillerplatz 26, D-8600 Bamberg.
A: Verwaltung und wissenschaftliche Bearbeitung des künstlerischen Erbes E.T.A. Hoffmanns. Bewahrung der erhaltenen Hoffmann-Gedenkstätten.
B: Edition der *Mitteilungen der E.T.A. Hoffmann-Gesellschaft*.
G: 1928.
MZ: 450.
V: Dr. Georg Wirth (1. Vors.), Prof. H.-D. Holzhausen (2. Vors.).

L 320 *Heinrich-Hoffmann-Gesellschaft, c/o G.H. Herzog, Hochstraße 45-47, D-6000 Frankfurt/M. 1. - Tel.: 069-281333.
A: Pflege und Bewahrung des Werkes von H. Hoffmann. Trägerschaft des Struwwelpeter-Museums.
B: Organisation von Ausstellungen.
G: 1981.
V: Prof. Dr. Helmut Siefert (1. Vorsitzender), Mathilde Jung (2. Vors.), Mitsumasa Ito (Schatzmeister), G. H. Herzog (Schriftführer und Museumsleiter).

L 330 Hoffmann-von-Fallersleben-Gesellschaft e.V., Schloßplatz Fallersleben, D-3180 Wolfsburg 12. - Tel.: 05362-52623.
A: Förderung des Andenkens an den Germanisten, Dichter vieler Kinderlieder, Gelehrten und Schöpfer der deutschen Nationalhymne Hoffmann von Fallersleben.
B: Betreuung des Hoffmann-von-Fallersleben-Museums, Edition der *Mitteilungsblätter*.
G: 1928.
MZ: 500.

V: U. Hillendahl, B. Blankenburg (Vorsitzende).

L 340 *Hugo-von-Hofmannsthal-Gesellschaft, c/o Dr. Gisela Bärbel Schmid, Am Floßgraben 4, D-7800 Freiburg.
A: Förderung der Erschließung, Verbreitung und Auslegung des Hofmannsthalschen Werkes. Bildung eines Forums für Gespräche und Informationen.
B: Ausrichtung von Veranstaltungen (mit Vorträgen, Diskussionen und einem kulturellen Rahmenprogramm) und Tagungen mit kleinen Arbeitsgruppen. Edition der *Hofmannsthal-Blätter* (Erstdrucke, Dokumentationen, Berichte, Bibliographien [-> E 1350]) und der *Hofmannsthal-Forschungen*.
G: 1968.
MZ: 650.
V: Dr. Werner Volke (Vorsitzender), Dr. Ursula Renner-Henke, Dr. Elsbeth Dangel-Pelloquin (Stellvertr.), Dr. Lorenz Jäger (Schriftführer); Dr. Gisela Bärbel Schmid (Schatzmeisterin).

L 350 *Jean-Paul-Gesellschaft, c/o Georg Prechtl, Furtwänglerstr. 82, D-8580 Bayreuth.
A: Förderung des Verständnisses für Jean Paul und der wissenschaftlichen Forschung.
B: Veranstaltung von Lesungen, Vorträgen und Förderung von Veröffentlichungen. Herausgabe des *Jean-Paul-Jahrbuches* ([-> E 1360, bis 1966 unter dem Titel *Hesperus*).
G: 1925, Neugründung 1950.
MZ: 320.
V: Prof. Dr. Kurt Wölfel (Präsident), Dr. Rudolf Hoffmann (Vizepräs.), Georg Prechtl (Schatzmeister).

L 355 Erich-Kästner-Gesellschaft e.V., Schloß Blutenburg, D-8000 München 60. - Tel.: 089-8112028.
A: Förderung des Lebenswerkes Erich Kästners; Ermutigung junger Autoren durch Arbeitsstipendien; Förderung der Kinder- und Jugendliteratur.
B: Vergabe des Erich-Kästner-Preises.
G: 1975.
MZ: 20 (lt. Satzung).
V: Willi Daume (Präsident); Eva-Maria Ledig (Geschäftsführerin).

L 360 *Heinrich-von-Kleist-Gesellschaft e.V., c/o Prof. Dr. Hans Joachim Kreutzer, Institut für Germanistik, Universität Regensburg, Universitätsstr. 1, D-8400 Regensburg. - Tel.: 0941-943.3458.
A: Internationale literarische und wissenschaftliche Vereinigung, die in ihrer Tätigkeit an Bestrebungen der 1920 gegründeten Kleist-Gesellschaft anknüpft. Sie sieht ihre Aufgabe darin, das Werk und Leben Kleists durch wissenschaftliche Tagungen und Veröffentlichungen zu erschließen und die in der Gegenwart fortwirkenden Einflüsse seiner Dichtung durch künstlerische, insbesondere literarische Veranstaltungen für eine breitere Öffentlichkeit zu fördern.

B: Ausrichtung von Fachtagungen, von öffentlich zugänglichen Veranstaltungen wissenschaftlichen oder künstlerischen Charakters, von Aufführungen und Lesungen. Regelmäßige Publikationen (*Kleist-Jahrbuch*, 1980ff). Einzelpublikationen (u.a. *Kleist-Preis-Reden*); jährliche Vergabe des Kleist-Preises (1985ff).
G: 1920. Neugründung 1960.
MZ: 480.
V: Prof. Dr. Hans Joachim Kreutzer (Präsident), Prof. Dr. Norbert Miller (Stellvertr.), Hubertus Kohnert-Stavenhagen (Schatzmeister).

L 370 *Lichtenberg-Gesellschaft e.V., Alexandraweg 23, D-6100 Darmstadt. - Tel.: 06151-46759.
A: Pflege und Verbreitung der Kenntnis G. C. Lichtenbergs. Förderung der Erforschung seines literarischen und wissenschaftlichen Werks, seiner Wirkung und Rezeption.
B: Jahrestagungen; Publikationen: *Photorin. Mitteilungen der Lichtenberg-Gesellschaft*, H. 1-12 (1979-1987); *Jahrbuch der Lichtenberg-Gesellschaft* (1988ff.).
MZ: 300.
V: Prof. Dr. Wolfgang Promies (Vorsitzender), Margot Weyrauch (Geschäftsführerin).

L 380 Literarisches Colloquium Berlin e. V., Am Sandwerder 5, D-1000 Berlin 39. - Tel.: 030-8169960.
A: Förderung des Kontaktes zwischen Schriftstellern, Künstlern, Theater- und Filmregisseuren. Anregungen für das literarische Leben in Berlin.
G: 1963.
MZ: 14.
V: Prof. Dr. Karl Riha (geschäftsführender Direktor), Prof. Dr. Walter Höllerer (Stellvertr.), Dr. Ulrich Janetzki (Geschäftsführung).

L 390 *Deutsche Thomas-Mann-Gesellschaft Sitz Lübeck e. V., Königstr. 67a, D-2400 Lübeck 1. - Tel.: 0451-16006.32.
A: Pflege des Schrift- und Gedankengutes Thomas Manns.
B: Ausrichtung von Vorträgen über Thomas Mann, Publikation des *Thomas-Mann-Jahrbuchs*.
G: 1965.
MZ: 327.
V: Prof. Dr. Eckhard Heftrich (Präs.), Lisa Dräger (Vizepräs.).

L 400 *Karl-May-Gesellschaft e.V., Geschäftsstelle Berlin, Maximiliankorso 45, D-1000 Berlin 28. - Tel.: 030-4061033.
A: Bewahrung des Werkes von Karl May durch Erforschung aller mit Karl May zusammenhängenden Vorgänge (insbesondere literaturwissenschaftliche und biographische Forschung), um ihm dadurch den gebührenden Platz in der deutschen Literatur zu verschaffen.
B: Ausrichtung der Mitgliederversammlung. Edition von *Mitteilungen* und des *Jahrbuches der Karl-May-Gesellschaft* (-> E 1390).

G: 1969.
MZ: 1400.
V: Prof. Dr. jur. Dr. h.c. Claus Roxin (Vors.), Hans Wollschläger, Hansotto Hatzig (Stellvertr.).

L 405 Justus-Möser-Gesellschaft, c/o Möser-Dokumentationsstelle, Universitätsbibliothek, Alte Münze 10, Postfach 4469, D-4500 Osnabrück. - Tel.: 0541-608.4450.
A: Förderung der Forschung über Justus Möser, Vermittlung der Forschungsergebnisse an weitere Kreise zur besseren Kenntnis von Leben und Werk, Anregung des literarischen und geistigen Lebens in Osnabrück.
B: Durchführung von Colloquien und Kongressen über Möser ('Möser-Colloquium'); Edition des 'Möser-Forums' (alle drei Jahre).
G: 1987.
MZ: 40.
V: Prof. Dr. Winfried Woesler (Vorsitzender), Dr. Horst Meyer (Stellvertr.), Prof. Dr. Anton Schindling (2. Stellvertr.).

L 408 Erich-Mühsam-Gesellschaft e.V., c/o Frank-Thomas-Gaulin, Königstr. 20, Kunsthaus, D-2400 Lübeck 1. - Tel.: 0451-75700 und 70295.
A: "Das Andenken Erich Mühsams zu erhalten, in seinem Geist die fortschrittliche, friedensfördernde und für soziale Gerechtigkeit eintretende Literatur zu pflegen und seine Absage an jede Unterdrückung, Gewalt und Diskriminierung von Minderheiten für die Gegenwart zu nutzen." (Satzung)
B: Aufbau eines Erich-Mühsam-Archivs.
G: 1989.
MZ: 50.
V: Frank-Thomas Gaulin, Sabine Kruse, Bernt Engelmann u.a.

L 410 *Internationale Robert-Musil-Gesellschaft, Sekretariat und Geschäftsstelle, c/o Fachrichtung 8.1 Germanistik, Universität des Saarlandes, Im Stadtwald, D-6600 Saarbrücken 11. - Tel.: 0681-302.3034.
A: Förderung des Verständnisses für die Werke Musils. Förderung der Herausgabe seiner Werke auf wissenschaftlich gesicherter Textgrundlage. Unterstützung der Aufbereitung und Veröffentlichung des Nachlasses. Verbesserung der Zusammenarbeit der Forscher und Institutionen, die mit Musils Werk und Nachlaß beschäftigt sind.
B: Ausrichtung von Tagungen und Diskussionsveranstaltungen. Edition des *Musil-Forum* (Diskussionsbeiträge, Tätigkeitsberichte, Veröffentlichungen aus dem Nachlaß, Bibliographien).
G: 1974.
MZ: 420.
O: Kuratorium, Vorstand, Mitgliederversammlung, Rechnungsprüfer, Schiedsgericht.
V: Adolf Frisé (Ehrenpräsident), Marie-Louise Roth (Präsidentin), Ernst Schönwiese, Hans Zeller (Vizepräs.).

L 420 Oswald-von-Wolkenstein-Gesellschaft e.V., c/o Dr. Hans-Dieter Mück, Haffnerstr. 35, D-7142 Marbach. - Tel.: 07144-12602.

A: Anregung und Förderung der Oswald-von-Wolkenstein- und der Spätmittelalterforschung (z.B. in Literatur, Musik, Bildender Kunst, Kulturgeschichte, Theologie, Philosophie u.a.) mit dem Ziel interdisziplinären Gedankenaustausches.

B: Ausrichtung eines wissenschaftlichen Symposiums (alle drei Jahre), von universitären Arbeitstagungen, von Ausstellungen, Konzerten u.ä. Veranstaltungen zur spätmittelalterlichen Kultur. Publikation des *Jahrbuchs der Oswald-von-Wolkenstein-Gesellschaft* (alle zwei Jahre).

G: 1980.

MZ: 400.

V: Prof. Dr. Ulrich Müller (1. Vorsitzender), Prof. Dr. Bernd Thum (2. Vors.), Dr. Hans-Dieter Mück (Schatzmeister und Geschäftsführer).

L 430 *Pegnesischer Blumenorden e.V., Verein für Pflege der deutschen Sprache und Dichtkunst, Karolinenstr. 38, D-8500 Nürnberg.- Tel.: 0911-227224.

A: Pflege und Reinerhaltung der deutschen Sprache. Pflege der deutschen Literatur.

G: 1644.

MA: Bewerbung.

MZ: 84.

V: Dr. Friedrich von Herford (Ordenspräses), Lic. theol. Siegfried Frhr. von Scheurl (Stellvertr.).

L 435 Willibald-Pirckheimer-Gesellschaft zur Erforschung von Renaissance und Humanismus e.V. Nürnberg, c/o Dr. Stefan Füssel, Institut für Germanistik, Universität Regensburg, Postfach 397, D-8400 Regensburg. - Tel.: 09403-2534.

A: Erschließung des geistigen und kulturellen Erbes des Humanisten Pirckheimer und seiner Umwelt; Untersuchung der vielfältigen literarischen, theologischen, kunst- und kulturgeschichtlichen Fragestellungen, die mit dem Namen des Dürer-Freundes Pirckheimer und der Reichsstadt Nürnberg in der Frühen Neuzeit verbunden sind.

B: Interdisziplinäre und internationale Symposien (öffentlich) zu literarischen Gattungen, Dichterpersönlichkeiten und historischen Ereignissen des deutschen Humanismus (Thomas Morus, Ulrich von Hutten, Astrologie, Bild und Wort) im europäischen Kontext; *Pirckheimer-Jahrbuch* (seit 1985).

G: 1983.

MZ: 125.

V: Dr. Stefan Füssel (Vors.), Dr. Kurt Löcher (Stellvertr.), Dr. Horst Hergel (Schatzmeister).

L 440 Raabe-Gesellschaft, c/o Raabe-Gedächtnisstätte, Leonhardstr. 29 a, D-3300 Braunschweig. - Tel.: 0531-75225.

A: Verbreitung und Förderung des Werkes von Wilhelm Raabe. Förderung der wissenschaftlichen Forschung zu Leben, Werk und Fortwirkung Raabes.

B: Ausrichtung von Vorträgen und Lesungen. Ausrichtung von jährlichen Mitglieder versammlungen. Edition des *Jahrbuches der Raabe-Gesellschaft* (-> E 1400) und von *Mitteilungen.*
G: 1911.
MZ: 750.
V: Prof. Dr. Josef Daum (Präsident), Prof. Dr. Hans-Jürgen Schrader (Vizepräs.), Ursula Voges (Schriftführerin).

L 450 Deutsche Schillergesellschaft, Postfach 1162, D-7142 Marbach. Tel.: 07144-6061. - Telefax: 07144-15976.
A: Verwaltung des Schiller-Nationalmuseums und des Deutschen Literaturarchivs. Ausbau der Sammlungen, Pflege, Erforschung und Vermittlung der neueren deutschen Literatur. Pflege des geistigen Erbes Friedrich Schillers.
B: Ausrichtung einer Jahresversammlung. Edition des *Jahrbuchs der Deutschen Schillergesellschaft* (-> E 1280). Weitere Publikationen -> G 20.
G: 1895 (als Schwäbischer Schiller-Verein, ab 1946 Deutsche Schillergesellschaft).
MZ: 3600.
O: Mitgliederversammlung, Ausschuß, Vorstand, Geschäftsführer (Direktor des Schiller-Nationalmuseums und des DLA).
V: Prof. Dr. Eberhardt Lämmert (Präsident), Dr. Walter Seuferle (Vizepräs.), Dr. Ulrich Ott (Geschäftsführer), Heinz Georg Keppler (Schatzmeister), Tilman Krömer, Dr. Wulf D. von Lucius.

L 460 Reinhold-Schneider-Gesellschaft Freiburg e.V., Schwarzwaldstr. 68, D-7803 Gundelfingen.
A: Förderung der Erforschung und Verbreitung des Werkes von Reinhold Schneider und der christlichen Literatur insgesamt, vor allem bei der Jugend. Förderung von Veröffentlichungen des Dichters und der Arbeiten über ihn, sein Werk und sein Ethos. Zusammenarbeit mit dem Reinhold-Schneider-Archiv in der LB Karlsruhe.
B: Ausrichtung von Vortragsveranstaltungen und Tagungen. Verleihung der Reinhold-Schneider-Plakette. Edition der *Reinhold-Schneider-Blätter* (Mitteilungen der Reinhold- Schneider-Gesellschaft).
G: 1970.
MZ: 600.
V: Carsten Peter Thiede, M.A. (Präsident), Dr. Friedrich-Christian Stahl, Leni Mahnert-Lueg (Vizepräs.).

L 470 Deutsche Shakespeare-Gesellschaft West e.V., Rathaus, D-4630 Bochum 1. - Tel.: 0234-311842.
A: Förderung und Verbreitung der Kenntnis und Pflege Shakespeares im deutschen Sprachgebiet.
B: Publikation des *Jahrbuchs der Deutschen Shakespeare-Gesellschaft West*, einer Schriftenreihe und einer zweisprachigen, wissenschaftlich kommentierten Studienausgabe der Dramen Shakespeares. Informationsdienst (Archiv mit Daten und Materialien zu Shakespeare-Inszenierungen sämtlicher Bühnen des deutschsprachigen Raums).

Förderung des Kontaktes zwischen Wissenschaft und Schule zum Austausch aktueller Informationen und Erfahrungen. Informationen über Shakespeare-Inszenierungen der jeweils laufenden Theatersaison.
G: 1963.
MZ: 1800.
O: Vorstand, Geschäftsführender Ausschuß, Hauptversammlung.
V: Prof. Dr. Ulrich Suerbaum (Präsident), Prof. Dr. Raimund Borgmeier (Vors. des Geschäftsführenden Ausschusses).

L 480 Sokratische Gesellschaft e.V., Riedlach 12, D-6800 Mannheim 31. - Tel.: 0621-771235.
A: Förderung der Sokrates-Forschung und Wirken im Geiste des Sokrates, wie ihn Platon beschreibt.
B: Durchführung des Sokratischen Treffens (jährlich); weitere Veranstaltungen; Veröffentlichungen im Verlag Sokrates.
G: 1972.
MZ: 150.
O: Vorstand, Hauptversammlung.
V: Prof. Dr. Walter Thoms (Ehrenvorsitzender), Prof. Dr. Herbert Kessler (1. Vors.).

L 490 Theodor-Storm-Gesellschaft, Wasserreihe 31, Storm-Haus, D-2250 Husum. - Tel.: 04841-666270.
A: Verbreitung des Werkes von Theodor Storm. Förderung der Storm-Forschung. Erhaltung und Ausbau der Storm-Gedenkstätten.
B: Ausrichtung einer jährlichen Storm-Tagung in Husum (Vorträge, Referate, Exkursionen, Ausstellungen). Förderung von Storm-Ausgaben. Edition der *Schriften der Theodor-Storm-Gesellschaft*. Beteiligung an der Vergabe des Storm-Stipendiums der Stadt Husum.
G: 1948.
MZ: 1550.
V: Christoph-Bernhard Schücking (Präsident), Christian Jenssen (Vizepräs.), Prof. Dr. Karl-Ernst Laage (Sekretär).

L 500 *Wolfram von Eschenbach-Gesellschaft e.V., c/o Dr. Gisela Vollmann-Profe, Deutsches Seminar, Universität Tübingen, Wilhelmstr. 50, D-7400 Tübingen 1. - Tel.: 07071-294965.
A: Förderung der Erforschung der Literatur und Kultur des Mittelalters; Pflege des internationalen mediävistischen Kontakts durch den Austausch und die Diskussion von Forschungseinrichtungen, -ergebnissen und -methoden.
B: Durchführung von Kolloquien und Arbeitstagungen. Edition der *Wolfram-Studien* (bisher 10 Bde.; ab Bd. 10 mit *periodischer Bibliographie*).
G: 1968.
MZ: 370.
V: Prof. Dr. J. Heinzle (1. Vorsitzender), Prof. P. Johnson (2. Vors.)., Dr. G. Vollmann-Profe (Geschäftsführerin).

L 510 Carl-Zuckmayer-Gesellschaft e. V., Postfach 33, D-6506 Nackenheim. - Tel.: 06135-5625.

A: Pflege und Förderung der Kenntnis und Verbreitung des Werkes von Carl Zuckmayer und anderer Autoren Rheinhessens, der Pfalz und des Nahegebietes.

B: *Blätter der Carl-Zuckmayer-Gesellschaft*; Organisation von Vorträgen, Dichterlesungen und Theateraufführungen.

MZ: 490.

V: Dr. Anton M. Klein (Präsident), G. Ollig (Vizepräs. und Geschäftsführer).

L 520 Alexander von Humboldt-Stiftung, Jean-Paul-Str. 12, D-5300 Bonn 2. - Tel.: 0228-833.0. - Telefax: 0228-833.199.

A: Förderung der Forschung auf allen Gebieten des Wissens.

B: Vergabe von Forschungsstipendien; Sonderprogramme für ausländische Wissenschaftler; Forschungspreise; Sonderprogramme für deutsche Wissenschaftler (Informationsbroschüre von obiger Adresse). Kontakte Auswahlprogramm: Dr. Helmut Hanle, Dr. Rudolf Hoffmann.

G: 1860; Wiedererrichtung 1953.

V: Prof. Dr. Reimar Lüst (Präsident), Prof. Dr. Wolfgang Paul (Ehrenpräs.), Prof. Dr. Hubert Markl (Vizepräs.), Dr. Heinrich Pfeiffer (Generalsekretär und Geschäftsführendes Vorstandsmitglied).

L 530 Stiftung F.V.S., Georgsplatz 10, D-2000 Hamburg 1. - Tel.: 040-330400 und 330600.

A: Auszeichnung von Bestrebungen zur Bewahrung des europäischen Kulturerbes, zur Förderung der europäischen Einigung, insbesondere auf dem Gebiet der Denkmalpflege und des Naturschutzes.

B: Vergabe von zahlreichen Preisen (allgemeine Kultur-, Kunst- und Literaturpreise sowie für öffentliches Wirken).

G: 1931.

V: Dr. h.c. Alfred Toepfer (Vorsitzender).

L 540 Stiftung Wissenschaft und Presse, Magdalenenstr. 64 a, D-2000 Hamburg 13. - Tel.: 05544-1314 oder: 040-5514922 (nach 17 h).

A: Förderung der wissenschaftlichen Erforschung und Bearbeitung der Presse durch Vergabe von Stipendien und von Druckkostenzuschüssen (für Dissertationen und Habilitationsschriften).

G: 1964.

V: Eberhard Maseberg (Vorsitzender), Prof. Dr. Cornehl, Dr. Claus Liesner, Georg Wolf, Dr. Friedrich-Karl Proehl (Wiss. Sekretär).

L 560 Arno Schmidt Stiftung, Unter den Eichen 13, D-3101 Bargfeld. - Tel.: 05148-1516.

A: Sicherung des literarischen Erbes Arno Schmidts; Edition seines Nachlasses.

B: Publikationen; Vergabe des *Arno Schmidt Preises*.

G: 1981/82.

L 570 *Kurt-Tucholsky-Stiftung, Geschäftsführung: Regine Stützner, Agnesstr. 32, D-2000 Hamburg 60. - Tel.: 040-477871.

A: Die Stiftung will die internationale Verständigung fördern und zu diesem Zweck insbesondere Studenten der Germanistik, Publizistik, Soziologie oder der Politologie, die bereit sind, im Geiste Kurt Tucholskys auf ihrem Fachgebiet wissenschaftlich zu wirken, einen einjährigen Studienaufenthalt im Ausland gewähren und/oder ausländischen Studenten unter den gleichen Voraussetzungen einen einjährigen Studienaufenthalt in der Bundesrepublik ermöglichen.

V: Dr. Hans Prescher.

2 DEUTSCHE DEMOKRATISCHE REPUBLIK

L 580 Goethe-Gesellschaft in Weimar, Geschäftsstelle: Hans-Wahlstr. 4, Postfach 251, Weimar 5300 DDR. - Tel.: [0037] 0621-2050.

A: Förderung der Kenntnis und Verbreitung der poetischen und theoretischen Werke Goethes durch wissenschaftliche Vortragsveranstaltungen, Kolloquien und Publikationen, Lesungen und Theateraufführungen mit dem Ziel, historisches Gegenwartsverständnis zu fördern und zur Ausbildung humanistischer Positionen im geistig-kulturellen Leben der Gegenwart beizutragen. Förderung der in Weimar gegründeten Goethe-Bibliothek. Unterstützung des Goethe- und Schillerarchivs und des Goethe-Nationalmuseums.

B: Ausrichtung von Hauptversammlungen mit wissenschaftlichen Kolloquien, künstlerischen und geselligen Veranstaltungen. Regelmäßige Vortragsveranstaltungen in den Ortsvereinigungen der Goethe-Gesellschaft. Publikationen: *Goethe-Jahrbuch, Schriften der Goethe-Gesellschaft.*

G: 1885.

MZ: 5100.

O: Vorstand mit Arbeitsausschuß, Ortsausschuß in Weimar, Hauptversammlung, Ortsvereinigungen.

V: N.N. (Präsident), Prof. Dr. Jörn Göres (Vizepräs.).

L 590 Deutsche Schillerstiftung, Schillerhaus, Weimar 5300 DDR. - Tel.: [0037] 0621-62041.

A: Finanzielle Unterstützung von verdienten Schriftstellern, die in wirtschaftliche Bedrängnis geraten sind.

G: 1859.

V: Prof. Dr. Hans Henning (Vorsitzender des Verwaltungsrates), Dr. sc. Siegfried Seidel (Generalsekretär).

3 ÖSTERREICH

L 600 Österreichische Gesellschaft für Literatur, Palais Wilczek, Herrengasse 5, A-1010 Wien. - Tel.: [0043] 0222-638159 und 630864.

A: Förderung der österreichischen Literatur. Betreuung und Förderung österreichischer Autoren und ihrer Werke durch Zusammenarbeit mit Verlagen, Buchhandlungen, Zeitungen, Zeitschriften usw.

B: Systematische Zusammenfassung aller Bestrebungen zur Förderung der österreichischen Literatur. Unterstützung der Arbeit von Institutionen, die sich mit dem Werk einzelner österreichischer Autoren beschäftigen. Zusammenarbeit mit den österreichischen Kulturinstituten und den österreichischen Vertretungsbehörden im Ausland zur Förderung der österreichischen Literatur.

G: 1961.

MA: Freier Interessentenkreis.

V: Dr. Wolfgang Kraus, Prof. Kurt Klinger.

L 610 Wiener Gesellschaft für Theaterforschung, c/o Institut für Theaterwissenschaft, Hofburg, Batthyanystiege, A-1010 Wien. - Tel.: [0043] 0222-522187.

A: Förderung der Erforschung des österreichischen Theaters.

B: Durchführung von Forschungsprojekten im Bereich der österreichischen Theatergeschichte und der Theaterdokumentation. Aufarbeitung und Edition von Quellen zur Theatergeschichte. Planung und Durchführung von Aktivitäten im Bereich der Theaterdokumentation und Theaterinformation. Mitarbeit an internationalen einschlägigen Unternehmungen. Veranstaltung von Vorträgen zu Fragen des Fachgebietes. Editionen: *Jahrbuch der Wiener Gesellschaft für Theaterforschung, Quellen zur Theatergeschichte, Theaterliteratur*.

G: 1941.

MZ: 110.

O: Mitgliederversammlung, Vorstand, Rechnungsprüfer, Arbeitsausschüsse.

V: Prof. Dr. Margret Dietrich, Hofrat Dr. Franz Hadamowsky.

L 620 Wiener Bibliophilen-Gesellschaft, Sekretariat: Andrea-Christine Hilgers, Naturhistorisches Museum, Bibliotheksleitung, Burgring 7, A-1014 Wien. - Tel.: [0043] 0222-934541 / DW 213.

A: Pflege und Förderung der Bibliophilie.

B: Förderung bibliophiler Ausgaben vergriffener oder schwer greifbarer literarischer Werke, zeitgenössische bibliophile Ausgaben.

G: 1912.

MA: Anmeldung beim Vorstand; auch Einladung.

MZ: 200.

V: Prof. Dr. Peter Leisching (Präs.), Prof. Christian Nebehay (Vizepräs.).

L 625 Internationale Erich-Fried-Gesellschaft für Literatur und Sprache, Linke Wienzeile 4/2/111, A-1060 Wien. - Tel.: [0043] 0222-587.1860 587.3732 und 587.3404. - Telex: 75312828. - Telefax: 587.6873.

A: Förderung der deutschen Literatur und Sprache, Förderung und Verbreitung des Werkes Erich Frieds, Auswertung seines Nachlasses (in der ÖNB Wien).

B: Ausrichtung von Tagungen; Vergabe der Erich-Fried-Ehrung an eine Persönlich-

keit, die dann den Träger des Erich-Fried-Preises für Literatur und Sprache bestimmt.
G: 1989.
V: Prof. Dr. Alexander von Bormann (Präsident), Elisabeth Borchers, Dr. Ernst Jandl
(Stellvertr.), Michael Lewin (Generalsekretär).

L 630 Wiener Goethe-Verein, Stallburggasse 2, A-1010 Wien. - Tel.:
[0043] 0222-3618174.
A: Förderung des Verständnisses für Goethes Leben und Schaffen, Aufdeckung seiner
Beziehungen zu Österreich. Kulturelles Wirken im Geiste Goethes.
B: Erhaltung des Goethe-Museums in Wien, dem auch eine Bibliothek angegliedert
ist. Veranstaltung von Vorträgen wissenschaftlicher und künstlerischer Art. *Jahrbuch*
(-> E 1270).
G: 1878.
MZ: 350.
V: Prof. Dr. Herbert Zeman (Präsident).

L 640 Grillparzer-Gesellschaft, Gumpendorfer Str. 15, A-1060 Wien. -
Tel. : [0043] 0222-58.612.49.
A: Verbreitung der Kenntnis von Grillparzers Persönlichkeit und Werk in Verbindung
mit der Pflege einer eigenständigen österreichischen Literatur sowie Förderung der
sich auf diesem Gebiet betätigenden Forschung.
B: Ausrichtung von Vortragsveranstaltungen. *Jahrbuch der Grillparzer-Gesellschaft.*
G: 1890.
MZ: 180.
O: Vorstand, Generalversammlung, Rechnungsprüfer.
V: Prof. Dr. Victor Suchy (Präsident), Dr. Robert Pichl, Doz. Dr. Georg Scheibelreiter
(Vizepräs.), Dr. Lorenz Mikoletzky (Gen.Sekr.).

L 645 Österreichische Franz-Kafka-Gesellschaft, Rathausplatz 1, A-3400
Klosterneuburg. - Tel.: [0043] 02243-81896.
A: Förderung der Kontakte zu und zwischen Kafka-Forschern und -Verehrern; Erfor-
schung des Prager Kreises zur Zeit Kafkas.
B: Durchführung von Literatursymposien; Edition einer wissenschaftlichen Schriften-
reihe (jährlich); Vergabe des Kafka-Literaturpreises (alle 2 Jahre).
G: 1979.
MZ: 93.
V: Dr. Wolfgang Kraus (Präsident), Helmut Zuschmann, Kurt Reif (Vizepräs.), Nor-
bert Winkler (Gen.Sekr.).

L 650 Internationale Lenau-Gesellschaft, Postfach 295, A-1031 Wien. -
Tel.: [0043] 0222-71102, Kl. 361. Oder: Rathaus, A-2000 Stockerau.
A: Verbreitung der Werke und des Gedankengutes Nikolaus Lenaus. Förderung der
Völkerverständigung. Förderung der Literaturwissenschaft.
B: Erarbeitung einer historisch-kritischen Gesamtausgabe der Werke und einer wis-
senschaftlichen Biographie und Bibliographie Lenaus. Publikationen: *Lenau Alma-*

nach (jährlich), *Lenau Forum. Zeitschrift für vergleichende Literaturforschung* (jährlich).
MZ: 130.
V: Bundeskanzler a.D. Dr. Fred Sinowatz (Präs.); Leopold Richentzky (geschäftsführender Präs.); Dr. Hermann Lein (Gen.Sekr.).

L 655 Internationale Nestroy-Gesellschaft, Volkstheater, Neustiftgasse, A-1070 Wien. Oder: Gentzgasse 10/3/2, A-1180 Wien. - Tel.: [0043] 0222-344661.
A: Verbreitung der Kenntnis von Persönlichkeit und Werk Johann Nestroys, Unterstützung der wissenschaftlichen Erforschung seiner Stücke und ihrer Inszenierung sowie des Wiener Volkstheaters allgemein.
B: Unterstützung der neuen historisch-kritischen Gesamtausgabe, Ausrichtung von Vortragsveranstaltungen und Tagungen; Publikation: *Nestroyana. Blätter der Internationalen Nestroy-Gesellschaft.*
G: 1973.
MZ: 250.
V: Prof. Franz Stoß (Präs.); Univ.-Prof. Dr. Jürgen Hein, Prof. Dr. Heinrich Kraus, Univ.-Prof. Dr. Franz H. Mautner (Vizepräs.); Dipl.-Ing. Karl Zimmel (Geschäftsführer).

L 660 Adalbert Stifter-Gesellschaft, c/o Historisches Museum, Karlsplatz, A-1040 Wien. - Tel.: [0043] 0222-5058747, Kl. 31.
A: Förderung der Kenntnis Stifters als Dichter und Maler sowie der Stifter-Forschung.
B: Erhaltung und Erweiterung des Adalbert-Stifter-Museums in Wien (Tel.: 6370665).
G: 1918.
MZ: 150.
V: Prof. Dr. Heinz Schöny (Vorsitzender), Prof. Dr. Herta Wohlrab, Dr. Gertrud Rauch (Stellvertr.), Dr. Karl Albrecht Weinberger (Schriftführer).

4 SCHWEIZ

L 680 Gesellschaft für deutsche Sprache und Literatur in Zürich, c/o Deutsches Seminar, Rämistr. 74/76, CH-8001 Zürich. - Tel.: [0041] 01-257.2561.
A: Förderung des Interesses an den Forschungsergebnissen und Fortschritten der Sprach- und Literaturwissenschaft sowie verwandter Gebiete auch außerhalb der Fachkreise.
B: Ausrichtung von allgemeinen, fachwissenschaftlichen oder fachdidaktischen Vorträgen aus dem Bereich der deutschen Sprache und Literatur.
G: 1894.
MZ: 208.
V: PD. Dr. Rudolf Schwarzenbach.

L 690 *Genfer Gesellschaft für deutsche Kunst und Literatur, c/o Peter Schürch, 1, Rue de la Fontaine, CH-1204 Genève. - Tel.: [0041] 022-210165. *Oder*: c/o Prof. Dr. Bernhard Böschenstein, 34, Rue de Saint-Jean, CH-1203 Genève. - Tel.: [0041] 022-453062.
A: Vermittlung der deutschsprachigen Literatur und deutschen Kultur der Gegenwart und Vergangenheit.
B: Dichterlesungen, wissenschaftliche und künstlerische Veranstaltungen.
G: 1923.
MZ: 350.
V: Prof. Dr. Bernhard Böschenstein (Präsident), Dr. Ingrid Drevermann (Vizepräs.), Peter Schürch (1. Schriftleiter).

L 700 *Gesellschaft für Deutsche Sprache und Literatur St. Gallen, c/o Dr. Hannes Schwander, Notkerstr. 19, CH-9008 St. Gallen. - Tel. : [0041] 071-240914.
A: Förderung des Verständnisses für eine deutsche Schriftsprache. Förderung junger und älterer Dichter und Schriftsteller der engeren und weiteren Heimat. Förderung des alemannischen Schrift- und Kulturgutes.
B: Ausrichtung von Dichterlesungen, wissenschaftlichen linguistischen Vorträgen, Wettbewerben für Schriftsteller.
G: 1934.
MZ: 270.
V: Dr. Hannes Schwander (Präsident).

L 710 Schweizerischer Bund für Jugendliteratur, Zentralsekretariat, Gewerbegasse 8, CH-6330 Cham. - Tel.: [0041] 042-413140.
A: Förderung der Kinder- und Jugendliteratur und der Leseerziehung in der Schweiz. - Schweizerische Sektion des Internationalen Kuratoriums für das Jugendbuch (IBBY).
B: Organisation der jährlich stattfindenden Schweizerischen Jugendbuchtagung und der Schweizer Jugendbuchwoche. Edition der Zeitschrift *Jugendliteratur* (vierteljährlich), Verzeichnis *Das Buch für Dich* (jährlich), Jahrbücher *Das Buch Dein Freund* und *Information Buch Oberstufe* (jährlich).
G: 1954.
MZ: 6300.
V: Dr. Peter Gyr.

L 720 Schweizerische Bibliophilen-Gesellschaft, c/o Buchdruckerei Küsnacht, Oberwachtsstr. 2, CH-8700 Küsnacht. -Tel.: [0041] 01-252.6349.
A: Pflege und Förderung der Bibliophilie.
B: Ausrichtung von Jahresversammlungen. Edition von *Librarium* (mit regelmäßigen Beiträgen über bibliophile Tätigkeiten in Deutschland, Frankreich, Großbritannien und der Schweiz).
G: 1921.
MZ: 700.
V: Dr. jur. Conrad Ulrich (Vorsitzender), Dr. phil. Daniel Bodmer (Stellvertr.), Marianne Isler (Schreiberin).

L 730 *Gottfried Keller-Gesellschaft, c/o Prof. Dr. E. Wilhelm, Postfach 474, CH-8610 Uster 1. - Tel.: [0041] 01-9413725.
A: Pflege des Andenkens an G. Keller und andere bedeutende Zürcher Schriftsteller.
B: Förderung des Gottfried-Keller-Archivs und der Gottfried-Keller-Ausstellung in der Zentralbibliothek Zürich. Unterstützung der Werk- und Briefausgaben bedeutender Zürcher Schriftsteller. Ausrichtung von Vorträgen und Besichtigungen. Unterhaltung der G.-Keller-Ausstellung im Rathaus Zürich. Edition der Jahresberichte mit der Veröffentlichung der im Vorjahr am "Jahresbott" oder "Herbstbott" gehaltenen Rede.
G: 1931.
MZ: 300.
V: Prof. Dr. Hans Wysling (Präs.), Dr. Hans J. Halbheer (Quästor), Prof. Dr. Egon Wilhelm (Sekretär).

L 740 Thomas Mann Gesellschaft, c/o Europa-Verlag A.G., Rämistr. 5, CH-8001 Zürich.
A: Pflege des Andenkens an Thomas Mann und seines geistigen Erbes.
B: Edition der *Blätter der Thomas Mann Gesellschaft*.
G: 1956.
MZ: 500.
V: Dr. Erwin Jaeckle, Emmie Oprecht, Dr. Willy Stähelin, Prof. Dr. Werner Weber.

L 750 Rilke-Gesellschaft, c/o Schweizerisches Rilke-Archiv, Schweizerische Landesbibliothek, Hallwylstr. 15, CH-3003 Bern. - Tel.: [0041] 031-618930.
A: Pflege und Studium von Werk und Persönlichkeit R. M. Rilkes.
B: Ausrichtung von Tagungen. Publikationen (bisher: *Blätter der Rilke-Gesellschaft*).
G: 1971.
MZ: 300.
V: Prof. Dr. Jacob Steiner (Präsident), Dr. Joachim W. Storck (Vizepräs.), Dr. Rätus Luck (Sekretariat).

L 760 *Schweizerische Schillerstiftung, Im Ring 2, CH-8126 Zumikon. - Tel.: [0041] 01-9182580.
A: Ehrung verdienter Schweizer Dichter, Gewährung von Beiträgen, Förderung jüngerer begabter Dichter. Auszeichnung hervorragender Werke der schweizerischen Dichtkunst.
B: Vergabe von Anerkennungspreisen und Förderpreisen.
G: 1905.
MZ: 400.
V: Prof. Dr. Egon Wilhelm (Präsident), Nouky Bataillard (Vizepräs.), Estelle Schiltknecht (Aktuarin).

TEIL M: LITERATUR- UND ALLGEMEINE KULTURPREISE 1981 ff.

M 10 Die Untersuchungen von Karla Fohrbeck und Andreas J. Wiesand (-> M 30, S. XIIIff.) ergaben für die Bundesrepublik Deutschland eine Zahl von rd. 700 Kulturpreisen mit ca. 7000 Einzelvergaben. Diese Zahlen lassen geradezu von einer inflationären Lage auf diesem Sektor sprechen, da heute selbst kleinere Städte und Organisationen in irgendeiner Form Anerkennungs- und/oder Förderpreise vergeben. Aus dieser Situation heraus ergab sich für das *Informationshandbuch* die Notwendigkeit einer strengen Selektion. Kriterium für die Auswahl war die Überregionalität. Wie bei den Verbänden und Literarischen Gesellschaften (-> Teile K und L) werden auch hier nur die Preise auf den Gebieten Literatur und Publizistik (sowie einige allgemeine Kulturpreise) aufgenommen, die überregional vergeben werden. Ein weiteres Kriterium war der Bedeutungsgrad, den die Öffentlichkeit, gemessen an der Presseresonanz, diesen Auszeichnungen beimißt (-> M 30, S. XXIV), so daß sich aus der Reduktion schließlich eine überschaubare Zahl ergab. Die Angaben wurden durch eine Fragebogenaktion gewonnen, die in den Monaten Januar bis April 1989 durchgeführt wurde. - Im Hinblick auf das entstehende *Informationshandbuch Theater, Film, Funk und Fernsehen* wurden reine Film- und Fernsehpreise nicht mehr aufgenommen.

M 20 Die Anordnung der Preise erfolgt nach Ländern und innerhalb dieser alphabetisch nach Preisnamen, wobei bei Preisen, die nach einer Persönlichkeit benannt sind, der Familienname Ordnungswort ist. Die Preisträger werden nur für die Jahre 1981 ff. genannt. Frühere Daten sowie Angaben zu Preisen, die hier nicht erwähnt sind, können der 1982er Ausgabe des *Informationshandbuches* bzw. den Verzeichnissen M 30 bis M 50 entnommen werden:

M 30 Handbuch der Kulturpreise und der individuellen Künstlerförderung in der Bundesrepublik Deutschland 1985 (-> B 3080).

M 40 Kürschners Deutscher Literatur-Kalender. Jg. 60 (1988), S. 1583-1620 -> C 370.

Speziell zu Kinder- und Jugendbuchpreisen:

M 50 Betten, Lioba: Preise zur Kinder- und Jugendliteratur in vier Ländern. Eine Dokumentation der Jahre 1970-1980. München 1981.

Abkürzungen: AZ = Allgemeine Zielsetzung; G = Gründungsjahr; L = Literatur; PT = Preisträger; ST = Stifter und/oder Träger des Preises.

1 BUNDESREPUBLIK DEUTSCHLAND

M 60 Konrad-Adenauer-Preis für Literatur

ST: Deutschland-Stiftung e. V., Königstraße 42, D-8211 Breitbrunn/Chiemsee. - Tel.: 08051-3041.

AZ: Auszeichnung literarischer Leistungen, die das Verständnis für die europäische Kultur und Geisteshaltung erwecken und fördern. Würdigung bedeutender konservativer Persönlichkeiten.

G: 1966.

PT: Gertrud Fussenegger (1982, *nicht angenommen*); Wladimir Bukowski (1984); Gerd-Klaus Kaltenbrunner (1986); Gertrud Höhler (1988).

M 70 Konrad-Adenauer-Preis für Publizistik

ST: Deutschland-Stiftung e.V. -> M 60.

PT: Herbert Kremp (1984); Jean-Francois Revel (1986); Wolfgang Höpker (1988).

M 80 Theodor-W.-Adorno-Preis

ST: Magistrat der Stadt Frankfurt am Main, Amt für Wissenschaft und Kunst, Brückenstr. 3-7, D-6000 Frankfurt/M.- Tel.: 069-212.8424.

AZ: Förderung und Anerkennung hervorragender Leistungen in den Bereichen Philosophie, Musik, Theater, Film.

G: 1976/77.

PT: Günther Anders (1983); Michael Gielen (1986).

M 90 Berliner Kunstpreis

ST: Senat Berlin (Senator für kulturelle Angelegenheiten) und Akademie der Künste Berlin (-> I 70).

AZ: Auszeichnung und Förderung künstlerischer Leistungen. Der Berliner Kunstpreis wird als "großer Kunstpreis" und als Förderpreis in den Sparten Bildende Kunst, Baukunst, Musik, Literatur (als "Fontane-Preis"), Darstellende Kunst und Film, Hörfunk, Fernsehen vergeben (der "große Kunstpreis" turnusmäßig in der angegebenen Reihenfolge, die Förderpreise jährlich in allen Sparten).

G: 1948.

PT: *Großer Kunstpreis* (Literatur): Brigitte Kronauer (1985).

M 91 Berliner Preis für deutschsprachige Gegenwartsliteratur.

ST: Stiftung Preußische Seehandlung, c/o Literarisches Colloquium (-> L 380).

G: 1989.

PT: Volker Braun (1989).

M 93 Ernst-Bloch-Preis

ST: Stadt Ludwigshafen am Rhein.

AZ: Auszeichnung von herausragendem wissenschaftlichem und literarischem Schaffen mit philosophischer Grundhaltung, das für unsere Kultur in kritischer Auseinandersetzung mit der Gegenwart bedeutsam ist.

G: 1985.
PT: Dolf Sternberger (1985); Hans Mayer (1988).

M 96 Heinrich-Böll-Preis (bis Sommer 1985: Literaturpreis der Stadt Köln).

ST: Stadt Köln, Kulturamt, Richartzstr. 2-4, D-5000 Köln 1. - Tel.: 0221-221.3481.
AZ: Der Preis wird jährlich für herausragende Leistungen - auch noch unbekannter Autoren - auf dem Gebiet deutschsprachiger Literatur verliehen.
G: 1980/1985.
PT: Peter Weiss (1981); Wolfdietrich Schnurre (1982); Uwe Johnson (1983); Helmut Heißenbüttel (1984); Hans Magnus Enzensberger (1985); Elfriede Jelinek (1986); Ludwig Harig (1987); Dieter Wellershoff (1988); Brigitte Kronauer (1989); Günter de Bruyn (1990).

M 100 Bremer Literaturpreis

ST: Freie Hansestadt Bremen und Rudolf-Alexander-Schröder-Stiftung, Pieperstr. 1 bis 3, D-2800 Bremen 1. - Tel.: 0421-3612717.
AZ: Förderung und Auszeichnung von Spitzenleistungen im Bereich der Literatur. Ab 1977 zusätzlich ein Förderpreis.
G: 1953/54.
PT: *Hauptpreis*: Christoph Meckel (1981); Peter Weiss (1982); Erich Fried (1983); Paul Wühr (1984); Rolf Haufs (1985); Volker Braun (1986); Jürgen Becker (1987); Peter Handke (1988); Ingomar von Kieseritzky (1989).
L: Der Bremer Literaturpreis 1954-1987. Reden der Preisträger und andere Texte. Eine Dokumentation. Hrsg. von Wolfgang Emmerich. Bremerhaven: edition die horen, 1988.

M 110 Buber-Rosenzweig-Medaille

ST: Gesellschaften für Christlich-Jüdische Zusammenarbeit, Deutscher Koordinierungsrat e.V., Barckhausstr. 18, Postfach 170233, D-6000 Frankfurt/M. 1. - Tel.: 069-724457 oder 724461.
AZ: Auszeichnung zur Würdigung wissenschaftlicher, künstlerischer oder humanitärer Verdienste um die Verständigung zwischen Gruppen, Religionen, Nationen und Weltanschauungen.
G: 1968.
PT: Isaac Bashevis Singer (1981); Schalom Ben-Chorin (1982); Helene Jacobs (1983); Siegfried Theodor Arndt, Helmut Eschwege (1984); Franz Mußner (1985); Heinz Kremers (1986); Siedlung Neve Shalom (1987); Arbeitskreis "Studium in Israel" (1988); Sir Yehudi Menuhin (1989); Charlotte Petersen (1990).

M 120 Georg-Büchner-Preis

ST: Deutsche Akademie für Sprache und Dichtung, Darmstadt (-> I 60).
AZ: Auszeichnung von Schriftstellern und Dichtern, die in deutscher Sprache schreiben, durch ihre Arbeiten und Werke in besonderem Maße hervortreten und an der Gestaltung des gegenwärtigen deutschen Kulturlebens wesentlichen Anteil haben.
G: 1923 (1933 bis 1944 nicht verliehen).

PT: Martin Walser (1981); Peter Weiss (1982); Wolfdietrich Schnurre (1983); Ernst Jandl (1984); Heiner Müller (1985); Friedrich Dürrenmatt (1986); Erich Fried (1987); Albert Drach (1988); Botho Strauss (1989); Tankred Dorst (1990).
L: Der Georg-Büchner-Preis 1951-1987. Eine Dokumentation [...] aktualisiert und ergänzt von Michael Assmann. München: Piper, 1987.

M 140 Ida-Dehmel-Literaturpreis
ST: GEDOK (-> K 50).
G: 1968.
PT: Barbara Frischmuth (1983); Eva Zeller (1986); Brigitte Kronauer (1989).

M 160 Deutscher Jugendliteraturpreis
ST: Bundesministerium für Jugend, Familie, Frauen und Gesundheit, Bonn *und* Arbeitskreis für Jugendliteratur (-> L 130).
AZ: Anregung des Umgangs mit guter Jugendliteratur; Maßnahme im Bereich der außerschulischen Jugendbildung.
G: 1956.
PT: *Bilderbuchpreis:* Margret Rettich (1981); Susi Bohdal (1982); Annegret Fuchshuber (1984); Annalena McAfee (1985); Tony Ross (1986); David McKee (1987); Marit Kaldhol, Wenke Øyen (1988); Nele Maar (1989). - *Kinderbuchpreis:* Jürgen Spohn (1981); Guus Kuijer (1982); Robert Gernhardt (1983); Gudrun Mebs (1984); Roald Dahl (1985); Els Pelgrom (1986); Achim Bröger, Nell Graber (1987); Joke van Leeuwen (1988); Iva Procházková (1989). - *Jugendbuchpreis:* Willi Fährmann (1981); Myron Levoy (1982); Malcolm J. Bosse (1983); Tilman Röhrig (1984); Isolde Heyne (1985); Dagmar Chidolue (1986); Inger Edelfeldt (1987); Gudrun Pausewang (1988); Ingeborg Bayer, Cynthia Voigt (1989). - *Sachbuchpreis:* Herrmann Vinke (1981); Cornelia Julius (1982); Christina Björk (1984); Gisela Klemt-Kozinowski, Helmut Koch, Luise Scherf, Heinke Wunderlich (1985); Klas E. Everwyn (1986); Charlotte Kerner, Huynh Quang Nhuong (1987); Lena Anderson, Christina Björk, Paul Maar (1988).
L: 30 Jahre Deutscher Jugendliteraturpreis, 1956-1985. Hrsg. vom Arbeitskreis für Jugendliteratur e. V. München 1986; Kinderliteratur in der Bundesrepublik Deutschland. München 1983; Jugendliteratur in der Bundesrepublik Deutschland. München 1986.

M 170 Deutscher Kritikerpreis
ST: Verband der deutschen Kritiker (-> K 200).
AZ: Auszeichnung für herausragende Werke auf den Gebieten Literatur, Musik, Film, Theater, Tanz, Bildende Kunst und Fernsehen.
G: 1950/1951.
PT: *Literatur:* Sarah Kirsch (1981); Paul Nizon (1982); Christoph Hein (1983); Gerd Henninger (1984); Peter Maiwald (1985); Einar Schleef (1986); Robert Gernhardt (1987), Jürgen Fuchs (1988); Irene Dische (1989).

M 180 Alfred-Döblin-Preis
ST: Günter Grass und Akademie der Künste (-> I 70).

AZ: Auszeichnung eines noch nicht publizierten epischen Werkes.
G: 1978.
PT: Gerd Hofmann (1982); Gerhard Roth (1983); Stefan Schütz (1985); Libuse Moníková (1987); Edgar Hilsenrath, Einar Schleef (1989).

M 190 Annette-von-Droste-Hülshoff-Preis
ST: Landschaftsverband Westfalen-Lippe, Landeshaus, D-4400 Münster. - Tel.: 0251-5913856.
AZ: Auszeichnung besonderer dichterischer Leistungen in hoch- und niederdeutscher Sprache.
G: 1935.
PT: Max von der Grün (1981); Hans Georg Bulla (1985); Rudolf Hartung (1987).

M 200 Drostepreis für Dichterinnen
ST: Stadt Meersburg, Kulturamt, Rathaus, D-7758 Meersburg. - Tel.: 07532-82210.
AZ: Ehrung einer lebenden Dichterin deutscher Sprache. Das Schaffen der Preisträgerin soll der geistigen Linie von Annette Freiin von Droste-Hülshoff entsprechen.
G: 1956.
PT: Maria Menz, Dorothee Sölle (1982); Marie-Therese Kerschbaumer (1985); Elisabeth Plessen (1988).

M 210 Eichendorff-Literaturpreis
ST: "Wangner Kreis" und Gesellschaft für Literatur und Kunst "Der Osten" e. V., Lörrach.- Geschäftsführung: Rathaus, D-7988 Wangen i.A. - Tel.: 07522-74240.
AZ: Die Auszeichnung wird für auffallende künstlerische, insbesondere literarische Leistungen vergeben, die sich durch besondere humane Gesinnung auszeichnen und dem Geist der Verständigung und Versöhnung zwischen den Menschen dienen.
G: 1923/1956.
PT: Eberhard Cyran (1981); Christine Busta (1982); Ruth Storm (1983); Reiner Kunze (1984); Dietmar Scholz (1985); Peter Lotar (1986); Dietmar Grieser (1987); Richard Wolf (1988).

M 220 Sigmund-Freud-Preis
ST: Deutsche Akademie für Sprache und Dichtung (-> I 60).
AZ: Der Preis wird für wissenschaftliche Prosa verliehen.
G: 1964.
PT: Kurt von Fritz (1981); Arno Borst (1982); Peter Graf Kielmansegg (1983); Odo Marquardt (1984); Hermann Heimpel (1985); Hartmut von Hentig (1986); Gerhard Ebeling (1987); Carl Friedrich von Weizsäcker (1988); Ralf Dahrendorf (1989).

M 230 Friedenspreis des Deutschen Buchhandels
ST: Börsenverein des Deutschen Buchhandels, Großer Hirschgraben 17-21, D-6000 Frankfurt/M. 1. - Tel.: 069-1306.228.
AZ: Die Stiftung *Friedenspreis des Deutschen Buchhandels* dient dem Frieden, der Menschlichkeit und der Verständigung der Völker. Der Preis wird an eine Persönlich-

keit verliehen, die in hervorragendem Maße vornehmlich durch ihre Tätigkeit auf den Gebieten der Literatur, Wissenschaft und Kunst zur Verwirklichung des Friedensgedankens beigetragen hat.
G: 1950.
PT: Lew Kopelew (1981); George F. Kennan (1982); Manès Sperber (1983); Octavio Paz (1984); Teddy Kollek (1985); Wladyslaw Bartoszewski (1986); Hans Jonas (1987); Siegfried Lenz (1988); Václav Havel (1989).
L: Friedenspreis des Deutschen Buchhandels. Reden und Würdigungen. Bd. 1 (1951 bis 1960). 2. Aufl. Frankfurt/M. 1967. - Bd. 2 (1961 bis 1965). Ebd. 1967. - Bd. 3 (1966 bis 1975). Ebd. 1977. - Bd. 4 (1976 bis 1985). Ebd. 1985.

M 240 Friedrich-Gerstäcker-Preis
ST: Stadt Braunschweig, Kulturamt, Steintorwall 3, D-3300 Braunschweig. - Tel.: 0531-4702591.
AZ: Auszeichnung eines hervorragenden Jugendbuches, das der Jugend in fesselnder Darstellung das Erlebnis der weiten Welt vermittelt, wie dies Gerstäcker in seinen Büchern getan hat.
G: 1947.
PT: Klaus Kordon (1982); Sigrid Heuck (1984); Günter Sachse (1986); Rainer M. Schröder (1988).

M 250 Goethe-Preis der Stadt Frankfurt am Main
ST: Magistrat der Stadt Frankfurt am Main, Amt für Wissenschaft und Kunst, Brückenstraße 3/7, D-6000 Frankfurt/M. 70. - Tel.: 069-2128424.
AZ: Auszeichnung einer Persönlichkeit, die durch ihr Schaffen bereits zur Geltung gelangt und deren schöpferisches Wirken einer dem Andenken Goethes gewidmeten Ehrung würdig ist. Der Preis kann auch für literarische Leistungen vergeben werden.
G: 1927.
PT: Ernst Jünger (1982); Golo Mann (1985); Peter Stein (1988).

M 310 Brüder-Grimm-Preis der Stadt Hanau
ST: Stadt Hanau, Kulturamt, Schloßplatz 3, D-6450 Hanau. - Tel.: 06181-295498.
G: 1983.
PT: Wolfgang Hilbig (1983); Waltraud Anna Mitgusch (1985); Wilhelm Bartsch (1987); Natascha Wodin (1989).

M 320 Brüder-Grimm-Preis der Philipps-Universität Marburg
ST: Philipps-Universität Marburg und Hessisches Ministerium für Wissenschaft und Kunst, Postfach 3260, D-6200 Wiesbaden. - Tel.: 06121-165435.
AZ: Auszeichnung hervorragender Leistungen auf den Forschungsgebieten der Brüder Jacob und Wilhelm Grimm, insbesondere den Sprach- und Literaturwissenschaften, der Volkskunde, der Deutschen Rechtsgeschichte und der Geschichtswissenschaft.
G: 1942.
PT: Kurt Ruh (1981); Walter Schlesinger (1983); Lutz Röhrich (1985); Hans Fromm (1987); Ruth Schmidt-Wiegand (1989).

M 350 Andreas-Gryphius-Preis

ST: Die Künstlergilde (-> K 40).

AZ: Der Preis wird für ein Lebenswerk oder für einzelne Arbeiten (Prosa, Lyrik, Drama oder Essay) verliehen, die in den letzten fünf Jahren veröffentlicht worden sind und in gültiger Weise den deutschen Osten, Mitteldeutschland oder die Begegnung zwischen Deutschen und den Nachbarvölkern im Osten behandeln.

G: 1957.

PT: *Hauptpreis*: Frank Tumler (1982); Horst Bienek (1983); Hans Sahl (1984); Ernst Günther Bleisch (1985); Hans Werner Richter (1986); Otfried Preußler (1987); Martin Gregor-Dellin (1988); Ilse Tielsch (1989).

M 360 Friedrich-Gundolf-Preis für Germanistik im Ausland

ST: Deutsche Akademie für Sprache und Dichtung (-> I 60).

AZ: Auszeichnung hervorragender Leistungen eines führenden ausländischen Germanisten.

G: 1964.

PT: Leonhard W. Forster (1981); Tomio Tezuka (1982); Jean Fourquet (1983); Stuart Atkins (1984); Mazzino Montinari (1985); Siegbert S. Prawer (1986); Viktor Žmegač (1987); Feng Chih (1988); Leslie Bodi (1989); Konstantin Asadowski (1990).

M 365 Peter-Härtling-Preis für Kinderliteratur

ST: Programm Beltz & Gelbus im Beltz-Verlag, Am Hauptbahnhof, Postfach 1120, D-6940 Weinheim. - Tel.: 06201-60070.

AZ: Auszeichnung eines noch nicht in Buchform erschienenen Prosa-Manuskriptes, das sich an Kinder von 10-14 Jahren wendet.

G: 1984.

PT: Karin Gündisch (1984); Cordula Tollmien, Reinhold Ziegler (1986); Margaret Klare (1988).

M 370 Gerhart-Hauptmann-Preis

ST: Freie Volksbühne e.V., Ruhrstr. 6, D-1000 Berlin 31. - Tel.: 030-870201.

AZ: Auszeichnung eines Einzelwerkes oder mehrerer Stücke eines Dramatikers mit dem Ziele der Nachwuchsförderung.

G: 1953.

PT: *Hauptpreis*: Peter Turrini (1981); Friederike Roth, E.Y. Meyer (1983); Stefan Dähnert (1985); Klaus Pohl (1987); Michael Zochow (1989).

M 380 Johann-Peter-Hebel-Preis

ST: Land Baden-Württemberg, Ministerium für Wissenschaft und Kunst, Königstr. 46, D-7000 Stuttgart 1. - Tel.: 0711-21932284. -

G: 1935.

PT: Maria Menz (1982); Claude Vigée (1984); Peter Bichsel (1986); Michael Köhlmeier (1988).

M 390 Heine-Preis der Landeshauptstadt Düsseldorf

ST: Stadt Düsseldorf, Kulturamt, Postfach 1120, D-4000 Düsseldorf. - Tel.: 0211-899.6131.

AZ: Auszeichnung von Persönlichkeiten, die durch ihr geistiges Schaffen im Sinne der Grundrechte des Menschen, für die sich Heinrich Heine eingesetzt hat, den sozialen und politischen Fortschritt fördern, der Völkerverständigung dienen oder die Erkenntnis von der Zusammengehörigkeit aller Menschen verbreiten.

G: 1972.

PT: Walter Jens (1981); Carl Friedrich Frhr. von Weizsäcker (1983); Günter Kunert (1985); Marion Gräfin Dönhoff (1988); Max Frisch (1989).

M 400 Hermann-Hesse-Preis

ST: Förderungsgemeinschaft der Deutschen Kunst e.V., Postfach 2406, D-7500 Karlsruhe 1. - Tel.: 0721-387454) und Stadt Karlsruhe.

AZ: Auszeichnung eines deutschsprachigen erzählenden Werkes oder eines Werkes aus dem speziellen geisteswissenschaftlichen Bereich der Philosophie, Geschichte und Soziologie zur Ehre Hermann Hesses und zur Förderung des Nachwuchses.

G: 1956/1957.

PT: *Hauptpreis*: Natascha Wodin (1984); Uwe Pörksen (1988).

M 405 Friedrich-Hölderlin-Preis

ST: Stadt Bad Homburg v.d.H., Magistrat, Marienbader Platz 1, D-6380 Bad Homburg. - Tel.: 06172-100240.

G: 1982.

PT: Hermann Burger (1983); Sarah Kirsch (1984); Ulla Hahn (1985); Elisabeth Borchers (1986); Peter Härtling (1987); Karl Krolow (1988); Wolf Biermann (1989).

M 410 Hörspielpreis der Kriegsblinden

ST: Bund der Kriegsblinden Deutschlands e.V. Schumannstr. 35, D-5300 Bonn. - Tel.: 0228-213134.

AZ: Auszeichnung eines deutschsprachigen und im vorausgegangenen Jahr von der ARD urgesendeten Hörspiels zur Förderung dieser Kunstform.

G: 1951.

PT: Peter Steinbach (1981); Gert Hofmann (1982); Gerhard Rühm (1983); Friederike Roth (1984); Heiner Müller (1985); Ludwig Harig (1986); Ror Wolf (1987); Peter Jacobi (1988); Jens Sparschuh (1989).

M 420 Peter-Huchel-Preis

ST: Land Baden-Württemberg *und* Südwestfunk, Hauptabteilung Kultur/Hörfunk, Postfach 820, D-7570 Baden-Baden. - Tel.: 07221-276.2261.

AZ: Auszeichnung eines im zurückliegenden Jahr erstmals in Druckform erschienenen Werkes, das einen bemerkenswerten Beitrag zur Entwicklung der deutschsprachigen Lyrik geleistet hat.

G: 1984.

PT: Manfred Peter Hein (1984); Guntram Vesper (1985); Michael Krüger (1986); Wulf Kirsten (1987); Elke Erb (1988); Luise Schmidt (1989); Ernst Jandl (1990).

M 425 Jean-Paul-Preis

ST: Freistaat Bayern, Bayerisches Staatsministerium für Unterricht und Kultur, Salvatorstr. 2, D-8000 München 2. - Tel.: 089-2186.2561.
AZ: Auszeichnung des Gesamtwerkes eines deutschsprachigen Schriftstellers.
G: 1983.
PT: Hans Egon Holthusen (1983); Friedrich Dürrenmatt (1985); Botho Strauß (1987); Horst Bienek (1989).

M 430 Alfred-Kerr-Preis für Literaturkritik

ST: Verlag und Redaktion des *Börsenblatts für den Deutschen Buchhandel*, Großer Hirschgraben 17-21, D-6000 Frankfurt/M. 1. - Tel.: 069-1306.339 und 1306.340.
AZ: Auszeichnung eines bemerkenswerten Literaturteils einer Zeitung oder Zeitschrift bzw. eines Hörfunk-/Fernsehprogramms.
G: 1976/1977.
PT: Redaktion der Schweizer Literaturzeitschrift *Drehpunkt* (1981); Redaktionen der *Protokolle* und der *Manuskripte* (1982); Redaktion der Literaturbeilage der *Frankfurter Allgemeinen Zeitung* (1983); Literaturredaktion der Zeitschrift *profil* (1984); Feuilleton-Redaktion der *Neuen Zürcher Zeitung* (1985); Redaktion der Kinder- und Jugendbuchzeitschrift *Fundevogel* (1986); Kulturredaktion des Stadtmagazins *plärrer* (1987); Redaktion der Literaturzeitschrift *die horen* (1988); Literaturredaktion des Hessischen Rundfunks, 3. Fernsehprogramm (1989).

M 440 Egon-Erwin-Kisch-Preis

ST: Kulturredaktion des *Stern*, Postfach 302040, D-2000 Hamburg 36. - Tel.: 040-41181.
AZ: Auszeichnung hervorragender Reportagen in deutscher Sprache.
G: 1977.
PT: Rolf Kunkel, Volker Skierna, Peter Brügge (1981); Emanuel Eckardt, Günter Kahl, Paula Almquist (1982); Jürgen Leinemann, Hans Conrad Zander, Georg Hensel (1983); Peter Sartorius, Hans Halter, Evelyn Holst (1984); Peter Matthias Gaede, Herbert Riehl-Heyse, Wilhelm Bittorf (1985); Axel Arens (1986); Cordt Schnibben, Carlos Widmann, Christian Jungblut (1987); Peter Schille, Johanna Romberg, Axel Hacke (1988); Michael Gleich, Erwin Koch, Wibke Bruhns (1989).

M 445 Kleist-Preis

ST: Heinrich-von-Kleist-Gesellschaft (-> L 290).
AZ: Auszeichnung besonderer Leistungen auf dem literarisch-künstlerischen Gebieten, auf denen Kleist tätig war.
G: 1984.
PT: Alexander Kluge (1985); Diana Kempff (1986); Thomas Brasch (1987); Ulrich Horstmann (1988); Ernst Augustin (1989); Heiner Müller (1990).

M 450 Kogge-Literaturpreis

ST: Stadt Minden, Rathaus, Postfach 3080, D-4950 Minden. - Tel.: 0571-89248.
AZ: Förderung deutscher und ausländischer Literatur aller Gattungen mit dem Ziele der Völkerverständigung.

G: 1962.
PT: Joachim Seyppel (1981); Rudolf Otto Wiemer (1985); Anton Fuchs (1989).

M 460 Kulturpreis des Deutschen Gewerkschaftsbundes
ST: Bundesvorstand des Deutschen Gewerkschaftsbundes, Abt. Medien - Kultur - Freizeit, Postfach 2601, D-4000 Düsseldorf 1. - Tel.: 0211-4301383.
AZ: Auszeichnung kultureller Leistungen, die die geistigen und sittlichen Kräfte der sozialen Bewegung stärken durch Werke der Kunst oder der Wissenschaft, durch praktische soziale kulturelle oder kulturpolitische Tätigkeit.
G: 1963/1964.
PT: Clément Moreau, Bettina Eichin (1988); Werner Ruhnau, "junges forum" (1989).

M 470 Kulturpreis deutscher Freimaurer
ST: Großloge der Alten Freien und Angenommenen Maurer von Deutschland, GM Dr. Helmut Zetzsche, Großkanzler Hans-Joachim Jung, Ettighofferstr. 64, D-5300 Bonn 1. - Tel.: 0228-626230.
AZ: Anerkennung und Betonung freimaurerischen Denkens und Handelns, auch Anerkennung künstlerischen Schaffens, wobei kein Unterschied zwischen Freimaurern und Nichtfreimaurern gemacht wird.
G: 1977/1978 (vorher: Literaturpreis deutscher Freimaurer).
PT: Johannes Mario Simmel (1981); Lew Kopelew.

M 475 Elisabeth-Langgässer-Preis
ST: Stadt Alzey, Kulturamt, Obermarkt 20, D-6508 Alzey 1. - Tel.: 06731-495.201.
AZ: Auszeichnung von Werken, die sich durch den sprachlichen Ausdruck würdig in die Nachfolge E. Langgässers einreihen.
G: 1988.
PT: Luise Rinser (1988).

M 480 Lessing-Preis
ST: Senat der Freien und Hansestadt Hamburg, Kulturbehörde, Hamburger Straße 45, D-2000 Hamburg 76. - Tel.: 040-291882468.
AZ: Würdigung von Dichtern, Schriftstellern und Gelehrten, deren Werke und Wirken unter dem hohen Anspruch, den der Namensgeber des Preises setzt, Auszeichnung verdienen.
G: 1929/1930.
PT: Rolf Hochhuth, Agnes Heller (1981); Hartmut von Hentig (1985); Alexander Kluge (1989).

M 490 Großer Literaturpreis der Bayerischen Akademie der Schönen Künste
ST: Bayerische Akademie der Schönen Künste (-> I 90).
AZ: Würdigung eines deutschsprachigen literarischen Gesamtwerkes.
G: 1950 (ab 1985: Großer Literaturpreis).
PT: Botho Strauß (1981); Wolfgang Hildesheimer (1982); Tankred Dorst (1983);

Rose Ausländer (1984); Karl Krolow (1985); Hans Werner Richter (1986); Hans Magnus Enzensberger (1987); Hilde Spiel (1988); Dieter Kühn (1989); Martin Walser (1990).

M 510 Thomas-Mann-Preis

ST: Senat der Hansestadt Lübeck, Amt für Kultur, Rathaushof, Postfach, D-2400 Lübeck 1. - Tel.: 0451-12204102.
AZ: Auszeichnung von Persönlichkeiten, die sich durch ihr literarisches oder literaturwissenschaftliches Wirken ausgezeichnet haben im Geiste der Humanität, die das Werk von Thomas Mann prägte.
G: 1975.
PT: Joachim Fest (1981); Siegfried Lenz (1984); Marcel Reich-Ranicki (1987); Günter de Bruyn (1989).

M 570 Ernst-Meister-Preis

ST: Stadt Hagen, Kulturamt, Rathaus, D-5800 Hagen.
AZ: Auszeichnung eines Schriftstellers zum Andenken an Ernst Meister.
G: 1981.
PT: Christoph Meckel (1981); Oskar Pastior (1986).

M 580 Moses-Mendelssohn-Preis

ST: Der Senat von Berlin, Senator für Kulturelle Angelegenheiten, Europa-Center (-> M 310).
AZ: Förderung der Toleranz gegenüber Andersdenkenden und zwischen den Völkern, Rassen und Religionen. Ausgezeichnet wird jeweils eine Persönlichkeit, Gruppe oder Institution, die durch ihr Wirken auf geistig-literarischem oder religiös-philosophischem Gebiet oder durch praktische Sozialarbeit sich um die Verwirklichung der Toleranz in diesem Sinne verdient gemacht hat.
G: 1980.
PT: Eva G. Reichmann (1982); Liselotte Funcke, Barbara John (1984), Jehudi Menuhin (1986); Helen Suzman (1988).

M 590 Johann-Heinrich-Merck-Preis

ST: Deutsche Akademie für Sprache und Dichtung (-> I 60).
AZ: Auszeichnung und Förderung literarischer Kritik (Kritik und Essay).
G: 1964.
PT: Hilde Spiel (1981); Albert von Schirnding (1982); Albrecht Schöne (1983); Erwin Chargaff (1984); Sibylle Wirsing (1985); Heinrich Vormweg (1986); Reinhard Baumgart (1987); Ivan Nagel (1988); Lothar Baier (1989).

M 600 Mülheimer Dramatikerpreis

ST: Stadt Mülheim a.d. Ruhr, Kulturamt, Postfach 101953, D-4430 Mülheim 1. Tel.: 0208-455.4102. - Telefax: 0208-455.4111.
AZ: Förderung und Auszeichnung deutschsprachiger Autoren, deren Stücke bei den Mülheimer Theatertagen uraufgeführt wurden.

G: 1976.
PT: Peter Greiner (1981); Botho Strauß (1982); George Tabori (1983); Lukas B. Suter (1984); Klaus Pohl (1985); Herbert Achternbusch (1986); Volker Ludwig (1987); Rainald Goetz (1988); Tankred Dorst (1989).

M 610 Petrarca-Preis
ST: Petrarca-Stiftung.
G: 1975.
PT: Tomas Tranströmer (1981); Ilse Aichinger (1982); Gerhard Meier (1983); Gustav Janus (1984); Hermann Lenz (1987); Philippe Jaccottet (1988); Jan Skácel (1989); Paul Wühr (1990).

M 620 Wilhelm-Raabe-Preis
ST: Stadt Braunschweig, Kulturamt (-> M 240).
AZ: Auszeichnung eines lebenden Schriftstellers deutscher Sprache für ein hervorragendes episches Werk.
G: 1944.
PT: Hermann Lenz (1981); Alois Brandstetter (1984); Siegfried Lenz (1987).

M 630 Fritz-Reuter-Preis
ST: Stiftung F.V.S. (-> L 530).
AZ: Förderung der niederdeutschen erzählenden Literatur.
G: 1954.
PT: Gernot de Vries (1982); Irmgard Harder (1985).

M 660 Nelly-Sachs-Preis
ST: Stadt Dortmund, Kulturamt, Kleppingstr. 21-23, D-4600 Dortmund 1. - Tel.: 0231-54225177.
AZ: Auszeichnung von Persönlichkeiten, die überragende schöpferische Leistungen auf dem Gebiet des künstlerischen oder geistigen Lebens hervorbringen, die eine Verbesserung der kulturellen Beziehungen zwischen den Völkern anstreben, die sich der Förderung der zwischenstaatlichen Kulturarbeit als eines neuen und verbindenden Elementes zwischen den Völkern besonders angenommen und in ihrem Leben und Wirken die geistige Toleranz und Versöhnung unter den Völkern verkündet und vorgelebt haben.
G: 1961.
PT: Horst Bienek (1981); Hilde Domin (1983); Nadine Gordimer (1985); Milan Kundera (1987); Andrzej Szczypiorski (1989).

M 670 Schiller-Gedächtnispreis des Landes Baden-Württemberg
ST: Land Baden-Württemberg, Ministerium für Wissenschaft und Kunst, Königstraße 46, D-7000 Stuttgart 1. - Tel.: 0711-2003.2877.
AZ: Auszeichnung von Persönlichkeiten, die in sprachlich mustergültiger Form ein hervorragendes Werk auf dem Gebiete der Literatur oder der Geisteswissenschaften geschaffen haben. Eine Fördergabe wird an junge Dramatiker verliehen.
G: 1955.

ST: *Ehrenpreis*: Christa Wolf (1983); Friedrich Dürrenmatt (1986); Käthe Hamburger (1989).

M 680 Schillerpreis des Deutschen Volkes
ST: Deutsches Kulturwerk europäischen Geistes (-> L 20).
AZ: Würdigung vorbildhafter Kulturträger für Leistungen auf den Gebieten von Philosophie oder/und Literatur oder/und sonstiger Wissenschaft bei bekennender Haltung zum deutschen Volk.
G: 1969.
PT: Gerhard Schumann (1983); Sigrid Hunke (1985); Hermann Oberthal (1987).

M 690 Schillerpreis der Stadt Mannheim
ST: Stadt Mannheim, Kulturamt, Rathaus E 5, Postfach 2203, D-6800 Mannheim 1. - Tel.: 0621-293.3961.
AZ: Auszeichnung von Persönlichkeiten, die durch ihr gesamtes Schaffen oder ein einzelnes Werk von bedeutendem Rang zur kulturellen Entwicklung in hervorragender Weise beigetragen haben oder aufgrund ihrer bisherigen Arbeit große Leistungen auf kulturellem Gebiet erwarten lassen.
G: 1953/1954.
PT: Leonie Ossowski (1982); Dieter Hildebrandt (1986).

M 700 Arno Schmidt Preis
ST: Arno Schmidt Stiftung (-> L 560).
G: 1981.
PT: Hans Wollschläger (1981); Wolfgang Koeppen (1984); Peter Rühmkorf (1986); Karlheinz Deschner (1988).

M 710 Geschwister-Scholl-Preis
ST: Verband Bayerischer Verlage und Buchhandlungen und Landeshauptstadt München, Kulturreferat, Rindermarkt 3-4, D-8000 München 2. - Tel.:089-233.8497.
AZ: Auszeichnung eines Buches, das von geistiger Unabhängigkeit zeugt, das geeignet ist, bürgerliche Freiheit, moralischen, intellektuellen und ästhetischen Mut zu fördern und dem verantwortlichen Gegenwartsbewußtsein wichtige Impulse zu geben.
G: 1980.
PT: *Auf eigene Hoffnung* (Reiner Kunze, 1981); *Der Sturz des Engels* (Franz Fühmann, 1982); *Widerstand und Verfolgung - Am Beispiel Passaus 1933-1939* (Anja Rosmus-Wenninger, 1984); *Die Neue Unübersichtlichkeit* (Jürgen Habermas, 1985); *Gebranntes Kind sucht das Feuer* (Cordelia Edvardson, 1986); *Störfall* (Christa Wolf, 1987); *Der Brautpreis* (Grete Weil, 1988).

M 720 Stadtschreiber von Bergen
ST: Stadt Bergen-Enkheim (Kulturgesellschaft Bergen-Enkheim mbH, Marktstraße 30, D-6000 Frankfurt 60. - Tel.: 06109-52240).
AZ: Der Preis wurde geschaffen, "um die wachsende Gefährdung unseres kostbarsten Kulturgutes, unserer deutschen Sprache, ins öffentliche Bewußtsein zu rücken und ihr

entgegenzuwirken. Dies geschieht am besten durch die Förderung dessen, der ernsthaft und verantwortlich um die Bewahrung und lebendige Weiterentwicklung unserer Sprache bemüht ist: des freien Schriftstellers".

G: 1974.

PT: Peter Bichsel (1981); Jurek Becker (1982); Günter Kunert (1983); Friederike Roth (1984); Ludwig Fels (1985); Gerhard Köpf (1986); Ulla Hahn (1987); Eva Demski (1988); Katja Lange-Müller (1989).

M 730 Villa-Massimo-Stipendium

ST: Der Bundesminister des Innern in Verbindung mit den für Kunstförderung zuständigen Behörden der Bundesländer. - Bundesministerium des Innern, Referat VtK II 2, Postfach, D-5300 Bonn 1. - Tel.: 0228-681.5553. - Oder: Deutsche Akademie Villa Massimo, Largo di Villa Massimo 1-2, I-00161 Roma (Italien). - Tel.: [0039] 06-420349.

AZ: Bei dem "Villa-Massimo-Stipendium" handelt es sich um einen Studienaufenthalt in Rom von sechs, neun oder zwölf Monaten, der begabten und geeigneten jungen Künstlern zur Förderung ihres Schaffens gewährt wird.

G: 1910/1957.

PT: Thomas Brasch, Hugo Dittberger, Otto Jägersberg, Ingomar Kieseritzky, Roland Lang, Rainer Malkowski, Gerald Zschorch (1981/82); Ulla Hahn, Michael Krüger, Frank-Wolf Matthies, Friederike Roth, Peter Schalmey (1982/84); Uli Becker, Gerhard Köpf, Richard Nöbel, Tina Stotz-Stroheker (1985/86); Jochen Beyse, Ludwig Fels, Wolfgang Hegewald, Margrit Irgang, Bodo Kirchhoff, Hans-Ulrich Treichel (1987/88); Peter H. Gogolin, Klaus Modick, Herta Müller, Hanns-Josef Ortheil, Richard Wagner (1989/90/91).

M 740 Johann-Heinrich-Voss-Preis für Übersetzung

ST: Deutsche Akademie für Sprache und Dichtung (-> I 60).

AZ: Auszeichnung eines übersetzerischen Lebenswerkes und auch einzelner Leistungen.

G: 1958.

PT: Wolfgang Kasack (1981); Heinz von Sauter (1982); Rolf-Dietrich Keil (1983); Anneliese Botond (1984); Elisabeth Schnack (1985); Hanns Helbling (1986); Rudolf Wittkopf (1987); Traugott König (1988); Michael Walter (1989).

M 750 Theodor-Wolff-Preis

ST: Fiduziarische Stiftung Theodor-Wolff-Preis des Bundesverbandes Deutscher Zeitungsverleger e.V. Bonn (Kuratorium des Theodor-Wolff-Preises, Riemenschneiderstraße 10, D-5300 Bonn 2. - Tel.: 0228-376991).

AZ: Die Stiftung verfolgt den Zweck, durch eine wiederkehrende Verleihung des Theodor-Wolff-Preises geistige Unabhängigkeit und demokratisches Verantwortungsbewußtsein als Maßstab für die journalistische Arbeit zu setzen und deren Qualität durch Beispiel und Ermutigung zu fördern.

G: 1960/1961.

PT: Thomas Brey, Peter-Matthias Gaede, Helmut Herles, Christine Jäckel, Robert

Leicht, Anton Sterzl, Volker Stutzer (1981); Olaf Ihlau, Josef Joffe, Heinz W. Koch, Martin Kolbus, Heinh Welz, Jürgen Wolff (1982); Anke Breitlauch, Kathrin Kramer, Klaus-Ulrich Moeller, Klaus Peter Mühleck, Joachim Neander, Christian Schmidt-Häuser, Jutta Stössinger (1983); Thomas Kielinger, Susanne Mayer, Claudia Michels, Daniel Salber, Walter Schmühl, Angela Steffan, Rudolf Strauch, Marianne Wichert-Quoirin (1984); Hans-Frieder Baisch, Bernd Behr, Rudolph Chimelli, Monika Egler, Bernd Kolb, Kurt Leidner, Cordt Schnibben, Sylvia Schreiber (1985); Rolf Antrecht, Reinhard Breidenbach, Rudolf Eickeler, Thomas Hauser, Waltraud Kirsch-Meyer, Monika Schäfer-Feil, Gabriele Stief, Carlos Widmann (1986); Werner Birkenmaier, Ulrich Hauser, Meinra Heck, Ulrike Pfeil, Petra Pluwatsch, Knut Teske, Ulrike Wildermuth (1987); Max Conradt, Ferdos Forudastan, Hermann Meyer-Hartmann, Hans Schiemann, Justin Westhoff, Uwe Wittstock, Cordula von Wysocki (1988).

2 DEUTSCHE DEMOKRATISCHE REPUBLIK

M 810 Johannes-R.-Becher-Preis
ST: Ministerium für Kultur der DDR, Klosterstraße 47, Berlin 1020. - Tel.: [0037] 02-230.
AZ: Herausragende Leistungen auf dem Gebiet der Lyrik.
G: 1958.
PT: Heinz Kahlau (1981); Manfred Streubel (1983); Wulf Kirsten (1985); Armin Müller (1987).

M 820 Lion Feuchtwanger-Preis
ST: Marta Feuchtwanger und Akademie der Künste der DDR (-> I 190).
G: 1970.
PT: Günter de Bruyn (1981); Heinz Bergschicker (1982); Gerhard Scheibner (1983); Kurt David (1984); Volker Ebersbach (1985); Heinz Knobloch (1986); Sigrid Damm (1987); Eckart Krumbholz (1988).

M 830 Theodor-Fontane-Preis für Kunst und Literatur
ST: Rat des Bezirkes Potsdam, Abt. Kultur, Heinrich-Mann-Allee 107, Potsdam 1561 DDR.
G: 1954.
PT: Fritz Gebhardt (1982); Günter Hesse (1984); Konrad Schmidt (1985); Manfred Freitag, Joachim Nestler, Maria Seidemann (1986); Bernd Schremmer (1987).

M 840 Goethe-Preis der Hauptstadt der Deutschen Demokratischen Republik
ST: Stadt Berlin (Ost).
AZ: Der Preis wird für hervorragende Leistungen auf dem Gebiet der Wissenschaft, Technik und Kunst verliehen.
G: 1950.
PT: Eberhard Panitz (1982); Hermann Kant (1987).

M 850 Heinrich-Heine-Preis
ST: Ministerrat der DDR, Klosterstraße 47, Berlin 1020 DDR. - Tel.: [0037]02-230.
G: 1956.
PT: Renate Holland-Moritz (1981); John Erpenbeck (1982); Peter Gosse (1985);
Landolf Scherzer (1986); Manfred Jendryschik (1987); Peter Rühmkorf (1988).

M 860 Lessing-Preis des Ministeriums für Kultur der DDR
ST: Ministerrat der DDR durch den Minister für Kultur (-> M 850).
G: 1954.
PT: Peter Ensikat (1985); Albert Wendt (1987).

M 880 Heinrich-Mann-Preis
ST: Ministerrat der DDR (-> M 85) und Akademie der Künste der DDR (-> I 190).
G: 1950.
PT: Peter Hacks (1981); Christoph Hein, Werner Liersch (1982); Friedrich Dieck-
mann, Helmut H. Schulz (1983); Heinz Czechowski (1984); Helga Königsdorf, Bernd
Leistner (1985); Helga Schubert, Heide Urbahn de Jauregui (1986); Luise Rinser
(1987); Fritz Mirau (1988); Wulf Kirsten (1989).

M 890 Nationalpreis für Kunst und Literatur der DDR
ST: Ministerrat der DDR (-> M 850).
G: 1949.
PT: (bis Redaktionsschluß keine Angaben.)

3 ÖSTERREICH

M 960 Ingeborg-Bachmann-Preis
ST: Landeshauptstadt Klagenfurt, Kulturabteilung, Theaterplatz 3, A-9010 Klagen-
furt. - Tel.: [0043] 0463-537, Kl. 227 und 228.
G: 1977.
PT: Urs Jaeggi (1981); Jürg Amann (1982); Friederike Roth (1983); Erica Pedretti
(1984); Hermann Burger (1985); Katja Lange-Müller (1986); Uwe Saeger (1987); An-
gela Krauss (1988); Wolfgang Hilbig (1989). - *Preis der Klagenfurter Jury (ab 1985:
Preis des Landes Kärnten)*: Eva Demski (1981); Birgitta Arens (1982); Gerhard Köpf
(1983); Renate Schostack (1984); Birgit Kempker (1985); Ingrid Puganigg (1986);
Werner Fritsch (1987); Anselm Glück (1988); Norbert Gstrein (1989).

M 965 Erich-Fried-Preis für Literatur und Sprache
ST: Internationale Erich-Fried-Gesellschaft (-> L 625) *und* Bundesministerium für
Unterricht, Kunst und Sport, (-> M 970).
AZ: Auszeichnung herausragender Leistungen auf dem Gebiet der deutschen Literatur
und Sprache.
G: 1989.
PT: Christoph Hein (1990).

M 970 Großer Österreichischer Staatspreis für Literatur
ST: Republik Österreich, Bundesministerium für Unterricht Kunst und Sport, Abt. IV,
5, Ref. a, Freyung 1, A-1014 Wien. - Tel.: [0043] 0222-66200.
G: 1950.
PT: Friederike Mayröcker (1982); Ernst Jandl (1984); Peter Handke (1987).

M 975 Österreichischer Staatspreis für Kinder- und Jugendliteratur
ST: Bundesministererium für Unterricht, Kunst und Sport (-> M 970).
G: 1985.
PT: Paul Maar, Christine Nöstlinger (1985); Christine Nöstlinger, Hanna Lehnert
(1987).

M 980 Österreichischer Kinder- und Jugendbuchpreis
ST: Bundesministerium für Unterricht, Kunst und Sport (-> M 970).
G: 1955.
PT: Friedl Hofbauer, Lene Mayer-Skumanz, Myron Levoy (1981); Wolf Harranth,
Lene Mayer-Skumanz (1982); Friedl Hofbauer, Vera Ferra-Mikura, Käthe Recheis,
Renate Welsh (1983/84); Meshack Asare, Toshi Maruki, Hans Domenego, Hilde Lei-
ter (1985); Edith Schreiber-Wicke, Gudrun Mebs, Colin Thiele, Hertha Kratzer, Rena-
te Welsh (1986); Gertrud Fussenegger, Hans Domenego, Beat Brechbühl, Christine
Nöstlinger, Toeckey Jones (1987); Hans Domenego, Lene Mayer-Skumanz, Hilary
Ruben, Käthe Recheis (1988).

M 990 Österreichischer Staatspreis für europäische Literatur
ST: Bundesministerium für Unterricht, Kunst und Sport (-> M 970).
G: 1965.
PT: Doris Lessing (1981); Tadeusz Rózewicz (1982); Friedrich Dürrenmatt (1983);
Christa Wolf (1984); Stanisław Lem (1985); Giorgio Manganelli (1986); Milan Kun-
dera (1987); Andrzej Szczypiorski (1988).

M 1000 Österreichischer Würdigungspreis für Kinder- und Jugendlitera-
tur
ST: Bundesministerium für Unterricht, Kunst und Sport (-> M 970).
G: 1980.
PT: Vera Ferra-Mikura (1983); Käthe Recheis (1986); Christine Nöstlinger (1989).

M 1010 Preis der Stadt Wien für Kunst, Wissenschaft und Volksbildung
ST: Magistrat der Stadt Wien, Abt. 7, Friedrich-Schmidt-Platz 5, A-1082 Wien.
G: 1947.
PT: *Literatur*: Michael Guttenbrunner, Otto Breicha (1981); Fritz Habeck (1982); An-
dreas Okopenko (1983); Gerhard Rühm (1984), Hermann Schürrer (1985); Inge Mer-
kel (1986); Oswald Wiener (1987); Jutta Schutting (1988); Elfriede Jelinek (1989). -
Publizistik: Otto Breicha (1981); Barbara Coudenhove-Kalergi (1982); Marthe Robert
(1983); Wieland Schmied (1984); Carl E. Schorske (1985); Hugo Portisch (1986);
Franz Schuh (1987); Hermann Langbein (1988); Ulrich Weinzierl (1989).

M 1020 Georg-Trakl-Preis für Lyrik
ST: Land Salzburg und Bundesministerium für Unterricht, Kunst und Sport (-> M 970).
G: 1952.
PT: *Landespreis*: Christoph Meckel (1982); Alfred Kolleritsch (1987). - *Bundespreis*: Kurt Klinger (1984).

M 1030 Anton-Wildgans-Preis der österreichischen Industrie
ST: Vereinigung österreichischer Industrieller, Schwarzenbergplatz 4, A-1031 Wien. - Tel.: [0043]0222.-71135, Kl. 255.
G: 1962.
PT: Friederike Mayröcker (1981); Ernst Jandl (1982); Jutta Schutting (1983); Peter Handke (1984; nicht angenommen); Gerd Klaus Kaltenbrunner (1985); Kurt Klinger (1986); Inge Merkel (1987); Christoph Ransmayr (1988).

4 SCHWEIZ

M 1110 Großer Preis der Schweizerischen Schillerstiftung
ST: Schweizerische Schillerstiftung (-> L 760).
AZ: Auszeichnung herausragender literarischer Werke.
G: 1920.
PT: Denis de Rougement (1982); Giorgio Orelli (1988).

M 1120 Literaturpreis der Stadt Bern
ST: Stadt Bern, Präsidialdirektion, Abt. Kulturelles, Gerechtigkeitsgasse 79, CH-3011 Bern. - Tel.: [0041] 031-686810, 686988 und 687697.
G: 1939.
PT: Kurt Marti (1981); Paul Nizon (1984); Maja Beutler (1988); Charles Benoit, Urs Helmensdorfer, Amido Hoffmann (1989).

M 1130 Literaturpreis der Stadt Zürich
ST: Stadtrat von Zürich, Präsidialabteilung, Postfach, CH-8022 Zürich. Tel.: [0041] 01-2163111.
G: 1932.
PT: Hans Schumacher (1982); Adolf Muschg (1984); Jürg Federspiel (1986).

M 1140 Gottfried-Keller-Preis
ST: Fondation Martin Bodmer, 19-21 Route du Guignard, CH-1223 Cologny-Genève. - Tel.: [0041] 022-7362370.
G: 1922.
PT: Philippe Jaccottet (1981); Hermann Lenz (1983); Herbert Lüthi (1985); Jacques Mercanton (1989).

M 1150 Schweizerischer Jugendbuchpreis
ST: Schweizerischer Lehrerverein und Schweizerischer Lehrerinnenverein, Ringstraße 54, CH-8057 Zürich. - Tel.: [0041] 01-3118303.
G: 1943.
PT: Hedy Wyss (1981); Christin Osterwalder (1982); Kathrin Zimmermann (1983); Emil Zopfi (1984); Regine Schindler (1985); Sita Jucker (1986); Claudia Schnieper, Felix Labhardt, Max Meier (1987); Ingeborg Rotach (1988).

5 INTERNATIONALER LITERATURPREIS

M 1200 Nobelpreis für Literatur
ST: Nobelstiftung und Schwedische Akademie der Schönen Künste in Stockholm.
G: 1901.
PT: Elias Canetti (1981); Gabriel Garcìa Marquez (1982); William Golding (1983); Jaroslaw Seifert (1984); Claude Simon (1985); Wole Soyinka (1986); Joseph Brodski (1987); Nagib Mahfuz (1988); Camilo José Cela (1989). - *Zur Ergänzung werden hier die Namen der deutschsprachigen Preisträger seit Bestehen des Preises angegeben*: Theodor Mommsen (1902); Rudolf Eucken (1908); Paul Heyse (1910); Gerhart Hauptmann (1912); Carl Spitteler (1919); Thomas Mann (1929); Hermann Hesse (1946); Nelly Sachs (1966); Heinrich Böll (1972); Elias Canetti (1981).
L: Martin, Werner: Verzeichnis der Nobelpreisträger 1901-1987. 2. Aufl. München: Saur, 1988.

VERZEICHNIS DER ABKÜRZUNGEN

*	= Die Bedeutung dieses Hinweises wird zu Beginn der Teile I, K und L erläutert
A	= Allgemeine Zielsetzungen
AT	= Athenäum-Taschenbuch
Aufl.	= Auflage
Ausg.	= Ausgabe
B	= besondere Aktivitäten
BA	= Bestand, Archivmaterial, Ausstellungsstücke
Bd., Bde.	= Band, Bände
begr.	= begründet
DE	= Dokumentationseinheit(en)
DLA	= Deutsches Literaturverzeichnis, Marbach am Neckar
E	= weitere Einrichtungen
ebda.	= ebenda
EW	= Erscheinungsweise
FDH	= Freies Deutsches Hochstift, Frankfurt/M.
fortgef.	= fortgeführt
G	= Gründungsjahr, Stiftungsjahr
GHS-B	= Gesamthochschul-Bibliothek
HAB	= Herzog August Bibliothek Wolfenbüttel
Hrsg.	= Herausgeber, herausgegeben
I	= Inhalt, Gegenstand
Jh.	= Jahrhundert
L	= Literatur, Literaturhinweis
LB	= Landesbibliothek
lfd.	= laufend(e)
LHB	= Landes- und Hochschulbibliothek
MA	= Bedingungen der Mitgliederaufnahme
Mitw.	= Mitwirkung
MZ	= Anzahl der Mitglieder
NFG	= Nationale Forschungs- und Gedenkstätten Weimar
NRW	= Nordrhein-Westfalen
O	= Organe, Organisationsstruktur
P	= Publikationen
PT	= Preisträger
r(d)e	= Rowohlts (deutsche) Enzyklopädie
S.	= Seite
SB	= Staatsbibliothek
Sp.	= Spalte
ST	= Stifter, Träger des Preises
StB	= Stadtbibliothek
StUB	= Stadt- und Universitätsbibliothek
SUB	= Staats- und Universitätsbibliothek
Tb	= Taschenbuch

u.a.	= und andere(s), unter anderem
UB	= Universitätsbibliothek
u.ö.	= und öfter
UP	= University Press
UTB	= Uni-Taschenbücher
V	= Vorstand, Präsidium
vgl.	= vergleiche
WR	= wiss. Reihe
Zs., Zss.	= Zeitschrift, Zeitschriften
zsgest.	= zusammengestellt
Ztg.,Ztgn.	= Zeitung, Zeitungen

REGISTER

Das Register verzeichnet Personen- und Ländernamen, Institutionen, Sachbegriffe, Periodika sowie Titel von Bibliographien, Handbüchern und Lexika (mit mehr als drei Autoren). Die Titel von Büchern und Periodika sind kursiv gedruckt, ebenso die Stellenangaben, die auf den Haupteintrag verweisen. Namen von Städten wurden nur dann aufgenommen, wenn diese als Preisverleiher in Erscheinung treten. Literarische Gesellschaften, Verbände, Institutionen, Periodika u.ä., die den Namen einer Persönlichkeit tragen, sind stets unter dem Familiennamen des Namengebers zu suchen (z.B. Heinrich-Heine-Institut unter Heine-Institut, Gerhart-Hauptmann-Gesellschaft unter Hauptmann-Gesellschaft usw.). *Lehr- und Forschungsinstitute sowie Forschungs- und Arbeitsstellen sind nur dann in das Register aufgenommen, wenn sie über Spezialbestände verfügen.* Die übrigen sind sehr leicht über den Teil I (300 ff. bzw. 1710 ff.) zu finden, da sie dort alphabetisch nach Universitätsorten bzw. Schlagwörtern aufgelistet sind. - Die Fundstellenangaben des Registers verweisen nicht auf Seitenzahlen, sondern auf die laufende Numerierung der Eintragungen. Die für die einzelnen Teile des Handbuches gewählten Buchstaben lassen schon im Register erkennen, ob es sich bei dem entsprechenden Eintrag z.B. um eine Bibliographie, einen Spezialbestand oder eine Forschungsstelle handelt. Dieses Verfahren ermöglicht dem Benutzer eine schnelle Orientierung.

Literaturwissenschaft

Hartmut Böhme /
Nikolaus Tiling (Hg.)
**Leben, um eine Form
der Darstellung zu finden**
Studien zum Werk Hubert Fichtes
Band 10831

Carl Buchner /
Eckhardt Köhn (Hg).
Herausfordeung der Moderne
Annäherung an Paul Valéry
Band 6882

Hermann Burger
**Paul Celan
Auf der Suche nach der
verlorenen Sprache**
Band 6884

Michel Butor
Die Alchemie und ihre Sprache
*Essays zur Kunst und
Literatur. Band 10242*

Ungewöhnliche Geschichte
*Versuch über einen Traum
von Baudelaire*
Band 10959

Mathieu Carrière
**für eine Literatur
des Krieges, Kleist**
Band 10159

Victor Erlich
Russischer Formalismus
Band 6874

Käte Hamburger
Thomas Manns biblisches Werk
Band 6492

Frederik Hetmann
Traumgesicht und Zauberspur
*Märchenforschung, Märchen-
kunde, Märchendiskussion*
Band 2850

Gustav René Hocke
**Europäische Tagebücher
aus vier Jahrhunderten**
Motive und Anthologie
Band 10883

Ralf Konersmann
Lebendige Spiegel
Die Metapher des Subjekts
Band 10726

Jan Kott
Shakespeare heute
Band 10390

Leo Kreutzer
Literatur und Entwicklung
*Studien zu einer Literatur
der Ungleichzeitigkeit*
Band 6899

Fischer Taschenbuch Verlag

Literaturwissenschaft

Fischer Taschenbuch Verlag

Fischer Wissenschaft

Eine Auswahl

Fischer Taschenbuch Verlag

Fischer Wissenschaft
Eine Auswahl

Ralf Konersmann
Lebendige Spiegel
Die Metapher des Subjekts
Band 10726

Dominick LaCapra
Geschichte und Kritik
Band 7395

Dominick LaCapra /
Steven L. Kaplan (Hg.)
Geschichte denken
Band 7403

Charles William Morris
**Grundlagen
der Zeichentheorie
Ästhetik der
Zeichentheorie**
Band 7406

Lionel Trilling
Das Ende der Aufrichtigkeit
Band 7415

Stephen Toulmin /
June Goodfield
Entdeckung der Zeit
Band 7360

Thorstein Veblen
Theorie der feinen Leute
Band 7362

Jean-Pierre Vernant
Tod in den Augen
Band 7401

Paul Veyne
**Die Originalität
des Unbekannten**
Für eine andere
Geschichtsschreibung
Band 7408

**Bildersturm
Die Zerstörung
des Kunstwerks**
Herausgegeben von
Martin Warnke
Band 7407

Lew Semjonowitsch
Wygotski
Denken und Sprechen
Band 7368

Fischer Taschenbuch Verlag

Fischer Wissenschaft
Eine Auswahl

Michail M. Bachtin
**Formen der Zeit
im Roman**
Untersuchungen zur
historischen Poetik
Band 7418

Ernst Cassirer
Der Mythus des Staates
Band 7351

Ernst Robert Curtius
**Kritische Essays zur
europäischen Literatur**
Band 7350

Robert Darnton
**Literaten
im Untergrund**
Lesen, Schreiben
und Publizieren im
vorrevolutionären
Frankreich
Band 7412

Mary Douglas
**Ritual, Tabu und
Körpersymbolik**
Sozialanthropologische
Studien in Industrie-
gesellschaft und
Stammeskultur
Band 7365

Heidrun Hesse
**Vernunft und
Selbstbehauptung**
Band 7343

Max Horkheimer
**Zur Kritik der
instrumentellen
Vernunft**
Band 7355

Martin Jay
Dialektische Phantasie
Band 6546

Fischer Taschenbuch Verlag

Fischer Wissenschaft
Eine Auswahl

Alfred Lorenzer
Das Konzil
der Buchhalter
Die Zerstörung der
Sinnlichkeit
Eine Religionsgeschichte
Band 7340

Bronislaw Malinowski
Magie, Wissenschaft
und Religion /
Und andere Schriften
Band 7335

Das Denken des
Marquis de Sade
Mit Beiträgen von
Roland Barthes, Hubert
Damisch, Pierre Klossowski,
Philippe Sollers,
Michel Tort
Band 7413

Sergio Moravia
Beobachtende Vernunft
Philosophie und
Anthropologie in
der Aufklärung
Band 7410

Herfried Münkler
Machiavelli
Die Begründung des
politischen Denkens
der Neuzeit aus der
Krise der Republik
Florenz
Band 7342

Jean Piaget
Biologie und Erkenntnis
Über die Beziehungen
zwischen organischen
Regulationen und
kognitiven Prozessen
Band 7333

Marthe Robert
Das Alte im Neuen
Von Don Quichotte
zu Franz Kafka
Band 7346

Viktor Šklovskij
Theorie der Prosa
Band 7339

Jean Starobinski
Montaigne
Denken und Existenz
Band 7411

Fischer Taschenbuch Verlag

Wissenschaft bei S. Fischer

Philippe Ariès / André Béjin /
Michel Foucault u. a.
Die Masken des Begehrens und die
Metamorphosen der Sinnlichkeit
272 Seiten. Broschur

Philippe Ariès / Georges Duby (Hg.)
Geschichte des privaten Lebens
1. Band: **Vom Römischen Imperium**
zum Byzantinischen Reich
Herausgegeben von Paul Veyne
640 Seiten mit ca. 490 Abb. Leinen

2. Band: **Vom Feudalzeitalter**
zur Renaissance
Herausgegeben von Georges Duby
624 Seiten mit ca. 500 Abb. Leinen

3. Band: **Von der Renaissance**
zur Aufklärung
Herausgegeben von Paul Veyne
632 Seiten mit ca. 500 Abb. Leinen

Fernand Braudel (Hg.)
Europa: Bausteine seiner
Geschichte
Beiträge von
Maurice Aymard, Fernand
Braudel, Jacques Dupâquier
und Pierre Gourou
173 Seiten. Geb.

Fernand Braudel/Georges Duby/
Maurice Aymard
Die Welt des Mittelmeeres
189 Seiten. Geb.

Ernst Cassirer
Versuch über den Menschen
Einführung in eine
Philosophie der Kultur
381 Seiten. Geb.

Pierre Chaunu / Georges Duby
Jacques Le Goff / Michelle Perrot
Leben mit der Geschichte
Vier Selbstbeschreibungen
246 Seiten. Broschur

Corbin / Farge / Perrot u.a.
Geschlecht und Geschichte
Ist eine weibliche
Geschichtsschreibung möglich?
252 Seiten. Broschur

Umberto Eco
Apokalyptiker und Integrierte
312 Seiten. Broschur

Jacques Heers
Vom Mummenschanz
zum Machttheater
Europäische Festkultur
im Mittelalter. 350 Seiten. Leinen

Lynn Hunt
Symbole der Macht
Macht der Symbole
Die Französische Revolution und
der Entwurf einer politischen Kultur
351 Seiten. Geb.

S. Fischer

Wissenschaft bei S. Fischer

Russell Jacoby
Die Verdrängung der Psycho-
analyse oder Der Triumph
des Konformismus
230 Seiten. Broschur

Jacques Le Goff/Roger Chartier/
Jacques Revel (Hg.)
Die Rückeroberung
des historischen Denkens
Grundlagen der
Neuen Geschichtswissenschaft
287 Seiten. Geb.

Claude Lévi-Strauss/
Didier Eribon
Das Nahe und das Ferne
Eine Autobiographie in
Gesprächen. 263 Seiten. Geb.

Alfred Lorenzer
Intimität und soziales Leid
224 Seiten. Geb.

Herfried Münkler
Im Namen des Staates
428 Seiten Geb.

Mario Praz
Der Garten der Sinne
Ansichten des Manierismus
und des Barock. 270 Seiten. Geb.

Ulrich K. Preuß
Politische Verantwortung
und Bürgerloyalität
295 Seiten. Broschur

Dieter Richter
Das fremde Kind
249 Seiten. 33 Abb. Leinen

Marthe Robert
Einsam wie Franz Kafka
234 Seiten. Geb.

Richard Sennett
Autorität
238 Seiten. Broschur
Civitas
Die Großstadt und die Kultur
des Unterschieds. 343 Seiten. Geb.
Verfall und Ende des
öffentlichen Lebens
408 Seiten. Geb.

Jean Starobinski
Porträt des Künstlers als Gaukler
Drei Essays. Mit zahlreichen
Abbildungen. 168 Seiten. Leinen
Das Rettende in der Gefahr
Kunstgriffe der Aufklärung
400 Seiten. Geb.

Roberto Mangabeira Unger
Leidenschaft
Ein Essay über Persönlichkeit
302 Seiten. Leinen

Michael Walzer
Zweifel und Einmischung
Gesellschaftskritik im
20. Jahrhundert. 352 Seiten. Geb.

S. Fischer

Sozialwissenschaften

Fischer Taschenbuch Verlag

Sozialwissenschaften

Rolf Kloepfer /
Hanne Landbeck
Ästhetik der Werbung
Der Fernsehspot in
Europa als Symptom
neuer Macht
Band 10720

Rolf Knieper
Nationale Souveränität
Versuch über Ende und
Anfang einer Weltordnung
Band 10719

Dieter Lenzen
Krankheit als Erfindung
Medizinische Eingriffe
in die Kultur
Band 10559

Judith LeSoldat
Freiwillige Knechtschaft
Masochismus und Moral
Band 6640

Francoise Loux
**Das Kind und sein
Körper in der
Volksmedizin**
Eine historisch-
ethnographische Studie
Band 10269

Christine Morgenroth
Sprachloser Widerstand
Zur Sozialpathologie der
Lebenswelt von Arbeitslosen
Band 10240

Horst Petri
Erziehungsgewalt
Zum Verhältnis von
persönlicher und gesellschaftlicher Gewaltausübung in
der Erziehung
Band 6639

César Rodriguez Rabanal
Überleben im Slum
Psychosoziale Probleme
peruanischer Elendsviertel
Band 6646

Rolf Vogt
**Psychoanalyse
zwischen Mythos
und Aufklärung**
oder Das Rätsel
der Sphinx
Band 6642

Carl Friedrich von Weizsäcker
Der Garten des Menschlichen
Beiträge zur geschichtlichen
Anthropologie
Band 6543

Fischer Taschenbuch Verlag

fi 860 / 3 b

Die Frau in der Gesellschaft

Gisela Breitling
Der verborgene Eros
Weiblichkeit und
Männlichkeit im Zerr-
spiegel der Künste
Band 4740

Die Malerin Gisela Breitling
bekundet entschiedene Partei-
nahme für Künstlerinnen und
gegen den einseitig männlichen
Kulturbetrieb. Sie weist nach, daß
jedes ästhetische Urteil in Wahr-
heit ein politisches ist. Eine engagierte und brillant formulierte
Auseinandersetzung mit dem
›verborgenen Eros‹ in der Kunst.

Gisela Breitling
Die Spuren des Schiffs
in den Wellen
Eine autobiographische
Suche nach den Frauen
in der Kunstgeschichte
Band 3780

Mit diesem Buch unternimmt
eine Malerin selbst zum ersten
Mal den Versuch, eine
Geschichtsschreibung zu korri-
gieren, die bisher Künstlerinnen
in ein »Eckchen im Vaterhaus der
Kultur« abschob oder sie ganz
ignorierte. Der Bildteil dokumentiert eine versunkene Geschichte,
die es wert ist, rehabilitiert zu
werden.

Fischer Taschenbuch Verlag

Die Frau in der Gesellschaft

**Deutsche Dichterinnen
vom 16. Jahrhundert
bis zur Gegenwart**
Gedichte und Lebensläufe
Herausgegeben und eingeleitet
von Gisela Brinker-Gabler
Band 3701

Diese Anthologie ist der erste
Versuch, eine Tradition deutschsprachiger Lyrik freizulegen, die
in der Literaturgeschichte ver-
schüttet ist. Eine Einleitung über
die Bedingungen schreibender
Frauen, Kurzbiographien, Fotos
und bibliographische Angaben
vervollständigen den Band.

**»Und ich sehe nichts,
nichts als die Malerei«**
Autobiographische Texte
von Künstlerinnen des
18.–20. Jahrhunderts
Herausgegeben
von Renate Berger
Band 3722

Die Entwicklung eines weiblichen Selbstbewußtseins in der
ästhetischen Tradition dokumentiert dieser Band anhand von
Tagebuchaufzeichnungen, Briefen und Lebenserinnerungen von
Malerinnen, Bildhauerinnen und
Grafikerinnen des 18. bis 20. Jahrhunderts.

Fischer Taschenbuch Verlag

Materialien zu Leben, Werk und Wirkung
zeitgenössischer Autoren

Fischer Taschenbuch Verlag